FAMILIEZIEK

Gemeentelijke Hoofdbibliotheek · Beveren ·

Van Martina Cole zijn verschenen:

Gevaarlijke dame*
Ladykiller*
De uitbraak*
De vlucht*
Sterke vrouwen*
Verscheurd*
Vrouwen zonder gezicht
Grof spel*
De wraakneming
Moordvader
Familieziek

*In POEMA-POCKET verschenen

Martina Cole

Familieziek

Gemeentelijke Hoofdbibliotheek · Beveren ·

UITGEVERIJ LUITINGH

© 2005 Martina Cole
All rights reserved
© 2006 Nederlandse vertaling
Uitgeverij Luitingh ~ Sijthoff B.V., Amsterdam
Alle rechten voorbehouden
Oorspronkelijke titel: *The Take*
Vertaling: Fanneke Cnossen
Omslagontwerp: Edd
Omslagfotografie: Kato Tan, modellen Moeder Anne Casting

ISBN 90 245 57445 / 9789024557448
NUR 332

www.boekenwereld.com

Voor de heer en mevrouw Whiteside
Christopher en Karina
Liefs voor jullie allemaal

En voor
Lewis en Freddie, mijn stelletje 'Kahuna-burgers'

Ik bedank iedereen die me tijdens de lange nachtelijke schrijfuurtjes gezelschap heeft gehouden: Beenie Man, David Bowie, Pink Floyd, Barrington Levy, Usher, 50 Cent, Free, Ms Dynamite, The Stones, The Doors, Oasis, The Prodigy, Bob Marley, Neil Young, Otis Redding, Isaac Hayes, Janis Joplin, Ian Dury, Clint Eastwood and General Saint, Bessie Smith, Muddy Waters, Charles Mingus, Edith Piaf, Canned Heat, Steel Pulse, Peter Tosh, Alabama 3... om er maar een paar te noemen.

Proloog

1984

Met ongelovig afgrijzen keek Lena Summers naar haar oudste dochter. 'Je maakt zeker een geintje?'

Jackie Jackson lachte luidruchtig, haar harde lach klonk vrolijk nu. Heel gelukkig ook, ondanks de onderliggende wraakzucht.

'Hij zal het prachtig vinden, mam, en na zes jaar in de lik is hij wel aan een feestje toe.'

Lena schudde haar hoofd en zuchtte. 'Ben je krankzinnig geworden? Na al die streken die hij de afgelopen jaren heeft uitgehaald ga je nog een feestje voor hem geven ook?' Nu klonk er woede in haar stem door. 'Toen hij werd opgepakt hing hij nota bene bij de hoeren rond!'

Jackie sloot haar ogen alsof ze daarmee de naakte waarheid wilde buitensluiten die haar moeder haar in het gezicht slingerde. Ze kende hem beter dan wie ook, ze had er genoeg van dat haar man voortdurend onder vuur lag.

'Hou daarmee op, mam. Hij is mijn man, de vader van mijn kinderen. Het komt allemaal goed, hij heeft zijn lesje heus wel geleerd.'

Lena siste verbijsterd door haar lippen. 'Ben je weer aan de drugs of zo?'

Jackie slaakte een diepe zucht en deed haar uiterste best de vrouw tegenover haar niet uit te schelden. 'Doe niet zo idioot. Ik wil alleen vieren dat hij thuiskomt, dat is alles.'

'Nou, ik kom niet.'

Jackie haalde haar brede schouders op. 'Moet je verdomme zelf weten.'

Joseph Summers stak zijn hoofd boven zijn krant uit en gromde: 'Sla niet zo'n toon aan tegen je moeder.'

Jackie trok verrast een komisch gezicht en zei sarcastisch alsof ze het tegen een baby had: 'Ah, ik begrijp het, pa. Je zit zeker weer op zwart zaad, hè?'

Lena moest een glimlach onderdrukken. Ondanks al haar fouten wist Jackie altijd griezelig precies de spreekwoordelijke spijker op de kop te slaan. Haar man schoof zijn gezicht weer

7

achter de krant en Jackie grijnsde naar haar moeder.

'O, kom nou toch, mam. Zíjn familie is er wel.'

Lena gooide haar hoofd achterover, greep naar haar sigaretten en zei kribbig: 'Des te meer reden om weg te blijven. Niets dan kloteproblemen, die Jacksons. Denk maar eens aan de laatste keer dat we bij elkaar waren.'

Jackie werd weer kwaad en dat was haar aan te zien, ze trok haar grove gezicht in een grimas en probeerde uit alle macht haar woede in te tomen.

'Dat was jouw schuld, mam, en dat weet je donders goed,' siste ze knarsetandend.

Ze stond nu met gebalde vuisten en Lena staarde haar oudste dochter aan, verbaasd over haar enorme woede. Als kind was ze al zo geweest, één verkeerd woord en ze kon razend worden.

De tranen stonden haar dochter in de ogen. Lena wist dat ze die kwaadheid moest zien om te buigen of de gevolgen onder ogen moest zien. Maar ze was eerlijk gezegd moe, doodmoe, maar ook benieuwd naar wat de gevangenis van haar schoonzoon had gemaakt.

'Oké, maak je niet zo druk.'

'Nou, ik ga verdomme niet.' Joe stond op en stampte de kamer uit. Ze hoorden hem in de keuken water opzetten.

'Ik krijg hem wel mee, maak je maar geen zorgen.'

Ze had nu al spijt van haar beslissing.

'Moet je kijken, iedereen ziet zo dat hij net uit de gevangenis is!'

De mannen barstten in lachen uit.

Ze keken naar het puistengezicht van hun vriend toen hij klaar was met het kleine Aziatische meisje dat ze de avond tevoren voor hem hadden geregeld. Hij was eigenlijk al een dag eerder vrijgelaten uit Shepton Mallet, een open inrichting waar hij de laatste zes weken had gezeten. Zijn vrienden hadden hem en zijn vriendin Tracey in een limo opgehaald, en de alcohol had rijkelijk gevloeid. Nog voordat ze de Dartford toltunnel hadden bereikt, had Tracey het al helemaal gehad en tot haar verdriet had hij haar bij het Crossways Hotel afgezet. Ze waren Londen in gegaan en daar had hij iedereen met een gat geneukt. Hij zou te laat thuiskomen maar niemand had de moed hem daarop te wijzen. Hij was dronken, agressief dronken, en geen van allen wilde olie op het vuur gooien. Met Freddie Jackson moest je uitkijken. Ze hielden van hem maar hij was ook een akelige klootzak.

Hij was tot negen jaar veroordeeld voor vuurwapenbezit, poging tot moord en een geweldsmisdrijf, en daar was hij apetrots op. Hij had er nu zes jaar op zitten. In de lik had hij zich geschaard onder wat in zijn ogen de crème de la crème van de onderwereld was en nu, eenmaal buiten, had hij het idee dat hij daar ook bij hoorde.

Voor Freddie Jackson maakte het geen enkel verschil dat ze allemaal meer dan vijftien jaar moesten opknappen. Hij leek wel wat op Sonny Corleone, vond hij zelf. Met hem had je pas rekening te houden.

Freddie Jackson aanbad Sonny, had nooit begrepen waarom zijn personage uit de film was geschoten. De zaken draaiden om hem, hij was veel bedreigender dan die kuttenkop van een Michael. Freddie beschouwde zich als de Godfather van de Southeast. Hij zette dingen recht, maakte trammelant en deed lucratieve zaakjes.

Kruimelwerk kwam in zijn woordenboek niet meer voor. Hij wilde de hoofdprijs, daar ging hij voor en daar bracht niemand hem vanaf.

Hij rolde van het zwetende meisje af. Ze was knap en haar open gezicht bevestigde nog eens zijn overtuiging dat vrouwen uitermate nuttige wezens waren.

Hij keek op zijn horloge en zuchtte. Als hij zich niet als een haas uit de voeten maakte, zou Jackie niet veel van zijn ballen heel laten. 'Kom op, jongens, in de benen, ik heb een afspraak met een man over een getuigenverklaring!'

Danny Baxter kreunde inwendig, maar uiterlijk leek hij opgewonden bij het vooruitzicht. Hij was vergeten hoe waanzinnig en gevaarlijk het leven met Freddie Jackson kon zijn.

Freddies neef Jimmy Jackson lachte met de andere mannen mee. Hij leek als twee druppels water op Freddie en wilde net zo zijn als hij. Hij had Freddie regelmatig in het gevang opgezocht en die was daar heel blij mee geweest. Hij mocht de jongen wel, hij had lef. Bovendien was hij maar negen jaar jonger dan Freddie. Ze hadden veel gemeen.

Vandaag zou hij Jimmy laten zien wat hij in zijn mars had.

Maggie Summers was veertien, maar zag eruit als achttien. Ze leek op haar oudere zuster maar was kleiner en gepolijster. Ze had die prachtige, jeugdige huid en verrukkelijke witte tanden nog, die nog niet door roken en verwaarlozing waren aangetast. Haar grote, open ogen keken vriendelijk de wereld in. Net als haar oudste zus kon ze heel goed voor zichzelf zorgen. In tegenstelling tot haar zuster was dat meestal niet nodig. Nog niet.

Ze was maar een meter zestig lang, had lange benen voor haar lengte en was zich er totaal niet van bewust hoe mooi ze eigenlijk was. In haar schooluniform van zwarte minirok, wit overhemd en marineblauw sweatshirt zag ze eruit alsof ze thuiskwam van haar werk in plaats van uit school, en dat was precies wat ze probeerde uit te stralen.

Lisa Dolan, soms vriendin maar soms ook vijand, zei opgewekt: 'Je zuster geeft vanavond een feestje, hè?'

Maggie knikte. 'Ik ga er nu heen om haar te helpen. Kom je ook?'

Lisa grijnsde vrolijk: 'Ja!'

Ze wilde dolgraag worden uitgenodigd. Ze gingen naast elkaar lopen. Lisa had donker haar en rattentanden. Ze zei bedaard: 'Hé, Maggie, volgens Gina is Freddie Jackson gísteren al vrijgekomen. Dat klopt toch niet, hè?'

Maggie slaakte een zucht. Gina Davis was Tracey Davis' zus, dus als zij dat beweerde, kon er wel eens een greintje waarheid in zitten. Het betekende ook dat als Jackie het hoorde, ze uit haar vel zou springen. Tracey was bij Freddie geweest toen hij werd gearresteerd, maar bij de rechtszaak was ze wijselijk weggebleven. Maggie had aangenomen dat het met een sisser zou aflopen, maar daar leek ze zich in te vergissen. Haar moeder kon er niet over uit, was razend dat haar zwager haar zuster voortdurend de grond in trapte. Lena had het meisje persoonlijk opgezocht en zich er bij Traceys woedende vader van verzekerd dat het nu helemaal over en uit was. Tracey was toen nog maar vijftien geweest. In de afgelopen vier jaar had ze een tweeling gekregen, jongetjes. Freddie trof geen enkele blaam, want ze waren nog maar anderhalf jaar. Eerlijk gezegd had Tracey geen idee wie de vader was, maar ze was helemaal Freddie Jacksons type. Groot en met een stel adembenemende tieten. En volgens Lena was dat het enige waar het bij hem om draaide.

Dankzij haar moeder wist Maggie alles van iedereen in de buurt. Lena hield iedereen in haar greep, en als ze niet het naadje van de kous wist, kwam ze daar op miraculeuze wijze wel achter. Maar tot nu toe had ze er niets over gehoord dat Freddie eerder buiten was.

'Ik haat die Gina, ze is een leugenaarster en als mijn zus dat wist...'

Maggie maakte haar zin niet af, het was zo wel duidelijk wat ze bedoelde. Lisa had geen zin om door Jackie aan een kruisverhoor te worden onderworpen, dus hoopte ze maar dat Maggie haar mond niet voorbij zou praten.

Lisa, een beetje bleker maar gewaarschuwd, stapte snel op een ander onderwerp over.

Leon Butcher was een rond mannetje met nicotinetanden en een bierbuik. Hij woonde met zijn bejaarde moeder en een hoop troep in een driekamerwoning van de gemeente. Hij was pandjesbaas, hij leende met andere woorden kleine geldbedragen in ruil voor een onderpand, meestal sieraden. Vandaag was hij een achttienkaraats ring aan het bekijken met rondom diamantjes. Het was een prachtstuk, eersteklas diamanten, mooie vatting. Hij glimlachte naar het meisje tegenover hem dat het sieraad duidelijk van een familielid had gestolen. Ze had die diepliggende ogen van een heroïnejunk en hij zei vriendelijk: 'Vijftig, meer niet.'

Hij was zeker tien keer zoveel waard en dat wist ze.

Hij gooide de ring op de smerige keukentafel en legde zijn loep weg. Hij stak een sigaret op en inhaleerde diep. Hij had geduld. Dit spelletje had hij al zo vaak gespeeld.

Na een eeuwigheid zei het meisje rustig: 'Oké.'

Hij liep naar de keukenla, haalde er een bundeltje bankbiljetten uit, draaide zich om en keek recht in het gezicht van Freddie Jackson die in de deuropening stond.

'Hallo, Leon,' grinnikte Freddie dronken. 'Is dat geld voor mij?'

Het meisje voelde de atmosfeer haarscherp aan en stond wankelend op.

'Geef hier, dat is mijn schadeloosstelling.'

Met trillende handen gaf Leon het hem.

Freddie telde snel vijf briefjes van twintig en gaf ze aan het meisje. 'Is dat jouw ring, liefje?'

Ze knikte.

'Neem maar mee, schatje, en vergeet dat je hier ooit bent geweest, oké?' Hij glimlachte haar toe en zijn knappe gezicht stond plotseling vriendelijk en open.

Ze pakte de ring en liep zo snel als ze kon de flat uit.

'Zo, nu zijn we met z'n tweetjes, hè, Leon?' Hij liep dreigend op de kleine man toe.

'Wat wil je, Freddie?'

Jackson keek even op hem neer voordat hij zachtjes zei: 'Wat ik wil, Leon? Ik wil jou.'

Hij gaf Leon een kopstoot en de man viel op zijn knieën. Toen haalde Freddie met zijn been uit en gaf hem een knietje in zijn gezicht waardoor zijn hoofd tegen de kunststof keukenkastjes achter hem sloeg. Leon liet zich opzij vallen, rolde zich als een bal op en onderging de aframmeling stilzwijgend en stoïcijns. 'Durf maar eens een aanklacht in te dienen, gore klootzak. Nou, waar is de poet?'

Leon had vreselijke pijn en na een snelle trap in zijn lies riep hij uit: 'In de slaapkamer.'

Freddie sleurde de man niet al te zachtzinnig overeind en gooide hem de kamer door. 'Ga 't halen.'

Hij liep achter Leon aan de slaapkamer in en keek toe hoe hij moeizaam een houten kist onder zijn bed vandaan haalde.

Freddie maakte hem open en zag dat hij propvol zat met bankbiljetten en een klein fortuin aan juwelen. Hij tilde de doos op en stopte hem onder zijn arm.

'Je hebt me zes jaar gekost, Leon. Als ik jou was zou ik maken dat ik wegkwam. Anders kom ik nog een keer terug, begrepen?'

Leon stond nog steeds rechtop en inwendig bewonderde Freddie hem daarom. Hij had hem een flinke afranseling gegeven, de man zou nog wekenlang bloed pissen. Maar de boodschap was overgekomen.

Leon was slechts getuige geweest, daar had hij niets aan kunnen doen. De kit had hem gedwongen een verklaring af te leggen, dat wist hij wel, maar in zijn ogen was Leons misdaad er niet minder om. Hij had de zaak als een kerel moeten oppakken, niet Freddie mogen verraden.

Hij verliet fluitend de flat. Geen slechte dag, bij nader inzien.

Danny Baxter zag hem met de kist onder zijn arm naar de limo teruglopen en moest grinniken toen Freddie even bleef staan om een praatje te maken met een meisje achter een kinderwagen. In deze buurt wemelde het van zulke meisjes en ze waren helemaal Freddies type, voor zover ze een flatje en geen echt leven hadden. En als hij ze een paar centen toeschoof waren ze hem eeuwig dankbaar.

'Hij kan het niet laten, hè?'

Danny zuchtte. Freddies neefje Jimmy was nog maar negentien en had nog een hoop te leren over Freddie Jackson. 'Dit heeft niks te maken met dat ie zo lang opgesloten heeft gezeten.

Freddie is altijd zo geweest. Wij noemden hem altijd "lul-klaar". Als je sommige portretten zag die hij heeft geneukt!' Freddie stapte in de auto en zei hardop: 'Dat heb ik gehoord, Dannyboy. Ik heb je toch gezegd dat de lelijkste mokkels het lekkerst zijn... dankbaar, weet je.'

Ze lachten allemaal.

'Laten we de kroeg in duiken, ja?'

'Zou je niet naar huis gaan, Fred, naar Jackie en de kids?'

Freddie Jackson barstte in lachen uit toen zijn jonge neef dat zei.

'Nee, dat doe ik verdomme niet, Jimmy. Christus, nog even en dat is het énige wat ik nog zie, 's ochtends, 's middags en 's nachts goddomme ook nog! Naar de kroeg, knul, en vlug een beetje!'

Om halfacht begon het in huize Jackson druk te worden, de slingers waren opgehangen en de sandwiches en kippenpootjes wachtten hun tijd af.

Het hele huis rook naar parfum, zeep aan een koord en kool-sla.

De kinderen waren net als Jackie geschrobd en op z'n zon-dags, maar van Freddie Jackson was nog geen spoor te beken-nen.

De overjarige stereo speelde: 'Use It Up And Wear It Out' van Odyssee en Maggie bedacht dat de titelsong uitermate goed paste bij de thuiskomst van haar zwager.

Waar was hij eigenlijk, en waar was Jimmy?

Maggie zag haar moeder met rollende ogen naar haar vader kijken en wist dat Jackie dat ook had gezien. Jackie zag er prachtig uit in een kobaltblauwe top met reusachtige schouder-vullingen en een lange zwarte rok. En ook al zat het allemaal wat strak, ze droeg het elegant. Ze had haar haar om haar ge-zicht geföhnd en zoals altijd veel te veel make-up opgedaan, maar zo was Jackie. De glitter op haar oogleden maakte haar sexy en haar ogen kwamen prachtig uit. Als ze toch eens wist hoe mooi ze eruit kon zien.

Ze sloeg ook behoorlijk wat wijn achterover, dat was geen goed teken.

'Waar is-ie verdomme?' Haar vader zei het luid en duidelijk, het kwam zelfs boven de muziek uit.

'Laat zitten, Joe,' zei Lena wat zachter, ze probeerde een scè-ne in de kiem te smoren.

13

'Jij hebt me meegesleurd, dame, dus ik heb alle recht te vragen waar dat klotefeestnummer is.'

'Hij is net uit de bak, hij zal wel met zijn vriendjes in de kroeg zitten, daar zit jij ook altijd als je hebt gezeten.'

'Ik kom altijd eerst naar huis, Lena, wees eerlijk.'

Hij was in verlegenheid gebracht en bond snel in. Hij wist dat zijn vrouw een reusachtige scène kon trappen als hij iets verkeerds zei. Maar hij kon het niet aanzien zoals Jackson zijn oudste dochter behandelde. Hij misbruikte haar, had haar met drie kinderen laten zitten en een schuld die groot genoeg was om de *Titanic* tot zinken te brengen, en nog deed ze alsof hij iets bijzonders was. Wanneer leerde dat stomme kind haar lesje eens? Hij was een nietsnut, een uitvreter, een klotebloedzuiger.

Jackie was op zichzelf al geen engeltje, maar als Freddie Jackson de verkeerde registers opentrok, werd ze des duivels. Ze hield niet alleen van hem, ze probeerde bezit van hem te nemen. Freddie was een kankergezwel dat zijn dochter opvrat en haar jaloezie kende wat hem betrof geen grenzen.

Nu, na zes jaar betrekkelijke rust, begon het hele circus weer opnieuw en hij wist niet zeker of hij dat wel aankon.

Maddie Jackson was een tenger vrouwtje met groenblauwe ogen en een gewelfde mond. In tegenstelling tot haar fijne gestalte had ze een sterk karakter en kon ze zo opvliegend zijn dat zelfs haar struise schoondochter bang voor haar was. Haar enige zoon was haar apengatje en ze stond niet toe dat iemand een onvertogen woord over hem zei. Ze had talloze malen voor hem gelogen en meineed gepleegd, vanaf school tot aan Old Baily aan toe, en nu kwam haar baby thuis en kon ze haar opwinding nauwelijks onderdrukken.

Ze keek de kleine gemeenteflat rond en nam elk detail in zich op. Het was niet haar smaak, maar ze moest eerlijk toegeven dat Jackie haar best had gedaan. Niet dat ze haar dat ooit zou vertellen, natuurlijk. Ze vulde haar glas bij en slenterde naar de voorkamer terug. Ze zag haar man met een jong meisje praten en slaakte inwendig een zucht. Hij was onverbeterlijk. Hij had altijd een gat in zijn reet, zoals haar moeder placht te zeggen. En door de jaren heen had ze gemerkt dat die opmerking maar al te waar was. Hij had drie buitenechtelijke kinderen en ging met haar zuster en haar beste vriendin naar bed. En toch hield ze van hem. Wie was hier nou krankzinnig?

Ze schepte een bord eten voor haar man op en liep naar hem toe. Tot haar opluchting zag ze dat het meisje de gelegenheid aangreep om zich uit de voeten te maken.

Freddie Jackson senior nam het eten dankbaar aan en inspecteerde de kippenpoot. Hij nam een grote hap en zei met volle mond: 'Als ik hem was zou ik als de donder zorgen dat ik hier kwam. Ik blijf hier niet de hele nacht rondhangen.'

Hij meende het niet. Ze wist dat hij zijn knul dolgraag weer wilde zien. Die was tenslotte het jonge evenbeeld van hemzelf en wie kon daar weerstand aan bieden? Wat was er nou mooier dan dat er een replica van jezelf rondliep? Hij hield van zijn zoon, ook al was hij jaloers op zijn jeugd. Freddie senior was nog altijd charmant, maar drank en een losbandig leven hadden hun tol geëist. Haar zoon moest in elk geval ook een paar trekjes van haar hebben geërfd, want wat Freddie ook deed, hij bleef er goed uitzien.

Maddie zag dat Jackie binnen een paar seconden nog een glas wijn achteroversloeg en herkende de signalen van een van haar schoondochters opkomende, uitzinnige driftbuien. Jackies gezicht zakte als het ware in, alsof het leven eruit wegtrok, en haar ogen waren halfdicht. Het leek alsof ze stoned was en Jackie kennende was ze dat waarschijnlijk ook.

Maddie keek toe hoe de moeder het meisje naar de keuken duwde en haar tot bedaren probeerde te brengen. Op dit soort momenten had ze met Jackie te doen, moest ze aan de tijd denken dat ze zelf nog een jonge vrouw was. Niet als het om uiterlijk ging, maar vanwege de verbijstering dat ze zo werd behandeld door de man die ze aanbad.

Een man die voor zijn kinderen nog niet naar huis kwam, maar zoals gebruikelijk de hele dag bij zijn vrienden rondhing. Zes jaar in de lik en er was niets veranderd.

De kroeg was tjokvol, de muziek dreunde en iedereen trakteerde Freddie. Hij was nu Iemand. Hij was achtentwintig jaar, had op zijn falie gekregen, maar was nu een heel andere man dan degene die al die jaren geleden de gevangenis in was gegaan. Hij hing verhalen op over mensen die ze alleen van naam kenden, maar hij verzekerde hen dat ze nu bloedbroeders waren.

Jimmy maakte zich ongerust dat de tijd zo snel ging en zijn neef geen aanstalten maakte om naar huis te gaan. Laat staan dat hij op tijd was voor zijn eigen feestje.

'Kom op, Freddie, we moeten gaan. Er wordt een groot feest

gegeven, ter ere van jou.' Jimmy's stem klonk nu schril, het was over negenen en hij wist dat er doden gingen vallen. 'Je hele familie zit er en je moeder popelt om je weer te zien.'

Hij wist dat als hij zijn moeder ter sprake bracht, Freddie minder geërgerd zou reageren.

Freddie staarde de jongere man even aan, knuffelde hem en kuste hem boven op zijn hoofd. 'Je bent een verdomd goeie knul, Jimmy, jongen.'

Jimmy wentelde zich in zijn neefs goedkeuring.

'Jij bent het helemaal, Freddie, dat weet iedereen.'

Dat wilde hij horen, móést hij horen.

'Kom mee, jongens, neem een paar flessen mee. Ik moet naar huis waar het afschrikwekkende gezinsleven op me wacht.' Terwijl ze de pub uit liepen sloeg Freddie nog een paar slokken achterover, wees om de paar seconden naar een meisje en lachte haar toe.

Jimmy zag Donny Baxter bewonderend naar hem lonken en begreep voor het eerst waarom zijn neef zo van zijn reputatie genoot. Kleine Jimmy ging er nu vandoor, maar kleine Jimmy was ook een man van een meter vijfentachtig met zijn eigen verlangens.

Freddie was thuis en in zijn wereld zou alles goed komen.

Maddie zag het meisje nogmaals verliefd naar haar man kijken. Vroeger had ze haar wel kunnen vermoorden, maar tegenwoordig was ze eigenlijk wel blij dat ze 's nachts niet meer zo uitgeput raakte. Ze wilde alleen dat hij niet zo open en bloot iedereen versierde, dat was voor haar zo vernederend.

Was dit soort mannen daarom zo aantrekkelijk?

Het geweld? Het gevoel dat je leefde als zij om je heen waren? De kans dat ze binnen een paar dagen, een paar uur zelfs, weer verdwenen waren?

Freddie was niet anders, hij was de fluim uit zijn vaders mond. Dat was ook zo'n uitspraak van haar moeder.

Alsof Maddies gedachten hem tevoorschijn hadden getoverd, reed haar zoon buiten voor in een grote, verlengde limousine. Toen hij de deur uit rolde, hoorde ze zijn rauwe lach. Hij was dronken. Vrolijk dronken, maar evengoed dronken.

Toch stak ze zichzelf een hart onder de riem en rechtvaardigde het feit dat haar zoon zijn gezin in de steek had gelaten met de gedachte dat niemand het hem kwalijk kon nemen. Al die tijd in de bajes, hij moest gewoon stoom afblazen.

Kimberley, Dianna en Roxanna zagen hun vader het overwoekerde tuinpad op lopen. Zonder hun een blik waardig te keuren liep hij straal langs hen heen en stormde het huis binnen.

Kimberley, de oudste die zich de ruzies en knokpartijen nog wel kon herinneren, zei niet veel. De twee jongsten zetten grote, opgewonden ogen op. De man over wie hun moeder steeds maar had lopen bazelen, vloog stinkend naar drank, sigaretten en ongewassen kleren langs hen heen.

Een kleine stoet vrienden volgde hem schaapachtig het huis in. In tegenstelling tot Freddie wisten zij maar al te goed dat ze hier al uren geleden hadden moeten zijn.

Jimmy's vader, James, keek oplettend toe... net als zijn vrouw Deirdre had hij Freddie niet hoog zitten en ze maakten zich er zorgen over dat hun zoon hem zo aanbad.

Jackie hoorde de dreunende stem van haar man en rende op haar hoge hakken de keuken uit. Haar gezicht was één helderrode vlek van woede en opwinding.

'Freddie!' Ze vloog in zijn armen en hij tilde haar moeizaam van de grond. Hij gaf haar een stevige knuffel en zette haar ruw weer neer.

'Jezus, meid, je weegt verdomme een ton! Maak je maar niet ongerust, ik neuk je zo weer in vorm.'

Hij keek opgewekt om zich heen, was trots op zijn hatelijke opmerking en dacht dat hij helemaal de man was. Ze waren tenslotte allemaal voor hem gekomen.

Jackies familie staarde hem vol ongeloof aan, maar Jackie straalde van geluk.

De koning was thuis, moge God de koningin bijstaan.

DEEL EEN

De vrouw, een prettige, kortstondige bloemenpracht
Te zacht voor zaken, te zwak voor macht:
Een onderworpen vrouw of verwaarloosde deerne:
Lelijk wordt ze geminacht; mooi, dan is ontrouw haar deel.
MARY LEAPOR, 1722-1746 'An Essay on Woman'

Geef overspel nooit toe
Zelden komt je voordeel toe.
ARTHUR HUGH CLOUGH, 1819-1861
'The Latest Decalogue'

I

Jackie werd wakker met de zinderende pijn van een kater, haar ogen voelden aan alsof er heet zand in was gestraald en haar tong zat tegen haar verhemelte geplakt.

Ze realiseerde zich onmiddellijk dat haar man niet naast haar lag.

Zelfs na één enkele nacht was ze zich van hem bewust. Na zijn veroordeling had het haar een hele tijd gekost om te accepteren dat hij niet thuis zou komen. Ze was hoogzwanger geweest en had zijn afwezigheid acuut gevoeld. Het was haar bepaald niet meegevallen dat ze hem zo was kwijtgeraakt, maar ze had gewacht. Gewacht en naar hem verlangd. Hij zat in de gevangenis en het enige waar zij aan dacht, was haar man. Er was geen dag voorbijgegaan dat ze hem niet had gemist, het had haar bijna fysiek pijn gedaan.

En nu hij vrij was kon hij zijn eigen huis niet eens terugvinden.

Ze stond zuchtend op het punt uit bed te stappen toen ze de onmiskenbare lach van Roxanna hoorde. Het leek wel een misthoorn, net zo hard als die van haar moeder, maar met de aanstekelijke humor van haar oma.

Ze hoorde haar man even later in lachen uitbarsten en moest glimlachen. Nu de meisjes ouder waren, zou hij vast meer aandacht voor ze hebben. Hij had ze nooit echt kunnen leren kennen. Ze hoopte dat, nu hij eenmaal thuis was, ze een fatsoenlijk gezin zouden worden.

Kimberley kwam de kleine slaapkamer binnen met een mok hete, zoete thee. Ze was negen jaar en leek als twee druppels water op haar vader: donker haar en blauwe ogen, en zijn natuurlijke arrogantie.

'Alles goed, liefje?'

Er klonk een vraag in door en ze wisten het allebei.

'Als je hem zo hoort, zou je denken dat hij in een vijfsterrenhotel heeft gezeten in plaats van in een van Hare Majesteits vakantiekolonies.'

Dit had haar vader kunnen zeggen, wist Jackie, maar Joseph was meer een vader voor de meisjes geweest dan Freddie, dus wat kon hij anders verwachten?

'Kom, kom, Kim. Zonder ons is het moeilijk voor hem geweest.'

'Voor ons allemaal, mam, vergeet dat niet. Je gaat bijna denken dat hij de tijd van zijn leven heeft gehad.'

Ze was wijs voor een kind van negen en wist meer van de wereld dan haar leeftijdgenootjes. Daardoor was haar moeder ook zo vaak boos op haar. Kimberley wist nooit wanneer ze haar mond moest houden.

'Nou, hij is nu toch thuis.'

Kimberley snoof geringschattend en zei: 'En dat zullen we weten ook.'

Freddie had niet gedacht dat hij zoveel van zijn kinderen zou genieten, het waren knappe, slimme meiden. Maar hij wilde ook graag een zoon en na de gymnastiekoefeningen van gisteravond zou dat voor het jaar om was wel eens het geval kunnen zijn. Eén ding moest hij Jackie nageven: ze lustte er net zoveel pap van als hij. Er was alleen een beetje aandacht voor nodig om haar driftbuien op afstand te houden. Een paar complimentjes, hier en daar een aai en hij had haar helemaal ingepakt.

Als hij haar keurig netjes zwanger had gemaakt, dan kon hij weer lekker zijn gang gaan. In sommige opzichten was ze stekeblind, goeie ouwe Jackie. Wat hij ook deed, ze vergaf het hem altijd. Ze begreep hem, en daarom hield hij van haar.

Maar zelfs hij zag wel in dat hij een paar dagen in de buurt moest blijven. Hij wist maar al te goed wat er gebeurde als je in het gevang zat. Mensen nemen dan hun kans waar, proberen dingen van je af te snoepen. Voor zover hij wist was Jackie een diamant geweest, maar je wist het maar nooit. Ze hield van die ouwe éénogige rukker, dus hij zou de boel strak in de gaten houden.

Als ze het met een ander had gehouden, was ze er geweest.

'Heb je in de lik leren koken, pap?'

Roxanna vroeg het heel serieus en hij gaf haar ernstig antwoord, de eieren en bacon lagen in de pan te sissen.

'Nee, liefje, pappie kon al koken. Hoezo?'

Roxanna, met haar zes jaar, zei lieftallig: 'Misschien kunnen we mammie dan wegsturen, jij kookt veel lekkerder.'

Freddie bulderde van het lachen. Die jongste van hem was wel een portret.

Hij keek de keuken rond. Sjofeltjes, maar schoon. Hij moest

aan geld zien te komen, dan kon hij de boel een beetje opknappen. Hij moest een huis hebben dat bij zijn nieuwe status paste. Een paar van die kerels in de gevangenis hadden landhuizen! Lappen grond erbij, een zwembad, en wat had hij helemaal? Een kloterijtjeshuis van de gemeente. Hun kinderen zaten op privéscholen, gingen om met de duurste mensen. Wat zei zijn ouwe maat Ozzy altijd? 'Het gaat niet om wat je weet, maar wie je kent.' Een waarheid als een koe.

Hij had ze in de nor eens goed bekeken en verdomde veel van ze geleerd. Ze kregen allemaal chique grieten op bezoek, die toegeeflijk glimlachten en diamanten aan hun vingers droegen. Hij wist niet waar hij kruipen moest toen Jackie in haar spijkerbroek en sjofele nepleren jas opdook. Ze kon zich ook geen fatsoenlijke plunje veroorloven, dat moet gezegd, ze kreeg geen enkele tegemoetkoming.

Over tegemoetkoming gesproken, hij fronste zijn voorhoofd.

Ze verdiende het, had een paar centen moeten krijgen, niet hoeven teren op de sociale dienst.

Dat zou hij vanmiddag allemaal gaan regelen.

Lena Summers deed de voordeur open en bulderde: 'Je komt net zo binnenvallen als de smerissen, Jimmy.'

Lachend liep Jimmy de keuken in, knikte naar Joseph, pakte een mok van het afdruiprek en schonk hem vol met thee.

'Is ze klaar?'

Lena lachte. 'Is ze dat ooit? Ze is net onder de douche gesprongen.'

Ze was toast aan het smeren en gaf hem automatisch ook een stuk. Genietend begon hij eraan te knabbelen.

'Hoe is het gisteravond afgelopen?'

Hij haalde zijn schouders op, hij leek veel te groot voor de kleine keuken.

Hij was door dik en dun trouw aan zijn neef, maar hij wilde Lena of Joseph ook niet voor het hoofd stoten.

'We hebben een leuke avond gehad, mevrouw Summers, hij was alleen maar een beetje opgewonden, meer niet. Hij heeft eeuwen achter de tralies gezeten...'

'Van mij hadden ze hem mogen houden, verdomme.'

Lena wendde zich tot haar man. 'Jou is niks gevraagd, wel?'

Ze zei weer tegen Jimmy: 'Was Jackie oké? Ik bedoel, hebben ze geen ruzie gehad?'

Hij glimlachte. 'Het was prima, echt waar. Toen ik wegging

23

waren ze aan het schuifelen met een slapende Roxanna tegen Freddies schouder.'

Lena lachte, een paar dagen hoefde ze niet bang te zijn. De ruzie zou toch wel komen, dat wisten ze allemaal. Maar ze wilde dat haar dochter voor die tijd nog een paar gelukkige dagen zou beleven.

Als er twee mensen uit elkaars buurt moesten blijven, dan waren het Freddie en Jackie Jackson. Ze hadden al sinds de schoolbanken verkering gehad en Lena had vanaf het begin een hekel aan hem gehad. Op zijn zachtst gezegd had ze haar handen vol aan Jackie, maar het leek wel alsof hij vanaf dag één bezit van haar had genomen. Ze ging helemaal in Freddie op en in het begin was dat gevoel wederzijds geweest. De kinderen werden al snel na elkaar geboren en daarna ging hij buiten de deur shoppen. En net als haar moeder had Jackie die vrouwen achtervolgd en hun overal de schuld van gegeven. Als Lena haar maar aan het verstand kon peuteren dat zonder dit soort mannen die vrouwen helemaal niet zouden bestaan. Maar ze wist maar al te goed hoe kwetsend het was, hoe je zelfvertrouwen erdoor werd ondermijnd. Het had invloed op elke vezel van je leven totdat het een kwestie van pompen of verzuipen was.

Haar dochter zou nooit leren pompen, bij god. Elke keer zou ze weer een stukje verder wegzakken, ze zou langzaam opgevreten worden door jaloezie en bitterheid.

Maggie stoof de keuken in, een en al lach en Rimmel make-up.

Joe Summers zei goedmoedig: 'Je lift wacht al uren op je.'

Ze grinnikte. 'Dat doet-ie altijd.'

Ze graaide een stuk toast weg en pakte een kop koffie, gaf haar vader en moeder een kus en liep snel het huis uit. Ze liet de mok altijd in zijn auto staan en hij bracht hem als het uitkwam weer terug. Het waren prima kinderen.

Lena en Joe keken toe hoe de grote beer van een jongen als altijd achter haar aan liep.

'Het is een goeie jongen, Joe.'

Joe snoof luidruchtig. 'Ze kan nog verder rondkijken en slechter af zijn. Hij verafgoodt haar. En zij heeft het voor elkaar, houdt hem bij de les.'

'Als hij haar maar niet op haar rug krijgt.'

Joe keek zijn vrouw smalend aan. 'Neem me niet kwalijk, zeg. Daar is ze veel te slim voor, let op mijn woorden.'

Lena ging aan de smalle vurenhouten tafel zitten en zei verdrietig: 'Ze is nog zo jong, Joe. Nog maar veertien.'

'Dat was jij ook, Lena.'

'En kijk wat er van mij is geworden.'

'Zo erg is het toch allemaal niet? Je hebt mij toch?'

Ze lachte smalend. 'Een lot uit de loterij, hè?'

Toen moesten ze allebei lachen en Lena vroeg zich af wat hij zou doen als hij wist dat zijn jongste dochter aan de pil was.

Mannen keken nooit verder dan hun neus lang was.

Micky Daltry was vandaag gelukkig. Zijn vrouw had een goede bui omdat hij een nieuwe jas en nieuwe schoenen voor haar had gekocht. De kinderen waren bij haar moeder en ze zouden chic uit eten gaan om hun trouwdag te vieren.

Ze was een kanjer, zijn Sheila, dat had hij heel goed in de gaten. Ze hield het huis brandschoon, de kinderen zagen er netjes uit en kregen goede manieren bijgebracht. Ze leken allemaal op haar, goddank, en hadden zijn neus. Een topcombinatie.

'Schiet op, Sheila, de taxi kan er elk moment zijn.'

Ze kwam lachend de trap van hun halfvrijstaande huis af. Het was in mat magnolia geschilderd en was haar lust en haar leven. Net als het hoogpolige crèmekleurige tapijt waar de kinderen gek van werden omdat ze bij de deur hun schoenen moesten uittrekken. Dat hoefde bij hun vriendjes niet, die liepen tot ze naar bed gingen op schoenen door het huis. Dan pas, en niet eerder, deden ze hun schoenen en jas uit.

Zelfs hun vader moest zich aan die regel houden, dus was er geen ontkomen aan, zoveel wisten ze wel.

Sheila Daltry was blond, slank – zelfs na drie kinderen nog – en vriendelijk. Ze had een rustig, opgewekt karakter, de volslagen tegenpool van haar man. Micky was luidruchtig, grappig en had het achter de ellebogen. Hij had haar versierd en dat vond ze geweldig.

Toen werd er op de voordeur gebonsd en Micky deed hem met een zwierig gebaar open.

Freddie Jackson stond op de drempel met een grijns op zijn gezicht en een honkbalknuppel in zijn handen.

In een reflex probeerde Micky de deur weer dicht te doen, maar na wat heen en weer getrek duwde Freddie de deur met enige kracht probleemloos open.

Hij kwam binnen en deed de deur zachtjes achter zich dicht.

Sheila keek haar man aan en schudde verdrietig haar hoofd.

Micky was zich rot geschrokken en stak in een smekend gebaar zijn handen naar haar uit. Toen draaide hij zich langzaam naar Freddie om, die opgewekt zei: 'Bied je me geen thee aan?'

Maggie was gelukkig, dolgelukkig. Ze was verliefd en dat was haar aan te zien.

Het verhaal van Freddies feestje deed al de ronde in hun kleine wereldje en Freddie was inmiddels een held. De meiden zouden alleen al eindeloos over de verlengde limo kletsen en hoe decadent die wel niet was. Ze droomden ervan om net zo te zijn als een filmster of popster.

'Heb jij erin gereden, Mags?'

Helen Dunne vroeg dat, vriend of vijand, afhankelijk van op wie de meiden het gemunt hadden.

Maggie schudde haar hoofd. 'Nah, maar wel als ik had gewild. Jimmy heeft er de hele dag in gezeten, hij vond het fantastisch. Zei dat er een bar in zat, alles erop en eraan.' Er was niets van waar, maar iedereen geloofde het maar al te graag.

'Is het waar dat hij Willy Planter eruit heeft gegooid?'

Maggie knikte. 'Willy was helemaal out, stomdronken!'

Ze trok hevig aan haar Benson & Hedges sigaret. 'Jackie zag er prachtig uit, je had haar moeten zien.'

Maggie zei het een beetje treurig. Ze hield zoveel van haar zuster, keek tegen haar op, vertrouwde haar.

De meisjes zuchtten.

'Maar die Freddie is een heerlijke vent.'

Dit zei Carlotta O'Connor, een uit de kluiten gewassen meisje met al een reputatie op het gebied van drank, cannabis en oudere vriendjes.

Ze lachten allemaal spottend, behalve Maggie. Zij zei droogjes: 'Dat zou ik maar niet te hard rondbazuinen, als ik jou was. Mijn zus is een rare als het om hem gaat.'

Het was een waarschuwing, iedereen wist dat. Maggie was kien op alles wat maar in de verste verte leek op kwaadsprekerij over haar zuster. Jackie had haar fouten, maar ze was haar zus en ze hield van haar.

Carlotta glimlachte alleen maar. Ze was populair en voor niemand bang. Hoewel ze het niet graag aan de stok kreeg met Jackie Jackson.

'Jimmy lijkt wel een blijvertje.'

Maggie grinnikte. 'Dat is hem geraden ook.'

Ze wisten wat dat betekende en begonnen haar te jennen. Ze

nam het goed op maar inwendig maakte ze zich ongerust. Nu ze ermee voor de dag was gekomen, was ze bang dat hij haar uit de broek zou kletsen. Maar ze kon hem niet langer weerstaan, ze wilde hem net zo graag als hij haar.

'Gaat het goed, Mags?'

Ze glimlachte stralend. 'Beter dan ooit.'

Micky staarde Freddie Jackson met ongelovig afgrijzen aan. Sheila stond nog steeds op de trap en sloeg gelaten het tafereel voor haar gade.

De taxi toeterde en Freddie zei tegen Sheila: 'Pak die taxi, liefje, en ga naar je moeder. Je echtgenoot en ik hebben het een en ander te bepraten.'

Ze knikte en de beide mannen zagen haar het huis uit glippen.

'Leuk optrekje, Micky, je zou mijn huis eens moeten zien. Een klotezooi en er komt geen cent binnen, valse verrader.'

Het volgende moment sloeg de honkbalknuppel tegen Micky's schouder en er schoot een verblindende pijn door hem heen. Hij schreeuwde het uit en viel zwaar op zijn knieën.

'Moet je horen, Freddie...'

'Hou je leugenachtige schurkenbek, pooier. Mijn vrouw had verdomme geen nagels om haar reet te krabben terwijl jij met je gezin van mijn centen een luxeleventje leidde, verdomme. Denk je soms dat ik een mietje ben?'

Micky gilde het nu uit en daar werd Freddie Jackson nijdiger van dan waar het eigenlijk om ging. Hij stak zijn vinger in het gezicht van de man en tierde: 'Jank maar een eind weg, watje. Ik heb heel wat moeten slikken en jou uit de wind gehouden omdat ik loyaal ben, godbetert. Terwijl jij... je hebt mijn gezin nog geen druppel, geen kruimel, helemaal nada gegeven. Ze hebben me opgeborgen voor het beramen van een overval en wapenbezit, en jij zat goddomme met je reet boven op de centen! Je had toch zeker wel verwacht dat ik een keertje langs zou komen, niet? Ik wil m'n geld.'

Micky hield met een pijnlijk gezicht zijn schouder vast en zei door zijn tranen heen: 'Ik kon ze helemaal niks geven. Ik had het alleen voor me...'

Freddie sleurde hem naar de voorkamer. Die was in groene pasteltinten geschilderd en er stond een leren zithoek, een mooie kleuren-tv en een prima geluidsinstallatie. Hij smeet zijn voormalige vriend op de bank en begon de boel systematisch met zijn honkbalknuppel te bewerken, terwijl hij tegen de ineengedoken man schreeuwde en met de knuppel in zijn richting zwaaide.

'Al het geld dat je bij elkaar kon krijgen had naar míjn kinderen moeten gaan, ik heb je uit de lik gehouden, schurftige rukker. Je bent niet eens met Kerstmis wezen kijken hoe het met ze ging! Ik ben verdomme mijn vríjheid kwijtgeraakt en jij zat hier met je klotekroost. Je hebt geen moment aan Jackie gedacht en hoe moeilijk ze de eindjes aan elkaar kon knopen, waar of niet?'

Hij haalde weer met de honkbalknuppel naar de man uit en sloeg hem niet al te zachtzinnig. De crèmekleurige leren bank zat onder het bloed en toen hij even ophield, zag hij dat er een gat in Micky's hoofd zat. Het bloed spoot tegen de velours gordijnen en het latex op het plafond.

Met een klap sloeg hij het grote erkerraam aan diggelen. Hij zag dat de buren op hun stoepjes de laatste roddels zaten uit te wisselen, maar de meesten hadden hem al succes gewenst, dus voor de politie hoefde hij niet bang te zijn.

Het voelde lekker dat hij zoveel schade had aangericht. Dit moest gaan rondzingen, hij wilde dat de mensen wisten dat hij er weer was. Hij was terug op straat en kwam zijn rekeningen vereffenen, de oude én de nieuwe. Hij zou in een verraderlijk wespennest terechtkomen en hij nam niet met minder genoegen dan complete alleenheerschappij over dat wereldje. In de gevangenis had hij een hoop geleerd, en die kennis en zijn nieuw opgedane contacten zou hij volledig uitbuiten.

Micky had hem jarenlang compleet voor de gek gehouden en Freddie had daar nu een eind aan gemaakt, hem laten zien dat met hem niet te spotten viel.

Ze zouden een paar vrienden ontmoeten en de kofferbak zat tjokvol wapens. Micky was onderweg bij een sigarenzaak uit de auto gesprongen om een pakje Rothmans te kopen toen de smerissen Freddie te pakken hadden genomen. Hij had zich natuurlijk hevig verzet, en ontkend dat Micky Daltry ook maar in de buurt was. Freddie kreeg de maximale straf van negen jaar voor wapenbezit en had zijn kop omlaag en zijn kont omhooggestoken, wat te verwachten viel. Maar Micky had voor zijn gezin moeten zorgen. Micky was de dans ontsprongen en daar zat Freddie niet mee. Waarom ook? Beter dan allebei in het gevang te belanden, deze keer was hij gewoon de pineut. Zo zat het leven nu eenmaal in elkaar, risico van het vak.

Maar Micky had hem laten verrekken. Hij had niets voor hem gedaan, zelfs niet geprobeerd een borgsom te regelen, niets, niente. Destijds was Freddie nog maar een jochie geweest, hij wist gewoon niet beter.

Nu wist hij wel hoe de zaken in elkaar staken.

Wanneer hij in de lik zijn zin niet kreeg, ging hij met iedereen op de vuist, cipier of medegevangene, en vestigde zo een reputatie dat hij een keiharde was. Uiteindelijk had hij het predicaat extreem gevaarlijk gekregen en was hij naar de gesloten afdeling in Parkhurst overgebracht. Daar had hij zich met het neusje van de zalm van de onderwereld opgehouden.

Er was een man bij, Ozzy heette hij, een crimineel in hart en nieren en ook nog eens blokoudste bij wie je op je tellen moest passen. Die zag wel wat in Freddie. Hij had hem onder zijn hoede genomen en niet alleen laten zien hoe je iemand elegant een aframmeling kon geven, maar hij had hem ook op zijn sterke kanten gewezen.

Ozzy was een goede leermeester geweest en Freddie een gretige leerling.

Nu hij vrij was, zou hij voor Ozzy gaan werken, een beetje drugshandel of deurwaardertje spelen. Standaard zou hij voor de Clancy's gaan werken, maar dat waren allemaal zaakjes van Ozzy. Freddie was vastbesloten om zichzelf omhoog te werken, hij wilde een beter leven. Hij had zonder al te veel drukte iedereen een pak rammel gegeven en om die reden had Ozzy hem eruit gepikt.

Micky Daltry daarentegen had hem helemaal links laten liggen. Voor hem bestond Freddie niet meer en Micky had gedacht dat hij nog steeds achter slot en grendel zat. Voor de mensen buiten leek zes jaar ook zo ver weg. Maar binnen gingen ze tergend langzaam voorbij, vaker wel dan niet met drugs, om de tijd te doden.

Maar, zoals Micky had ontdekt, was de tijd eindelijk om.

Nu ging hij oude rekeningen vereffenen, meningsverschillen gladstrijken. Kortom, de man moest begrijpen dat hij op de verkeerde weg zat.

Micky moest begrijpen dat niemand, maar dan ook niemand, over hem heen zou lopen.

Maar Micky Daltry zou nooit meer lopen.

Lena keek toe hoe Jackie de steak en zelfgebakken frites voor haar man klaarmaakte. Schoorvoetend moest ze hem nageven dat hij een paar mille voor haar bij elkaar had gescharreld. Nou ja, hij deed tenminste zijn best.

Jackie was champignons en tomaten aan het snijden en Lena zag aan haar gezicht hoe gelukkig ze was, ze had haar wel willen omhelzen. Maar dat deed ze niet, ze was niet erg aanhalig.

Jackie schonk een glas wijn voor hen beiden in en ratelde maar door, zich er niet van bewust dat haar moeder totaal niet lette op wat ze zei.

'Hij gaat nieuwe meubels voor ons kopen, mam. Morgen komen de nieuwe tv en de slaapkamermeubels voor de kinderen... o, mam, ze zijn zo fantastisch.'

Door de opgewonden toon in haar stem schrok haar moeder op uit haar mijmeringen.

'Slaapkamermeubels, met alles erop en eraan, hè?'

Jackie knikte. 'Zelfs Kimberley vindt het helemaal prima, en je weet hoe tegendraads die kan zijn!'

Ze moesten allebei lachen.

'Zijn moeder komt vanavond op de kinderen passen, dan kunnen wij samen naar de kroeg. Ik kan niet wachten, mam. Ik ben zo blij dat hij weer thuis is.'

Ze hield even op met snijden en keek haar moeder recht aan. Toen zei ze zachtjes op ernstige toon: 'Ik heb hem echt gemist, weet je. Als hij er niet is heb ik het gevoel dat er een stukje aan me ontbreekt.' Ze zei het met tranen in de ogen en zonder erbij na te denken sloeg Lena twee armen om haar dochter heen.

'Nu is hij weer thuis, liefje.'

Niet gewend dat haar moeder haar knuffelde, haalde Jackie er alles uit wat erin zat en huilde op Lena's schouder uit. Ze rook naar Blue Grass parfum en sigaretten. Het was een vertroostende, vertrouwde geur en ze genoot van het gevoel dat iemand om haar gaf. Toen klonk er een luide stem: 'Jezus christus, wat is hier aan de hand? Spelen jullie de Waltons of zo?'

Freddie trok Jackie ruw uit haar moeders armen en toen hij de tranen zag, zei hij serieuzer: 'Hé, wat is er met je aan de hand? Waarom huil je, babe?'

Hij schreeuwde tegen zijn schoonmoeder: 'Wat heb je verdomme met haar gedaan?'

Lena slaakte een diepe zucht en haar dochter zei door haar tranen heen: 'Ze heeft helemaal niks gedaan. Ik was in de war omdat ik zo blij ben dat je weer thuis bent en zo. Ik heb je zo gemist, zo lang op je gewacht en nu je er bent...'

Freddie keek naar het gezicht van zijn vrouw en zag haar

liefde, en zo'n verlangen dat ze in staat was een moord voor hem te doen. Plotseling kreeg hij het gevoel dat hij weer in het gevang zat en de muren kwamen op hem af.

Hij trok haar tegen zich aan en zag dat haar moeder zonder achterom te kijken de kamer uit liep. 'Ik ben er weer, Jackie. Alles komt nu goed, je moet er niet zo over doorzeuren.'

Met een paar woorden veegde hij de jaren dat ze alleen met de kinderen was geweest, haar eenzaamheid en haar dagelijkse strijd om het bestaan van tafel. Hij had er genoeg over gehoord en ze wist wel beter dan door te mekkeren, dus genoot ze alleen maar van zijn armen om haar heen.

Dianna kwam de keuken in en verbrak de spanning. Ze zei luid met een Frans accent: 'O *là là!*'

Jackie keek toe hoe haar man zijn dochter optilde en haar een kus gaf. Dianna was al zijn lievelingetje geworden en wond haar vader om haar vingertje. Jackie keek dat tafereel eens aan en moest haar jaloezie wegslikken, jaloers op een kind van zeven jaar, haar eigen vlees en bloed.

Ze trok het kind uit zijn armen, gaf haar een speels tikje op haar achterste en zei opgewekt: 'Terug naar je zusjes, jij. Ik probeer hier eten te maken.'

Haar dochter struinde vrolijk de keuken uit en zij draaide zich weer om naar haar echtgenoot. Maar hij zat al in de overjarige koelkast te rommelen op zoek naar een biertje. Ze wist dat het moment vervlogen was. Ze ging verder met koken en zei tegen zichzelf dat ze niet zo achterlijk moest doen. Dianna was een schat van een kind en het was alleen maar goed als hij om haar thuis bleef.

Maggie en Jimmy zaten in de kroeg toen Jackie binnenkwam. Ze waren er vroeg naartoe gegaan en hadden een tafeltje dicht bij de bar bemachtigd. Het begon al lawaaiig en rokerig te worden. Maggie had drie Southern Comfort met limonade achter de kiezen maar voelde er nog helemaal niets van. Ze was, net als al haar vrienden, een doorgewinterde innemer.

Jimmy zat voortdurend naar haar te kijken. Dat deed hij altijd. Ze vond zijn donkere haar en blauwe ogen ongelooflijk aantrekkelijk en ze glimlachte verlegen naar hem terug. Haar moeder zei altijd dat hij naar haar keek alsof ze een reusachtig cadeau was en hij niet kon wachten om dat uit te pakken. Daaarna zei ze wrang: 'Maar zorg ervoor dat er nog iets te raden overblijft, meissie.'

31

Dan moest Maggie lachen, maar nu had ze zich helemaal laten uitpakken en ze was als de dood dat ze hem kwijt zou raken. Toch leek hij verliefder dan ooit en voor dat moment verdween de angst naar de achtergrond.

Ze zag haar zuster binnenkomen en wenkte naar haar.

'Waar is Freddie?'

Jackie trok haar jas uit en zei hardop: 'Mag ik verdomme eerst even gaan zitten, ja!'

Maggie zette grote ogen op. Typisch Jackie. Ze praatte tegen mensen alsof ze oud vuil waren en ze mocht van geluk spreken dat die dat slikten vanwege Freddie en zijn reputatie. Maar Maggie zag alleen maar de grote zus die ze aanbad.

Jimmy fronste zijn voorhoofd, dus zei Maggie vrolijk: 'Wie heeft jou op stang gejaagd?' Een hachelijke opmerking waarmee ze het risico liep dat Jackie haar de huid vol zou schelden, maar ze wist niets anders om de spanning te doorbreken.

Jackie keek haar zusje aan en kreeg een rotgevoel, weer was daar die vertrouwde steek van jaloezie. Ze benijdde Maggie om haar perfecte huid, witte tanden en mooie figuurtje. Ze was jaloers op haar zusje om haar jonge, knappe uiterlijk, en dat ze geen kinderen en verantwoordelijkheden had. Met de thuiskomst van Freddie staken haar oude angsten weer de kop op. Ze wist dat hij haar belazerde, dat ze opnieuw aan zichzelf zou gaan twijfelen en een hekel aan zichzelf zou krijgen. Maar het ergste was nog dat ze wist dat ze zijn rokkenjagerij door de vingers zou zien omdat hij anders bij haar weg zou gaan.

Geen al te best vooruitzicht, voor welk huwelijk ook.

'Sorry, liefje. Haal je wat te drinken voor me?'

Jackie ging zitten en Maggie en Jimmy wisten dat ze de deur in de gaten zou houden en wachten tot haar echtgenoot binnenkwam.

Jimmy zag dat haar handen trilden.

Ze stak met een nadrukkelijk gebaar een sigaret op, wat hem verbaasde. Hij wist wel dat ze meestal onder de pillen zat, van afslankpillen en dexedrine tot aan een paar mandrax toe. Als ze tenminste geen valium en norovail in haar mik had gestopt.

Het was een kwestie van tijd voor de spreekwoordelijke bom zou barsten.

Hij glipte van zijn stoel en liep naar de parkeerplaats buiten. Het was al donker en in de hoek van het parkeerterrein kon hij Freddie nog net onderscheiden. Hij stond tegen de deur van een donkergroene Ford Granada geleund. Jimmy liep langzaam naar hem toe, maar kon horen wat er werd gezegd.

'Ozzie heeft gezegd dat jij me verder zou helpen.' Jimmy schrok van de kruiperige toon in Freddies stem en bleef staan.

'Weet je zeker dat je dit aankunt, Freddie? Dit is het grote werk, makker.' De stem van de man klonk warm, vriendelijk maar er zat een dreigende ondertoon in.

'Ik ben er helemaal klaar voor. Ik weet hoe het werkt, ik sta mijn mannetje.'

'Ontspan nou maar, verdomme, het gaat nergens over.'

De man glimlachte, Jimmy hoorde het aan zijn stem.

Hij drukte zijn sigaret uit en zei: 'Je hoort nog van me.'

Jimmy zag dat Freddie zijn rug rechtte en voelde bijna hoe de opwinding door zijn aderen joeg. 'Dank u wel, meneer Clancy, dat vind ik geweldig.'

'Nog één ding, Freddie.' De man wees naar Jimmy en zei: 'Hoort die verdomde nieuwsgierige wijsneus bij jou?'

Freddie draaide zich om en wenkte Jimmy. Jimmy liep op hem toe en Freddie greep hem stevig bij de schouders. 'Dit is mijn kleine neef, meneer Clancy, Jimmy Jackson.'

'Klein? Jezus, wat voor soort mest hebben ze hem gegeven, paardenstront?'

Ze moesten allemaal lachen.

De man achter het stuur stak zijn hand uit en Jimmy pakte die zenuwachtig aan. Dit was Siddy Clancy en tot nu toe kende hij hem alleen van horen zeggen. In de Southeast was hij hetzelfde als een ster in Hollywood.

'Je hoort van me, oké?'

Freddie knikte weer en de auto scheurde met piepende banden het parkeerterrein af, waarbij hij op een haar na een auto miste toen hij de Dagenham Heathway op draaide in de richting van de A13.

Freddie was helemaal het haantje. Grijnzend pakte hij Jimmy in de houdgreep en begon te zingen. 'Nou komt het grote geld.'

Zijn enthousiasme werkte aanstekelijk en Jimmy begon mee te zingen.

'Godverdomme, Freddie, Siddy Clancy. Wat zeg je me daarvan!'

Freddie werd plotseling ernstig.

'Hij is een lul, en ik ga hem naar z'n moer helpen.'

Jimmy wist niet zeker of hij het goed had gehoord. Siddy Clancy was een schurk, een gevaarlijke klootzak. Niemand haalde het in zijn hoofd om hem iets te flikken, maar dat hield hij wijselijk voor zichzelf.

Freddie legde een vinger tegen zijn lippen en zei: 'Je spreekt hier met niemand over, hoor je, en je mag met me meedoen. Ik maak je wel wegwijs, jongen.'

Jimmy knikte, zoals van hem werd verwacht. Maar plotseling kreeg hij het ijskoud. Dat waren zware jongens, niet bepaald zijn soort, maar dat hield hij voor zich.

In de warme kroeg liep Freddie regelrecht naar een stel meiden aan de bar.

Maggie zag het gezicht van haar zuster en slaakte een zucht.

Jimmy glipte op het bankje naast Maggie, legde zijn arm om haar heen en gaf haar een kus op haar hoofd. Instinctief kroop Maggie dichter tegen hem aan. Jackie zag het gebeuren en voelde de altijd onder de oppervlakte borrelende woede in zich opkomen.

Haar ogen priemden dwars door de kleren van haar man heen, ze stak hem praktisch in de rug. Hij was zich scherp bewust van haar blik. Maar hij ging niet bij zijn vrouw zitten tot hij zoveel met de meisjes had geflirt dat die zich ongemakkelijk voelden en zijn vrouw met een bleek vertrokken gezicht zat.

2

In de rustige kamer klonk Steel Pulse luid uit de speakers, de lucht was zwaar van de hasjrook en de drie mannen keken elkaar behoedzaam aan.

Buiten op straat klonken de normale zomergeluiden van lachende kinderen, rijdend verkeer en af en toe een dreunende autostereo.

'Wat is er met hem aan de hand?'

Freddie schudde ongelovig zijn hoofd, Jimmy stond naast hem en sloeg het tafereel kalmpjes gade.

De grijns op het gezicht van de zwarte man, zijn haar achteloos weggekamd, een spleet tussen zijn tanden, werd breder. Jimmy wist dat dit een gevaarlijke man was. Hij zag er vriendelijk uit, zelfs innemend, maar er blonk een stalen glans in zijn ogen en de onmiskenbare contouren van een machete waren onder zijn lange leren jas zichtbaar. Bovendien stond er een troep trawanten om zijn huis in Zuid-Londen opgesteld.

Glenford Prentiss had een dikke joint tussen zijn vingers, trok er diep aan en zei met norse, doorrookte stem, onderbroken door hevig hoesten: 'Het was klotespul, Freddie, zo is het gewoon, man, niks aan te doen. Ik heb het verkocht en jij hebt je geld. Mijn mannetje heeft het verkloot toen hij die prijs accepteerde. Ik kan alleen maar zeggen dat ik me voortaan persoonlijk met dat soort deals bezig ga houden.'

Hij probeerde zijn keel te schrapen en onderbrak zijn zware Jamaïcaanse accent. Hij was stoned, maar nog wel bij de tijd.

Freddie bekeek de man die voor hem zat. Eigenlijk was hij een goeie vent, hij mocht hem wel en hij had absoluut gelijk. Freddie had Glenford de week daarvoor met shit afgescheept en nu kreeg hij een lesje.

Freddie ging er prat op dat hij zo goed was in lesjes, beoordelen of hij iemand aan zijn kant kon krijgen, inschatten wie tegenstand zou bieden. Hij was Ozzy's rechterhand, dus moest hij op zijn tellen passen, opletten wat hij zei. Ozzy verwachtte van hem dat hij mensen zou áfromen, niet úitkleden. Daar zat een flinterdunne grens tussen en hij wist dat hij eroverheen was gegaan.

Er zat niets anders op dan zijn hand opsteken, zijn mond afvegen en er het beste van te maken.

Hij grijnsde zijn witte tanden bloot waardoor de rimpeltjes om zijn ogen samentrokken. Hij zag eruit als de ideale schoonzoon.

Die brede grijns verloochende zijn levensgevaarlijke persoonlijkheid en Glenford Prentiss wist dat beter dan wie ook. Hij had zijn zegje gedaan, was bereid zich tot het eind toe te verdedigen, maar had zo'n gevoel dat dat niet nodig was. Waarom de boodschapper afschieten? Freddie mocht dan hoog van de toren blazen, hij was tenslotte alleen maar Siddy's loopjongen.

En Ozzy trok aan alle touwtjes.

Dat wist iedereen.

'Het zal niet meer gebeuren.'

Glenford grinnikte. 'Weet ik, kerel.' Toen omhelsde hij Freddie met die aanstekelijke lach van hem. Hij stak hem een bruine envelop tjokvol geld toe. Freddie telde het niet, hij wist dat het wel goed zat.

Nadat Freddie het geld in zijn zak had gestopt, zei Glenford op kalme toon tegen hem: 'Niet geschoten is altijd mis, man, dat weet ik ook wel. Ik had hetzelfde gedaan.'

Hij gaf de joint aan Freddie door die er diep aan trok en de rook een paar seconden in zijn longen hield voordat hij die uitblies. Toen keek hij naar de joint en zei: 'Dit is pas goeie stuff.'

Glenford gniffelde. 'Ik rook nooit wat ik verkoop, jongen. Zeker niet dat spul van de witjoekels.'

Toen moesten ze allemaal lachen en Jimmy voelde de spanning uit de kamer wegtrekken. Hij liet eindelijk zijn adem ontsnappen. Die zwarten stonden hem helemaal niet aan, omdat ze zo onvoorspelbaar waren. Maar Glenford mocht hij wel, vorige week had hij nog tegen Freddie gezegd dat hij alleen het slechte spul aan skinheads moest verkopen, die merkten het verschil toch niet.

Jimmy zei er een paar minuten later in de auto iets over.

'Dat was kantje boord, Freddie. Ik heb het je vorige week nog gezegd, zij weten precies wat ze roken.'

Freddie bracht de auto tot stilstand. Hij draaide zich in de bestuurdersstoel om, keek Jimmy recht aan en zei kil: 'Je hebt me geen lesje te leren, begrepen? We hadden vorige week gewoon een aanvaring, klaar.'

Jimmy zat driftig te knikken. 'Dat weet ik wel, Freddie. Ik bedoel alleen maar...'

'Hou je kop.'

Freddie bleef hem aanstaren en iedereen zag hoe giftig hij was. Jimmy had zijn zegje klaar, maar voelde de dreiging en slikte zijn weerwoord maar in.

Hij was nog geen twintig jaar oud en speelde het spel mee, maar hij vond het steeds moeilijker om zijn woede in toom te houden. Freddie behandelde hem als een loopjongen en dat stak hem. Hij kon zijn eigen boontjes doppen en hij wilde het respect dat hij verdiende.

Freddie sloeg gefrustreerd met zijn vuist op het stuurwiel. 'Sorry, Jim, maar kijk mij nou eens. Ik verkoop nog steeds die shit voor Clancy. Het wordt tijd dat hij uit de droom wordt geholpen, wat Ozzy er ook van mag denken. Hij zit verdomme weet ik 't hoelang nog vast en ik ga niet de rest van mijn leven kruier voor hem spelen.'

Hij startte de auto weer. 'En daar hoef je me heus niet aan te helpen herinneren, gesnopen?' Toen glimlachte hij, een triest, vaag lachje. 'Kom op, laten we een borrel gaan pakken, oké? Er zit een lekker ding van me in Ilford, zet jij me daar af en neem de auto maar mee, goed?'

Hij deed de cassetterecorder aan en de klanken van Phil Collins vulden de benauwde ruimte.

Jimmy zuchtte inwendig. Freddie was al dagen niet thuis geweest en hij wist dat iedereen zich daar stilzwijgend aan ergerde, behalve hijzelf natuurlijk, de man die het allemaal veroorzaakte.

In het afgelopen halfjaar had hij Jackie tot waanzin gedreven en ook al leed iedereen eronder, Freddie ging gewoon zijn eigen gang.

Maggies vader had het altijd al gezegd: zolang vrouwen tieten hadden, zou Freddie Jackson geen spat veranderen.

'Wil jij de kinderen voor me in bad doen?'

Maggie knikte, ging naar boven, zette de badkraan aan en spoot er een flinke scheut badschuim in zodat de kinderen ergens mee konden spelen.

Toen de kinderen erin zaten, waste ze snel hun haar en liet ze nog even alleen met hun speelgoed.

In de voorkamer zag ze dat Jackie nog een fles Liebfraumilch had opengetrokken.

'Waar is-ie, godverdomme? Het lijkt wel of hij weer in de lik zit!'

Lena stond in de keuken en controleerde of haar dochter eten voor de kinderen in de koelkast had. 'Dan hadden ze het je nu wel laten weten,' riep ze sarcastisch.

Maggie had haar moeder wel een mep willen verkopen toen ze dat zei. Zolang Jackie zichzelf nog kon wijsmaken dat Freddie was opgepakt, was ze daar weliswaar niet gelukkig mee geweest, maar ze had tenminste het idee gehad dat haar man niet met het eerste het beste wijf in bed lag te rollebollen.

Jackie sloot verdrietig haar ogen. 'Hij zit weer bij zo'n slet, hè?'

Maggie ging naast haar op de bank zitten en zei vriendelijk: 'Dat weet je niet, Jackie. Bedaar nou wat, die kinderen van je voelen haarscherp aan dat er wat aan de hand is.' Ze stak een sigaret op en gaf hem aan haar terwijl ze tegelijk het wijnglas van haar afnam. 'Dit helpt niet echt, vind je wel?'

Jackie snoof, ze barstte bijna in tranen uit. 'Ik kan er tenminste door slapen.'

Maggie stak ook een sigaret voor zichzelf op. Ze kon er totaal niet tegen als haar zuster er zo aan toe was. Jackie was altijd zo sterk, maar door Freddie bleef er niets van haar over. Lena kwam met nog twee wijnglazen in haar hand binnen. Ze schonk ze snel vol, nipte genietend van het hare en ging op een stoel zitten. Ze zei ernstig: 'Gooi hem eruit, liefje, het is een klootzak.'

Maggie had het wel uit kunnen schreeuwen. Haar moeder leek net een grijsgedraaide grammofoonplaat. Ze had natuurlijk gelijk, maar ze maakte Jackie er alleen maar meer door van streek.

'Laat zitten, mam, zie je niet dat ze zo al over de rooie is?'

Ze probeerde haar moeder met haar ogen te dwingen dat ze haar mond moest houden. Lena haalde haar schouders op, nam nog een slokje van haar wijn en zei op vriendelijker toon: 'Hij is verdomme een echte zak. Je vader was net zo, moest altijd buiten de deur neuken, net een verdomde bloedhond. God, wat heb ik een ruzie om die vette lulhannes gehad...'

Ze moest glimlachen. 'Hé, weet je die buurvrouw nog in Silvertown? Hoe heette ze ook weer?'

Jackie barstte plotseling in lachen uit. 'Maggie was toen nog te klein, mam, dat weet ze vast niet meer. O, je had je gezicht moeten zien!'

Ze lachten en het was een gelukkig, aangenaam geluid. Nu

waren ze bondgenoten. Jackies verdriet was vergeten toen ze aan die grappige herinneringen terugdacht.

'Wat gebeurde er dan?' Maggie was een en al oor, nieuwsgierig naar een van die familieverhalen die altijd over haar vader gingen, of haar zwager, en een of andere vrouw – of een hele rits vrouwen. Maar ze werden vrolijk verteld, ze konden de humor van hun situatie wel inzien en ze moesten er altijd hartelijk om lachen.

'Ik had van mijn zus Junie gehoord dat hij met een blondje aan de wandel was, een buurvrouw, had ze gezegd. Dus ik kijk uit het raam en betrap die lul op heterdaad. Zie ik hem en dat blonde mokkel onze flat binnenlopen. Ik doe het raam open en hij roept iets van: "Kom er zo aan."'

Lena goot nog een slok wijn naar binnen en als altijd schoot haar stem omhoog en naarmate ze meer in haar verhaal kwam, zat ze vervaarlijk met haar sigaret en haar glas te gebaren.

'Hoe dan ook, ik schiet als een kanonskogel die flattrappen af. Ik sjees naar haar toe en heb het haar letterlijk ingewreven. Haar man komt naar buiten en heeft me van haar weggetrokken, Jackie stond hem uit te schelden en je vader drukte z'n kont. Ik had hele plukken haar van die hoer in mijn handen en overal lag bloed... Alle buren stonden te kijken.'

Ze barstten allemaal in lachen uit.

'Wat gebeurde er toen?' grinnikte Maggie toen ze haar moeder en zuster zag bulderen van het lachen.

Lena veegde haar ogen af en zei: 'Nou, zij was het helemaal niet.'

Maggie zette reusachtige ogen op. 'Dat meen je niet.'

Ze hadden het niet meer.

'Nee joh, je vader had een paar dagen daarvoor een hamer van die man van haar geleend en wilde die terugbrengen. Ik had ter plekke wel door de grond kunnen zakken.'

Jackie sloeg haar wijn in twee slokken achterover en wreef schaterend van het lachen met een paar vingers de tranen van haar wangen af.

'O, dat was leuk, mam.'

Lena knikte en zei toen kalm, ernstig: 'Nou, eigenlijk niet dus. We maken er een grap van, maar het was verschrikkelijk. Het arme mens was volslagen bont en blauw. Ik zie haar nog wel eens bij de bingo en voel me er nog schuldig over. Ik heb 'r verdomme voor de ogen van haar kinderen een pak slaag gegeven, en het was een lieve vrouw. Had wie weet misschien zelfs wel een vriendin kunnen worden.'

Maggie hoorde een spoortje verdriet in haar moeders stem doorklinken. Ze kreeg plotseling de neiging om in tranen uit te barsten vanwege de verloren jaren waarin ze achter een man aan had gezeten die met rust gelaten wilde worden. Thuis op een man zat te wachten die helemaal niet thuis wilde komen. Jackie was inderdaad de dochter van haar moeder.

Toen zei Lena effen met haar doorrookte stem van te veel sigaretten en te lange avonden: 'Je leert het wel, Jackie, net als ik, liefie. Ze zijn het niet waard. Als je zo oud bent als ik, blijven ze alleen nog maar thuis omdat niemand anders ze meer wil hebben. Als ik elke keer dat ik achter hem aan ging, om hem heb gevochten, geruzied en geschreeuwd een flap had gekregen, dan zou ik nu een rijke vrouw zijn. Ik heb jullie het hele land doorgesleept om hem in de nor op te zoeken en eigenlijk vond hij dat maar niks.'

Ze sloeg haar laatste wijn achterover.

'Mijn moeder zei altijd tegen me: dat jij hem nou zo graag wil, wil nog niet zeggen dat anderen hem ook graag willen. Ik wou dat ik naar haar had geluisterd, want ze had gelijk.'

Jackie stond onvast op en liep de kamer uit.

Lena slaakte een zucht. 'Je moet bij haar blijven tot hij het zich verwaardigt thuis te komen. Wie weet waar ze toe in staat is.'

Maggie knikte verdrietig. 'Heb je er spijt van dat je met pap bent getrouwd, mam? Eerlijk zeggen.'

Lena glimlachte en haar verbleekte schoonheid kwam goed uit in het licht van de invallende schemering.

'Elke dag, schatje, elke vervloekte dag van mijn leven.'

Maggie dacht eerst dat ze droomde, ze stak haar armen beschermend omhoog en probeerde de opdringerige handen weg te duwen.

Maar ze gingen niet weg. Ze deed haar ogen open en zag in het schimmige licht dat haar zwager Freddie Jackson haar nachtpon omhoog probeerde te schuiven terwijl hij voortdurend haar hals en schouders kuste. Met een schok realiseerde ze zich wat er gebeurde en schoot overeind op de bank. De angst was van haar gezicht af te lezen.

'Niet doen.'

Ze fluisterde, want bang als ze was, ze wist heel goed dat haar zuster haar het hoofd af zou hakken. Ze zou haar de schuld geven als ze dit tafereel in de gaten kreeg.

Freddie toverde zijn gebruikelijke trage glimlach tevoorschijn. Hij had Jackie precies waar hij haar wilde hebben, en dat wisten ze allebei. Hij probeerde Maggie weer in de kussens terug te duwen terwijl hij haar mond met de zijne snoerde; die was vochtig kleverig en het meisje moest kokhalzen. Hij stonk naar bier, hasj en zweet. Hij was een paar dagen geleden de hort op gegaan en zij was bij haar zuster blijven logeren om haar gezelschap te houden en, belangrijker nog, haar kalm te houden. En daar kwam die vent aankakken die het kleine zusje van zijn vrouw probeerde te versieren. Het allerergste was nog dat het niet in Jackie op zou komen dat hij tot zoiets laag-bij-de-gronds in staat was. En ook al was het laagste van het laagste normaal voor hem, Maggie wist dat zij hier vierkant de schuld van zou krijgen.

Ze probeerde hem nu kwaad van zich af te duwen.

'Sodemieter op, Freddie.'

Hij groef zijn vingers in de huid van haar bovenarmen en ze voelde de tranen in haar ogen prikken. Ze werd nu overweldigd door angst, zowel voor hem als voor haar zuster. Ze stompte hem uit alle macht tegen zijn borst.

'Wil je nou godverdegodver opsodemieteren!'

Hij had nog steeds geen woord gezegd. Ze kronkelde in zijn armen en hij keek op haar neer. Ze zag dat hij zich niet liet vermurwen.

'Hou je bek, stom kreng, moeten we die dikzak soms op ons nek krijgen?'

Ergens in zijn door drank en drugs benevelde hersenpan wist hij dat hij fout zat, maar op dit lekkere hapje had hij al een tijdje zijn zinnen gezet. Ze zou van nu af aan voor geen goud meer bij hem in de auto stappen voor een lift naar huis. Dan maar liever met de bus. Ze wist dat haar zuster wantrouwig was, maar ze kon niets bewijzen. Iedereen probeerde altijd rekening te houden met Jackies gevoelens, zo ging het altijd. En toch viel ze om het minste geringste over mensen heen en verwachtte tegelijkertijd dat ze haar trouw bleven, ook al wist ze niet wat dat woord betekende.

De enige persoon aan wie Jackie trouw bleef, was deze bezopen, beestachtige kerel die daar ter plekke een knie tussen haar slanke dijen probeerde te wurmen.

De kleine Rox bracht hem met haar stemmetje als een ha-merslag bij zinnen.

'Tante Mags?'

Maggie zag het kleintje in de deuropening staan, voelde Freddies greep verslappen, maakte dat ze onder hem vandaan kwam en gleed op het hoogpolige tapijt.

'Kom maar, liefje. Wil je wat drinken, schatje?'

Ze krabbelde overeind, nam het kind op de arm en liep snel de keuken in. Haar hart roffelde nog in haar borst en ze proef-de de walging nog in haar mond. Het smaakte naar looizuur, blikkerig, loodachtig. Ze wilde haar tanden poetsen en een bad nemen. Zijn aanraking van zich af wassen.

Ze zette het kind op het aanrecht en schonk een glas jus d'orange voor haar in. Rox slobberde er dankbaar van. Het was een schat van een kind met prachtige blauwe ogen en een dikke bos krullen. Als zij ooit een kind zou krijgen, hoopte ze dat het er zo eentje zou zijn. Ze was gewoon perfect.

Een paar minuten later hoorde ze Freddie in de voorkamer, zo jong als ze was, wist ze dat hij daar zou blijven tot ze terug zou komen. Ze bleef met het kind in haar armen in de ijskoude keuken staan wachten tot ze hem de trap op hoorde stommelen naar het bed van haar zuster.

Maggie wachtte nog eens tien minuten tot ze stemmen hoor-de en besloot dat de kust veilig was. Ze nam het kind mee naar de voorkamer en stopte het naast haar in zodat ze allebei lek-ker lagen. Rox wilde een verhaaltje, en terwijl Maggie er een uit haar hoed toverde, hoorde ze de bedveren boven zich kra-ken.

Ze bleef daar uren wakker liggen en het werd al licht voor-dat ze haar ogen durfde te sluiten om te gaan slapen. Dit keer was het op het nippertje geweest, maar ze was vastbesloten om hem te verslaan. Ze zou het altijd voor zich houden, vanwege Jackie. Freddie wist dat en daarom had ze de pest aan hem.

Ze kon haar verhaal bij niemand kwijt, daar zou alleen maar narigheid van komen. Haar vader zou een oorlog ontketenen, haar moeder zou de atoombom laten vallen en de familie zou binnen een nanoseconde uit elkaar spatten.

Het ergste was nog dat ze het Jimmy niet kon vertellen. Hij adoreerde de man die haar elke dag weer de rillingen bezorgde en van wie ze zo'n afkeer had.

Ze was nog geen vijftien jaar oud en nu al leek haar leven op één grote teleurstelling uit te draaien.

'Wat heb je aan je armen, Mags?'

Haar moeder klonk bezorgd. 'Heeft die klote Jimmy dat soms op z'n geweten?'

Haar vader kwam acuut uit in zijn stoel gevlogen. 'Wat is er, Lena? Wat heeft ze?'

Maggie duwde haar moeder weg. 'Jezus, mens, we waren alleen maar wat aan het stoeien. Hij kent zijn eigen kracht niet!'

Lena bekeek het knappe gezichtje van haar dochter en zag de verwarring in haar ogen.

Maggie draaide zich naar haar vader om. 'Zeg het haar, pap. Jimmy zou me in geen miljoen jaar iets aandoen.'

'Dat is zo, Lena, hij aanbidt haar.' Hij pakte de *Sun* van de tafel en zei lachend: 'En hij is nu eenmaal fors voor zijn leeftijd, laten we eerlijk wezen.'

Hij liep terug naar zijn stoel en televisie, blij dat er niks met zijn dochter aan de hand was.

Maar Lena was niet overtuigd. 'Je bent jezelf niet de laatste tijd. Gaat het wel goed met je?' Ze knikte met haar hoofd in de richting van haar dochters buik. Maggie begreep wat haar moeder bedoelde en zette grote ogen op. 'Dank je wel, mam! Ik ben m'n zus niet, hoor. Mijn leven is nog niet eens begonnen. Denk je nou heus dat ik een buik vol heb?'

Lena hoorde aan de beledigde klank in haar dochters stem dat ze zich wat dat betreft tenminste had vergist.

Jackie stormde de deur binnen, haar ogen waren roodomrand van het huilen. 'Hij is weg.'

Lena sloeg haar ogen op naar het plafond en zette een ketel water op. 'Hij is dus weer de hort op?'

Jackie stak een sigaret op en gaf er niet eens antwoord op.

'De droogkast zit tjokvol stuff en de stank trekt door het hele huis. Ik vil hem levend als hij zijn gezicht weer laat zien.'

Ze opende een bruin flesje waar haar Dexedrine in zat en nam er een grote slok van zonder die te verdunnen. Onmiddellijk daarna pakte ze het broodmes en sneed een snee brood af.

Lena pakte haar het mes af en zette het brood weg. 'Hoe krijg je het door je keel?'

Jackie lachte. 'Het duurt even voordat het begint te werken, maar voor ik hiernaartoe kwam heb ik een joint gerookt en nou lust ik wel wat.'

Joe vloog weer uit zijn stoel. 'Wat heb je gedaan? Ben je nou ook al aan de drugs, beneveld varken!'

Lena probeerde haar man te kalmeren, maar buiten zichzelf ging hij vloekend en tierend tekeer.

'Dus nou zijn we al op het betere spul overgestapt, niet alleen maar afslankpillen en afslankspuiten. O nee, nou zit ze ook aan de Jamaicaanse wiet.'

Hij duwde zijn gezicht tegen dat van zijn dochter en brulde: 'En hoe zit het met je arme kinderen, hè? Ze zijn al de klos met zo'n nietsnut van een vader en nou zitten ze ook nog met jou opgezadeld. Gisteravond hing hij knetterstoned in de pub rond met dat magere ding van Hutchins aan zijn arm...'

Maggie en Lena sloten allebei wanhopig hun ogen toen hij die woorden eruit flapte. Zoals altijd hadden ze dat stukje informatie voor zichzelf gehouden.

'Wat? De kleine Bethany Hutchins? Ze is nog een kind.'

Jackie kon wel door de grond zakken van vernedering. Het kind had al een reputatie. Bethany's vader, Alex Hutchins, en al haar broers waren boerenpummels, dronkaards en dieven. Bethany was nog maar zeventien en voor haar leeftijd zag ze er nog jong uit ook, met spitse borsten en een berg rood haar. Haar vader zou de Derde Wereldoorlog ontketenen en dat wist Freddie maar al te goed.

Hij zou toch niet...?

Ze keek haar moeder aan en zei hardop wat ze dacht.

'Dat doet hij niet.'

Lena slaakte een zucht. 'Is al gebeurd, liefje.'

Ze draaide zich naar haar man om, die zijn mond stijf dichthield toen hij zag wat hij had aangericht. 'Jij ook altijd met je grote bek! Kijk nou wat je hebt gedaan!'

Jackie kwam met een schok weer tot leven. 'Hoe lang is dat al aan de gang?'

Maggie zuchtte hoorbaar. 'Een paar dagen maar. Hij was in de pub, dronken, je weet hoe hij is.'

'Maar ik ben zwanger!'

Jackie viel weer stil, de schok was eindelijk tot haar doorgedrongen en ze had haar geheim verklapt. Haar vader ging weer als een razende tekeer en Lena liet hem begaan want hij sloeg de spijker op zijn kop.

'En je giet je nog steeds vol met die Dexies terwijl er een kind in je buik zit? Kan het je dan helemaal niets meer schelen?'

Jackie wist dat ze fout zat, maar ze was te kwaad om het toe te geven. 'Iedereen weet dat dat stimulerende spul geen kwaad kan voor de baby...'

'Dat is een fabeltje, Jackie, dat weet je heel goed. Je moest je verdomme schamen.' Maggies stem klonk zo streng dat zelfs Lena schrok van de walging die erin doorklonk. 'Wat voor vent het ook is, je bent met hem getrouwd en je laat hem keer op keer weer in je huis. Geen wonder dat hij over je heen loopt en totaal geen respect voor je heeft. Hij vilt je levend als hij weet dat je pillen hebt geslikt terwijl je zwanger bent, en dit keer kan ik het hem niet kwalijk nemen.'

Jackie draaide zich naar haar zuster om. Het was waar wat ze zei en de woorden stroomden als een koude douche over haar heen. 'Ga mij niet vertellen wat ik moet doen, dame. Denk je dat ik niet weet wat jij en Happy Harold op mijn bank zitten te doen?'

Voor het eerst was Maggie niet bang voor de vrouw die boven haar uittorende. In plaats daarvan was ze zo woedend dat ze als het moest tot het einde toe zou vechten.

'O, houd je gore bek, Jackie, Jimmy en ik hebben verkering. Jij moest je schamen,' slingerde ze in het nu verbijsterde gezicht van haar zuster.

'Ze weet niet wat schaamte is, anders zou ze allang bij hem weg zijn!'

Toen gaf Jackie haar vader de volle laag.

Het geschreeuw liep naar een hoogtepunt, Maggie pakte haar tas en jas en stapte het huis uit. Ze beefde van woede bij het idee dat haar zuster drugs gebruikte terwijl ze zwanger was, ook al was het dan van een stuk stront als Freddie Jackson. Dat was verkeerd, zo verschrikkelijk verkeerd. Als ze in de buurt van Jackie zou blijven, kon ze niet voor zichzelf instaan.

Buiten ademde ze de frisse lucht in en probeerde zichzelf tot bedaren te brengen. Freddie was nu acht maanden thuis, dus Jackie kon al een paar maanden heen zijn. Ze had van zichzelf al een dikke buik, en sinds haar laatste kind kon je het helemaal niet meer aan haar zien. Bovendien bleef ze zich volvreten, zelfs met al die pillen bleef ze nog uitdijen.

Maggie stak een sigaret op en ging naar een vriendin. Ze wilde minstens een nacht niet bij haar zuster in de buurt zijn.

Jimmy wist haar wel te vinden als hij haar nodig had.

Siddy Clancy lachte en Freddie lachte met hem mee, ook al vond hij de grap helemaal niet leuk. Maar hij speelde het spelletje wel mee. Hij wist hoe het eraan toeging.

Siddy had van het vuile handeltje gehoord en Freddie wist

wel dat hij dat om zijn oren zou krijgen, hij had het alleen eerder verwacht.

Dat hij nagenoeg geen respect meer voor Siddy had, kwam juist doordat die het veel te lang had geslikt. Freddie had terecht aangenomen dat iemand in de voedselketen Siddy uiteindelijk had getipt, en nou deed hij zijn Doris Day-act.

Ze waren allebei dronken en zaten tegen elkaar op te zuipen. Freddie wist dat hij een wodka meer op had dan goed voor hem was. Maar toen hij naar Siddy keek, wist hij dat de man compleet van de kaart was en dat werd nog duidelijker doordat hij te veel over Ozzy en diens zaakjes begon te babbelen.

Freddie keek de kleine saloonbar rond en zag dat die bijna leeg was. Toen schoot het hem te binnen dat ze hier altijd bleven hangen en dat de pub Ozzy goedgezind was. Maanden geleden had hij die al omgekocht, hij had hem in zijn zak, nog voordat hij achter de tralies ging voor een gewapende roofoverval en samenzwering. Moord hadden ze nooit kunnen bewijzen, maar hij kon er nog steeds voor worden aangeklaagd, dat wist iedereen.

De juten wilden dat hij bleef waar hij was, voor zolang het duurde, en op dit moment wilde Freddie dat ook. Hij rook zijn kans en was vastbesloten die te grijpen.

'Wat probeer je eigenlijk te zeggen?' Hij fronste zijn wenkbrauwen. 'Beweer je soms dat Ozzie vuil spel speelt?'

Hij zei het luid en duidelijk want hij wist dat hun gesprek werd afgeluisterd door Paul Becks, de bareigenaar, en zijn vrouw Liselle, een knap meisje dat soms psychotische neigingen vertoonde.

Dronken als hij was had Siddy alle maskers laten vallen en nu begon hij het haantje uit te hangen, hij speelde de rol die hij altijd kon spelen vanwege zijn onuitputtelijke voorraad broers en zijn aangeboren agressiviteit.

'Ik zeg alleen maar dat Ozzy wel heel lang van de straat is en nou is dit mijn gebied.' Ergens achter in zijn benevelde brein klonk een stemmetje dat hij naar huis moest gaan, dat Freddie bepaald niet de juiste persoon was om tegen op te scheppen. Maar hij had er lol in, hij vond het heerlijk om zichzelf op te blazen ook al was dat eigenlijk helemaal niet nodig.

Siddy stak moeizaam een sigaret op en toen hij er eindelijk de brand in had gestoken, moest hij hoesten.

Freddie keek naar Paul en schudde somber zijn hoofd. 'Ga naar huis, Siddy, je praat te veel.'

Hij zei het geringschattend en Freddie wist dat hij feitelijk de handschoen in de ring had gegooid. Hij plantte zijn voeten stevig op de grond en zette zich schrap voor de aanval.

Ozzy had altijd tegen hem gezegd: 'Als je mensen een kogel geeft, gaan ze schieten.' En zo was het precies.

'Waar heb je het godverdomme over!' Clancy werd kwaad dat hij eruit werd gegooid. Hij dacht dat Freddie wel oren had naar die roddels en nu hij merkte dat hij fout zat, wilde hij hem de mond snoeren.

'Die klote Ozzy is een prima kerel, daar hebben we het niet over, maar hij is nu al tien jaar weg en het duurt nog wel even voordat hij buiten staat. Op straat hier regel ik alles voor hem, mijn broers en ik.'

Hij sloeg zijn borrel in één slok achterover.

'Mij hoef je niets te vertellen, man. Als kinderen speelden we al met elkaar.'

Freddie moest lachen. 'Nou, ik heb met hem opgesloten gezeten, en hij deugt, hij zit zijn tijd lachend uit en trekt naar iedereen vrolijk een lange neus. Je hebt geen idee wat het A-blok is, man, laat staan een gevangenis met een dubbele A-status. Jij hebt nooit gezeten, toch? Je hebt niet eens in voorarrest gezeten.'

Het kwam er minachtend uit alsof er iets achter stak, maar zelfs dronken voelde Siddy op zijn klompen aan dat hij op het verkeerde been werd gezet. 'Hoe bedoel je dat? Smerige rukker...' Paul Becks liep dichter naar de bar toe waar hij voor dit soort gelegenheden altijd een geladen vuurwapen bij de hand had.

Freddie stak in een vriendelijk gebaar zijn hand op. 'Ga naar huis, Siddy. We zijn dronken en je begint loslippig over Oz te worden. In de lik is hij retegoed voor me geweest. Hij heeft voor me gezorgd en ik wil geen kwaad woord over hem horen, zo simpel is dat.'

Freddie hield zijn protagonist behoedzaam in de gaten en Paul en Liselle wisten dat. Zij waren op Ozzy's hand, die was voor hen ook heel goed geweest. Met als gevolg dat ze nu op de hand van Freddie waren. Broers of niet, zij wisten dat Ozzy aan de touwtjes trok. Zelfs vanuit de SBB-unit in Parkhurst.

Ze wisten ook dat Freddie daar alleen maar was beland om-

47

dat hij gestoord was en meer gevechten en ruzies met de bewakers had gehad dan wie ook in het hele gevangenissysteem ooit.

Hij was een ongeleid projectiel, voor wie iedereen op zijn hoede was, gevangenen én bewakers.

3

'Hoe ver is ze heen?'

Maggie haalde haar schouders op. 'Dat heeft ze niet gezegd. Mijn vader flapte dat van Bethany eruit en toen ging ze over de rooie. Daarna zei ze dat ze zwanger was, vlak nadat ze Dexedrine had geslikt, dat hadden we allemaal gezien. Als Freddie dat wist...'

Jimmy knikte. Hij begreep de angst wel die in haar stem doorklonk. 'Jezus christus, hij gaat door het lint. Hij mag dan een schooier zijn, maar hij is dol op zijn kinderen.'

Maggie keek hem ongelovig aan. Makkelijk zat dat Freddie van zijn kinderen kon houden, hij zag ze nauwelijks. Je kon veel van haar zuster zeggen, maar ze had vanaf dag één zo goed mogelijk voor ze gezorgd.

'Maak je een geintje of zo? Dol op zijn kinderen? Hij is nooit thuis. Hij kent ze niet eens.'

Jimmy slaakte een zucht alsof het hem allemaal te veel werd. Hij leek zoveel op Freddie dat de rillingen haar over de rug liepen.

'Neem het nou maar van me aan, hij is dol op zijn meiden. Hij wil alleen nog een jongen, dat is alles.'

Hij zei het zo plompverloren dat het leek alsof hij het over zichzelf had, dat ontging Maggie niet. Ze ving een glimp op van de toekomst en als het aan haar lag, zag die er op dit moment niet al te rooskleurig uit. Jimmy was veel te veel in Freddies gezelschap, maar daar kon ze wat aan doen.

Maggie snoof spottend en woelde door haar lange blonde haar. 'Wie denkt-ie wel dat hij is, Hendrik VIII soms? Hij wil een zoon?'

Dit was niet aan Jimmy besteed, hij wist niets van geschiedenis tenzij het over iemand ging die hij kende.

'Wat moeten we doen?'

Jimmy haalde zijn schouders op. Hij had haar alleen maar opgespoord voor een snelle wip voordat hij Freddie bij Becks' pub op zou pikken. Hij hield van haar, maar soms wilde hij gewoon wat anders, zonder al die rompslomp. Met haar zuster en zijn neef was dat volslagen onmogelijk. Hij aanbad haar, hij kon zich een leven zonder haar niet voorstellen, maar zo nu en dan had hij gewoon zin in een anonieme neukpartij, en net als al dat soort mannen, vond hij ook dat hij daar recht op had. Dus haalde hij diep adem en gaf haar het antwoord wat ze van hem wilde horen. 'Al sla je me dood, babe.'

Zij was nu weer aan zet en zoals de zaken er nu voorstonden zou zij de touwtjes in handen nemen. Hij had al bij de pub moeten zijn, maar hij had op Maggie gewacht, achteraf zonde van de tijd.

Nu zat hij ermee en hij was doodsbenauwd voor Freddie met al zijn sores.

Paul en Liselle hielden de beide mannen scherp in de gaten.

Siddy was buiten zichzelf van woede, maar ze hadden hun geld op Freddie gezet. Bovendien kwam Freddie voor Ozzie op. En ook al zou Siddy's hele familie zich ermee gaan bemoeien, niemand met een beetje gezond verstand nam Ozzy in de maling. Zelfs Siddy's broers zouden zich gedeisd houden als ze wisten wat hij had zitten rondbazuinen, en Freddie kennende zouden ze het eerder vroeg dan laat te horen krijgen.

Hij zou zich moeten verantwoorden wanneer er geweld bij te pas zou komen, en hij zou elke bewering dat Siddy Ozzy ontrouw was geweest moeten kunnen bewijzen. Dan moesten zij komen opdraven en daar waren ze ook toe bereid. Ozzy mocht dan achter slot en grendel zitten, hij had nog altijd stevig de leiding van al zijn ondernemingen in handen.

'Ga in godsnaam naar huis, Siddy.'

En weer dreef Freddie de spot met hem en Siddy wist het. Zelfs tot zijn door drugs en drank benevelde brein drong het door dat hij zich in een penibele leeuwenkuil begaf en hij kon er niets aan doen, hij was gewoon te ver heen. Wanneer hij nu zijn kont zou drukken, zou hij door zijn broers met de vinger worden nagewezen, en als hij bleef zitten en de confrontatie zou aangaan, zou hij ook alle respect verliezen. Hij had het er zelf naar gemaakt, hij had zichzelf in de nesten gewerkt.

Hij voelde zich tot op het bot beledigd, maar Freddie zei het zo vriendelijk, dat wanneer iemand in de buurt het had gehoord, hij er geen idee van zou hebben dat het dodelijke ernst was.

Door de manier waarop Freddie tegen hem praatte begon Siddy alle grip te verliezen. Hij hoorde de neerbuigende klank

in zijn stem, zag zijn arrogante houding en kon bijna de vernedering ruiken. Hij was dronken, stoned en stond op het punt
de grootste misser van zijn leven te maken.

Uit zijn ooghoek zag hij dat Paul hem met argusogen in de
gaten hield, hij wist dat zijn hand op zijn jachtgeweer onder de
bar lag en hij wist ook dat hij onmiddellijk zou schieten, voordat hij Freddie Jackson kon omleggen.

Freddies naam lag tegenwoordig op het puntje van de tong
van Jan en alleman, zelfs in Siddy's familie. Hij was zo over-
voerd dat hij nu pas, nu hij de situatie nog onder controle
had, eindelijk begreep dat er als een naar lucht happende vis
met hem was gespeeld, en Freddie Jackson had hem aan de
haak.

Hij pakte een bierpul bij het handvat beet en verzamelde al
zijn kracht om die in Freddies gezicht te smijten. Bierpullen
konden behoorlijk wat schade aanrichten, het was zwaar glas
en een goed wapen.

'Smerige kuttenkop die je d'r bent.'

Het klonk alsof Freddie erop had zitten wachten, en Siddy
moest toegeven dat dat waarschijnlijk ook het geval was. Siddy
wist wanneer hij was verslagen.

Freddie had een stap naar achteren gedaan en greep zijn
pols, die van de hand met de bierpul. Toen sloeg hij met Siddy's arm op de bar, wachtte tot hij het glas liet vallen en begon
hem vervolgens systematisch met gebalde vuisten in elkaar te
slaan. Hij eindigde met een laatste stomp op zijn tanden. De
pint werd voor de zekerheid nog naar Siddy's hoofd geslingerd.

Siddy lag op de grond en misselijk rook hij zijn bier en zijn
eigen bloed. Hij had naar huis moeten gaan, maar nu was het
te laat. Hij wist dat hij zelf het gevecht was aangegaan en geen
enkele kans meer had. Freddie had hem herhaaldelijk gevraagd
te vertrekken en in het koude licht van de pijn wist hij dat het
met hem gedaan was.

Freddie was op zijn beurt euforisch. Alles was precies volgens plan gegaan. Hij had Siddy rustig zijn gang laten gaan
toen die had afgegeven op Ozzy en de penibele situatie waarin
die zat. Hij had al het werkvolk van Ozzy op zijn hand, van
wie de meesten doodziek waren van Siddy en zijn bende.

Freddie was buiten adem toen hij met Siddy klaar was en hij
keek Paul en Liselle meesmuilend aan toen hem een dubbele
whisky in de hand werd geduwd. Hij sloeg die in één teug achterover en voelde zich tot zijn verbazing zo nuchter als een

51

wijkagent. Het leek wel of de adrenaline alle alcohol buiten spel had gezet en hem met meer energie had opgeladen dan hij ooit voor mogelijk had gehouden.

Hij schopte Siddy nog een paar keer voor zijn hoofd waarbij hij zich aan de bar vasthield zodat hij al zijn aanzienlijke kracht erachter kon zetten.

Siddy lag te kreunen en kotste de vloer en zichzelf onder met bier en wodka.

'Gooi die klootzak eruit, ja? Die kutrukker.' Dit kwam van een kleine man die met zijn zwager in de hoek aan het pokeren was. Het bewees nog maar eens hoe Freddies geloofwaardigheid was opgekrikt, de man voelde zich veilig genoeg om een Clancy publiekelijk voor klootzak uit te maken. Maar in het geniep zeiden ze dat al jaren over hem, en nog wel ergere dingen ook.

Paul keek Freddie aan en grinnikte. Freddie zag aan die grijns dat hij net een vriend voor het leven had gemaakt.

Nu was het een kwestie van er nog meer om zich heen verzamelen, dan zou hij naar huis gaan en zijn roes uitslapen.

Jackie was bang. Haar geheim was uitgekomen en haar vader had niet onder stoelen of banken gestoken wat hij van haar achterlijke fratsen vond, zoals hij haar drugsgebruik noemde. Haar moeder had niet eens geprobeerd de boel te sussen en dat Maggie wegliep had ook niet veel geholpen. Het had pijn gedaan dat Maggie ertussenuit was geknepen. Wat ze ook deed, Maggie had altijd vierkant achter haar gestaan. Maggie zette haar op een voetstuk en die bewondering had ze nodig. Ze wist wel dat iedereen haar uitlachte omdat Freddie haar zo behandelde, recht in haar gezicht of achter haar rug om. Maggie was de enige die onvoorwaardelijk om haar gaf.

Ze hield van Maggie, hield écht van haar, maar soms haatte ze haar ook, wanneer ze zag hoe haar zusje zo van het leven kon genieten. Maggie wist gewoon niet hoeveel geluk ze had. Jimmy was stapelgek op haar en iedereen aanbad haar. Ze had er geen idee van hoe het er in het leven aan toeging.

Niet zoals Jackie.

Haar leven was zo moeilijk dat ze op sommige dagen bijna haar bed niet uit kon komen. Het had allemaal zo lang geduurd en ze had zo toegeleefd naar het moment dat Freddie eindelijk weer thuiskwam, dat ze helemaal was vergeten dat de werkelijkheid zo heel anders was dan haar dromen.

In haar dromen was hij de perfecte man. Daarin had ze hem thuis zien komen, blij dat ze zo lang op hem had gewacht. Hij had als nooit tevoren van haar gehouden, haar laten merken dat hij meer van haar hield dan van wie ook in de wereld, en hoe dankbaar hij was dat ze zijn kinderen zo goed had verzorgd. Deze fantasieën hadden haar al die lange, eenzame jaren op de been gehouden. Op de momenten dat ze er totaal geen gat meer in zag, worstelend om de eindjes aan elkaar te knopen of wanneer ze alleen in bed lag, gek van verlangen naar de aanraking van een man. Dat droombeeld had haar in leven gehouden.

Maar in plaats daarvan was hij een dag te laat thuisgekomen en had haar weer compleet de vernieling in geholpen. En het ergste van alles was nog dat ze wist dat ze het liet gebeuren.

Dat ze het altijd zou laten gebeuren.

Dat deed meer dan wat ook pijn: de wetenschap dat hij wíst dat hij kon doen wat hij wilde en dat ze het tóéstond.

Als ze maar naar een andere man had gekéken, dan had hij haar dat nog vanuit de gevangenis betaald gezet, had haar verrot laten slaan, pijn laten lijden, zelfs zijn kinderen van hun moeder beroofd als hij daarmee zijn reputatie hoog kon houden. Geen denken aan dat hij de vernedering over zijn kant zou laten gaan dat zijn vrouw met een ander aan de haal ging, ook al had hij er zelf aan elke hand tien. Ze had wel op hem móéten wachten. Freddie had nog geluk, want zij wílde dat ook, in tegenstelling tot een heleboel andere vrouwen.

Ergens wilde ze dat hij maar weer vastzat. Toen hij bij haar weg was en bij iedereen om hem heen, had ze tenminste nog het gevoel gehad dat ze hem helemaal voor zichzelf had.

Hij had haar liefgehad om haar brieven en bezoekjes. Maar zelfs toen waren er allerlei dames bij hem langs geweest. Door de jaren heen was zij de enige stabiele factor in zijn leven geweest en daar was ze een tijdje gelukkig mee geweest.

Ze had ze allemaal verjaagd, al die meiden die ervan genoten om op te scheppen dat hun vent in de lik zat, dat hij een gevaarlijke crimineel was, dat je maar beter voor hem moest uitkijken. Natuurlijk kwam uiteindelijk altijd zijn ware aard tevoorschijn en een voor een waren de meisjes afgedropen. Wie kon het ze kwalijk nemen? Een vent in het gevang kon niet boeien, hij kon je niet mee uitnemen, geen seks met je hebben en mooie dingen voor je kopen, en daar ging het die meiden tenslotte om. Ze hadden zijn brieven verruild voor een man

53

van vlees en bloed die ze lijfelijk konden aanraken. Hij had van haar gehouden omdat hij wist dat zij in die periode nog de enige vrouw in zijn omgeving was.

En toen was hij thuisgekomen, had zijn oude leventje weer opgepakt en neukte alles met een hartslag en een paar tieten. En ze had het allemaal geslikt, tot nu toe. Nu werd ze ook nog vernederd met Bethany Hutchins. Bethany, die een paar weelderige memmen van warm cement had, met de reputatie dat ze met elke crimineel in de buurt het bed in dook. Verdrietig kneep Jackie haar ogen stijf dicht. Ze haatte hem als hij haar zoiets aandeed, ze wist dat hij geen snars om haar gevoelens gaf, er ook niet aan dacht dat ze die mensen elke dag tegenkwam. Bij de winkels, in de pub, bij vrienden thuis... het was een kleine gemeenschap en hij zou het met god en iedereen doen als ze niet oppaste, zo was het ook gegaan voordat hij wegging. Zelfs haar vriendinnen waren niet veilig voor hem, dat had ze door de jaren heen wel gemerkt.

Maar ondanks al zijn fouten, of ze nou echt waren of ingebeeld, wanneer hij wist dat ze zwanger was en aan de pillen zat, zou hij haar vermoorden. Jaren geleden al had ze geleerd dat bij Freddie de aanval de beste verdediging was. Dus deed ze haar jas aan, liet de kinderen alleen in hun bed achter en liep het huis uit.

Bethany Hutchins zou de schrik van haar leven krijgen.

Maggie was van streek, maar had zich uiteindelijk aan de onhandige liefkozingen van haar vriendje overgegeven. Ze wist dat hij een hoop aan zijn hoofd had en hield daar rekening mee. Jimmy zou altijd van haar houden omdat ze zijn gevoelens zo goed begreep, zonder dat hij zichzelf voortdurend hoefde uit te leggen.

Jimmy aanbad haar. Hij had haar nodig, maar hij werd helemaal in beslag genomen door zijn werk omdat er op Freddie geen peil te trekken viel. Jimmy had op zijn beurt het gevoel dat, als ze niet heel voorzichtig waren, Freddie al hun zaakjes zou verknallen. Hij was helemaal de weg kwijt, wilde korte metten maken met Clancy. Kortom, hij wilde Clancy's straatje, hij wilde alles wat hij had. Hij kende zijn neef en die zou alles op alles zetten.

Freddie was gevaarlijk en op zijn eigen manier geslepen. Hij wist hoe hij op de angsten van mensen moest inspelen, wist instinctief waar ze bang voor waren. Jimmy was de nummer twee van zijn neef. Hij vond het heerlijk dat hij zijn vertrouweling was, en hij wist dat Freddie er alles aan zou doen om de zaken, waar ze inmiddels zo aan gewend waren geraakt, in stand te houden.

Hij werd door het leven ingehaald en zelfs op zijn jonge leeftijd had hij dat al in de gaten. Hij wist ook dat hij door dik en dun voor Freddie zou gaan, ook al veroorzaakte die nog zoveel rotzooi in hun leven.

Zo zat hun wereld in elkaar. Maar dat betekende nog niet dat hij het leuk moest vinden.

Jeannie Hutchins was achter in de veertig maar zag er ouder uit, natuurlijk zei niemand haar dat recht in haar gezicht. Ze had die diepgegroefde huid van een vrouw die zichzelf vroeg oud had gerookt en gedronken. Ze had kortgeknipt haar dat ze in een halo om haar hoofd had geföhnd. Ze leek met haar dik opgebrachte groene oogschaduw en eyeliner wel gestoord, en ze had lippenstift op van Max Factor, Burnt Orange, die ze al sinds de jaren zestig gebruikte. Ze had een mager, pezig lijf en wanneer het nodig was kon ze behoorlijk herrie trappen.

Ze vroeg zich af of ze zich vanavond zou moeten verdedigen, want zoals altijd was haar man in geen velden of wegen te bekennen. Soms was dat prima, maar voordat ze die conclusie kon trekken zou ze moeten afwachten waar het op uit zou draaien.

Toen ze de voordeur opendeed en Jackie zag staan, zonk de moed haar in de schoenen, ook al had ze haar wel verwacht.

Want vroeger was zíj net als Jackie geweest. Ze kende Jackie goed en mocht haar graag. Ze leken op elkaar, hun beider echtgenoten waren schurken, die hen vertrapten en verwachtten dat je op ze bleef wachten tot ze weer vrijgelaten werden. Wat er ook gebeurde.

Bethany was zwaar de fout in gegaan en had haar moeder zonder het te willen vreselijk van streek gemaakt. Jeannie had haar hele huwelijk de narigheid al moeten aanhoren van vrouwen en meisjes zoals haar jongste dochter, en nu moest haar dochter haar eigen hachje zien te redden. Het was allang te laat en ze had haar met alle liefde zelf op het gezicht getimmerd als Jackie er niet naar had gesolliciteerd. Jeannie vond dat haar dochter zich op een glibberig pad had begeven door het liefje te worden van een of andere schurk. Ze wist dat het al moeilijk genoeg was om de vrouw van een stuk schorem te zijn, laat staan als je tweede in de rij stond.

Nu ze naar een twintig jaar jongere versie van zichzelf stond te kijken, werd ze alleen maar gesterkt in haar besluit. 'Ik had je al verwacht, Jackie, liefje.'

Dit had Jackie niet verwacht en ze merkte dat ze naar een vriendelijk gezicht stond te glimlachen.

In de flat hing een overweldigende stank. Jeannie was bepaald geen huishoudelijk type en het leek er wel een vuilnisbelt. In de kleine woonkamer nam de tv een prominente plaats in en ook al zaten er overal kleverige vingertjes op en zat hij onder de hondenharen, hij verlichtte met zijn schittering evengoed de hele kamer. Bethany zat in een grote kunstleren stoel en de uitdrukking op haar gezicht was onbetaalbaar voor de twee vrouwen.

Jackie wist onmiddellijk dat Jeannie haar dochter een levenslesje wilde leren en inwendig dankte ze god op haar knieën dat hij het vanavond goed met haar voor had.

'Hallo, Jackie.'

Jackie grijnsde boosaardig. 'Hallo, Bethany, tijd niet gezien.'

Er hing een gespannen atmosfeer in de kamer en Bethany staarde naar haar moeder alsof ze haar nog nooit van haar leven had gezien. Ze was zich ervan bewust dat Jackie haar op een presenteerblaadje kreeg aangeboden en dat maakte haar doodsbang. Het kon toch niet waar zijn dat haar moeder een buitenstaander de zaakjes liet opknappen! Ze waren een gezin, dat sloot de rijen, wat er ook gebeurde.

Dat zou ze pap vertellen, die zou haar wel leren!

Toen Jeannie de ketel water opzette, hoorde ze de eerste vuistslag. Ze had de grootste moeite om niet in te grijpen, maar ze wist dat haar dochter haar ooit dankbaar zou zijn voor deze avond. Dat hoopte ze althans.

Haar oma zei altijd dat wie bij de honden in bed kroop, er met vlooien weer uitkwam. Nou, haar dochters vlooien begonnen haar nu te pakken te nemen.

Ze hoorde het gegil en geschreeuw terwijl het water kookte.

'Waar bleef je nou!'

Freddie was minder kwaad dan Jimmy had verwacht, eigenlijk was hij eerder in de wolken. Hij zag er ook nuchter uit, hoewel hij net op het punt stond om een lijntje amfetamine van de bar te scoren.

Hij sneed er automatisch een af voor zijn neefje.

Paul en Liselle stonden te grijnzen, ze gaven hem een glas bier en vertelden hem wat er die avond allemaal was gebeurd.

Onder het luisteren verstrakte de glimlach op zijn gezicht steeds meer, want in tegenstelling tot wat ze hier allemaal dachten, zou de familie Clancy Siddy's verwondingen niet over haar kant laten gaan. Maar dat zei hij niet want hij wist dat er toch niet met Freddie te praten viel als hij in zo'n stemming was.

Feitelijk viel er nooit met hem te praten.

Jimmy moest nadenken, de informatie tot zich door laten dringen en een aanvalsplan bedenken voor het geval dat nodig mocht zijn.

Maar toen hij Paul aan Freddie hoorde uitleggen wat hij de volgende dag ging doen, werd zijn hart met elke tel lichter.

'Moet je horen, Freddie, Liselle en ik gaan elke maand naar hem toe om verslag uit te brengen. We wisten dat Siddy het op hem had voorzien, maar zonder bewijs konden we niet veel doen.'

Paul schonk hen allemaal nog een keer in en vervolgde: 'Maar we hebben de bordelen ook nodig, die moet jij ook over zien te nemen. Liselle laat me niet in de buurt komen van die edele dames, dat begrijp je zeker wel.'

De drie mannen barstten in lachen uit, tot verdriet van Liselle die te verstandig was om hem te laten merken dat er niet veel meer moest gebeuren of zijn ballen lagen eraf, zonder verdoving.

Freddie wist niets van de bordelen, maar dat was van zijn gezicht niet af te lezen. Hij zat zich al af te vragen wat hij eruit zou kunnen slepen. Hij had zichzelf nooit als pooier gezien, hoewel hij er in zijn leven vaak genoeg voor was uitgemaakt. Maar hij wist wel hoe dat in zijn werk ging, in de lik had hij genoeg opgepikt.

'Zeg tegen Ozzy dat hij mijn neef als bezoeker moet opgeven. Hij is nog nooit opgepakt en jij en je vrouw blijven dan uit de wind. Ozzy kan de zaak rechtstreeks met hem afhandelen, wat vind je?'

Dit kwam Paul heel goed uit. Hij had er een gloeiende hekel aan om als tussenpersoon te fungeren en was altijd doodsbang dat het allemaal uit zou komen, waardoor Liselle en zijn kinderen onbeschermd zouden achterblijven. Met dat achterbakse gedoe lag er altijd wel iemand zijn kansen af te wachten en eigenlijk wilde hij alleen maar zijn brood verdienen. Hij vond het fijn te weten dat er iemand hoger in de voedselketen stond om de fakkel over te nemen. Nu was dat Freddie Jackson en Paul vond het geweldig. Hij was bij het eerste wapenfeit van Freddies leiderschap geweest en dat zou hij nooit meer vergeten.

En op zijn eigen manier mocht hij Freddie wel, hij wist dat Freddie krankzinnig genoeg was om de concurrenten van zijn erf te houden.

Voor Paul betekende dit een win-winsituatie.

Later, nadat Siddy's broers naar het ziekenhuis waren geweest, kwamen ze naar de pub om te kijken wat ze aan die toestand met Freddie Jackson moesten doen. Op dit moment zaten ze nog in het zadel, maar ze wisten dat ze een martelende tijd moesten wachten totdat Ozzy over hun lot had beslist.

Het sprak eerlijk gezegd voor Freddie dat Siddy zijn verdiende loon had gekregen en ze waren niet van plan iemand voor het hoofd te stoten, zeker niet zichzelf. Uiteindelijk kende niemand Siddy zo goed als zij en werden ze het eens over de manier waarop ze tenminste hun reputatie nog konden redden.

Ze waren nerveus, maar vriendelijk en Freddie kon ze nergens op betrappen.

Het werd al licht toen ze naar huis vertrokken.

Jeannie lag over Bethany heen, ze probeerde haar man Alex ervan te weerhouden haar te vermoorden. Ze had al werkeloos moeten toezien hoe haar dochter een keer in elkaar werd geslagen en dat zou ze niet nogmaals laten gebeuren.

'Ze is nog zo jong, ze is op slag smoorverliefd op hem geworden, je weet hoe die Jackson is... Hij zou nog een gat in een schutting neuken als hij niks anders kon krijgen.'

Ze probeerde haar man in de richting van de slaapkamer te duwen.

'Jackson is nu Ozzy's belangrijkste dealer, en door deze gestoorde snol begaat die vrouw van hem nog eens een moord,' schreeuwde hij. 'Hij heeft Siddy uitgeschakeld. Fucking Siddy, mijn maat, die ouwe rukker heeft over die lulhannes heen geschoten en nu hoor ik dat mijn dochter zijn belangrijkste liefje is.'

Zoals ze al had verwacht, bedaarde Alex nu en ze duwde hem zo kalm mogelijk verder de kamer uit. Ze zorgde ervoor dat hij Bethany niet meer kon zien, zodat zijn woede tot bedaren zou komen, hoewel zij ook bang werd toen ze angst in zijn stem hoorde doorklinken.

'Ik heb zijn vrouw Bethany een aframmeling laten geven, het is ópgelost. Nou hoeft ze jou niet ook nog eens over zich heen te krijgen. Ze heeft haar lesje wel geleerd, dus maak je verdomme niet zo druk.'

'Paul schoot die klote Siddy nog liever voor zijn kop dan Freddie Jackson aan te pakken, begrijp je wat dat betekent, mens? Ik werk voor Siddy! Waar blijf ik in het hele verhaal?'

Jeannie had geen idee maar dat zei ze wijselijk niet.

'Je blijft doen wat je stééds al deed, je blijft bij je zwendelpraktijkjes totdat je opdracht krijgt iets anders te doen. Dus als je Freddie tegenkomt, ben je áárdig tegen hem, je feliciteert hem met zijn promotie en je houdt je kop stijfdicht, en maar hopen dat hij ondanks alles geen wrok tegen je koestert.'

Haar man knikte nu, maar ze kon de angst bijna proeven die zich door het hele huis aan het verspreiden was. Zelfs de muziek, normaal gesproken een constante bron van ergernis, leek te zijn gestopt.

Bethany zat stil te luisteren, wenste hartgrondig dat ze niet zoveel had gedronken en dat ze niet zo'n graag geziene gast in haar vaders buurtkroeg was geweest, waar ze elke dag in de watten werd gelegd. Sinds haar eerste tand was doorgebroken werd ze daar al vertroeteld, in de achterkamer had ze de heilige communie gedaan. Ze voelde zich daar wel heel erg thuis, zelfs zij kreeg dat nu in de gaten.

Maar dat was achteraf gelul, dat was het probleem niet meer, er lag nieuwe narigheid in het verschiet.

Zo was het in haar leven al van kinds af aan geweest.

Maggie en Jackie hielden elkaars hand vast.

Jackie had die ochtend om vier uur een miskraam gehad en nu was ze weer in de kudde terug, bij familie en echtgenoot.

Niemand had iets tegen Freddie gezegd over haar gezuip en drugsgebruik, hij had zich heel edelmoedig tegenover zijn vrouw gedragen, want hij was nergens te bekennen geweest toen het gebeurde. Ze was van de trap gevallen en daar was het allemaal door gekomen.

Ze was vijf maanden heen geweest en hij was geschokt dat ze al zover was. Het was ook nog eens een jongetje, en dat had Freddie meer aangegrepen dan hij voor mogelijk had gehouden.

Hij had het gerucht gehoord dat zijn vrouw bij Bethany

langs was geweest en omdat hij zichzelf daar de schuld van gaf, was hij nog eens extra lief voor haar. Hij voelde zich verantwoordelijk omdat hij dat kind had geneukt. Door de tussenkomst van zijn vrouw was het meisje afgeschrikt, dus eigenlijk had ze hem een plezier gedaan.

Nu was Jackie met haar zuster thuis, bleek en zwak, vastbesloten om op dieet te gaan en ook vastbesloten om Freddie nog een kind te baren, een zoon.

Ze wist dat hij dolgraag een zoon wilde. Als dat zou lukken, was ze veilig. In elk geval veiliger dan nu.

Hij was viriel, hij neukte erop los en zou iedereen met een kind schoppen die haar benen maar opendeed en er een beetje leuk uitzag. Zij had als enige voordeel dat ze de moeder van zijn kinderen was en hij hield van die koters. Een jongetje zou de kers op de taart zijn en ze zou alles in het werk stellen om hem bij zich te houden.

Maggie zette glimlachend nog een kop thee naast haar zuster neer. 'Wil je nog iets hebben, meid?'

Jackie grinnikte, blij dat het weer goed was tussen hen. 'Steek maar een sigaretje voor me op, babe, en wil je dan een saladesandwich voor me klaarmaken?'

Maggie knikte. Niet lang geleden had ze nog een stapel spekpannenkoeken voor haar gemaakt. 'Nog steeds op dieet?'

Ze lachten samen, ze kenden elkaar beter dan wie ook en ze waren weer gelukkig met elkaar.

Het verdriet en de ruzie waren vergeten.

Tot de volgende keer.

Freddie keek rond in het huis in Ilford en kon zijn ogen niet geloven.

Tjokvol meiden, in alle soorten en maten en zo voor het grijpen. Zwarte, blonde, zelfs Aziatische. Hij had het gevoel dat hij was gestorven en in de hoerenhemel wakker was geworden.

Ze zaten her en der in de grote lounge, de een wat bloter dan de ander, en lieten niets aan de verbeelding over. Ze zaten hem allemaal verwachtingsvol aan te kijken, sloegen hem behoedzaam gade, wachtten zijn eerste zetten af. Zoals gebruikelijk was zijn reputatie als rokkenjager hem al voorgegaan. Het mooiste van alles was nog dat hij ze niet eens iets te drinken hoefde aan te bieden.

Nou, daar deed hij niet moeilijk over: hij koos die lange blonde met dat goedkope doe-het-zelfpermanentje, maar met zo'n bos hout voor de deur dat die wel een eigen paspoort mocht hebben. En mooie tanden had ze ook. Dat was een gek trekje van hem, kon nooit met een meid rampetampen met, zoals hij het stelde, een roestbak in d'r mond. Hij vertelde iedereen die het maar horen wilde dat persoonlijke hygiëne van boven tot onder een absolute must was voor zijn liefdesleven.

Hij grijnsde naar Stephanie Treacher, zij straalde terug en hij voelde het in zijn kruis sidderen.

Toen kwam er een lange vrouw met kort blond haar, priemende groene ogen en een lage zwoele stem de kamer binnenwandelen. 'Jij bent Freddie zeker?'

Hij bekeek haar van top tot teen, dat deed hij bij alle vrouwen, en zei zwierig: 'En jij bent?'

Ze glimlachte breed met witte tanden, een effen glimlach die, zag hij in een flits, haar ogen niet bereikte.

'Je baas, lieveling. Ik ben Ozzy's zuster Patricia. Kom mee naar kantoor.' Terwijl hij de deur uit liep zag hij dat de meisjes allemaal glimlachten, niet náár hem, maar óm hem. Hij had van deze vrouw gehoord maar haar nog nooit eerder gezien en ze was net zoals de mannen met wie hij te maken had. Eerlijk maar snoeihard, daar was iedereen het over eens.

Plotseling begon het hem te dagen dat ze werkelijk zijn baas was.

Ze werd Pat genoemd en was mager, bijna jongensachtig, met ongelooflijk lange benen. Ze liep met de schouders naar achteren en had een houding van iemand die van wanten wist. Hij liep achter haar aan en keek met een blik de kamer rond, naar al die meiden, die zei dat ze wel konden wachten.

Stephanie trok vriendelijk haar wenkbrauwen op en hij knipoogde terug. Er zeker van dat zij op zijn verlanglijstje stond, wijdde ze zich weer aan haar nagels. Eerder die dag had ze een klant gekrabd en die was daar niet blij mee geweest. De man was onderwijzer en bang voor de reactie van zijn vrouw als die een ruglange kras zou zien, zo eentje die hij nooit zou hebben opgelopen, als hij haar niet bij de haren had gegrepen en haar bijna had laten stikken in zijn versie van orale seks.

De mannen die hier kwamen hadden te veel films gezien en *Deep Throat* had een hoop uit te leggen. Die kerels dachten werkelijk dat alle vrouwen zo'n dikke pik konden opslokken zonder over hun nek te gaan. En ze hád naar adem gehapt, was

bijna van haar stokje gegaan van de pijn, en hij had gedaan alsof ze hém met opzet narigheid had bezorgd.

Resultaat was dat ze het gevoel had dat wanneer ze zo nu en
dan een middagje met Freddie Jackson zou doorbrengen, haar
baantje een stuk draaglijker zou worden.

4

'Alles goed, Ozzy?'

Jimmy voelde de ijzeren greep van Ozzy. Hij had de man nu al zo vaak de hand geschud en elke keer was hij weer verbaasd van de kracht die erin school.

Ozzy grinnikte, tenminste, zijn verkreukelde gezicht gaf de indruk dat hij lachte, maar je kon er niets van zeggen. Hij moest wel een van de lelijkste gevangenen ooit zijn met zijn kale hoofd vol littekens, hij had in zijn jeugd een carrière vuistvechten geambieerd. Zijn lichaam was veel te zwaar maar wel massief, ook al zag het er traag en log uit.

Maar Jimmy was dol op zijn stem, met een diepbruine klank, als siroop, een stem die bij een knappe zanger thuishoorde, of een beschaafde persoon. Niet bij die klomp vlees die voor hem zat.

Jimmy mocht Ozzy graag en in het afgelopen jaar had hij de indruk gekregen dat het voor Ozzy weliswaar wat anders lag, maar dat de man hem ergens ook wel mocht. Ze konden het prima met elkaar vinden. Soms gaf hij opdrachten voor Patricia mee waar zelfs Freddie niets van wist. Ozzy's zuster betekende alles voor hem en Jimmy vond haar aardig en had respect voor haar. Zoals Ozzy zei, ze dacht als een man. Hogere eer kon je niet krijgen van een man van zijn kaliber.

Jimmy genoot van de bezoekjes aan de gevangenis. Vanaf het moment dat hij door de beveiliging was gegaan en de SSB-afdeling van de Parkhurst gevangenis was binnengewandeld, had hij zich thuis gevoeld. Hij was niet meer bang voor de nor.

Hij wist dat hij het in die omgeving zou kunnen bolwerken. Hij wílde dat niet, maar als het uiteindelijk zover moest komen, wist hij dat het veel makkelijker was om zonder angst jezelf te handhaven. Bovendien werd Jimmy daardoor steeds herinnerd aan het feit dat het leven met zijn beroep in een oogwenk een dramatische wending kon nemen.

Ozzy had twee Kit Kats en twee koppen thee laten komen. Hij was de enige gevangene die zich die luxe kon veroorloven en de gevangenbewaarders knepen een oogje toe, begrepen dat hij met respect moest worden behandeld. Zijn leven werd er makkelijker door en dat van hen zeker. Dat hadden ze er wel voor over.

De meesten van hen kregen trouwens wat extraatjes van hem toegestopt. Een fles scotch, bijvoorbeeld, om zich een paar zaterdagavonden lekker te kunnen ontspannen of een paar gram coke zodat ze konden wegzweven op de avonden dat hij snode plannen voor zijn imperium beraamde. Hij zorgde er wel voor dat er genoeg smack in de gevangenis was, zodat de meeste gevangenen in hogere sferen dan een jumbojet de waardevolle jaren van hun leven vergooiden.

Jimmy zag het respect om zich heen en dat maakte hem gelukkig, gaf hem het gevoel dat hij er helemaal bij hoorde. Onbewust was Ozzy een rolmodel voor hem. Hij hield ervan dat de man nooit zijn stem verhief om zijn punt te maken. Hield van de manier waarop hij lachte, zich door de problemen heen grapte, en op die manier de zaken makkelijk en vriendschappelijk wist op te lossen.

Pas in laatste instantie zocht hij zijn toevlucht tot geweld. Dat werkte, want als hij er gebruik van maakte, ging het er zo vernietigend aan toe dat de gevolgen nog jaren voelbaar waren. Mensen raakten verlamd of werden kreupel en iedereen die ermee te maken had, wist dat hij het had verdiend. Met elke keer groeide zijn reputatie waardoor hij de levende legende kon worden die hij nu was.

Wanneer de knuppel dan eindelijk uit de kast werd gehaald, was het veel erger dan wie ook had verwacht. Zulk geweld hoorde eigenlijk helemaal niet in de gangbare misdaad thuis, zelfs de gehardste gevangene was geschokt, zo wreed was het.

Verlies nooit je zelfbeheersing in het openbaar. Dat was Ozzy's belangrijkste stelregel en hij had dit twaalf maanden lang tegen Jimmy herhaald. Zijn opleiding was bijna voltooid. Ozzy vroeg naar zijn mening en, wat belangrijker was, hij nam die ook serieus.

Zoals ze daar bij elkaar zaten, voelde Jimmy het respect van alle bajesklanten en hun gezinnen om zich heen. Hij reed in een nieuwe BMW en was goed gekleed. Hij leerde ook het gevaarlijkste spelletje waar een schurk mee te maken kreeg: hoe blijf je uit het gevang. En de beste leraar ter wereld zat recht tegenover hem.

Patricia O'Malley had een beetje last van zichzelf. Ozzy zou door het lint gaan als hij ervan wist, maar zelfs dat feit kon haar opwinding niet verhullen over wat ze had laten gebeuren.

Freddie Jackson was tuig van de richel, hij was de laagste van de allerlaagste gemene delers, maar vanaf het moment dat ze hem in het oog had gekregen, had ze de seks van hem af voelen spatten. Het was jaren geleden dat ze zo opgewonden was geraakt van een man.

Diep vanbinnen hield ze van smerige seks, altijd al gedaan, sinds ze op haar veertiende door een bankrover van haar maagdelijkheid was beroofd. De volgende dag lag hij met een vijftienjarige te rollenbollen en zij had het gedaan met haar gymleraar, nog zo'n ouwe kerel die haar maar al te graag wilde laten zien wat haar moeder en welke vrouw ook allemaal miste.

Hij had haar geleerd hoe je van seks kon genieten zonder dat daar liefde bij te pas kwam... in dat opzicht was ze precies een kerel. Ze hield van pure seks, een lekker gevoel, een spanningsontlader. Niets meer en niets minder. Ze begreep niet dat vrouwen er hun hele leven door lieten verknallen, het voor slechts één enkele man bewaarden.

En nu was ze als een blok voor een man gevallen die ze zonder erbij na te denken kon verpletteren als hij haar iets zou aandoen, en die nu dacht dat hij macht over haar had. Freddie Jackson was alles wat ze in een man haatte, en ook alles wat ze liefhad. Ze zou ervan genieten om hem te vernederen, het heerlijk vinden hem te zien zweten. Als hij zo stom was te geloven dat een vrijpartij in het hooi hem voordeel zou opleveren, dan zou hij de schrik van zijn leven krijgen. Hij was niet de eerste vent die dat dacht, en ze wist dat hij zéker de laatste niet zou zijn.

Toen Freddie een paar minuten later de kamer in liep, was ze klaar voor hem.

Hij wandelde binnen alsof de tent van hem was, alsof hij hem door zijn seksuele escapades van de avond ervoor in bezit had gekregen. Zijn glimlach sprak boekdelen, hij had het gemaakt, hij stond aan de top. Hij was verschrikkelijk met zichzelf ingenomen, dacht zeker dat hij haar baas was, nu hij haar had laten kreunen. Hij was beter verzorgd en gekleed dan anders, dat moest ze hem nageven. Hij deed zijn best.

'Alles goed vandaag?'

Zelfs zijn woorden klonken als een getrokken zwaard.

Ze strekte zich in haar volle lengte uit, een meter tachtig lang, en ze grijnsde sarcastisch naar hem. 'Heb je het soms tegen mij, oetlul?'

Het ijs droop ervan af en er was geen spoortje te bekennen van het feit dat ze hem slechts een paar uur eerder naakt en hijgend voor zich had gezien. Zijn pupillen werden groot van de schok.

Pat was vastbesloten om de relatie zakelijk te houden, ze wilde hem eronder houden voor het geval ze later weer eens zin in hem had. Bij mensen als Freddie Jackson mocht je geen strobreed toegeven. Ze zou hem scherp in de gaten moeten houden.

Ozzy zei altijd dat je van je ervaringen moest leren. En hij bracht al zijn aanzienlijke ervaring over op een jonge knaap voor wie naar zijn gevoel een grootse toekomst was weggelegd. Voor het eerst in zijn leven hield Ozzy van iemand, hield hij werkelijk van iemand, en niet in seksueel opzicht. Seks had trouwens nooit erg hoog op zijn agenda gestaan. Dat was precies de reden waarom hij niet zoveel moeite had met zijn gevangenschap. Hij had het niet zo op vrouwelijk gezelschap, nooit gehad eigenlijk, maar hij was ook geen homo en als dat al zo was geweest, was hij hard genoeg om de schakelaar om te zetten. Hij werd veel te veel gerespecteerd om dat vanwege zijn seksualiteit op het spel te zetten.

Hij had gewoon die seksdrift niet die hij door de jaren heen bij al die mannen om hem heen had zien langskomen. Seks zat voor negenennegentig procent in je hoofd, met wie je ook het bed in dook.

Na al die jaren achter slot en grendel, al die jaren alleen, beschouwde hij deze jonge vent als de zoon die hij nooit had gekregen. Tot nu toe ook nooit had gewild, maar nu werd hij met zijn neus op het feit gedrukt dat hij de vijftig gepasseerd was en besefte hij dat hij het niet allemaal meer zou meemaken, en dat kwam hard aan. Hij wilde zijn imperium aan iemand nalaten die het kon waarderen, zijn naam in ere zou houden en misschien genoeg zoons op de wereld zou zetten om het weer aan hen na te kunnen laten. Hij zag zichzelf in Jimmy terug, hoewel de jongen ongetwijfeld een beduidend knapper exemplaar was.

Al heel jong had Ozzy geleerd dat mooie mensen meer kansen in het leven hadden, zij hoefden lang zo hard hun best niet te doen als hun tegenhangers. En deze jongen was knap, maar hij had er geen idee van hoe aantrekkelijk hij eigenlijk was. En dat was maar goed ook, want uiteindelijk verkwanselden knappe mannen alles wat de goede God hun had gegeven. Mooie vrouwen gebruikten hun lichaam, dat werd algemeen geaccepteerd, aangezien vrouwen maar korte tijd mooi blijven. Zonder persoonlijkheid werden ze zomaar vergeten. Zodra de zwangerschapsstrepen en hangbuiken zich aandienden, waren ze niet meer dan een herinnering. Een knappe vent kon vijftien kinderen op de wereld zetten en niemand zou er wijzer van worden. Daarom geloofde hij echt dat God een man was. Een vrouwelijke God had vrouwen een soepeler huid gegeven en meer gevoel voor zakendoen.

Vrouwen lieten zodra ze verliefd werden hun leven in de steek. Een man kon van een vrouw houden, maar ze zou hem nooit compleet kunnen bezitten, hoewel een slimme vent haar dat wel moest laten dénken, natuurlijk. Maar je kon de natuur niet verloochenen. Voor de moeder van wettige kinderen moest tegen elke prijs worden gezorgd en een man moest zeker weten dat de kinderen die hij aan het opvoeden was ook echt van hem waren. Geen koekoeksjong in het verdomde nest, dat verraadde je alleen maar. Daar moest je voorzichtig mee zijn. Vrouwen konden glashard liegen met nog een glimlach op hun gezicht ook, een beetje man wist dat.

En nu bracht Ozzy al zijn wijsheid over op deze aardige vent met dat knappe gezicht en de hersens van een accountant. Een jongeman die snel leerde. Hij zou nog uit een Duits krijgsgevangenkamp weten te ontsnappen.

Freddie was een goede voorman, dat respecteerde Ozzy, maar Freddie zou altijd aan de hand genomen moeten worden. Deze Jimmy was een leider, en niemand zou zich ooit realiseren wat hij aan het doen was. Dat was het verschil tussen een vrijstaand huis en een gemeenteflat, voor Ozzy was dat zonneklaar. Freddie, met zijn grote bek, zou altijd minder dan een gemiddelde crimineel blijven, maar deze knaap zou het gaan maken.

'Hoe doet Freddie het in de bordelen?'

'Hij verricht wonderen.'

Het feit dat de jongen zo loyaal was aan een man die nauwelijks kon tellen zonder zijn sokken uit te doen, vertederde Ozzy des te meer.

'Ik heb wat anders gehoord.'

Jimmy grijnsde. 'Echt, ik geef mijn ogen goed de kost. Hij is een goede investering. Iedereen luistert naar hem. Hij is zo gek als een deur, maar hij zorgt dat alles soepeltjes loopt.'

Dat antwoord deed Ozzy plezier.

'Hij neukt ook iedereen in die hoerenkasten, hè?'

Jimmy glimlachte weer. 'Ja, maar hij is niet de enige, wel? In elk geval staat zijn vrouw bijna op bevallen. Diep vanbinnen is hij een gezinsman.'

'Een gezinsman? Is het je in je bol geslagen, knaap?'

'Je weet wat ik bedoel. Ze is ervan overtuigd dat het nu een jongetje is. Zo'n knulletje houdt hem wel van de straat, geen probleem.'

'Als het niet zo is, vertel hem dan maar dat als hij niet oppast, een grote knul hem van de straat zal houden. Zeg hem dat gewapende roofovervallen te dicht in de buurt komen en met dat recept krijgt hij Ouwe Bill van alle kanten over zich heen.'

'Ik zal de boodschap doorgeven, in mijn eigen woorden natuurlijk.'

Ozzy lachte hardop. 'Doe dat, Jimmy, jongen. Hou hem kort, oké? Hij maakt mensen van streek.'

Jimmy knikte. 'Hij heeft de wind er goed onder, weet je, en op zijn manier doet hij dat eerlijk.'

'Dat begrijp ik, vriend, maar hij trekt ook een hoop aandacht en dat willen we nou juist vermijden.'

'Dat weet ik, Oz, maar jou is hij trouw.'

Ozzy glimlachte, eigenlijk was de jongen veel te loyaal, maar aan de andere kant waren familiebanden sterker dan wat ook.

Hij scheurde zijn Kit Kat open en at er langzaam van, liet als altijd alles wat er was gezegd tot zich doordringen.

'Nou, binnenkort komt een oude maat van me vrij uit Durham. Geef hem een baantje en hou hem voor me in de gaten, oké?'

Jimmy knikte weer, hij wist wel dat, wie het ook was, hij waarschijnlijk eerder een oogje op hém zou houden.

'Hoe heet ie, Oz?'

'Bobby Blaine.'

Ozzy zag dat de kleur uit Jimmy's gezicht wegtrok.

Bobby's naam was synoniem met waanzin en ook met geweld. Daarom waren ze zulke goede maten geweest.

Bobby B., zoals hij bekendstond, boezemde het ergste schuim nog angst in. Je kon ook met Bobby lachen, hij was de grappigste man die Ozzy ooit had ontmoet, en hij had wel het een en ander langs zien komen. Bobby kon je lachend en grollend de keel doorsnijden, wat natuurlijk een mindere kant van hem was, maar wel de kant waar Ozzy gebruik van wilde maken.

Jimmy besloot dat hij hem niet heel veel verantwoordelijkheid zou geven, tenzij het niet anders kon, want Bobby kennende, zou hij maar een jaar buiten zijn voordat hij weer bij hare majesteit te gast zou zijn. Zolang hij buiten was, echter, zou hij hem gebruiken.

Ozzy gebruikte mensen alsof het tissues waren en wanneer hij ze niet meer nodig had, gingen ze de prullenbak in.

Zo simpel was het.

Lena keek toe hoe haar dochter zich van de keukenstoel sleurde.

'Ik verga van de rugpijn, mam.'

Ze zag er verschrikkelijk uit. Het zou Lena verbazen als Jackie dit kind helemaal zou voldragen. Haar buik was zwaar en het kind was al ingedaald, ook al moest het nog een paar weken duren.

'Dat komt door al dat gewicht dat je met je meezeult. Die baby moet wel Dean de Bergreus zijn.'

Ze moesten allebei lachen bij de gedachte.

'Ik hoop het, mam. Ik vind Dean een mooie naam, het is een mannelijke, gelukkige naam.'

'Ga je hem niet Freddie noemen, naar zijn vader?'

Dit was plagerig bedoeld, om haar te ergeren.

'Natuurlijk wordt hij naar Freddie vernoemd, maar uit een tweede naam moeten de familieachtergrond en het karakter van het kind spreken.'

Lena grinnikte. 'Je kunt hem verdomme nog beter Looney Tunes Jackson noemen, dan ben je er maar vanaf.'

Ze lachten weer.

'Hou op, akelige ouwe heks. Wil je nog een kop thee?'

Lena knikte en stak een sigaret op. Ze gaf die aan haar dochter en zei vriendelijk: 'Ga zitten, liefje, ik doe het wel.'

Jackie raakte helemaal van streek door de lieve toon waarop haar moeder dat had gezegd en zoals gewoonlijk sloeg haar stemming in een oogwenk om van hysterisch gelach naar een punt waarop ze bijna in tranen uitbarstte.

'Is hij thuis geweest?' zei ze rustig.

Jackie straalde toen ze antwoordde. Ze trok zwaar aan haar

Kensita-sigaret en zei vrolijk: 'Hij is zo opgewonden, mam, hij kan niet wachten.'

Lena glimlachte nogmaals, blij dat haar dochter gelukkig was. Voor zolang het duurde hield de zwangerschap haar op de been. Dagelijks deed ze een schietgebedje dat Jackie een zoon zou krijgen. Dat wilde ze zo wanhopig graag dat ze bakken geld had gespendeerd aan tarotlezers, mediums, welke waarzegger ook die ze maar in de regionale krant had gevonden of van wie ze had gehoord.

Ze hadden allemaal gezegd dat het een zoon zou worden. Dat was ze geraden ook.

Freddie was vaak van huis, maar nu ze zwanger was, hield hij tenminste vaker contact met de thuisbasis. Na de miskraam werd hij door wroeging gekweld. Hij had zichzelf de schuld gegeven, maar dat duurde niet eeuwig.

'Je zit 'm toch niet steeds op zijn nek, hè?'

Jackie slaakte een zucht. 'Tuurlijk niet. Ik schiet er niks mee op als ik steeds van streek ben, toch? Wat jij altijd zegt, hij komt er heus niet door thuis.'

Lena besloot daar niet verder op in te gaan. Het laatste jaar was het af en aan geweest tussen Jackie en Freddie, vooral toen hij bij de bordelen en die andere zaakjes in de weer ging. Lang geleden was ze zelf aan de genade van bordelen overgeleverd geweest, toen haar man een kroonpretendent was, en haar Joseph was niet half zo knap geweest als Freddie. Maar hoeren waren een apart slag, dat wist iedereen. Zij wachtten hun kansen af en wie kon ze dat kwalijk nemen?

Lena had het jaren volgehouden en nu was haar man helemaal van haar. Het was een wrange overwinning, maar toch een overwinning. Geen haar op Jackies hoofd die eraan dacht om bij Freddie weg te gaan, dat wist ze wel, maar ze droomde er toch van dat haar dochter op een dag van haar man zou krijgen wat ze wilde. Maar wat ze tot nog toe had gehoord, deed hij nog steeds aan polsstokhoogspringen met alles wat een korte rok droeg. Zoals haar man al zo vaak over zijn schoonzoon had opgemerkt: dat kun je wel vergeten. En aangezien haar echtgenoot en Freddie Jackson in dat opzicht als twee druppels water op elkaar leken, wist ze dat hij uit ervaring sprak.

Maggie lachte als altijd haar stralende glimlach terwijl ze haren waste en massa's koppen thee zette. Ze was in opleiding voor kapster en dat baantje was alles voor haar, meer nog zelfs. Haar leven draaide om Jimmy, werk, *Dallas* en haar familie.

De mode stond haar goed, de glamour stond mooi bij haar wijd uit elkaar staande ogen en dikke blonde haar, daarom was ze ook een spetterende aanwinst voor de salon waar ze nu werkte. Zelfs dik onder de make-up zag ze er jong en fris uit, en dat maakte haar juist zo aantrekkelijk.

Haar lieve gezichtje en lieftallige charme deden wonderen bij de cliëntèle en ze verdiende een fortuin aan fooien. De eigenares van de salon, een lange vrouw met hoog opgestoken haar en een quasi-Frans accent, wist maar al te goed dat ze een pareltje had binnengehaald en ze behandelde haar dan ook met respect en zorg.

Dit meisje leerde snel, was lief en kon goed luisteren. Ze was nooit te beroerd om klusjes te doen in de salon. Madam was dol op haar en dat gold voor iedereen die bij haar in de buurt kwam. De andere meisjes die ze had opgeleid glimlachten, werkten en konden niet wachten om hem te kunnen smeren. Een kapperszaak in Bethnal Green was niet bepaald hun idee van raffinement. Maggie was dankbaar en dat kon je bij alles wat ze deed merken. Het grootste deel van de week zetten ze permanenten bij oudere vrouwen die dat al sinds de jaren vijftig lieten doen. Ze gingen één keer per week naar de kapper, hun haar stond zo stijf van de lak dat een wervelstorm het nog niet in beweging zou kunnen krijgen. Ze roddelden en dronken hun thee. Drie dagen later kwamen ze terug om het te laten 'uitkammen'. En dat deed Maggie met haar gebruikelijke glimlach.

Maar op de vrijdagavonden en zaterdagen was Maggie in haar element. De nieuwe haarstijlen waren een tweede natuur voor haar en ze wist de meisjes in de ouderwetse salon op hun gemak te stellen. Ze draaide haar eigen muziek: Simply Red. 'Holding Back The Years' en 'Money's Too Tight To Mention' deden het goed en ze zorgde ook dat ze altijd Thunderbirdwijn in huis had. Het was er druk en madam vond het heerlijk dat ze de jeugd weer in de salon kreeg. Maggie bewees de zaak alleen al door haar aanwezigheid een enorme dienst. Ze keek met angst en beven uit naar de dag dat ze net als de anderen de wijk zou nemen. Maggie Summers werkte hard en het feit dat ze uit zo'n familie van nietsnutten kwam, was op zichzelf al aandoenlijk. Ze voelde dat Maggie niet in hun voetsporen zou treden. Dit meisje zou wat van de wereld gaan zien, of sterven bij een poging daartoe. Ze was pas zestien maar wist nu al wat ze van het leven wilde.

Maggie vond op haar beurt madam Modèle helemaal top en was vastbesloten haar naar de kroon te steken. Ze zag hoe madam met de klanten omging en voelde intuïtief aan dat daar het geheim school van een goedlopende zaak. Zelfs de eenvoudigste vrouw kreeg in madam Modèles zaak een speciaal gevoel en Maggie was alleen al daarom gek op haar.

Ze was het haar van een oudere mevrouw aan het wassen en ze stelde zich voor dat ze haar eigen salon had en dat ze de scepter zwaaide over een groep jonge vrouwen, allemaal gekleed in mintgroene overalls met het haar in een Franse vlecht. Dat was altijd al haar droom geweest en, zoals ze altijd alles deed, stortte ze zich daar met heel haar ziel en zaligheid in.

Maggie had zich, in tegenstelling tot de rest van haar familie, een doel gesteld en zou hemel en aarde bewegen om dat te bereiken. Met Jimmy achter haar wist ze dat haar droom elke dag een stukje dichterbij kwam. Hij was nog maar eenentwintig, maar nu al verdiende hij bakken met geld. Het leek wel of het leven vastbesloten was hen beiden een duwtje in de rug te geven. Zij had er, anders dan haar zuster, geen moeite mee dat Jimmy in bordelen werkte, want ze wist dat ze hem kon vertrouwen. Haar Jimmy hoefde niet zo nodig op elke vrouw te duiken als hij de kans kreeg, zoals Freddie, en zoals hij over die hoeren praatte, wist ze wel dat hij geen enkele belangstelling voor ze had. Hij zag ze puur als broodwinning... dat hóópte ze althans.

Ze zette die gedachten uit haar hoofd.

Dankzij Ozzy hadden ze het gemaakt en ze wist dat Jimmy en Freddie nog jaren werk zouden hebben. Jimmy en zij hadden al heel wat gespaard en hoewel het meeste niet op de bank gezet kon worden, konden ze nu toch een klein huis kopen.

Maggie was zo gelukkig dat ze het wel van de daken kon jubelen. Het enige waar ze nu voor bad was dat haar zuster het zoontje kreeg waar ze zo wanhopig naar verlangde, dan zou alles volmaakt zijn. Ze mocht al föhnen en het basisknipwerk doen. Voor ze het wist zou ze de 'gratis' kapster van de familie zijn, maar zelfs dat kon haar geluk vandaag niet temperen. Niets kon dat.

Het leven zag er rooskleurig uit, Jimmy en zij zouden gaan trouwen en dan kon zij het een beetje rustiger aan gaan doen.

Over een paar maanden zouden ze zich gaan verloven en een halfjaar later zouden ze trouwen. Ze zou dan pas net zeventien zijn, maar ze wist dat er geen bezwaar in de families bestond. Ze keken er juist naar uit. Iedereen was het erover eens dat Maggie en Jimmy voor elkaar gemaakt waren.

Het was vroeg in de avond en Freddie en Jimmy zaten op kantoor van hun belangrijkste bordeel. Hier hingen ze altijd rond, vanwege Freddie die altijd op jacht was naar een lekkere wip. Het huis stond in Ilford, een groot victoriaans huis met een ruime keus aan vrouwen en drugs.

In tegenstelling tot Jimmy had Freddie de opkomende drugscultuur met beide handen aangegrepen. Jimmy had op een avond genoeg aan een paar joints, maar voor Freddie kwam er nooit een eind aan de nacht. Hij wist totaal geen maat te houden, wilde nooit naar huis tenzij het niet anders kon.

Hij snoof zoveel amfetamine als hij kon krijgen en dealde nu grote hoeveelheden speed. Hij slikte ook blauwtjes, dexies en tenuate dospan, afslankpillen die zijn paranoia en onvoorspelbare driftbuien alleen maar verergerden.

Ze zaten goedkope wodka te drinken en over Ozzy's plannen te praten toen Jimmy bij Freddie de signalen opmerkte van een opkomende woedeaanval. Zijn handen beefden en zijn ogen dwaalden ongericht rond, het zweet stond op zijn voorhoofd, een voorbode van een amfetaminerush.

Kortom, hij was verslaafd.

'Alles goed, Freddie?' Hij zei het achteloos maar voorzichtig, zodat hij de grote, aanmatigende vent, die zo overduidelijk op ruzie uit was, niet tegen de haren in zou strijken.

Freddie staarde hem een poosje aan. Jimmy zag dat hij dolgraag zijn woede op hem wilde loslaten, maar dat hij zichzelf er praktisch aan het uitpraten was. Het was alsof je naar een bokser keek die een hamer in zijn handen had in plaats van een bokshandschoen. Hij wist dat hij hem niet mocht gebruiken, maar de verleiding was te groot.

'Jij en Ozzy zijn nogal dik tegenwoordig.'

Jimmy slaakte inwendig een zucht. Dit was een steeds terugkerend thema aan het worden en in zekere zin zag hij de logica er wel van in. Freddie was de nummer één en hij had er moeite mee dat hij moest zitten afwachten totdat Jimmy verslag kwam uitbrengen.

Zijn bezoeken aan Ozzy hadden een wig tussen hen gedreven. Maar aangezien Jimmy zelfs nog nooit een parkeerbon of waarschuwing had gehad, was hij de enige die betrekkelijk eenvoudig die zwaarbewaakte afdeling van de gevangenis kon bezoeken.

Als je op bezoek wilde bij gevangenen van de categorie A of dubbele A, moest je door een grondige en volkomen nutteloze politiecontrole. Dit hield in dat er een pasfoto werd gemaakt, dat je een formulier moest invullen zodat ze zeker wisten dat je werkelijk degene was die je beweerde te zijn en dat je woonde waar je zei dat je woonde. Als klap op de vuurpijl kwam er een vervelende politieagent thuis bij je langs om te kijken of je op de foto leek.

Theoretisch leek dat allemaal dik in orde, maar zoals Jimmy al bij elk bezoek had bewezen, konden alle politiecontroles van de wereld niet voorkomen dat er boodschappen of zelfs opdrachten tussen gevangene en bezoeker werden uitgewisseld. Freddie wist dat en het was zijn idee geweest om Jimmy als tussenpersoon te laten fungeren, maar Jimmy kwam erachter dat zijn neef nu niet meer zo blij was met die situatie.

Nou ja, daar kon hij helemaal niets aan doen. Ozzy had de touwtjes in handen en daarmee basta. Hij begreep hoe zijn neef zich voelde, hij had het tenslotte allemaal in gang gezet. Freddie was naar Parkhurst overgebracht nadat men tot de conclusie was gekomen dat hij niet voor rehabilitatie in aanmerking kwam, doordat hij zowel gevangenbewaarders als gevangenen in elkaar sloeg en met ze op de vuist ging. Hij had het niet al te best opgenomen dat hij de bak in draaide en driftig als hij toch al was, was hij bij het minste geringste door het lint gegaan. Pas op die afdeling had hij zich op zijn gemak gevoeld en in zekere zin was het nog goed voor hem geweest ook. Hij had aan de grote misdaad geroken en er elke seconde van genoten.

Voor zijn vrijlating had hij zes weken in Shepton Mallet doorgebracht om te acclimatiseren, en die waren geweldig geweest, want Ozzy's arm reikte ver en werd overal gerespecteerd. Freddie was als een held binnengehaald, hij had een cel voor zich alleen gehad, wat zakgeld en zoveel sigaretten en drank als hij op kon.

Maar nu begon hij wrok te koesteren omdat Jimmy het enige communicatielijntje was met Ozzy. Freddie zou Freddie niet zijn als hij niet onwillekeurig dacht dat hij niet het hele verhaal te horen kreeg, wat eerlijk gezegd ook vaak het geval was. Voor Freddie was het moeilijk te accepteren dat Jimmy een doener én een denker was en, nog het allerergste, dat iedereen hem mócht.

Het kwam Freddie goed uit dat mensen deden of ze hem aardig vonden. In zijn jeugd had hij dit beschouwd als een vorm van respect, maar nu zag hij de andere kant van het leven, voorgespiegeld door een jongere man, een ondergeschikte, niet alleen qua leeftijd maar ook qua lichaamsbouw.

Een jongeman die niet alleen zijn dagelijks brood aan hem te danken had, maar zijn hele leven. Jimmy was wat hij van hem had gemaakt, en het feit dat hij het zo goed deed, zou Freddie gelukkig moeten maken. Hij schaamde zich dat hij zo jaloers was, maar hij was het toch.

Jimmy begreep het wel, hij kende Freddie beter dan zichzelf, hoewel Freddie hem totaal niet kende. Freddie deed eigenlijk nooit zijn best om iemand te leren kennen. Zolang ze nuttig waren en in de pas bleven lopen, was hij gelukkig. Tot nog toe althans.

Jimmy wist dat hij behoedzaam moest manoeuvreren, want ook al hield Freddie nog zoveel van hem, Jimmy begon hem nu aardig naar de kroon te steken, meer dan goed voor hem was. Al helemaal omdat hijzelf er aan alle kanten een ongelooflijke puinhoop van maakte.

'Kom op, Freddie, je weet hoe het gaat. Als je wilt dat iemand anders zich naar het eiland Wight sleept om met Ozzy te praten, ga je gang, jongen. Jij wilde tenslotte zelf dat ik dat deed.'

Jimmy klonk zo boetvaardig dat hij een oorlog had kunnen afstoppen. Hij keek de man van wie hij meer dan wie ook in de wereld hield zo bezorgd aan dat die kalmeerde. Dit begon een repeterende mantra te worden, en het begon op zijn zenuwen te werken. Hij werkte hard en als Freddie dat niet zag, was hij achterlijk. Jimmy loste heel veel voor hem op, maar daar zei hij nooit een woord over. Jimmy liep over een flinterdunne draad en naarmate hij ouder werd en meer en meer bij de hele zaak betrokken raakte, begon het hem steeds meer tegen te staan. Hij zette heel veel van Ozzy's opdrachten zelf uit omdat dat makkelijker was dan op Freddie te wachten. Maar hij moest het zo inkleden dat Freddie het gevoel had dat Jimmy de loopjongen was. Freddie was lui, altijd geweest en zou dat altijd zijn, hoewel hij geweldig kon intimideren. Hij genoot ervan om de zware jongen uit te hangen, maar de dagelijkse beslommeringen werkten op zijn zenuwen. Freddie liet de zaken sloffen, alleen maar omdat hij niet met zijn poten van de drugs en de meiden af kon blijven.

Jimmy wist heel goed dat zijn kracht school in het feit dat hij vrederechter kon spelen, dat hij mensen om kon praten. Daardoor wist hij heel wat confrontaties te voorkomen die hun zaakjes nu eenmaal met zich meebrachten. Van de overvallen, geld innen, dealen tot aan de clubs, de pubs en al die andere verschillende zaken die ze voor Ozzy in de gaten moesten houden toe, Jimmy zorgde dat alles geolied liep.

Freddie was zich daar wel van bewust, maar zijn karakter kon, wilde, niet toestaan dat iemand anders het roer in handen had. Jimmy was veel beter in cijfers, de werkroosters en het bemiddelen tussen de verschillende mensen die voor hen werkten. Hij was zijn bloedverwant en goed in wat hij deed, maar daar werd hij razend van, ook al kon hij de hele dag pierewaaien, juist omdat zijn neef zo slim was.

Hij staarde de jongeman voor zich aan en zag zoals altijd zichzélf, als hij maar een greintje verstand in zijn mik had gehad. Diep in zijn hart wist hij dat hij zichzelf aan moest pakken, voordat het te laat was. Hij moest minder drinken en minder drugs gebruiken, beter opletten wat er om hem heen gebeurde, maar dat was makkelijker gezegd dan gedaan.

Terwijl hij Jimmy zo in het gezicht keek, voelde hij weer die vertrouwde schaamte door zijn gedachten spoelen. Het was een goeie knul en hij was de enige van wie Freddie Jackson werkelijk hield, op zichzelf na dan. Toen grijnsde hij die innemende, liederlijke grijns die hem in meer bedden en knokpartijen had doen belanden dan hij kon tellen.

Hij leunde over het met bier bevlekte bureau en greep Jimmy bij de kin. Het deed pijn maar Jimmy liet hem begaan, hoewel hij diep vanbinnen deze man, die hij aanbeden en bewonderd had, wilde vertellen hoe het er werkelijk voor stond. Maar dat deed hij niet, kón hij niet.

'Slim klootzakkie, met jou moet Ozzy het idee hebben dat hij al zijn verjaardagen en Kerstmissen in één klap in zijn schoot geworpen heeft gekregen!'

Jimmy trok zijn hoofd uit Freddies greep. 'Ik vertel hem alleen maar wat hij moet weten en ik geef zijn boodschappen aan jou door, Freddie. Waarom doe je zo tegen me?'

Het was een verontschuldiging en dat wisten ze allebei.

Freddie sloeg zijn borrel in één keer achterover en haalde

toen zijn schouders op. 'Denk maar niet dat je het van me overneemt, goed? Waag het niet me af te zetten.'

Jimmy glimlachte, de moeilijkste glimlach van zijn leven. 'Waarom zou ik je dat willen aandoen?'

De vraag en het antwoord bleven in de lucht hangen.

5

'O, hou verdomme daarmee op, Jackie, en kom hier!'

Freddie ergerde zich aan haar zogenaamde schoonmaak-drift. Ze probeerde zijn aandacht te trekken door de kamer in en uit te lopen, asbakken leeg te gooien en hier en daar wat op te ruimen. Nu had ze hem zover.

Freddie zat een joint te roken en naar Pink Floyd te luisteren. Hij had twee uur lang met 'Wish You Were Here' meegezon-gen. In tegenstelling tot zijn vrienden hield Freddie van zachte, meeslepende muziek.

Freddie keek hoe Jackie naar hem toe kwam waggelen. Deze keer was ze enorm, zo groot dat hij zich zorgen begon te ma-ken. 'Weet je zeker dat er geen vier in rondschoppen, meid?'

Jackie moest lachen. Ze genoot ervan als hij aandacht aan haar schonk, maar ze had al de hele dag rugpijn en die zat haar plezier in de weg.

Haar lange donkere haar was perfect geknipt en glanzend geborsteld. De vrouwen in de familie hadden er nog nooit zo stralend bij gelopen, met dank aan Maggies voorliefde voor haarverzorging.

Toen Jackie op de bruine kunstleren bank neerstortte, trok Freddie haar in zijn armen en zei lief: 'Je haar zit fantastisch.'

Hij wist dat hij haar een plezier deed met dat compliment, en het was nog waar ook, haar haar zat mooi. Alleen met de rest zat hij in zijn maag. Ze zag er zo sjofel uit, net als het huis, trouwens.

'Je hebt het altijd in een leuk model gedragen, Jack, je ziet er goed uit zo.'

Het was in lange lagen geknipt en even voor de haargrens achterovergekamd. Ze was er dolblij mee, helemaal nu haar man het niet alleen had opgemerkt, maar er ook bewonderend naar zat te kijken.

Hij had ook wel eens gezegd dat ze op een bastaard van Joan Collins leek die aan de PCP zat, maar dat had nooit iemand aan haar doorverteld.

'De kroon op een vrouw, dat heb ik als kind op school opge-pikt. Kennelijk is dat het eerste waar een jongen op let.' Persoonlijk was hij meer van de tieten, maar op dat moment liet hij het wel uit zijn hoofd daar iets over te zeggen. Haar gevoel voor humor had haar al een tijdje in de steek gelaten.

'Ik probeer er leuk voor je uit te zien, Fred, dat weet je best.'

Hij keek haar in het gezicht en zag weer die smachtende blik in haar ogen waarvan hij als altijd verstijfde. Maar hij slikte de neiging om weg te vluchten in en riep in plaats daarvan Roxanna, die met een woedend rood hoofd de voorkamer binnenkwam.

'Ik zat met mijn poppen te spelen.'

Ze sloeg gewoontegetrouw een arrogant toontje aan tegen haar vader en die schoot daar als altijd van in de lach. Hij was half stoned, dat hoorde Jackie aan zijn stem. Dat was tegenwoordig aan de orde van de dag en ze had er een hekel aan. Geen haar op haar hoofd die eraan dacht om in zijn bijzijn te roken, maar de lucht maakte haar gek.

'Haal m'n jas even voor me, babe.'

'Doe het zelf!'

Hij lachte nogmaals, die bezopen lach waar zijn kinderen zo'n hekel aan hadden omdat ze wisten waar het door kwam, in elk geval niet door hen.

'Haal m'n jas, kleine luie donder.'

Roxanna zette een kwaad gezicht op en stormde de kamer uit. Een paar tellen later sleepte ze zijn lange leren jas over de vloer achter zich aan en liet hem in een hoopje bij zijn voeten vallen.

'Een jas!'

Het sarcasme droop ervan af en ze klonk meer als een oud vrouwtje dan als een kind.

'Bokkige merrie.'

Ze grijnsde. 'Wat je zegt ben je zelf.'

Hij grinnikte nog toen Roxanna stilletjes de kamer uit liep, de woede sloeg van haar af. 'Echt een dochter van haar moeder!'

Hij zei het trots en Jackie was dolblij door de manier waarop hij het zei. Dit was de Freddie van wie ze hield, de Freddie naar wie ze zo verlangde, de man die ze aanbad, niet die onhebbelijke bullebak wanneer hij gedronken had of uit zijn dak ging op de coke.

Hij frummelde in de lange voeringzak van zijn jas en haalde er stapels bankbiljetten uit. Hij liet ze in haar schoot vallen en zei liefjes: 'Zet dat opzij voor kleine junior hier. Als je iets nodig hebt, zeg je het me, oké?'

'Hoeveel is het?'

Hij vond het heerlijk als ze vol ontzag tegen hem praatte terwijl ze de bundels inhalig bij elkaar griste.

'Ongeveer zevenduizend, maar maak je niet ongerust, er is nog veel meer.'

Hij zei het met zijn gewichtige 'zie-mij-eens'-stem, die hij altijd opzette als hij wilde dat ze wist hoe goed hij voor haar was. Dat hij zijn hele hebben en houden voor zijn gezin in de waagschaal stelde, zonder dat hij aan zijn eigen vrijheid dacht.

Elke keer tuinde ze er weer in.

Ze kuste hem zacht op zijn lippen en keek in de ogen van haar echtgenoot. Het allesomvattende vertrouwen en de liefde die daaruit spraken, zeiden hem dat hij weer een paar nachten rondneuken had verdiend. Hij had die ochtend vijfentwintigduizend geroofd van een geldwagen in Oost-Londen. De adrenaline gierde nog door zijn lijf en hij genoot ervan dat zijn zwangere vrouw hem zo zat op te hemelen. Dat had hij nodig, want ook al had hij de dames voor het uitkiezen, hij kon slechts aan één vrouw denken en die begon hem elk wakend moment te beheersen.

Patricia had hem gebruikt en dat was hem van zijn leven nog niet overkomen. Meestal was hij de overwinnaar. Hij gebruikte vrouwen, niet andersom, en als gevolg daarvan maakte ze hem krankzinnig. Wat nog erger was, hij had het gevoel dat ze het wist en leedvermaak had om zijn narigheid. Zoals ze naar hem glimlachte, hem dan weer negeerde, om vervolgens geanimeerd met hem te gaan praten zodat hij dacht dat hij weer een kansje maakte. Dan zag ze hem dagenlang niet staan terwijl hij allerlei smoezen bedacht om haar te kunnen aanklampen.

Maar hun vrijpartij had hem helemaal gek gemaakt. Nog nooit eerder had een vrouw hém het bed in geluld, hem zonder een woord te zeggen – zowel ervoor als daarna – zoveel plezier bezorgd, en vervolgens gedaan alsof hij lucht was. Hij dacht voortdurend aan haar, dat jongensachtige lichaam waar ze zo gemakkelijk mee omging, haar kleine borsten die hij had aanbeden. Patricia had van hem genomen wat ze wilde en hij had het geweldig gevonden.

Met haar in gedachten gleed zijn hand naar de gezwollen borsten van zijn vrouw en hij streelde haar liefkozend. Ze was zo anders dan Patricia. Jackie leek wel een koe, met reusachtige uiers en die melkachtige geur, die vrouwen kregen wanneer ze op het punt van bevallen stonden. Patricia was

lang en soepel, in bed had hij een vrouw zich nooit zo zien bewegen.

Jackie voelde zijn aanraking en als altijd was ze maar al te
bereid toe te geven. Net als haar moeder geloofde ze dat als je
een man nooit weigerde, hij nooit op drift zou raken. Haar vader had bewezen dat niets van die bewering klopte, evenals
haar echtgenoot, trouwens.

Net als Lena begreep ze niet wat mannen bezielde, waarom
ze zo achter de vrouwen aan zaten. Het had alles met macht te
maken, net als een verkrachter, ze gebruikten vrouwen gewoon
om hun doel te bereiken. Eigenlijk had het helemaal niets met
de seksuele daad zelf te maken, wat hen betrof was dat juist de
bonus die vrouwen als toegift kregen. Het ging om de jacht en
wanneer vrouwen zich eenmaal hadden overgegeven, keken ze
niet meer naar hen om. Het zoveelste verhaal dat in de pub
werd opgedist, de zoveelste verovering waardoor de man in
kwestie zijn waardeloze leventje even kon vergeten. Ze gaven
geen fluit om de vrouw in hun bed, verlangden niet eens naar
haar, ze waren slechts een marionet in hun levensspel.

'Kijk uit, Freddie. Ik bijt liever op een houtje dan dat je de lik
weer in draait.'

Hij glimlachte naar haar, door die lach kreeg elke vrouw het
gevoel dat ze de enige vrouw ter wereld was die er voor hem
toe deed. 'Jullie zijn mijn meisjes, ja? Ik moet toch zeker voor
mijn meisjes zorgen? Daarom werk ik elk uur dat God me heeft
gegeven.'

Jackie had een hekel aan dat antwoord, wat hij wel had verwacht.

'Wat? In die hoerententen...'

Hij legde ruw een hand over haar mond, fluisterde haar
dringend iets toe wat geen tegenspraak duldde. 'Begin nou niet
weer, Jackie, je weet dat het m'n werk is. Ik moet de zaken in
de gaten houden, man, erop toezien dat de klanten niemand
beroven en zeker zijn dat de meisjes hun zakken niet rollen.
Vooral Ozzy's meiden.'

Ze worstelde zich nu overeind en trok zich ver terug uit zijn
omhelzing. Toen duwde ze zijn hand ruw van haar mond weg,
stak een sigaret op om haar ademhaling in toom te houden en
zei smalend: 'De méísjes? Heb je het over wíj meisjes, je dochters en ik, of die hoerentantes?'

Hij slaakte zijn diepe, lijdzame zucht, die zucht waardoor ze
zich zo achterlijk ging voelen, dat zíj het verkeerd zag, dat ze

het altíjd verkeerd zag. Die zucht zei haar dat als ze doorging, er rotzooi van zou komen.

'Zal ik dan maar thuisblijven?' Hij verhief zijn stem en ze wist dat de kinderen hem in hun slaapkamers konden horen, ook weer zo'n psychologisch wapen van hem. 'Zal ik hier dan blijven zitten en samen met jou naar het behang gaan staren? Zal ik een lijntje nemen? Dan heb ik tenminste nog een beetje lol.'

Hij raakte nu echt geërgerd: zij vraagt zich af waarom hij haar in het zonnetje zet en vervolgens krijgt hij dit! Hij haalde een paar keer diep adem. Hij moest haar om zien te praten, in elk geval tot het kind was geboren. Dan kon hij doen waar hij zin in had.

'Zeg maar dag met je handje als ik niet meer aan het werk kan.'

Hij keek de propvolle, rommelige kamer rond en maakte een geringschattend armgebaar. Hij speelde met haar en ze wist het, maar ze wisten allebei ook dat geld altijd op de eerste plaats kwam. Ze genoot ervan om er tegenover de buren mee op te scheppen en vond het heerlijk om het uit te geven. De laatste tijd gaf ze schandelijke bedragen uit en in tegenstelling tot haar zuster dacht ze nooit aan de onvermijdelijke magere tijden. Dacht er totaal niet aan om het geld voor haar te laten werken, voor het geval hij weer zes jaar in het rechtssysteem op vakantie ging. Ze had al die jaren in haar eentje haar kostje bij elkaar moeten scharrelen, en nu was ze volkomen uit haar dak gegaan. Dat geld was ook voor iedereen in de buurt het bewijs dat hij wel van haar móést houden. Het was de balsem op een gekwetst hart, het was haar verdediging tegen de wereld.

Hij sloeg haar gade toen ze de zevenduizend bekeek en wist dat hij het voor elkaar had. Hij knuffelde haar stevig en zij genoot als altijd van zijn aanraking. Ze hunkerde naar zijn aandacht evenals naar zijn welwillendheid.

'Nou ja, maak het niet te laat, hè? Onthoud dat je hier een gezin hebt zitten.'

Haar stem klonk nog steeds gespannen en ze wisten allebei dat ze het niet echt fijn vond. Ze zei min of meer tegen hem dat ze hem thuis wilde hebben. Ze probeerde hem zich schuldig te laten voelen omdat hij haar in de steek liet.

Nu ze zwanger was, wilde hij dat ze glimlachte als hij de deur uit liep. De laatste keer, toen ze de baby had verloren, had hij zich schuldig gevoeld, had hij voor het eerst van zijn leven zijn daden onder de loep genomen. Dat wilde hij nooit meer meemaken.

Ze had het hem zo lang voor de voeten geworpen. Zelfs zijn moeder had zich ermee bemoeid, die had het hem zwijgend verweten. Hij was alleen verbaasd dat Lena, die hem al de schuld gaf als het regende op de dag dat zij ramen wilde lappen, niet tussenbeide was gekomen. Ze had er zelfs met geen woord over gerept. Nu deed hij zijn uiterste best om Jackie en de meisjes goed te verzorgen, naar buiten toe maar ook binnenshuis. Hij had gehoord dat het helemaal tot het eiland Wight was doorgedrongen, zoals hij zijn vrouw had behandeld.

Hij had lang met Ozzy en zijn maten vastgezeten en hij wilde dat ze goed over hem dachten. Als hij die garantie kreeg als hij maar goed voor deze vetzak zou zorgen, dan zou hij dat doen. Maar hij had een hartgrondige afkeer van haar en als ze eenmaal was bevallen, zou ze de schok van haar leven krijgen. Als het weer zo'n kutmeid was, had ze het wat hem betreft gehad.

Maar zijn imago was zijn alles, uiteindelijk zouden zijn image en reputatie zich terugbetalen. In hun wereld was dat het enige wat je had. Dus kuste hij haar zachtjes op het puntje van haar neus, keek toen scherp op zijn spiksplinternieuwe Bulova-horloge en zei oprecht: 'Zorg dat je wat tot rust komt en blijf van die verdomde drank af. Dat arme kind wordt half bezopen geboren als je niet oppast.'

Hij zei het als grap, maar de ondertoon was scherp. Hij waarschuwde haar en dat wist ze. Ze vroeg zich even af of haar moeder hem had ingeseind, maar verwierp die gedachte onmiddellijk weer. Hij had ogen in zijn hoofd en kon ruiken. Een blinde hond zou haar op kilometers afstand nog kunnen opsnuiven.

Ze keek naar zijn knappe gezicht en verbaasde zich erover dat iemand, die eruitzag als een Griekse god en zo kon glimlachen dat zelfs een hart van beton ervan zou smelten, tot zulke wreedheden in staat was.

En hij wás wreed, dat wist ze maar al te goed, en toch voelde ze zich nog net zo tot hem aangetrokken als de eerste keer dat ze hem had gezien. Ze voelde zich bij hem nooit gelukkig, want hij gaf haar het gevoel dat ze lelijk was, altijd op de tweede plaats stond. Maar zonder hem was ze verloren, dan betekende haar leven niets, had het geen zin.

Hij zou rotzooi schoppen als ze hem niet zonder ruzie liet gaan. Zoals gewoonlijk gaf hij haar twee opties: of hij vertrok en zij keek hem glimlachend na of hij bleef en ze kregen ruzie, waarna hij weg zou stormen en haar woedend en verdrietig achter zou laten. Als ze hem gewoon zou laten gaan, zou hij misschien de neiging hebben om eerder naar huis te komen in plaats van weg te blijven.

Een paar tellen later kwam hij met een biertje uit de koelkast aan en zette met een klap de fles goedkope Liebfraumilch die ze daar op het aanrecht had staan neer. 'Zijn we nu al aan de zuip? Toch zeker niet zo uit de fles, hè?'

Ze hoorde aan zijn stem dat hij op ruzie uit was en toen Jackie door de deur naar de kleine hal keek, zag ze Roxanna staan, met grote ogen en een nerveuze trek om haar mond.

Ze sloot haar ogen en zei zo vriendelijk als ze maar kon: 'Ik zou maar opschieten, babe, je komt nog te laat.'

Hij trok het biertje open en nam een flinke slok. Toen zette hij het blikje op het rommelige aanrechtblad en rende de gang in. Hij greep Roxanna vast, gooide haar op de grond en deed alsof hij haar beet. Ze gilde het uit van pret, het geluid sneed door Jackies hoofd.

'Ben je pappies meissie of niet?'

Ze schreeuwde: 'Ja, ja.' Toen hield hij op, kuste haar zachtjes, stond op en met een handzwaai en een luchtkus naar zijn dochter was hij verdwenen.

Roxanna stond op en rende met een gelukkig glanzend gezicht naar haar moeder toe. Jackie duwde haar niet al te zachtzinnig opzij en blafte: 'Ga van me af, godverdomme. Je lijkt wel een klotebloedzuiger, jij.'

Roxanna schrok en met haar natuurlijke strijdlust riep ze uit: 'Geef mij niet de schuld dat je hem hebt weggejaagd.'

De meisjes gaven haar altijd de schuld. Hij wond ze om zijn vinger en gaf ze wat ze maar wilden. In hun ogen was zij geen knip voor de neus waard, ook in haar eigen ogen niet, trouwens.

De klap kwam hard aan en deed pijn. Rox rende huilend de kamer uit, Jackie voelde zich als altijd schuldig en ze was verbijsterd over welke kant haar leven op ging.

Het eerste glas wijn haalde de scherpe kantjes van haar woede af, het tweede bracht haar op hol geslagen hart tot bedaren en na het derde klom ze de trap op om te proberen het met de meisjes weer goed te maken.

Jimmy zat in de pub met iemand in wiens gezelschap hij absoluut niet wilde zijn. Tot Freddie en Bernie Sands er waren,

moest hij glimlachen en de man voor wie hij een intuïtieve afkeer voelde, grote whisky's schenken.

Jimmy wilde dolgraag weten waar Freddie en zijn nieuwe
gabber Bernie uithingen. Ze waren al een uur te laat. Bernie
had een paar jaar met Freddie in de lik gezeten en nu waren ze
de verloren tijd aan het inhalen. Tot verdriet van hun vrouwen
en gezinnen.

Ze waren als twee handen op één buik en nooit ver bij elkaar
uit de buurt en ook al was dit voor Maggie een feestje waard,
Jimmy maakte zich zorgen. Zonder een kalmerende invloed
om zich heen kon Freddie zo gek worden als een deur... dat
had hij meer dan eens bewezen sinds ze de zaken van de Clancy's hadden overgenomen. Nu had Freddie Bernie en het laatste wat Freddie kon gebruiken was iemand die hem nog meer
ophitste dan hij zelf al deed. Bernie was een korte, gedrongen
man met een woeste blonde haardos en een gezicht dat zijn reputatie geen recht deed. Zelfs als hij op de toppen van geluk
zweefde, zag hij er nog treurig uit.

Bernie was bankrover en inde geld. Hij kon een lijk zijn
schulden nog laten betalen, dat werd althans gezegd. En ook al
kende Jimmy hem nog maar kort, volgens hem was dit nog een
understatement. Jimmy wist dat ze elke dag wel iets beroofden
en daar had hij slapeloze nachten van.

Toen in de jaren zeventig het aantal berovingen schrikba-
rend toenam, hadden de beveiligingsbedrijven verregaande
maatregelen getroffen om hun vracht beter te kunnen beschermen. Tot nu toe, 1986, hadden van de geldwagens alleen die
uit Groep 4 geen kogelvrije ramen. Ze waren een geliefkoosd
doelwit, want met een goedgemikte klap van een voorhamer,
een paar goedgekozen woorden, een vuurwapen en genoeg
drank waren die bestelbussen in minder dan tien minuten ge-
kraakt.

Alleen al de adrenalinestoot was al genoeg om Freddie verslaafd te maken. Ze deden er gemiddeld twee per dag, om de
paar dagen, in de afgelopen week één 's ochtends en één 's middags. Het was zo makkelijk dat het niet in hen opkwam dat ze
gepakt konden worden.

Deze roofovervallen waren een fantastische broodwinning
en konden ter plekke worden gepleegd, zonder dat je omstandig hoefde te plannen zoals bij, laten we zeggen, een bankover-
val of diamantroof. Het geld dat ze bijvoorbeeld die dag hadden buitgemaakt was bedoeld als kleingeld, om spullen van te

kopen. Voor hen was het een zakcentje. Sommige mensen roofden geldwagens voor een borgsom, of voor de actie zelf.

De man tegenover Jimmy hield zijn lege whiskyglas omhoog en schudde ermee naar hem. Hij had zijn wenkbrauwen opgetrokken en zijn rood dooraderde wangen vertoonden, veronderstelde Jimmy, een glimlach. Jimmy's gedachten werden onderbroken en hij liep weer naar de bar. Hij was zich ervan bewust dat iedereen naar hem keek vanwege zijn gezelschap en wenste uit de grond van zijn hart dat Freddie zou komen. Ook al was hij niet voor een kleintje vervaard en kon hij zichzelf uitstekend redden, met die zware jongens in de buurt die hem argwanend zaten aan te kijken, wist hij niet wat ervan zou komen als ze massaal over hem heen zouden vallen.

Paul vulde het glas met ijs, spoog er stiekem in en schonk er toen de whisky voor dronkaards bij, die met water was aangelengd. Die drank werd pas aan het eind van de avond geschonken, alleen aan diegenen die te ver heen waren en ruzie zochten, maar per se nog een borrel wilden. Mensen die niet wisten dat genoeg genoeg was, misschien gewapend waren en een wrok koesterden.

Met die drank verdienden ze geld omdat ze zo de voorraad op peil hielden en tegelijk konden voorkomen dat er een moord werd gepleegd.

De fluim leek op de normale belletjes die altijd boven op een glas whisky dreven en Jimmy voelde zijn maag omdraaien toen hij het glas aan de lange, magere politieman gaf. Deze had die sarcastische grijns en het air van iemand die zich veel te goed voelde voor de plek waar hij nu weer was beland.

Rechercheur Halpin was een tamme schoft, maar voor Jimmy niet tam genoeg. Eigenlijk was hij een pretentieuze zak die toevallig bij de zware criminaliteitsbestrijding terecht was gekomen doordat hij zich een weg naar boven had gelikt en met een massa cash, uiteraard gefourneerd door mensen als Freddie en Jimmy. Hij maakte dezelfde fout die alle verraders uiteindelijk maakten. Ze luisterden alleen nog naar zichzelf, ze stonden in hun ogen niet alleen boven de wet die ze gezworen hadden te zullen handhaven, maar ook boven de mensen met wie ze te maken hadden. Ze kregen altijd de schrik van hun leven wanneer ze er ten slotte achter kwamen hoe diep ze in hun eigen shit zaten.

Ze hadden er geen enkele moeite mee om oude vrienden en collega's te bedriegen en voor te liegen, voelden zich prima in hun dubbelrol en bij het feit dat gewelddadige criminelen, evenals de gebruikelijke bankrovers, vrij als een vogeltje rondliepen. Ondertussen gooiden ze iemand achter de tralies tegen wie ze een wrok koesterden of omdat er goed geld was betaald om hem van de straat te halen.

Resultaat was dat de misdadigers met wie ze zaken deden hen als het laagste van het laagste beschouwden. Als het om een dealertje ging en Halpin vatte hem in de kraag met vijf stuks dope op zak, wist de dealer dat slechts twee als bewijslast werden gebruikt en de rest binnen de kortste keren weer op straat zou belanden. Tijdens huiszoekingen jatte hij geld en vuurwapens, die ook weer op straat werden 'hergebruikt'. Hij dacht werkelijk dat hij boven de wet stond.

Het was zijn inhaligheid die Freddie en Jimmy indertijd was opgevallen en vanavond zou hij de werkelijke reden te weten komen waarom ze hem hadden omgekocht. In het afgelopen halfjaar hadden ze hem verwend, hem een luxevakantie aangeboden en zijn vrouw een enorm plezier gedaan. Eindelijk mocht ze van hem die serre aan laten bouwen die ze zo wanhopig graag achter aan hun vrijstaande semi-Tudor vierkamerwoning in Manor Park wilde hebben.

Momenteel was Halpin het snoepje van de maand en hij genoot ervan. Hij zag totaal niet in dat wat hij deed niet door de beugel kon, hij zag het gewoon als een manier om zijn geld te verdienen. Hij was jong genoeg om zijn zakken te vullen en door wat gesprekjes met zijn collega's was hij vastbesloten dat hij zijn dagen niet zou eindigen in een pension voor oud-politieagenten, herinneringen ophalend aan een lang vervlogen tijd waarin hij er nog toe deed en er nog naar hem werd geluisterd.

Zulke collega's had hij voortdurend langs zien komen en hij was er als de dood voor. Hij had zijn vader als een god aanbeden maar nu zag hij pas wat voor man hij werkelijk was geweest, een klein ventje dat had geleefd om te werken. Nou, Halpin was vast van plan te werken om te leven. Hij wilde een goed leven, geld in zijn zak en als hij daarvoor de regels wat moest aanpassen, dan was dat maar zo.

Hij was boven zijn stand getrouwd en daar was hij zich pijnlijk van bewust. Hij hield van zijn vrouw en kinderen en wilde hun alles geven waar ze in zijn ogen recht op hadden. Hij had van zijn werk bij de politie gehouden, maar naarmate de jaren verstreken, begon hij zich te realiseren dat hij aan de top van zijn salaris zat. Om verder op de ladder te komen, moest hij de juiste mensen benaderen. Laat je gezicht in de juiste pubs zien en wees blind voor het feit dat ze de regels flagrant naar hun hand zetten.

Hij was altijd trots geweest op zijn baan, maar dat gevoel begon langzaam af te brokkelen. Bij een drugsactie vijf jaar geleden had hij uiteindelijk zijn vingers gebrand. Tot die tijd ging hij zo nu en dan een borrel pakken. Dat betekende dat hij wat geld had gekregen om een oogje dicht te knijpen en de mensen hun handeltje te laten drijven, zolang ze dat maar niet al te opvallend deden. Met de gedachte van: zo wist je tenminste wie de boosdoeners waren.

Toen was hij aan een oudere man toegevoegd die hem op weg naar de inval had ingeseind. Hij vertelde dat ze een deal hadden gemaakt en dat ze een paar uur voor de inval naar de pub zouden gaan, zodat die vent tijd genoeg had om zijn kont te drukken. Toen was hij over de streep gegaan en dat had hem dwarsgezeten.

Maar toen hij het huis van die dealer had gezien, wist hij zeker wat voor sukkel hij was. Hij was er totaal van ondersteboven, de keuken leek wel op iets van de NASA en de woonkamer was helemaal van glas en chroom. Dat was een leermoment voor hem geweest, de schandelijke luxe, zoals het gezin van de man gekleed ging en de uniformen van de privéscholen waar zijn kinderen op zaten.

De dealer, een dikke vriend van de hoofdinspecteur, had een fles scotch geopend en samen het glas met ze geheven. Hij had een prettige middag gehad en zijn dubbelleven was begonnen.

Die avond was hij naar huis gegaan en had hij zichzelf binnengelaten in zijn halfvrijstaande huis in Chigwell, met vitrages om de glurende ogen van de buren buiten te houden, en waar voortdurend een vochtige geur hing. Toen was hij tot de conclusie gekomen dat misdaad loont, en heel wat beter dan hij eerst had gedacht.

Zijn vrouw was nu gelukkiger dan ooit, net als de kinderen. Geld maakte in zekere zin wél gelukkig, daar was hij het bewijs van. En dat ze zeiden dat je met geld géén geluk kon kopen, nou, dat was klinkklare onzin, dat had hij zo al gezien. Dat waren uitspraken om de armen te sussen, vooral degenen die echt niets hadden. Gezondheid kon je er niet mee kopen, maar wel de beste dokters van de wereld. Door geld had je misschien niet een betere relatie, maar die bleef wel in stand. In gezinnen werd het meeste ruziegemaakt over geldgebrek.

Halpins hele levensopvatting had op de tocht gestaan en eindelijk had hij het antwoord op zijn zorgen gevonden. Een fatsoenlijke vakantie was goed voor je huwelijk; ze waren er allemaal even uit en konden hun accu's weer opladen. De hete zon deed wonderen om muren tussen man en vrouw te slechten. Strandwandelingen, een paar slaapmutsjes, lachende kinderen die na een dag zwemmen en spelen doodmoe waren, daar werden mensen alleen maar gelukkiger van.

Zijn leven was beter dan ooit en naar zijn gevoel had hij de mensen met wie hij te maken had volkomen in de hand. Uiteindelijk was hij politieman, ze hadden hem nodig en hij had alle kaarten in handen. Door die overtuiging keek hij geringschattend op die mensen neer. Dat was ook de reden waarom hij in de komende vierentwintig uur terug op aarde zou storten.

Hij hoorde Freddie voordat hij hem zag.

Zoals altijd kwam Freddie als een zegevierende held lachend en grappend de pub binnen, hij had wel voor iedereen een woordje over en kreeg wat te drinken aangeboden. Hij wist wat hij moest doen, hij wist ook hoe belangrijk het was om je relaties goed te houden, want je wist nooit wanneer je ze nodig had. Daar waren de Clancy's wel achter gekomen, en daar had iedereen lering uit getrokken.

Freddie ging lachend tegenover de rechercheur zitten die op zijn hoede was terwijl Bernie Sands' ogen hem lang aanstaarden voordat hij naar de bar liep.

'Hé, kerel, alles goed.'

Het was een begroeting, geen vraag.

Freddie knipte met zijn vingers naar de bar. 'Doe maar een rondje.'

Paul knikte. Hij kende die goeie ouwe Freddie. Sinds hij aan het roer stond waren er geen problemen meer in de pub geweest. Zelfs de grootste herrieschoppers waren beducht voor Jackson. Zelfs Bernie Sands zei alsjeblieft en dankjewel, dat zei genoeg.

Freddie kende zijn zaakjes en hield iedereen behalve zichzelf in evenwicht. Hij was elke cent waard, en dat wist hij.

Hij keek naar de politieman met de bierpens en het verweerde gezicht van een man die te vroeg te veel had gedronken en zei opgewekt: 'Wij moeten eens een babbeltje maken, kerel, want morgen gaan jij en ik een streek uithalen in de Old Bailey.'

Jimmy zag dat de glimlach op het gezicht van de man bestierf.

Gek eigenlijk, ze dachten nooit dat ze zouden worden gevraagd voor het echte werk.

Maar Halpin stond op het punt erachter te komen dat ze hem in hun zak hadden, en dat hij ze veel meer schuldig was dan hij ooit voor mogelijk had gehouden.

Maddie Jackson en Lena Summers zaten in de wachtkamer van het Rush Green Hospital in Romford op nieuws te wachten. Jackies rugpijn had de bevalling ingeluid en ze was nu voor iedereen in de buurt een lastpak. Ze dachten dat het kind in een stuitligging lag en Jackie zou Jackie niet zijn als ze niet de hele boel bij elkaar schreeuwde.

Voor het eerst waren de beide vrouwen het roerend met elkaar eens, ze hadden allebei het gevoel dat Jackie zwaar lag te overdrijven. Zij waren zelf thuis bevallen, weer opgestaan en hadden binnen vierentwintig uur alweer staan koken.

Net als hun moeders beschouwden ze de geboorte van een kind als een natuurlijke aangelegenheid, in tegenstelling tot die meiden van tegenwoordig die zwangerschap als een of andere ziekte zagen. Het als een excuus aangrepen om niet te hoeven werken, om geen zwaar werk te hoeven doen.

En het irriteerde de beide vrouwen mateloos dat Jackie deed alsof ze de enige was die ooit een kind moest krijgen. Haar gegil echode door het hele ziekenhuis en je kon niet bepaald zeggen dat dit haar eerste keer was, vonden ze allebei.

'Moet je dat horen!' De stem van Maddie klonk kwaad en ook al was Lena het met haar eens, ze wilde toch haar loyaliteit laten zien.

'Ze wil haar man, dat is er aan de hand.' Het kwam er gemeen, arrogant uit, zo van 'je zoon heeft het verknald'.

Maddie lachte en zei toen: 'Wil haar man? Wilden we dat niet allemaal?'

Dat was een waarheid als een koe en Lena kreeg de neiging om te lachen. Ze zaten allebei aan de eenzame bevallingen te denken met echtgenoten die aan de zwier waren om dat te vieren en drie dagen lang wegbleven. Ze waren niet anders gewend. Dit was vrouwenwerk... waarom moesten mannen geïnteresseerd zijn in iets wat hen van nature totaal niet interesseerde? De twee vrouwen barstten in lachen uit. Een paar minuten later bracht een zuster een pot thee en zaten ze die vredig samen op te drinken.

Zelfs het geschreeuw en gevloek van Jackie kon hen niet

meer deren, ze deden gewoon alsof ze haar niet kenden totdat het kind er was.

Niet echt, natuurlijk, maar nu genoten ze samen van het uitstel.

6

Tommy Halpin was nerveus en dat was een compleet nieuwe ervaring voor hem.

Hij had altijd de touwtjes van zijn leven in handen gehad. Elke beslissing had hij weloverwogen genomen, of het nu om zijn carrière ging of om zo veel mogelijk geld uit dat tuig van de richel te knijpen om voor zijn eigen doeleinden te kunnen gebruiken.

Tot nu toe had hij regelmatig in deze kringen verkeerd en altijd met het gevoel dat hij een groot aandeel leverde in wat ze bedisselden. Hij had zich veilig gevoeld. Zij hadden hem méér nodig dan hij hen.

Hij vond zichzelf zo belangrijk dat hij zich nooit had afgevraagd hoe hij ze eigenlijk behandelde. In tegenstelling tot zijn hoofdinspecteur, die een goede verstandhouding met deze mensen onderhield, had Halpin altijd het gevoel gehad dat hij zich verlaagde door met die mensen om te gaan. Geen denken aan dat ze ooit vrienden zouden worden, ook al betaalden deze mannen zijn werkelijke salaris, het geld waarmee hij al die extraatjes betaalde die zijn gezin inmiddels van hem verwachtte.

Maar vanavond hing er een heel andere atmosfeer, een geladen spanning. Zodra Freddie tegenover hem ging zitten, wist Halpin dat er iets mis was. Hij voelde zich plotseling een buitenstaander, zoals een schoolkind dat er dolgraag bij wilde horen maar daar alleen maar in slaagde door zijn vrienden te verraden en uiteindelijk zichzelf.

Dat was geen goed gevoel, dat kwam veel te dichtbij. Bovendien had hij tijdens het wachten veel te veel scotch gedronken, dus maakte hij zich er ook nog eens zorgen over dat hij mentaal niet helemaal fris was. Hij had de situatie naar zijn idee niet onder controle, wat hem zelden in zijn leven was overkomen. Zijn vrouw zei thuis wel eens tegen hem dat hij een controlfreak was.

Het beroerde was dat de meeste mensen in zijn buurt hem een klootzak vonden. Zijn collega's bij de politie en de misdadigers met wie hij zaken deed hadden dat allemaal met elkaar gemeen. Tommy Halpin was een arrogante bullebak die zich niets liet zeggen en zichzelf een hele piet vond, veel te slim om ook maar half naar iemands mening te luisteren.

Toen zijn hoofdinspecteur hem erbij haalde had hij nadrukkelijk op de hoofdregels gehamerd: word nóóit kwaad, ook al voel je je nog zo op je gemak bij de mensen om je heen; vergeet nooit dat je met criminelen te maken hebt en dat bij hen heel andere regels gelden; en: hoe aardig ze ook tegen je doen, je wordt nooit één van hen, dat brengt hun werk nu eenmaal met zich mee. Voor hen ben je en blijf je een juut en nog een corrupte ook.

Hij wist dat het waar was en had hem aangehoord, maar bij zichzelf had hij gedacht dat zijn baas een open deur intrapte. Hij wilde dat hij beter had geluisterd. Zijn baas had ook gezegd dat hij voortdurend achter zich moest kijken, en nóóit geld op de bank mocht zetten, dat was veel te makkelijk te traceren. Laat nooit cash in je huis rondslingeren en koop altijd een auto van minstens twee jaar oud. Maar het belangrijkste wat hij had gezegd was, was wel: blijf altijd waakzaam, onthoud met wat voor mensen je te maken hebt, behandel ze zoals je met een dolle hond omgaat. Ze hebben alleen maar wat aan je als je ze iets te bieden hebt. Zijn baas had er een hele toestand van gemaakt, want als hij betrapt zou worden, zouden al zijn collega's automatisch worden meegesleurd.

Het begon nog maar net tot Halpins bewustzijn door te sijpelen welke enorme gevolgen dat zou hebben, en uiteindelijk drong de totale omvang van zijn verraad tot hem door. Als hij er gloeiend bij was, zou niemand hem ooit nog vertrouwen. Door dat simpele feit was zijn hoofdinspecteur zo paranoia. Elke eerlijke arrestatie zou automatisch verdacht zijn wanneer bewezen kon worden dat er een luchtje aan zat. Nou, eindelijk begreep hij de paranoia van zijn baas wel over wat ze aan het doen waren en zijn voortdurende gehamer op de ernst van de situatie.

Hij was de gouden regel vergeten: dat hij voor deze mensen slechts een middel was. Waar hij vandaan kwam, waren er genoeg zoals hij.

Maggie was in het ziekenhuis aangekomen en had het van Lena en Maddie overgenomen. Maggie kon met Jackie omgaan, ze voelde met haar mee en was nog niet uitgeput door het voortdurende gescheld van haar zuster.

'Waar is die klootzak?'

Maggie gaf geen antwoord maar raapte in plaats daarvan het beddengoed van de vloer, vouwde het op en legde het op een stoel.

Toen er een dokter binnenkwam spuwde Jackie een reeks verwensingen naar zijn hoofd waarna hij zich zonder een woord te zeggen weer omdraaide.

Maggie slaakte een zucht. 'Je bent echt de stomste kuttenkop ter wereld, Jackie, wist je dat?'

Met een ruk draaide Jackie haar hoofd naar haar zuster en zei geschrokken: 'Hoe noemde je me?'

Maggie zat op de stoel. Het beddengoed zat lekkerder dan de plastic zitting, wat haar goed uitkwam. Ze had de hele dag in de kapsalon gestaan en was doodmoe.

'O, begin niet met die geschokte blikken, het is je lievelingswoord nota bene. Je hebt het alle artsen en verpleegkundigen naar het hoofd geslingerd. Wanneer word je een keer volwassen, Jackie?'

Ze wees boos naar de slonzige vrouw. 'Die baby zit in de problemen. Als het een stuitligging is, moeten ze daar wat aan doen en als er iets gebeurt vanwege jouw capriolen, gaat Freddie door het lint.'

Ze zweeg en wachtte totdat haar zuster dit stukje logica had verwerkt. Toen vervolgde ze: 'We proberen hem op te sporen, maar of hij nou wel of niet komt, dat kind moet er toch uit. Houd dus je kop, gooi al dat theater overboord en laat die mensen hier hun werk doen waar ze voor betaald worden, ja?'

Jackie was nu wat kalmer en luisterde. Maggie wist dat wanneer ze over haar man zou beginnen ze weer bij zinnen zou komen.

'Maar het doet pijn, Maggie.'

Maggie glimlachte treurig. 'Natuurlijk doet het pijn, die andere drie keren deed het toch ook pijn? Laat je dan ook helpen en gedraag je verdomme een beetje naar je leeftijd, niet naar je schoenmaat!'

Het kwam er belachelijk uit maar ze moesten er allebei om lachen.

'Hiernaast ligt een meisje van pas zeventien. Je jaagt haar de stuipen op het lijf met je geschreeuw.'

Jackie streek met de achterkant van haar hand langs haar loopneus. Ze voelde zich belabberd, had pijn en smachtte naar een borrel. Niet dat ze dat hardop zou zeggen, uiteraard niet. Ze wist dat Maggie een fles champagne in haar tas had en ze wilde dat het allemaal achter de rug was zodat ze die soldaat kon maken en haar zenuwen tot bedaren kon brengen.

Ze wilde dat Freddie er deze ene keer voor haar was, bij de geboorte van het kind zou zijn. Ze had ergens gelezen dat de man dan een betere band met zijn kinderen zou kunnen opbouwen. Zij zag dat niet zo, zíj was bij de geboorte van al haar kinderen aanwezig geweest en het had geen bal uitgemaakt. Zij werkten nog steeds op haar zenuwen.

'Je bent echt te ver gegaan en als je niet oppast, willen ze je niet meer helpen, Jackie, en dan eindigen je dreigementen met lelies aan je voeteneind. Dus, Jackie, denk nou één keer in je leven eens niet aan jezelf, nu moet je ook aan anderen denken.'

Het feit dat Jackie dit van Maggie pikte, was een teken dat ze bijna over de streep was. Maar Jackie maakte altijd een hoop heisa tijdens de bevalling en tot nog toe was ze ermee weggekomen. Deze keer liet het ziekenhuispersoneel het niet over zijn kant gaan en Maggie nam ze dat geen spat kwalijk. Zij zou het ook niet slikken. Ze begonnen al met Old Bill te dreigen en dat betekende automatisch dat de sociale dienst erbij betrokken zou worden. Jackie maakte er altijd zo'n puinhoop van. Als ze niet oppaste zou ze massa's sociaal werkers over zich heen krijgen. Maggie was dol op haar zuster, maar soms had ze een hekel aan haar.

'Nu laat je de dokter je onderzoeken, want als de baby in stuitligging ligt, moet dat worden verholpen.'

Jackie knikte terwijl ze haar zusters woorden tot zich door liet dringen. Zelfs zij had in de gaten wanneer ze te ver was gegaan, maar het zat in haar aard. Alles aan Jackie ging gepaard met strijd, was een drama, ze kon er niets aan doen. Ze moest altijd in het middelpunt van de belangstelling staan, en ze gedroeg zich zo erbarmelijk dat ze die gegarandeerd kreeg.

Maggies verstandige woorden hadden haar wel aan het denken gezet. Ze had een van de verpleegkundigen met haar waterglas bedreigd en ze wist dat, in tegenstelling tot jaren geleden, haar dat misschien nu op een rechtszaak zou kunnen komen te staan. Freddie zou daar niet van onder de indruk zijn.

'Laat ze maar komen.'

Freddie observeerde de verschillende gezichtsuitdrukkingen van de man voor hem en hij wist dat hij hem bij de staart had.

Hij had het al zo vaak bij die laffe juten gezien en hij genoot van dat gevoel.

Mensen als Halpin moesten langzaam maar zeker worden neergehaald, dat was iets psychologisch. Je gaf ze een poosje het gevoel dat ze het hadden gemaakt, dat zij degenen waren die feitelijk de touwtjes in handen hadden.

Makkelijk zat, je streelde gewoon hun natuurlijke ijdelheid. Halpin verkeerde in de veronderstelling dat hij de aanstichter was van de samenwerking die zijn oude baas had gewrocht, terwijl die hem aan Freddie Jackson had aangeboden om hem een dienst te bewijzen. Freddie had al heel vroeg in het leven geleerd hoe hij iedereen kon manipuleren die zwakker was dan hij. Waar hij vandaan kwam moest je wel met, wat zijn vader gekscherend had genoemd, psychologische oorlogvoering vertrouwd raken.

Van kinds af aan had Freddie begrepen dat wanneer je mensen op hun eigen terrein niet te slim af kon zijn, je een natuurlijk talent bij jezelf moest ontwikkelen óf goed moest leren omgaan met een wapen, zodat je als een mafkees te boek stond, anders werd je de loopjongen van iemand anders.

Nu was Halpin zijn loopjongen en hij genoot ervan hem dat onder de neus te mogen wrijven. Halpin zat, zoals de meeste corrupte politiemensen, alleen maar bij Freddie en zijn soort zijn handje op te houden. Dat was de hoofdreden waarom hij bij de politie was gegaan. Het natuurlijke gezag dat van een uniform uitging, het soort werk, daar kozen sommige mensen automatisch voor, want het was voor hen de enige manier om macht te kunnen uitoefenen. Maar de Halpins van deze wereld wilden niet alleen het respect van Jan met de pet, ze wilden ook een kijkje nemen in de portemonnee van criminelen.

Ze waren zo makkelijk om te kopen, net lammeren die naar de slachtbank werden geleid. Zij hadden Brittannië groot gemaakt.

Er liep een dunne scheidslijn tussen de overvaller en de juut, maar in de meeste gevallen werd de overvaller het liefst door een fatsoenlijke blauwhelm in de kraag gevat. Niet door zo'n graaier als Halpin. Dat was in zekere zin een belediging voor hen en hun beroep. De echte, sterke politieman had je niet zomaar in je zak. Dat waren fatsoenlijke mensen die er heel gelukkig mee waren dat ze aan de goede kant van de wet stonden. Zij hoefden niet zo nodig te wedijveren met dealers of bankrovers. Zij wilden ze liever uitroeien.

Halpin voelde de verandering bij Freddie en de jonge Jimmy, en hij begon in te zien dat de mensen van wie hij dacht dat hij ze eronder had, in feite de macht over hem hadden.

Freddie hield hiervan, hier leefde hij voor. Freddie Jackson genoot ervan te bulderen, dat zat in zijn genen, daarvoor kwam hij elke dag uit zijn bed.

Jackie had pijn, heel veel pijn en Jackie zou Jackie niet zijn als ze dat niet aan iedereen liet weten. Nu had ze er tenminste alle reden toe, nu was ze echt in barensnood.

'O, stil toch, domme koe.'

Er klonk weinig meegevoel in de stem van haar moeder door, minder dan ze had verwacht. Jackie raakte van streek wanneer haar moeder zo tegen haar sprak, helemaal omdat haar schoonmoeder er ook bij was. Maddie was niet onder de indruk, dat kon Jackie wel zien, maar Jackie lag daar een baby te krijgen en ze was vastbesloten alle aandacht te trekken die ze kon krijgen, wat haar moeder ook dacht.

Maggie was verdwenen en Jackies goede bedoelingen waren weer in rook opgegaan. Het was laat en van Freddie was geen spoor te bekennen. Ze was ervan overtuigd dat hij bij een hoer zat. In haar hoofd groeide het beeld van hem met een of andere jonge meid – strakke huid zonder zwangerschapsstrepen – tot buitenproportionele afmetingen aan.

Een jonge Chinese verpleegkundige probeerde haar uit een glas water te laten drinken. Jackie beledigde haar luidkeels en sloeg het glas uit haar handen. Lena schaamde zich voor haar dochter. Ze sloeg schandelijke racistische taal uit en schold de verpleegster verrot.

De jonge verpleegster, die boven de snackbar van haar ouders in Upney was opgegroeid, begon haar geduld te verliezen.

'Sodemieter op en laat me met rust, verdomde Chinese trut!' riep Jackie luidkeels uit. Het klonk indringend en vol haat.

Het meisje woonde in een voorstad en had het helemaal gehad met haar werk en de beledigingen die ze elke dag naar haar hoofd geslingerd kreeg. Ze zei kwaad: 'Rot jij ook maar op. Als je het jezelf zo moeilijk wilt maken, dan ga je je gang maar.'

Toen ze woedend de kamer uit stoof, glimlachte Lena verontschuldigend naar haar. Die meid had tenminste pit, dat was meer dan je van haar dochter kon zeggen.

Ze liep naar het bed, Jackie had voor de zoveelste keer het beddengoed op de grond geschopt en lag als een bezetene te kronkelen. Iedereen zou denken dat dit haar eerste bevalling was. Ze wist dat het kind in orde was, de dokter had hun al verzekerd dat het een gewone bevalling zou worden, dus nu was Jackie weer in haar normale, ziedende doen. Ze had alle artsen en verpleegkundigen weggejaagd, dus een kop thee kon ze wel vergeten.

Lena had het gevoel dat ze elk moment tot uitbarsting kon komen. 'Je moet hiermee ophouden, Jackie. Je maakt jezelf onsterfelijk belachelijk. Het is heus je eerste niet, wel?'

Jackie balde nogmaals woedend haar vuisten, maar de toon waarop haar moeder het zei waarschuwde haar dat ze bij iedereen de grens had bereikt, en ze wist wanneer het genoeg was. Freddies moeder keek naar haar zoals ze altijd deed en dat deed haar pijn. Maar Freddie was dol op zijn moeder en als Maddie Jackson ervoor nodig was om hem hier te krijgen, zou ze dat hoe dan ook aangrijpen.

'Is-ie al ergens opgedoken?'

Lena schudde haar hoofd en zei wrevelig: 'Wat denk je nou? Wat moet hij hier dan doen? Hij loopt alleen maar in de weg.'

Jackie luisterde niet, ze was aan het eind van haar Latijn bij de gedachte dat haar echtgenoot ergens plezier aan het maken was terwijl zij in barensnood lag van zijn kind.

'Hij zit liever bij die hoeren in dat bordeel dan bij zijn vrouw. Heeft iemand dat huis in Ilford gebeld?'

Ze hadden alles afgebeld. Freddie wist waar ze was. Het kon niet anders dan dat hij wist wat er aan de hand was. Liselle van de pub had verteld dat hij daar zat, en dat hij al op de hoogte was van hoe zijn vrouw eraan toe was.

Het kon Freddie geen barst schelen en dat wisten ze allemaal. Waarom kon Jackie niet gewoon accepteren dat hij pas zou komen als het kind geboren was? Maggie was net met een taxi naar de pub gegaan in de hoop dat hij de moeite zou nemen om te komen opdagen, maar niemand rekende erop.

Maddie slaakte een diepe zucht en Lena volgde haar voorbeeld. Deze keer waren de beide vrouwen het roerend met elkaar eens en door die plotselinge kameraadschap begon Jackie te letten op wat ze zeiden.

Lena begon. 'Dat klotekind moet er hoe dan ook uit, ja? Dus hou op met je gejeremieer en ga aan het werk. Als de baby er eenmaal is, heb je kans dat Freddie hiernaartoe komt.'

Jackie huilde. Haar grote vollemaansgezicht zag rood, was opgezet en glom van de tranen. Maddie staarde haar lange tijd aan. Ze zag er afschuwelijk uit zoals ze daar lag met haar benen wijd en de paarse zwangerschapsstrepen open en bloot. En haar met dikke rouwranden versierde teennagels hielpen ook bepaald niet. In haar hart kon Maddie het haar zoon niet kwalijk nemen dat hij bij haar uit de buurt bleef. Ze stond er zelfs van te kijken dat hij die vieze sloerie nog zwanger had gemaakt.

Jackie begon nu harder te huilen. Ze wilde haar man en juist omdat hij niet kwam, wilde ze hem des te meer. Ze klonk als een dier, maar niet een lief dier zoals een poes, die zachtjes mauwde wanneer ze haar jongen wierp. Nee, het leek meer op een van die beesten waarmee Maddie was opgegroeid. En het ergste van alles was dat ze er nog op leek ook. Vanaf haar opgezwollen gezicht tot aan haar smerige voeten toe. Als haar moeder het over smerige vrouwen in de buurt had, noemde ze die altijd beesten, dat was iets Iers. Maddies moeder beoordeelde mensen altijd op wat er van hun kinderen was geworden en hoe goed ze met geld konden omgaan. Zij had haar voorbeeld gevolgd en vond nog steeds dat een kind meer zei over een vrouw dan wat ook. Als de kinderen schoon en goedverzorgd waren en genoeg te eten en drinken kregen, was de vrouw in haar ogen fatsoenlijk. Door Jackies manier van leven raakte ze in de war. Die vrouw zou een afspiegeling moeten zijn van haar zoon, en ze had het verschrikkelijke gevoel dat dat inderdaad zo was.

Jackie lag weer te kreunen en haar gezicht vertrok van de pijn. Ze was alleen maar een kind aan het krijgen, maar zoals zij tekeerging zou iedereen denken dat ze aan kanker lag dood te gaan of zo. Hoe haar zoon ooit met haar had kunnen neuken, ging Maddies voorstellingsvermogen compleet te boven. Toch was hij dol op zijn dochters en zij hielden op hun manier van hem. Maar ze had er moeite mee om naar dat huis te gaan, omdat Jackie het allemaal zo moeilijk maakte. Jackie was jaloers op háár, zijn moeder. Ze had nooit de moeite genomen vriendinnen te worden, zelfs toen Freddie in de lik zat had ze geen greintje toenadering gezocht. Ze hadden hun gevangenisbezoeken zo gepland dat ze elkaar niet tegen het lijf zouden lopen.

Het deed haar verdriet dat haar lievelingszoon met zo'n sloerie was getrouwd, die zich zelfs voor het ziekenhuis niet een beetje had opgeknapt. Voor Maddie betekende haar uiterlijk alles en was het net zo belangrijk hoe de wereld tegen jou en je vrouwelijke talenten aankeek. Het enige wat ze ooit van Jackie hoorde, was dat ze zichzelf altijd te kijk zette. Toen haar Freddie opgeborgen zat, had ze bij moeten springen omdat Jackie veel te veel bij postorderbedrijven had besteld en niet eens een poging had gedaan om ze te betalen. Ze had ontdekt dat Jackie in de hele buurt spullen had besteld en de vrouwen met de familie van haar echtgenoot had bedreigd wanneer ze hun eigendom wilden terughalen. Als klap op de vuurpijl had haar eigen man haar verteld dat ze dit zelf maar moest oplossen, want hij wist niet waar hij het zoeken moest van schaamte. Nadat ze dat allemaal voor haar had geregeld moest ze met Jackie in de slag. Jackie, die haar met dat brutale smoelwerk van haar aankeek terwijl de meisjes er smerig bij zaten, hun mooie gezichtjes helemaal onder de snoepvlekken.

Ze wist nog dat Jackie tegen haar had gezegd dat ze hulp nodig had nu Freddie weg was, dat ze kleren voor de kinderen moest hebben en brood op de plank, terwijl iedereen wist dat het beetje geld dat ze te pakken kon krijgen op ging aan drank en drugs. Dure hobby's waardoor haar schoondochter nog dieper in de schuld kwam.

Maddie was allergisch voor schulden. Ze begreep niet dat mensen iets konden uitgeven als ze niets hadden. Toen ze merkte dat ze haar schoondochters schulden aan het afbetalen was, was dat de spreekwoordelijke druppel. Honderden ponden aan kleren voor haar en de meisjes, waar ze niet eens zuinig op was, die uiteindelijk in de wasmand belandden en daar bleven liggen. Het was verkeerd, alles was helemaal fout gelopen.

Maar wat had ze verder nog dan haar kinderen en kleinkinderen? En een echtgenoot die plotseling verliefd was geworden op een meid van tweeëntwintig?

De vernedering bleef door haar heen snijden, samen met de wetenschap dat het deze keer anders was. Door de jaren heen had hij altijd geprobeerd haar gevoelens te sparen, maar nu kon het hem allemaal niets schelen. Hij toonde geen enkel respect meer voor haar, want hij was verliefd op een kind, een meisje met twee kinderen van twee verschillende mannen, en een mondvol dure tanden, betaald door de man van wie Maddie haar hele leven had gehouden.

Dat meisje nam hij overal mee naartoe, alsof ze zijn trofee was, een prijs die hem vertelde dat hij niet oud werd. Het was een lachertje en ze zou hem hebben uitgelachen als het iemand anders dan haarzelf was overkomen. Freddie senior was 's nachts bijna altijd bij dat meisje, paradeerde zonder een ogenblik aan haar te denken met haar de buurt rond. Het leek wel of hij van de ene op de andere dag gek was geworden, en nu moest ze zich verlagen om toenadering te zoeken tot de schoonmoeder van haar zoon, voor wie ze zich al die jaren te goed had gevoeld. Ze wist dat Lena op de hoogte was van de situatie, maar voor haar was het niets nieuws, haar hele leven was zo geweest. Ze wist ook dat Lena, gepokt en gemazeld als ze was, met haar meevoelde omdat ze zo goed begreep hoe moeilijk het allemaal was. Te bedenken dat ze al die jaren haar neus voor Lena had opgetrokken en nu, nu het leven haar te veel werd, zocht ze uitgerekend Lena op.

Er was een tijd dat Maddie een moord zou hebben begaan, hem in elk opzicht de voet dwars zou hebben gezet. Maar nu niet meer. Ze was het vechten moe, want diep in haar hart wist ze dat wanneer ze er druk achter ging zetten, hij haar deze keer echt zou verlaten. Hij was oud en had meer dan ooit de gerust-stelling van de jeugd nodig. Ze wist ook dat hij voor zijn zoon werkte. Zijn jonge jaren en de misdaad, daar had hij van genoten en hij beleefde het allemaal opnieuw.

Freddie had zijn vader weer een doel in zijn leven gegeven en dat zou ze hem nooit vergeven.

'Ik wil mijn Freddie. Waar is Freddie?' Jackie wilde haar man, hij moest erbij zijn als ze zijn zoon baarde. Daar had ze al die maanden van gedroomd.

Maddie rolde met haar ogen naar Lena. In de wachtkamer hadden ze al grote hoeveelheden brandy achterovergeslagen, met dank aan Maddie Jacksons noodvoorraad die ze in haar grote handtas van nepkrokodillenleer bewaarde. Maddie lustte zo nu en dan wel een glaasje wanneer het leven haar te zwaar werd.

Ze was alleen maar naar het ziekenhuis gekomen omdat haar man met zijn jonge meid de hort op was en haar zoon in geen velden of wegen te bekennen was. Maar voor de eerste keer begon ze iets voor Lena te voelen, een vrouw die ze altijd als beneden haar stand had beschouwd, vooral omdat Lena en haar kinderen nooit uit de buurt waren weggetrokken waar ze waren opgegroeid. Je kon veel van haar man zeggen, maar hij had haar daar wel weggehaald. Het deed haar ver-driet dat Freddie zich nog steeds, meer dan haar lief was, op zijn gemak voelde op die gemeenteflat van hem en Jackie. Hij had zoveel geld verdiend en ze hadden nog steeds helemaal niets.

Ze hadden allebei een gat in hun hand, konden totaal niet met geld omgaan. Ze had gehoopt dat Jackie met drie kinderen tenminste zou hebben geleerd hoeveel een pond waard was. Zo was het niet gegaan en nu stond het meisje opnieuw op het punt al zwetend en kreunend van een kind te bevallen dat ook voor galg en rad zou opgroeien. Haar zoon en zijn vrouw hadden beiden een uitkering, zoveel wist ze wel. Jackie haalde nog steeds elke maandag haar geld op bij de sociale dienst. Daar had ze recht op, vond ze, dat was háár geld. Toen Freddie achter slot en grendel zat, had ze het broodnodig gehad, maar nu kon ze ook best rondkomen zonder de hulp van overheidsinstanties en de belastingbetaler.

Als ze erover begon, zei Jackie altijd dat ze er récht op had. Maar er werden meer mensen op een onterechte uitkering betrapt dan ze zich realiseerde. Zodra ze hun neus in hun zaakjes gingen steken, volgde de wet bijna altijd op de voet.

Maddie sloot haar ogen en probeerde de omstandigheden waarin haar familie verkeerde uit te bannen omdat ze zich zorgen maakte, meer zorgen dan ze ooit in haar leven had gedaan. Freddie senior beleefde opnieuw zijn jeugd. Daardoor was ze zich ervan bewust geworden dat zij de hare nooit had beleefd, zelfs niet toen ze die nog had. Ze had niet geweten hóé ze jong moest zijn, en plotseling was dit belangrijk voor haar. Ze had haar leven verspild en dat ontdekte ze nu pas.

Dit hield haar het meest van alles bezig. Haar hele leven, sinds haar zeventiende, was ze moeder of echtgenote geweest en nu werd ze afgedankt. Het was nog slechts een kwestie van tijd voordat haar man de wijk zou nemen, dat kon ze wel op haar vingers natellen. En dat deed pijn, het deed haar fysiek pijn.

Ze was niet meer boos op Jackie, want zonder de meisjes en deze nieuwe baby zou haar leven voorbij zijn. Haar man was zo lang alles voor haar geweest, had haar altijd gerespecteerd en voor haar gezorgd. Ze had er nooit bij nagedacht dat daar een eind aan kon komen. En nu lag haar leven in puin en had ze heel wat meer met Jackie gemeen dan ze ooit voor mogelijk had gehouden. Ze kon niet anders dan zich op haar familie richten, en, net als de talloze vrouwen die haar waren voorgegaan, kwam ze erachter dat dat uiteindelijk het enige was wat ze had.

Zij, de trotse vrouw die ze was, kon dat bijna niet verdragen.

'Morgen krijgen een paar makkers van me in de Bailey een hoorzitting over een borgstelling. Wij willen zeker weten dat ze die krijgen.'

Halpin knikte omzichtig.

'Wat moet ik doen?' Zijn stem beefde, hij wist dat Freddie en zijn maat het hoorden en ervan genoten.

Freddie grinnikte en duwde een verse borrel zijn kant op. 'Makkelijk zat. We hebben het al zo vaak gedaan.'

Hij stak een joint op, blies de rook in Halpins gezicht en hoestte hevig voor hij verderging. 'Jij moet achter de schermen kalmpjes aan de rechter uitleggen dat mijn twee makkers je erg hebben geholpen bij een paar andere zaken en dat ze dus die adempauze wel verdienen. Maar dat moet wel allemaal in het geniep, dat begrijp je wel. Niemand mag zien dat er met twee maten wordt gemeten, dat lijkt me zo klaar als een klontje.'

Hij zag de zweetdruppels op het gezicht van de man en vanwege de cannabis voelde hij een lachkick opkomen, maar hij wist dat hij dat niet kon maken.

'Geen zorgen, dit gebeurt aan de lopende band.' Freddie maakte een gebaar naar Jimmy die een vel papier uit zijn zak haalde en op tafel legde. 'Dit zijn hun namen en waar ze van worden beschuldigd. De rechter heeft al een flinke borrel gekregen, dus hij zit klaar voor je, het is alleen nog maar een formaliteit. Ze móéten op borgtocht worden vrijgelaten.'

Halpin nipte van zijn scotch om tijd te winnen. Het was één ding om een oogje dicht te knijpen of drugs en wapens te verhandelen. Maar om de Old Bailey binnen te wandelen en een rechter voor te liegen, was vragen om moeilijkheden. Dan zette je jezelf in de kijkerd, kwam je in de publieke belangstelling te staan, werd je zichtbaar voor je eigen volk.

'Door wie zijn die jongens opgepakt?'

'Juten uit Zuid-Londen. Het staat allemaal op papier. Ze zijn door een paar vrienden van ons neergeschoten, maar daar hoef jij je geen zorgen over te maken. Ze weten van de hoed en de rand en zijn bereid om je verhaal te steunen.'

Halpin zag een uitweg uit zijn hachelijke situatie en voelde een bijna tastbare opluchting. 'Maar ik zit bij de zware misdaadbestrijding, wat heb ik ermee te maken? Ik begrijp het niet.'

Freddie begon er genoeg van te krijgen. Hij wilde de pub uit, hij wilde de geboorte van zijn baby vieren. Hij hoopte dat het een jongen was, hij was kotsmisselijk van dochters. Ze waren al die moeite gewoon niet waard, dat gold voor alle vrouwen.

'Moet je horen, lul, je doet verdomme wat je gezegd wordt. Er lopen heel wat zaken tegen ze en ze moeten een keer zien dat ze er door de grote jongens uitgehaald worden. Jij bent een van die grote jongens en het wordt tijd dat je waar voor je klotegeld gaat leveren.'

Jimmy was onder de indruk. Hier lag Freddies kracht. Hij was geboren om te intimideren. Hij kon als geen ander zo'n kalme dreiging uitstralen en iemand zo overtuigend de stuipen op het lijf jagen.

De volgende stap met Halpin was om hem zover te krijgen dat hij ging rekruteren, dat zou hij zeker doen. Hij had gewoon geen keus. Jimmy keek toe hoe de politieman zijn scotch nerveus achteroversloeg en wist dat ze hem in hun zak hadden en hij wist ook dat Halpin nog niet half begreep waar hij tot zijn nek in zat.

7

Maggie zat het tafereeltje vanaf de bar gade te slaan en was als altijd nerveus wanneer ze Jimmy aan het werk zag.

Ze was nog niet in de stemming om naar het ziekenhuis terug te gaan en hoopte dat ze Freddie in verlegenheid zou brengen door daar te blijven zitten. Veel verwachtte ze er echter niet van. Freddie lette al niet meer op haar en het zag ernaar uit dat hij het voor gezien hield die avond.

Ze vermoedde dat de man die bij hen zat over iets werd doorgezaagd en toen ze Jimmy's en Freddies lichaamstaal zag, voelde ze een steek van angst. Ze hield niet van deze Jimmy, ze wist dat ze zich nooit bij die kant van hem op haar gemak zou kunnen voelen. Zelfs haar vader ging tegenwoordig anders met hem om, behandelde hem met respect. Hij luisterde nauwlettend naar alles wat hij zei, alsof hij van de ene op de andere dag een bron van wijsheid was geworden. Of die overdreven dankbaarheid wanneer Jimmy hem een paar centen toestopte om een gokje te wagen.

Een deel van haar was opgetogen. Ze wist beter dan wie ook dat het in hun wereld om status ging binnen de gemeenschap en dat hun dat uiteindelijk een beter leven zou kunnen bezorgen. Maar haar gevoelige kant wist ook dat hij nu met serieuze zaken bezig was en dat betekende een serieuze tijd in de gevangenis.

Ze zette die gedachte uit haar hoofd. Jimmy was te sluw. Zo jong als hij was, hij genoot Ozzy's bescherming, hij was zo veilig als maar zijn kon en ze moest zich geen zorgen maken. Die zorgen bedierven de mooie tijden, maar ze zaten altijd ergens in haar achterhoofd. Ze had haar zuster in het ziekenhuisbed zien liggen tijdens de bevalling van alweer een kind, dus als ze niet goed op haar tellen paste, zag ze wel waar haar eigen leven met Jimmy op zou kunnen uitdraaien. Ze wist dat hij van haar hield, haar aanbad, maar ze wist ook dat Freddie ooit net zo van haar zuster had gehouden. Nu moest dat allemaal van één kant komen. Jackie vereerde haar man, maar Freddie bleef alleen nog rondhangen omdat Jackie zijn wettige echtgenote was. Maar zelfs dat garandeerde tegenwoordig helemaal niets.

Mannen liepen zomaar uit een lang huwelijk weg, nog niet zo lang geleden kon dat absoluut niet.

Haar moeder had altijd gezegd dat zodra er kinderen kwamen, je op jezelf aangewezen was. Maggie had die bewering nooit begrepen, tot nu dan. Ze was nog te jong om veel van het leven te weten, maar daar werd ze zich prompt van bewust. Lang geleden had ze zichzelf iets beloofd. Als Jimmy ooit met iemand anders naar bed ging, kon hij het helemaal vergeten.

Dan zou het voor altijd afgelopen zijn. Ze zou hem nooit laten rondneuken, haar een minderwaardigheidsgevoel bezorgen. Als het hek eenmaal van de dam was, als je liet gebeuren dat ze met een ander de koffer in doken, dan leek het alsof je ze een vrijbrief gaf om rond te shoppen.

Het was een absolute noodzaak dat hij nooit zijn respect voor haar verloor, daar was ze te geraffineerd voor. Zij zou niet zo'n leven krijgen als haar moeder en zuster, ze stond boven die manier waarop zij werden behandeld. Ze verdiende beter en dat zou ze altijd in gedachten houden.

'Mensen kunnen je alleen maar iets aandoen als je dat toestaat.'

Hoe vaak had ze dat verhaaltje niet gehoord? Haar oma had het wel honderd keer per dag tegen haar moeder gezegd. Haar moeder had niet naar haar raad geluisterd, maar Maggie zou dat wel doen. Haar vader versierde de vrouwen onder haar moeders ogen en ze kon zich nog steeds de ruzies erom herinneren. Haar vader had haar als kind zelfs meegenomen naar zijn vriendinnen thuis. Haar moeder had gedacht dat wanneer zij maar bij hem was, hij niet een van zijn streken zou uithalen. Niet als hij zijn dochter op sleeptouw had. Het feit dat zij nog een kind was had hem aan zijn verantwoordelijkheden moeten herinneren. Haar moeder had hemel en aarde bewogen om hem aan zich te binden, en waar had dat toe geleid?

Maggie herinnerde zich nog vaak de goedkope parfums en vreemde huizen. Soms speelden er andere kinderen, of ze kregen snoepjes en werden voor de tv gestald. Hij had altijd een hoop werk van haar gemaakt, haar het gevoel gegeven dat ze speciaal was. Nu wist ze dat dat zijn tweede natuur was. Ze was een vrouwtje en hij was dol op vrouwen, zeker op zijn jongste dochter die dacht dat hij een god was. Haar vader zei altijd dat ze niet tegen mammie mocht zeggen waar ze waren geweest, want dat was een verrassing. In het begin had ze hem geloofd, en toen had ze hem doorgehad. Ten slotte wilde ze niet meer met hem mee, ook al moest dat van haar moeder. Haar moeder, die nog altijd dacht dat haar dochter Joe op het rechte pad zou houden.

Ze hadden het er nooit over gehad, maar hij vermoedde wel dat ze kwaad op hem was. Op een of andere manier was er een andere dynamiek in hun verhouding gekomen. Zelfs als klein meisje had ze al in de gaten gehad dat er iets niet in de haak was, dat haar vader haar onder verkeerde voorwendsels meenam. Niet omdat hij haar niet kon missen, maar omdat ze zijn dekmantel was. Ze wist ook dat als ze het ter sprake brachten, dat hen allebei zou vernietigen. Hij had haar gebruikt en ze was vastbesloten dat niemand haar ooit zo zou behandelen zoals hij met haar moeder had gedaan.

Van het ene op het andere moment was haar moeder de belangrijkste persoonlijkheid in haar leven geworden. Tot die tijd was haar vader haar held geweest, haar moeder was er gewoonweg geweest. Maar het was een leerproces en ze zou nooit vergeten waartoe mannen in staat waren.

Uiterlijk leken Freddie en Jimmy abnormaal veel op elkaar, net een tweeling, maar dan jaren na elkaar geboren. Maar Freddie was de eerste man, naar hem keek je het eerst. Zijn gestalte en uiterlijk liepen meer in het oog dan die van Jimmy. Hij was donkerder, zijn haar was dikker en zwarter, en hij had die diepe Ierse teint waar vrouwen zo op vielen, van zijn blauwe ogen tot zijn paar uur oude baard. Zelfs Maggie zag wel in waarom vrouwen zich tot hem aangetrokken voelden, maar zíj haatte hem. Hij was wel heel knap en het gevaar dat om hem heen hing maakte hem extra aantrekkelijk.

Jimmy was een jongere, slankere versie, maar hij haalde Freddie met de dag in. Hij was nu langer dan Freddie, hoewel hij niet zo zwaargebouwd was. Freddie had in de gevangenis spieren gekweekt, had het grootste deel van zijn detentie in de fitnessruimte doorgebracht en gedaan wat vele mannen voor hem hadden gedaan. Hij had getraind om zijn gedachten af te leiden van de toestand waarin hij zat. Maar nu hij alweer zo lang thuis was, begon hij dik te worden.

Terwijl ze hen zo samen gadesloeg, zette ze al haar twijfels overboord. Van kinds af aan was Jimmy haar grote liefde en ze hield zichzelf keer op keer voor dat hij niet was zoals Freddie.

Toen de man uit hun gezelschap eindelijk aanstalten maakte om weg te gaan, liep ze naar hen toe. Freddie keek haar intens aan, zijn ogen schuimden haar lichaam af alsof ze spiernaakt voor hem stond. Hij deed dat altijd heel opzichtig en ze voelde zich elke keer weer ongemakkelijk als hij haar zo brutaal opnam, helemaal wanneer haar zuster in de buurt was. Hij wist dat ze als de dood was als Jackie het in de gaten kreeg dat hij naar haar stond te kijken, dat hij haar wilde. Ze was nog te jong om aan dat soort seksuele spelletjes mee te doen, maar ze was opgegroeid op een dieet van woede en seksuele uitspattingen. En ze haatte hem, omdat hij haar leven zoveel moeilijker maakte dan het al was.

Hij probeerde het gelukkig niet meer zo vaak. Soms was ze doodsbenauwd om bij hem in de buurt te komen. Zelfs met Jackie in de kamer ernaast begon hij haar te versieren, probeerde hij haar bij haar borsten te grijpen. En dan lachte hij haar uit als hij zag hoe geshockeerd ze was. Maar sinds Jimmy om haar heen was, was daar een eind aan gekomen.

Freddie had in de gaten dat Jimmy vooruitging en als hij daardoor van haar afbleef, dan had ze bepaald geen moeite met Jimmy's opmars naar de macht. Maar op zijn eigen achterbakse manier zou Freddie altijd een poging blijven wagen, hij zorgde er wel voor dat ze altijd op haar hoede was en dat ze wist waartoe hij in staat was.

'Is het er al?'

Freddie klonk verveeld. Hij was niet van plan opgewonden te raken voordat hij het woord jongen had gehoord.

'Zou je niet naar het ziekenhuis gaan, Freddie? Jackie heeft het hartstikke zwaar.'

Hij trok zijn wenkbrauwen op, knipoogde meesmuilend naar Jimmy die ondanks zichzelf om zijn malle bekken trekken moest grinniken. Freddie was grappig, daar kon niemand omheen.

Toen barstte Freddie in lachen uit. Maggie had een hekel aan die lach, het was de ultieme belediging. Hij lachte je vierkant uit.

'Probeer je me soms te vertellen dat je al die tijd dat je hier hebt rondgehangen, dacht dat ik naar Rush Green zou gaan om die klotehand van 'r vast te houden?'

Jimmy sloeg die twee gade. Ze waren natuurlijke tegenpolen en hij begreep waarom Freddie op Maggies zenuwen werkte. Hij begreep alleen Freddies probleem niet. Hij wist wel dat Freddie op haar viel, dat was glashelder. Hij wist dat elke man met een beetje verstand op haar viel, maar dit ging verder dan dat.

'Wil je wat drinken, Maggie, of wil je dat ik met je meega naar je zuster?'

Uit Jimmy's woorden begreep ze wel dat ze haar tijd aan het verdoen was, maar tegen beter weten in ze moest het toch proberen. Als Freddie alleen maar even bij Jackie om het hoekje keek, zou ze al tot bedaren komen.

Ze trok haar troefkaart en hoopte dat het zou werken. 'Ik kan beter teruggaan naar het ziekenhuis. Je moeder ziet er moe uit, Freddie, alsof ze geen oog dicht heeft gedaan vannacht. Ik probeer haar naar huis te krijgen.'

Freddie stond verbaasd dat zijn moeder er überhaupt was, laat staan dat ze al die uren daar had gespendeerd. Maddie had een bloedhekel aan haar schoondochter, een van de belangrijkste dingen die ze tegenwoordig met elkaar gemeen hadden. Maar hij was niet achterlijk. Hij wist dat zijn vader haar leven tot een hel maakte met zijn nieuwe vlam. Maar nu ging hij wel erg ver, dat was hem zelfs opgevallen. Het meisje ging overal met hem mee naartoe en zijn vader was helemaal gek van haar.

Hij had zijn moeder al een paar dagen niet gezien en hij wist dat zijn vader een week lang niet thuis was geweest. Hij hield zich schuil in de flat van het meisje met haar twee buitenechtelijke kinderen en haar speedverslaving. Die werd door Freddie gefinancierd, want zijn vader was niet van plan zijn handen uit de mouwen te steken. Hij vernederde de vrouw die zijn zoon had opgevoed en die ervoor had gezorgd dat hij schoon was en te eten kreeg.

Plotseling maakte hij zich zorgen om haar. Ze was een goede moeder geweest, de enige vrouw voor wie hij ooit respect had gehad. Hij stond op.

'Kom mee, laten we eens kijken hoe het met die ouwe gaat,' zei hij. 'En laat het nu verdomme een zoon zijn, na al dat gedonder.'

Jimmy was opgelucht. Hij wilde niet nog een avond in de pub doorbrengen. Hij wilde bij Maggie zijn en zich ontspannen.

Freddie had nu een goed gevoel over zichzelf. Vanavond zou zijn zoon en erfgenaam geboren worden. Hij raakte opgewonden bij de gedachte, wilde dat iemand zijn naam droeg. Dat maakte zijn leven draaglijker. Hij was dol op de meiden, vooral zijn Dianna, maar een zoon was het toppunt.

Zijn moeder zou het prachtig vinden dat hij er was en ze had hem nodig, dat wist hij ook. Wat kon het voor kwaad een beetje geluk in haar leven te brengen en vijf minuten in het ziekenhuis op te komen dagen? Ze vond de familie belangrijk, had ze altijd gevonden.

Jackie keek naar haar man toen die in het knappe gezichtje van zijn zoon keek.

Hij grijnsde haar toe en zij glimlachte dapper. Ze voelde zich redelijk goed maar was vastbesloten om dit helemaal uit te melken.

Hij was perfect, een donkerharige Jackson-telg van negen pond en zeven ons. Lena en Maddie waren in de wolken en ze voelde weer die trots die ze na alle geboortes had ervaren. Ze was dol op pasgeboren baby's, pas als de nieuwigheid eraf was en niemand meer langskwam, begonnen ze op haar zenuwen te werken.

Maar zodra ze dit kind in de ogen had gekeken was het anders, omdat ze een fysieke trek in haar borst voelde. Het was alsof ze naar Freddie keek. De baby was het evenbeeld van zijn vader en ze was blij dat ze Freddie eindelijk had gegeven wat hij wilde.

Ze had triomfantelijk gereageerd toen Freddie binnenkwam. Haar schoonmoeder had erop gestaan dat ze zichzelf wat opknapte en haar haren borstelde, en ze was nu blij dat ze dat had gedaan. Hij had een blik op de baby geworpen en hem met pure verbazing gadegeslagen tot zijn gezicht oplichtte. Een paar tellen lang zag hij er weer uit als zeventien. Alle liefde die ze voor hem had borrelde weer in haar omhoog. De pijn die hij haar had gedaan, het halfjaar dat hij haar had verwaarloosd, alles was vergeten nu ze samen naar het wondertje van hun kleine zoon keken.

Maddie en Lena bekeken het tafereel opgelucht, moeder, vader en zoon.

Lena was opgetogen dat ze oma van een kleinzoon was geworden maar maakte zich zorgen toen ze zag hoe snel Jackie de champagne achteroversloeg. Haar ogen stonden glazig en ze praatte luidkeels, maar gelukkig merkte niemand anders dat zij al halfbezopen was, terwijl het kind nog geen uur oud was.

'Wat een knap kind, hè?'

Maddie glimlachte haar instemmend toe en genoot van de overgelukkige uitdrukking op haar zoons gezicht. Dat kwam tegenwoordig zo zelden voor.

'Maggie zei dat ze in het ziekenhuis helemaal over de rooie ging.'

Maddie knikte. 'Het was gênant gewoon, ik wou dat ze daar eens mee ophield.'

Freddie lurkte aan zijn kop thee en keek fronsend naar zijn moeders gezicht. In haar ogen was het gedrag van zijn vrouw schandalig, dat wist hij wel. Hij moest toegeven dat hij het gaandeweg steeds meer met haar eens begon te worden. Hoeveel geld hij Jackie ook gaf, ze was altijd blut. Wat ze ook voor het huis kochten, het leek er altijd wel een vuilnisbelt.

Hij zat bij zijn moeder in haar prachtige voorkamer en hij miste de ordelijke netheid uit zijn jeugd. Hij miste het gevoel van kraakhelder beddengoed uit zijn kindertijd. Maddie stijfde de lakens altijd en dat voelde zo heerlijk aan, rook zo lekker. Als het koud was, legde ze een hete kruik in zijn bed, dan kroop hij de warmte in en voelde zich veilig.

Bij Jackie mocht hij van geluk spreken als ze vijf minuten voor het slapengaan de moeite nam om het dekbed op het bed te gooien.

Toen hij opgroeide was hij trots op zijn vader en moeder geweest, van hun mooie eetkamer tot aan hun Yorkse stenen open haard toe. Hij had het gevoel dat hij anders was dan zijn leeftijdgenoten omdat hij het allermooiste huis had van allemaal.

Nu werkte hij voor Ozzy en wilde hij dat zijn status aan zijn huis af te lezen was, maar hij wist ook dat hij Jackie nooit met een hypotheek kon vertrouwen. Als hij weer achter de tralies ging, zou die al snel weer worden opgezegd. Zelfs de huur betaalde ze niet totdat ze met uitzetting werd bedreigd.

Voor Ozzy ging hij elke maand bij de mensen langs die hem om verschillende redenen geld schuldig waren en daar had hij heel veel van geleerd. De leefstijl van sommige mensen had hem de ogen geopend, hij wist niet eens dat zoiets bestond. Maar het verbazingwekkendste van alles was wel dat ze allemaal net zo waren als hij, ze kwamen van een gemeenteflatje af. Het verschil was dat zij hun geld voor zich hadden laten werken.

Ozzy had hem het grote beeld laten zien, zoals hij het placht te zeggen. Hij had naar Ozzy geluisterd toen die het over de nieuwe orde had gehad, over hoe Thatcher iedereen een zak geld zou geven, te beginnen met de woningbouw. Dat lenen nog nooit zo goedkoop was geweest, en dat betekende voor mensen zoals zij dat ze hun winsten makkelijker konden witwassen. Hij was dol op Margaret Thatcher, hij zag haar als de redster van Engeland. Freddie had ernaar geluisterd en ervan geleerd.

Freddie wilde deel uitmaken van die wereld, omdat hij wist dat mensen je anders behandelden wanneer je geld en bezittingen had. Dat zat in de menselijke natuur. Wanneer hij zo'n groot landhuis binnenging en zag hoe dat was ingericht en werd onderhouden, had hij ontzag voor de mensen die er woonden want dat hadden ze allemaal weten te bereiken.

Het had niets te maken met die rijke stinkerds op tv die nog nooit een dag in hun leven hadden gewerkt, hun fortuin hadden geërfd en dat over de balk smeten. Wie had er nou respect voor iemand die nog nooit een cent in zijn leven had verdiend? Zo werkte dat niet in zijn wereld. Je werkte voor je welverdiende bergen geld, zo dwong je respect af.

Zoals hij daar in zijn moeders huis zat en toekeek hoe ze de kussens opschudde en koekjes binnenbracht, kon hij niet geloven dat hij eens had gedacht dat dit het toppunt van verfijning was. Zijn vader had zijn hele leven geld verdiend, was een zwoeger geweest, en pas nu realiseerde hij zich dat als de oude man iets met zijn buit had gedaan, hij nu zou zwemmen in zijn geld.

Zelfs Jimmy spaarde voor een aanbetaling op zijn huis en hij wist dat het de jongen nog zou lukken ook. Toen Ozzy hem op een vervelende zaterdagmiddag had uitgelegd hoe je je in het onroerend goed omhoog kon werken, had hij geboeid zitten luisteren. Tot dan toe was dat nooit bij hem opgekomen. Hij had gedacht dat mensen zich voor een huis tot hun nek toe in de schulden staken. Hij had nooit begrepen hoe je geld op de lange termijn voor je kon laten werken.

Freddies wereldje was zo beperkt geweest, maar nu had hij een zoon en hij was vastbesloten dat die alles zou krijgen wat een zoon nodig had.

'Gaat het wel, mam?' Ze leek in de war, deze vrouw, die zich altijd perfect opmaakte, altijd kalm bleef, wat er ook gebeurde, die zo onverstoorbaar en berekenend bleef als een peperdure advocaat.

Ze glimlachte en hij ontdekte nieuwe lijntjes op de papierdunne huid om haar mond. Ze werd oud en hij had het niet eens gemerkt.

'Niet echt, Freddie.'

Voor het eerst van haar leven had ze de kracht niet. Hij
altijd op haar kracht gesteund omdat die hem door zijn c
kerste uren heen had gesleept. Wat hij ook had gedaan, ze nau
pal achter hem gestaan. Ze had gelogen, bedrogen en meineed
voor hem gepleegd en hij zag nu voor het eerst dat ze misschien
ook iets van hem nodig had.

Hij ging rechtop zitten en zei onbaatzuchtig: 'Wat je maar
wilt, mam, het is van jou.'

Hij meende het oprecht en Maddie kreeg de neiging om in
huilen uit te barsten. Haar grote, bulderende zoon, die net zo
egoïstisch was als zijn vader die alleen maar om zichzelf gaf,
probeerde er voor haar te zijn. Het was in zekere zin te laat.
Maar ze was wanhopig. Wanneer ze dat niet was geweest had
ze het niet gevraagd. Ze wist dat hij dat zou begrijpen.

'Wil je me een plezier doen, Freddie?'

Hij glimlachte. Hij was charmant, had een knappe nieuwe
zoon door wiens geboorte hij zich realiseerde dat hij deze
vrouw met heel zijn hart liefhad. Zij had diezelfde pijn moeten
doormaken toen ze hem op de wereld had gezet. Ze was zijn
moeder en hij werd zich plotseling bewust wat dat eigenlijk betekende.

Ze leek van haar stuk gebracht en hij zag dat ze bloosde. Haar
ogen smeekten hem haar te helpen, te helpen zeggen wat ze wilde zeggen, en het kwam onmiddellijk bij hem op dat ze zijn vaders laatste geliefde ter sprake wilde brengen. Als de dingen eenmaal hardop waren gezegd, kon je ze niet meer terugnemen. Het
moest van haar komen, hij moest luisteren en dan zouden ze besluiten welke stappen ze zouden nemen om haar zorgen weg te
nemen.

Na een paar minuten zei zijn moeder zachtjes: 'Ik heb geen
geld, Freddie, kun jij me wat lenen?'

Hij kreeg het gevoel of er een emmer ijskoud water tegen zijn
gezicht sloeg.

Maggie lag achter in Jimmy's auto tegen hem aan gekruld.

Het was niet ideaal, maar het was er warm en ruim, ze hadden het zich zo comfortabel mogelijk gemaakt. Jimmy had altijd dekens in de kofferbak liggen en ze kropen er samen onder,
blij dat ze met zijn tweetjes waren.

Jimmy vond het heerlijk als ze zo tegen hem aan lag, wanneer ze zo samen waren kon hij goed begrijpen dat een man een
moord zou doen voor een vrouw.

'Wat een schat van een baby, hè?'

Jimmy haalde zijn schouders op en kuste haar op haar kruin.

'Het is een baby, voor mij lijken ze allemaal op elkaar. Freddie is tenminste gelukkig.'

Hij voelde haar lichaam tegen zich aan schudden toen ze honend een snurkend geluid maakte.

'Gelukkig, m'n reet. Hij maakt er een week een heel gedoe van, krijgt er dan genoeg van en gaat over tot de orde van de dag.'

'Dat is hun zaak, Mags, laten we het daar vanavond niet over hebben.'

Ze schoot bijna in de lach, hij probeerde altijd de vrede te bewaren. Ze begreep dat Jimmy en Freddie dikke vrienden waren en ze wist dat het hem helemaal niet zinde zoals Freddie Jackie behandelde, maar zijn loyaliteit was een van de redenen waarom ze van hem hield.

Feitelijk moest ze de komende jaren juist op die loyaliteit kunnen rekenen. Wanneer ze eenmaal een stel kinderen hadden en hun relatie langer duurde. Ze wist dat naarmate de tijd verstreek en hij verder op de ladder in hun wereld zou stijgen, allerlei jonge meiden zich aan hem zouden aanbieden. Je hoefde maar naar Freddie en zijn vader te kijken om te zien hoe dat leven er dan uitzag.

'Laten we snel gaan trouwen, Mags, ja?' Hij drukte haar tegen zich aan. 'Ik heb geld genoeg om een huis te kopen. Laten we dit weekend gaan kijken. Ik wil dat we altijd bij elkaar zijn. Ik ben er doodziek van dat ik je altijd naar huis moet brengen en te moeten doen alsof we niet elke kans aangrijpen om te neuken.'

Ze lachte. 'Je zegt het maar, kerel.' Hij kuste haar op de lippen en ze voelde de opwinding in hem opborrelen.

Wat haar betrof kon het niet vroeg genoeg zijn. Ze wilde weg uit het huis van haar moeder en op zichzelf wonen. Ze had het al helemaal uitgestippeld, en wilde absoluut niet dat haar plannen schipbreuk leden. De komende zes jaar zeker nog geen kinderen, en ze zou een eigen bedrijfje opzetten om haar toekomst veilig te stellen. Ze had zoveel geluk en in stilte bad ze dat ze niet zo zouden eindigen als Freddie en Jackie.

Als hij ooit niet meer zo van haar zou houden, dan wist ze dat ze vanbinnen dood zou gaan, en daardoor begreep ze haar zuster en haar moeder zo goed.

Freddie senior was in zijn element. Hij zweefde op de toppen van genot, hij had nooit gedacht dat zoiets bestond.

Hij was net gepijpt door Kitty Mason. Hij was helemaal uitgeteld maar voelde zich tegelijkertijd zo sterk als Tarzan.

Ze rolde nu een joint voor zichzelf. Ze zat in kleermakerszit op de grond, haar naakte lichaam glom als marmer in het lamplicht. In heel zijn huwelijksleven had hij zijn vrouw nog nooit naakt gezien, en hoewel hij zijn wilde haren kwijt was, had hij nooit eerder meegemaakt dat een vrouw zich zo met haar eigen lichaam op haar gemak voelde. Zelfs na twee kinderen leek haar lichaam nog een goed gelooide riem uit Blackpool, er zat geen smetje op!

Hij kon uren naar haar kijken, ze had iets waardoor hij naar haar verlangde zoals hij nooit naar een vrouw had verlangd. Zijn hele leven was hij vreemdgegaan en had ervan genoten, maar uiteindelijk zette hij ze altijd weer overboord. Ze wisten hoe het werkte en daarom waren ze ook zo aantrekkelijk. Hij ging met ze uit, legde ze in de watten, ging ze opzoeken als en wanneer hem dat uitkwam. Zij kregen op hun beurt de kans om met een bekend Gezicht gezien te worden en de criminele levensstijl van geld en lange nachten mee te maken.

Iedereen was tevreden met die regeling en dat ging zo door tot hun relatie een natuurlijke dood stierf.

Maar vanaf het eerste moment dat hij Kitty in het oog had gekregen, was het anders geweest. In een paar tellen had hij zijn hart verloren.

Dat was een volslagen nieuwe ervaring voor hem. Nog nooit had hij zich zo tot een vrouw aangetrokken gevoeld. Hij wist dat hij in de val zou lopen, het leeftijdsverschil van tweeëndertig jaar zou hem uiteindelijk gaan opbreken, maar hij werd naar haar toe getrokken. Als hij niet bij haar was, vroeg hij zich voortdurend af waar ze was en wat ze aan het doen was. Hij werd er gek van wanneer hij zich voorstelde dat ze met iemand anders was, of liever gezegd, dat ze met iemand anders in bed lag.

Freddie senior wist in zijn hart dat wat hij voor haar voelde niet gezond was. Ze leek wel een verslaving, en toch kon hij haar niet opgeven. Ze had een leuk flatje, en ook al had ze twee kinderen, ze hield de boel smetteloos schoon. Ze had het leuk ingericht en de kinderen gedroegen zich netjes. Kitty was een vrijbuiter en daar hield hij van. Ze zorgde goed voor zichzelf, betaalde de rekeningen, had zelfs het huis geschilderd. Ze had een sterk karakter, wat de meeste mensen niet zagen, en juist die onafhankelijkheid trok hem zo aan.

Een minpuntje was dat Kitty nooit haar mond wist te houden. Zonder erbij na te denken flapte ze er alles uit wat haar voor de mond kwam. In deze wereld konden vrouwen zich die luxe zelden veroorloven en doordat ze geen blad voor de mond nam, had ze steeds een hoop uit te leggen. Als ze had gedronken werd ze heel luidruchtig en kreeg ze het ook vaak aan de stok met de vrouwen om haar heen. Door haar omgang met hem had ze al snel in de gaten dat ze min of meer alles kon zeggen wat ze wilde. Maar hij wist dat hij binnenkort hard moest ingrijpen en hij was er als de dood voor.

Kitty was in staat om als een leeuwin te vechten, om daarna de verrukkelijkste seks met hem te hebben waar hij totaal van uit zijn dak ging.

Hij lag op de bank naar Sade te luisteren. Hij had een droge mond en zijn hart ging te snel, het geluid weerklonk luid in zijn oren. Hij wist dat het hartkloppingen waren van de amfetamines die hij eerder had gesnoven.

Hij voelde zich weer zestien en hij genoot ervan. Dat absolute vrijheidsgevoel was op zichzelf al een drug. Hij snoof, rookte dope en luisterde naar muziek waar hij een bloedhekel aan had gehad voordat Kitty hem aan de drugs had geholpen. Hij was altijd een fan van Elvis geweest, was gek op Sinatra. En nu lag hij te luisteren naar 'Papa Was A Rolling Stone' en hij vond het nog mooi ook.

De drugs waren een openbaring voor hem geweest. In de jaren zestig was hij er niet koud of warm van geworden. Hij was een man van de jaren vijftig, een man die zich alleen maar aan alcohol te buiten ging. Hij was dol op zijn vrouw geweest, die hij nu als weinig meer beschouwde dan een baksteen die hem in de ouderdom liet wegzinken. Maddie was een fatsoenlijke vrouw en hij respecteerde haar. Maar ze was zijn hele getrouwde leven respectabel geweest en hij had in geen vierendertig jaar een fatsoenlijke neukpartij of conversatie met haar gehad. Eens getrouwd, altijd getrouwd, was het devies van zijn generatie. In die tijd koos je heel bewust een vrouw van wie je wist dat ze voor huis en haard zou zorgen en voor de kinderen die eventueel zouden komen. Ze trouwden hun moeders en voelden zich daarmee vereerd.

Maar nu wilde hij leven in de brouwerij, hij voelde de adrenaline door hem heen gieren en wist dat Maddie, moge God haar liefhebben, nooit genoeg was, nooit genoeg was geweest. Zelfs voordat het kind werd geboren, toen ze nog een mooi figuur had en een gezicht als van een filmster, was ze kil geweest. Hij wist dat mensen met haar achtergrond geloofden dat vrouwen die van seks genoten als losbandig werden beschouwd, onbetrouwbaar, en hij voelde zich erdoor verraden.

Freddie senior had het grootste deel van zijn leven gezocht naar wat dit meisje hem kon geven: geloof in zichzelf als man. Niet als vader of kostverdiener. Kitty lag achterover en liet zich gewillig door hem nemen. Ze zou het uitschreeuwen van genot en hij ging van haar af om te kijken hoe ze klaarkwam.

Ze gaf hem de joint door en hij trok er diep aan. Door de speed ging zijn hart onregelmatig tekeer, hij wilde maar dat het tot bedaren kwam.

Toen Kitty opstond en haar kamerjas weer aantrok, werd er op de voordeur geklopt. Het was midden in de nacht en Kitty, typisch Kitty, keek er niet eens vreemd van op. Hij sprong op en trok zijn hemd en broek aan.

'Wie kan dat verdomme nou zijn?'

Kitty lachte hem uit. 'Waarschijnlijk een vriend, Fred. Hou je gedeisd, man.'

Kitty was eraan gewend dat iedereen op elk tijdstip kon binnenvallen. Ze had een flat en ze had spul, dus voor haar was dat de gewoonste zaak van de wereld.

Een paar tellen later deed ze de voordeur open en Freddie senior zag tot zijn verbazing zijn zoon de kamer binnenwandelen.

'Alles goed, pap?'

Freddie glimlachte, een toonbeeld van vriendelijkheid en kameraadschap. Hij hoorde een kind huilen en de zachte stem van Kitty toen ze erheen ging om het te troosten. Hij keek de kamer rond en het verraste hem dat het er zo leuk uitzag, wat van zijn gezicht af te lezen viel.

'Ze houdt de boel hier fantastisch bij.' Freddie senior zocht naar een verklaring, dat wisten ze allebei. 'Nou, wat kom jij doen?'

Freddie hoorde dat zijn vader nerveus klonk, hij wist wel dat hij van streek zou zijn als hij bij hem langsging.

'Jackie is vanavond van een zoon bevallen.'

Freddie zag de grijns op zijn vaders gezicht. Hij was echt blij voor hem, en hij grijnsde terug.

'Een prachtig klein mannetje, een plaatje is-ie, een echte Jackson.'

Freddie senior schudde zijn zoon de hand en omhelsde hem innig. 'Ga zitten, dan haal ik een biertje voor je.'

Freddie zat op de bank de kamer in zich op te nemen. Ondanks zichzelf was hij onder de indruk. Hij had nooit gedacht dat Kitty zo'n flatje zou hebben en ze steeg een paar treden in zijn achting. Hij zag de speed die in keurige lijntjes op het rookglas van de koffietafel lag en de half opgerookte joint in de asbak.

Zijn vader kwam terug met een fles scotch en twee glazen. 'Een echte borrel gaat er wel in.'

Freddie pakte de whisky aan en sloeg die in één teug achterover. Toen knielde hij op de vloer en snoof snel een lijntje amfetamine op. Hij snoof luid en hield zijn wijsvinger tegen zijn neus om het maximale effect te bereiken. Het was goed spul en de speed bereikte binnen een paar tellen zijn hersens.

'Laten we een feestje bouwen.'

Kitty kwam weer binnen. Ze had een spijkerbroek en een katoenen shirt aangetrokken. Ze zag er heel jong en heel mooi uit. Freddie senior was dankbaar dat ze zich had aangekleed, het voelde op een of andere manier niet goed als ze in het bijzijn van zijn zoon vrijwel naakt was. Ze zat op de bank en schonk zichzelf een glas wijn in.

'Leuk optrekje.'

Ze glimlachte naar Freddie en hij begreep precies waarom zijn vader niet wist waar hij het zoeken moest.

'Dus je hebt een zoon gekregen?'

Hij grijnsde weer en het viel Kitty weer op hoe knap hij was. Ze had het gevoel dat ze naar een jongere uitgave van zijn vader zat te kijken... ze leken als twee druppels water op elkaar.

Freddie stond op en zei opgewekt: 'Ja, een zoon en erfgenaam. Mag ik nog een borrel pakken?'

Ze knikte vrolijk. Het feit dat hij hier was, betekende dat hij haar verhouding met zijn vader accepteerde. Voor haar was dat een hele vooruitgang.

Freddie pakte de wijnfles die Kitty naast de whisky had neergezet en sloeg er zijn vader uit alle macht mee op het hoofd. Toen stak hij vijf keer met de afgebroken fles op hem in, het was één bloederige puinhoop.

Kitty zag overal bloed, het spoot over haar nieuwe crèmekleurige tapijt en sproeide op de muren. Ze was stoned en niet in staat zich in haar stoel te bewegen. Ze kon alleen maar ziekelijk gefascineerd zitten staren en vroeg zich af of dit allemaal echt gebeurde.

Freddie senior lag daar, op zijn gezicht hing zijn huid er in vellen bij. Hij probeerde letterlijk met zijn handen zijn gezicht bij elkaar te houden.

'Klootzak! Een beetje mijn moeder behandelen alsof ze een stuk vuil is. Ze heeft geen nagel om haar reet te krabben en jij zit hier met die slet?'

Hij begon op zijn vaders hoofd in te beuken, sloeg erop los waardoor zijn handen onder het bloed van zijn eigen vader kwamen te zitten.

Kitty begon te beven, de schok van wat er gebeurde drong eindelijk tot haar door en ze proefde de gal toen het braaksel in haar mond omhoogkwam. Ze slikte het weg en slaakte een kreet van afgrijzen. 'Wat ben je verdomme aan het doen. Er zijn hier kinderen!' In haar eigen oren leek het of haar stem van kilometers afstand kwam.

'Rot op, smerige teef, en die klotekinderen van je kunnen ook de kolere krijgen. Als je het waagt ooit nog iets tegen me te zeggen, beuk ik die dope zo in die doos van je en gebruik ik je kut als hasjpijp!'

Freddie draaide zich naar zijn vader om.

De kinderen huilden nu met lange uithalen en hun moeder wist dat ze doodsbang waren. Ze waren wakker geworden van het lawaai. Kitty liep verstijfd van angst de kamer uit, bang voor de veiligheid van haar kinderen. De buren bonkten op de muren, maar ze wist dat ze de politie niet zouden bellen. Ze wilden alleen maar dat het stil werd.

'Mijn moeder heeft geen rooie cent, verdomme, waardeloze sloerie.' Zonder enig meegevoel keek hij toe hoe zijn vader lag te kreunen van de pijn. 'Als je godverdomme mijn moeder ooit nog zo behandelt, vermoord ik je, klootzak.'

Freddie senior was in zijn tijd een van de zwaarste jongens van de buurt geweest. Hij had met de Krays gewerkt en ze hadden het nu nog over zijn teloorgegane reputatie als vuistvechter. Hij keek naar zijn zoon en zag de toekomst van hun wereld.

Hij wilde daar niets mee te maken hebben.

Het leven was enorm veranderd, hun wereld had een dramatische wending genomen maar hij had nooit kunnen geloven dat dit er ooit op een dag van zou komen.

Hij zag dat zijn zoon nog een lijntje opsnoof, een slok nam uit de fles whisky en ten slotte de half opgerookte joint pakte. Toen ging hij van zijn stokje.

Freddie waste zich in de smetteloze badkamer. Hij vond de kleurencombinatie mooi en bedacht dat hij ook zoiets wilde als zij de boel gingen opknappen.

Even later liet hij met verende tred en een opgewekt hart de flat achter zich, en het geluid van een snikkende Kitty en angstige kinderstemmetjes.

8

Jimmy bekeek zijn vaders gezicht. Het zag paarsbruin en er sprak diepe verbijstering en oprechte walging uit.

James Jackson senior was des duivels en Jimmy begreep er alles van. Zijn broer was niet alleen compleet in elkaar geslagen, hij was ook nog eens publiekelijk vernederd.

Niemand van de oude stempel kon er met zijn hoofd bij wat er was gebeurd. Het kón gewoon niet, elke ongeschreven wet was met voeten getreden en het ergste van alles was nog dat het nieuws al naar buiten was gekomen nog voordat ze wisten hoe Ozzy erover dacht.

Freddies aanval ging als een lopend vuurtje de buurt door, dankzij Kitty en haar grote bek. Jimmy begreep zijn vaders woede wel maar hij wilde hem zo veel mogelijk uit de wind houden.

In tegenstelling tot zijn broer, Freddie senior, had James nooit zo diep in de zaken gezeten. Hij was een zware jongen geweest, dat was hij nog steeds als dat moest, maar eigenlijk hield hij van een rustig leventje. Hij was niet leep genoeg om de top te halen, hij was een klaploper, een dagloner. Hij hoefde niet zo nodig in de schijnwerpers te staan. Waarom zou hij? De schijnwerpers waren voor mensen die gewaardeerd wilden worden. James was heel gelukkig met zichzelf.

Freddies aanval op zijn vader had iedereen compleet verbijsterd, en Jimmy zeker. Hij kon het niet geloven totdat hij de man met eigen ogen had gezien. Hoe walgelijk het ook was, Jimmy kon wel begrijpen waarom het was gebeurd... niet dat hij die mening van de daken zou schreeuwen. Merkwaardig genoeg wist hij dat Freddie dacht dat hij het juiste had gedaan. Maar zoals gewoonlijk had hij het weer helemaal verkeerd aangepakt.

Freddie senior had zijn vrouw zonder bestaansmiddelen in de steek gelaten en dat kon ab-so-luut niet. Echtgenoten en zonen moesten hun vrouw en moeder beschermen. Zo werkten die dingen in hun wereld en Freddie senior moest natuurlijk op zijn verantwoordelijkheden worden gewezen. Daar had niemand problemen mee, maar met die straf was een grens overschreden en dat had al die opschudding veroorzaakt.

Jimmy wist ook dat Freddie senior de laatste paar maanden zijn geluk had getart. Als je de zaak eens goed bekeek, vooral het feit dat hij nog nooit in zijn leven zo'n mazzel had gehad en het onderste uit de kan wilde halen, dan kreeg je een beter beeld van hoe de hele geschiedenis was ontstaan. Als hij zich één keer achter de oren had gekrabd, dan had dit allemaal niet hoeven gebeuren.

Maar Jimmy hield dat allemaal voor zichzelf. Het was niet aan hem om daar een mening over te hebben. Hij moest de rotzooi opruimen als en wanneer die in golven over hen heen zou komen.

Maddie was volkomen van streek door alles wat er was gebeurd, maar had haar man kalm en waardig teruggenomen. Wat kon ze ook anders? Hij was voor het leven getekend en aan één oog blind geworden. Elke keer als hij in de spiegel keek zou hij eraan worden herinnerd wat zijn zoon hem had aangedaan en ook waarom. Dat soort herinneringen konden ze missen als kiespijn.

Freddie deed ondertussen alsof er niks gebeurd was en weigerde erover te praten. Jimmy had de ware toedracht van Maggie gehoord die het op haar beurt weer van haar moeder had.

Maddie en Lena waren in één klap vriendinnen geworden.

Het kind had die vriendschap aangewakkerd en beiden waren zo vaak ze konden bij de baby. Jimmy hoopte bijna dat hij alleen maar meisjes zou krijgen, als een jongen tenminste betekende dat hij daarmee al die heksen over de vloer zou krijgen.

Jimmy's moeder, Deirdre, een kleine vrouw met een knap gezicht en slank figuur, stond als altijd te koken. Het maakte niet uit hoe laat het was, dag of nacht, ze stond altijd te koken. Als je om vier uur 's ochtends de keuken binnenliep kreeg je binnen vijf minuten een warme maaltijd voor je neus gezet. Ze had het talloze keren voor hem gedaan en hij was haar daar dankbaar voor. Hij wist dat ze haar mening over het gebeurde van afgelopen week voor zich zou houden. Hij zou, evenals zijn vader, verbaasd zijn geweest als ze dat niet had gedaan. Zij was van de oude stempel; dit waren mannenzaken en die moesten dat zelf maar uitzoeken.

Ze keek en luisterde, maar hield haar mening voor zichzelf.

'Jij en hij zijn zulke dikke maatjes, wat heeft die klootzak er tegen jou over gezegd?'

Jimmy wist dat zijn vader er een hekel aan had dat hij zo dik was met Freddie en hij slaakte een zucht. 'Hij heeft er nog niet dát over gezegd, maar het schijnt dat hij zijn vrouw zo in de steek gelaten had, zonder een cent of kruimel in huis, terwijl hij die Kitty neukte en aan de drugs was.' Jimmy merkte dat hij Freddies actie probeerde te rechtvaardigen.

James Jackson senior kon zijn oren niet geloven. Hij hield van zijn broer en kende zijn fouten beter dan wie ook, maar wat Freddie had gedaan was verkeerd. Het ging alle perken te buiten en het ergste van alles was dat zoiets in hun wereld nog nooit was voorgekomen. Hij had zijn eigen vader aangevallen, hem voor het leven getekend laten liggen, en dat allemaal ook nog op de avond dat zijn zoon was geboren.

'Het slaat helemaal nergens op, wat hij heeft gedaan. Freddie zal gauw genoeg merken dat mensen dit soort gedrag niet over hun kant laten gaan. Het maakt verdomme niet uit voor wie ze werken.'

Er zat een dreigende ondertoon in en de moed zonk Jimmy in de schoenen.

'Hou je erbuiten, pap.' Het kwam er scherper uit dan hij had bedoeld en zijn vader keek hem diep geschokt aan.

'Sla verdomme niet zo'n toon tegen me aan, ik ben mijn broer niet. Ik scheur je kop eraf, jongen, als je geen respect toont en je doet alsof ik een klootzak bent!'

Jimmy zag de angst op het gezicht van zijn moeder en haastte zich de boel te sussen. 'Moet je horen, pap, laat het gewoon zitten. Je weet dat ik je altijd zal respecteren. Ik zeg alleen maar dat Freddie zijn redenen wel zal hebben gehad en uiteindelijk heeft het helemaal niets met mij of jou te maken.'

James Jackson stond op het punt razend te worden toen hij zijn enige kind dat hoorde zeggen. Hij bulderde luidkeels: 'Niets met mij te maken? Die patjepeeër van een broer van me ziet eruit als de *Elephant Man* en jij zegt dat ik er niets mee te maken heb? Zijn eigen kind slaat hem verdomme in puin en laat hem voor dood liggen, en jij denkt dat het een huiselijke ruzie is? Van welke planeet kom je, verdomme?'

Hij keek naar zijn vrouw alsof hij bevestiging zocht van wat hij had gezegd. Jimmy wist dat ze een bloedhekel aan Freddie had en alles waar hij mee te maken had, maar ze haalde compleet verbijsterd haar schouders op. Dit had ze zo vaak gedaan, ze wist hoe het spelletje gespeeld moest worden.

James senior was een relschopper, hij begon bij het minste of geringste te schreeuwen. Daar ergerden zijn vrouw en zoon zich al jaren aan. Maar zolang hij schreeuwde, waren ze veilig.

Zodra hij niet meer blafte, dan was Leiden in last. Gelukkig kwam het in negen van de tien gevallen niet zover. Jimmy hoopte tegen beter weten in dat dat nu ook weer het geval zou zijn. Freddie zou zonder zich te bedenken Jimmy's eigen vader apart nemen, en heimelijk had hij het gevoel dat James dat wel wist. Hij was van hem afhankelijk en wist dat, mocht de vlam in de pan slaan, Jimmy hem dan zonder meer voor eenzelfde lot zou behoeden. Zijn vader was veilig, veiliger dan hij zich realiseerde.

Jimmy maakte zich zorgen. Hij wist dat alles om hen heen ineen zou storten als dit niet met beleid werd aangepakt. En als het erop aankwam, moest hij Freddie eruit zien te werken. Dat betekende uit de hele business, voor eens en voor altijd.

Want Freddie was niet iemand met wie je de strijd kon aanbinden, verslaan en dan verwachten dat je met een opgewekte zwaai en handdruk met rust zou worden gelaten. Freddie zou je als een hond achternajagen totdat hij je van de wereld had geveegd. Zo zat hij in elkaar, daarom was hij zo goed in zijn werk. Daarom was iedereen in zijn buurt doodsbang voor hem. Iedereen dacht er net zo over als zijn vader, maar niemand wilde er echt iets aan doen. Ze hoopten allemaal dat iemand anders het vuile werk zou opknappen.

Hoe dan ook, Jimmy was er niet zeker van of hij Freddie in een man-tegen-mangevecht kon verslaan. Als het zover met Freddie zou komen, wist hij dat hij hem wel morsdood zou móeten slaan. Hij hoopte maar dat hem dat bespaard zou blijven, want familie was tenslotte familie.

Een poosje later liep hij het huis uit naar de schuur achter in hun tuintje. Daar pakte hij een klein pistool dat hij daar had verstopt. Als het nodig was, zou hij het zonder zich te bedenken gebruiken. Bij Freddie kon je niet zonder pistool wanneer je serieuze zaken met hem wilde bespreken.

Diep in zijn hart wist Jimmy dat hij alleen maar wilde afwachten wat Ozzy van deze laatste ontwikkelingen vond. Want wat iedereen ook zei of deed, uiteindelijk had Ozzy het laatste woord.

De nieuwe baby werd aanbeden door zijn moeder, zijn oma's en zijn zusters. Het was een gelukkig kind dat nooit alleen werd gelaten.

Alle vrouwen in zijn omgeving waren absoluut gek met hem en hij was dol op hen. Hij werd strontverwend. Hij was nog geen week oud of hij begon al te huilen zodra hij even werd neergelegd. De grootmoeders waren ervan overtuigd dat hij zo slim was dat hij Albert Einsteins hersenen wel moest hebben.

Zijn vader was echter bepaald onder de indruk van hoe zijn zoontje al die vrouwen sluw om zijn vinger wond en ze voor elke scheet kon laten rennen. Zelfs Jackie was nog helemaal in de ban van het kind hoewel haar zenuwen het door de gebeurtenissen van de laatste week zwaar te verduren hadden gekregen. Daar hield hij rekening mee, want hij wist dat vrouwen en hormonen een dodelijke combinatie waren. Jackie had de hersens van een mug en hij was niet van plan een brabbelende idioot van haar te maken. Dat liet hij aan de drank en de drugs over. Hoe dan ook, daarvan kon hij tenminste niet ook de schuld krijgen.

Ze had hem een zoon geschonken en hij wilde met alle liefde pas op de plaats maken, totdat ze hem voor de zoveelste keer tot het uiterste zou drijven. Hij wist dat dat zou gaan gebeuren, Jackie wist de zaken altijd voor zichzelf te bederven. Daar had ze een talent voor.

Sinds het akkefietje met zijn vader was Freddie dicht bij huis gebleven. Hij zou de vader van het jaar worden, en wie zou een man belasteren die bij zijn pasgeboren zoon wilde zijn? Het was het volmaakte alibi, het perfecte excuus en hij zou er wel voor zorgen dat niemand hem in de gaten kreeg.

Hij wist dat hij in de hele buurt over de tong ging, maar dat kon hem geen barst schelen. Hij maakte zich echter wel bezorgd over hoe Ozzy de zaak op zou nemen. Hij zou zich gedeisd houden als Ozzy er aanstoot aan zou nemen, maar zelfs dan wist hij dat hij er alleen maar wrokgevoelens jegens Ozzy aan zou overhouden. Hij grossierde in wrokgevoelens, zoals andere mensen dat met boodschappen deden.

Hij was voor niemand bang. Niet dat hij daar trots op was, hij constateerde dat gewoon als een feit. Er liep geen mens rond die hem angst kon aanjagen. Hij was volledig van zijn eigen kunnen overtuigd. Hij richtte zich altijd op datgene waar hij mee bezig was, hij kwam nooit op zijn beslissingen terug en hij stierf nog liever dan dat hij zijn fouten zou toegeven.

Hij had uiteindelijk zijn eigen vader zwaar letsel toegebracht – een man van wie hij had gehouden en die hij had vereerd – omdat die over de schreef was gegaan. Zijn vader had zijn vrouw in de steek gelaten terwijl ze nog geen pak koekjes kon kopen, de vrouw in de steek gelaten die hem in de gevangenis had opgezocht, voor zijn huis had gezorgd terwijl hij op zijn luie reet zat of het grootste deel van zijn tijd bij zijn liefjes zat. Dezelfde vrouw die zijn vader nooit had beschaamd of in verlegenheid had gebracht. Ze werd alom gerespecteerd omdat ze zo netjes en godvrezend was.

Hoe had hij het in zijn hoofd gehaald om haar te verlaten voor zo'n slet als Kitty Mason? Als hij niet eerst zijn zaakjes had geregeld zou Freddie om nog geen honderd meiden malen. Zijn moeder had als eerste geld moeten krijgen, wat hij met de rest deed was zijn eigen zaak.

Freddie wist dat hij zichzelf en iedereen om hem heen probeerde te overtuigen waarom hij zijn vader te pakken had genomen. Eerlijk gezegd had hij wel geweten dat de confrontatie met zijn vader er al heel lang aan zat te komen. Hij moest en zou de man duidelijk maken wíe hij nu eigenlijk was. Freddie senior behandelde hem nog steeds als een kind, had in de pub over hem geluld. Hij verwachtte van Freddie dat die hem en zijn meute financierde. Dat deugde allemaal niet. Hij wilde door iedereen gerespecteerd worden, ook door zijn vader. In de afgelopen maanden had dat als een kankergezwel aan hem gevreten. Freddie zag zelfs in zijn vader een concurrent, die voor de superieure nieuwe status van zijn zoon had moeten buigen.

Zijn moeder had hem onbedoeld de perfecte aanleiding aangereikt. Hij had haar eer verdedigd terwijl hij feitelijk zijn eigen eer aan het verdedigen was.

Maddie zette een kop thee op het kleine bijzettafeltje naast hem. Hij greep haar hand en drukte er een kus op.

'Alles goed, mam?'

Hij zei het meer dan dat hij het vroeg.

'Meer dan ooit, jongen.'

Dat wilde hij horen en dat wisten ze allebei.

'Ik hou van hem, weet je.'

Ze glimlachte triest en knikte, niet zeker of hij het over zijn vader of over zijn pasgeboren zoontje had.

Joseph Summers kreeg van alle kanten in de pub drankjes aangeboden. Hij wist wel dat iedereen wilde dat hij de SP op Freddie en zijn vader zou afsturen maar hij wilde het er absoluut niet over hebben. Niemand had het hem rechtstreeks gevraagd en hij wist dat ze dat ook nooit zouden doen. Ze hoopten dat hij loslippig zou worden en te oordelen naar de hoeveelheden bier die ze hem aanboden, stonden ze kennelijk te popelen.

Je kon veel van Joseph zeggen, maar stom was hij niet.

Hij zag Paul en Liselle naar hem kijken en in zijn richting glimlachen. Net als iedereen wisten zij ook niet wat ze moesten doen. Het was een ongehoorde toestand en ze wachtten af hoe de grote baas zelf zou reageren. Ozzy had hierin tenslotte het laatste woord.

Jimmy liep door de pub en was zich ervan bewust dat iedereen naar hem keek. Joseph grijnsde naar hem en hij gebaarde naar Paul dat hij zijn glas moest bijschenken.

Paul bracht hem twee pints en Joseph merkte dat iedereen langzaam terugweek om ruimte te maken voor de vriend van zijn dochter. Hij hield van de jongen als zijn eigen zoon en hij was in de wolken dat tenminste een van zijn dochters een fatsoenlijke kerel aan de haak had.

'Hoe gaat het?'

Jimmy haalde zijn schouders op. 'Wat denk je?'

Hij wilde het er niet over hebben, dat kon je aan zijn stem horen, en Joseph drong niet verder aan.

Paul gaf Jimmy een kleine envelop die hij in zijn zak liet glijden. Ze maakten nog een praatje totdat hij zijn pint ophad en toen glipte Jimmy de pub uit met ieders ogen brandend in de rug.

Liselle schonk Joseph automatisch nog een pint in, rondje van het huis. Hij bedankte haar met een glimlach en keek de pub rond. Hij was blij dat hij in een goed blaadje stond bij Jimmy, want de hele zaak kon tot een uitbarsting komen. Hij was benieuwd naar wat er nu ging gebeuren, hoewel niemand er iets mee te maken wilde hebben. Zijn schoonzoon was een stuk vuil en ergens hoopte hij dat hij het zwaar voor zijn kiezen zou krijgen. Als er één dat verdiende was hij het wel, maar Joseph had het donkerbruine vermoeden dat Freddie Jackson zoals gewoonlijk de dans weer zou ontspringen.

Ozzy had hem nodig. Hij had hem nodig omdat hij volslagen gek was en nog nooit had gehoord van scrupules, moreel gevoel of een geweten. De landelijke wetgeving mocht Freddies actie dan misschien niet erg waarderen, als Ozzy zei dat het oké was om je eigen vader bijna het graf in te jagen, dan zou het helaas daarbij blijven.

Freddie en Jimmy waren in de hoerenkast in Ilford, de meisjes waren allemaal aan het werk en Patricia zorgde ervoor dat degenen die met de taxi naar klanten toe gingen de juiste tijd en het goede adres opkregen. Ze gaf hun altijd een bepaalde tijd en als ze te laat waren, gingen ze naar hen op zoek. Dat was een van de redenen waarom ze ook aan huis werkten.

De wet zat wat dat betreft merkwaardig in elkaar, wanneer de meiden de baan op gingen, waren ze in overtreding maar als ze met de taxi naar een privéadres gingen, waren ze zo veilig als wat. Eigenlijk was het een lachertje, maar de meiden hielden van de taxiritjes, dat was weer eens wat anders. Ze waren een paar uur uit huis en ze konden de tijd nemen om nog ergens een kop koffie te gaan drinken voordat ze weer het strijdperk in moesten.

Patricia glimlachte voor het eerst sinds weken vriendelijk naar Freddie en hij voelde zijn hart opspringen. Hij wist dat ze van de ruzie met zijn vader moest hebben gehoord en haar glimlach vertelde hem dat ze geloofde dat hij er goed aan had gedaan. Het sterkte hem dat iemand voor wie hij respect had het met zijn acties eens was. Op dat moment had hij haar goedkeuring nodig.

'Je weet dat je vanavond hier een afspraak hebt, hè?'

Hij knikte. 'Jimmy heeft de boodschap doorgegeven, maak je niet druk.'

Ze hoorde aan zijn stem dat hij het schandalig vond dat hij het bericht van Jimmy had moeten horen, maar hij slikte het omdat het van Ozzy kwam.

Patricia glimlachte nogmaals. 'Wat erg dat het allemaal zo gelopen is.'

Het was een van die Ierse uitdrukkingen die bij begrafenissen werden gezegd. Ze zei hem dat ze instemde met zijn acties, het ermee eens was. Hij kon het zich bijna niet voorstellen maar ze mocht hem werkelijk graag. En opnieuw was de wereld zo'n opwindende plek. Hij was dol op de jacht en deze meid zou hem overal achter zich aan laten jagen. Hij zat te popelen.

Plotseling klonk er boven een vernietigend geluid. Twee meisjes renden in een reflex op het geluid af. Ze probeerden tegelijk de smalle trap op te komen, maar Jimmy duwde ze met geweld naar achteren en rende met Freddie naar de slaapkamer.

De meisjes konden goed voor elkaar opkomen, zeker bij problemen met een klant. Zelf konden ze vechten, argumenteren of ingrijpen, maar als een van hen door een klant werd bedreigd, waren ze met zijn allen veiliger dan in hun eentje. Ze hadden elkaar nodig, want ze hadden een eenzaam beroep. Het was levensgevaarlijk wanneer je alleen met een volslagen vreemde was en ze probeerden allemaal op hun eigen manier hun veiligheid zo goed mogelijk te waarborgen. Ze letten op elkaar en zetten hun persoonlijke wrok opzij als een van hen gevaar liep. De meesten konden knokken maar zelfs de felste had moeite met een grote, kwaaie kerel.

Een groepje halfnaakte vrouwen verdrong zich onder aan de trap en luisterde naar wat er gebeurde. Ze wisten dat Ruby in de problemen zat. Het was altijd Ruby want die was klein en zag er onschuldig uit, maar ze had een bek als een dokwerker waar ze onvermoeibaar gebruik van maakte.

Freddie was als eerste in de kamer en keek geschrokken en vol ongeloof om zich heen. Het was een kleine achterslaapkamer met ouderwets roze roosjesbehang en er stond een vorstelijk bed met roze nylon lakens. Op een kleine kaptafel stonden babyolie, condooms en babypoeder, de steunpilaren van een prostituee. Op het smoezelige, blauwe hoogpolige tapijt zat een reusachtige man met een bierbuik met zijn hoofd in beide handen.

Het meisje was in geen velden of wegen te bekennen. De kamer zag er netjes uit en Freddie vermoedde dat het geluid van de kaptafel was gekomen die tegen de muur was geslagen, want de spiegel was gebarsten.

De man was een vetzak, hij had een hoofd met dik, weerbarstig grijs haar, zijn borst en schouders waren bezaaid met dun grijs haar en slecht gezette tatoeages. De stank in de kamer was niet om te harden en Freddie rimpelde zijn neus toen hij uitschreeuwde: 'Waar is het meisje, verdomme?'

Er lag meer in dan alleen maar een vraag, dat wisten ze allemaal. Patricia en de meisjes verdrongen zich nu met verbijsterde, grote ogen bij de deur.

Niemand begreep wat er was gebeurd, en ze hadden alles al meegemaakt. De man zat te huilen, een akelig geluid van achter uit zijn keel en Freddie sleurde hem met geweld van de vloer af.

'Waar is ze?'

Freddie keek nu verward de kamer rond. Hoe kon die meid weg zijn zonder dat ze haar hadden gezien? Dat deel van zijn hoofd dat nog kon nadenken had het wel in de gaten, maar hij wilde er niet aan. Dat ging zelfs voor deze plek alle perken te buiten. Hij draaide zich om en maakte een hoofdgebaar naar Jimmy. Hij zag dat die het al had gezien.

Jimmy stapte voorzichtig de kamer door en stak zijn hoofd door het open schuifraam. Ruby lag over de vuilnisbakken en haar nek lag in zo'n hoek, dat hij zo kon zien dat ze dood was.

Hij draaide zich naar Freddie om en zei zacht: 'Ze ligt daarbeneden. Hij moet haar uit het raam hebben gesmeten, de klootzak.'

Freddie reageerde onverwacht. Hij gooide de man op het bed, liep zonder de man nog een blik waardig te keuren de kamer uit en Jimmy hoorde hem met drie treden tegelijk de trap af rennen. Tien seconden later hoorde hij de eerste meisjes gillen en brak de hel los.

Hij gooide de man zijn broek toe en zei luidkeels: 'Kleed je aan, jij en ik gaan een ritje maken.'

De man huilde nog steeds en Jimmy wist opeens weer waarom hij zo'n hekel had aan hoerenlopers. Ze misten iets, er was iets grondig mis met een man die een gat moest huren om zijn gal te kunnen spuwen.

Ozzy liep met de dominee naar de kapel. Als het even kon ging hij bij elke gelegenheid naar de dienst. Die tijd had hij er zeker voor over. De levenslangvleugel bestond voor het merendeel uit bekeerlingen omdat die anders werden behandeld. Ze grepen alles aan om voorwaardelijk vrij te kunnen komen en als je daarvoor godsdienstwaanzinnig moest worden, dan moest dat maar.

De dominee was een aardige maar lichtgelovige man. Hij had ook zo zijn zwakheden, waar hij tijdens de dienst over vertelde.

Patricia's dokter had hem die ochtend vanuit een psychiatrische afdeling in Londen opgebeld. Ze had gezegd dat ze zelfmoordneigingen had en haar broer per se moest spreken. Dat telefoontje was nog eens dunnetjes overgedaan door een gerenommeerd arts die de dominee ervan had overtuigd dat het haar herstel zeer ten goede zou komen als ze Ozzy te spreken kon krijgen. Ze zouden die avond om zeven uur telefonisch contact hebben.

Dit werd ongeveer beschouwd als een daad van God. Dit gebeurde alleen wanneer vrouwen en kinderen stierven, wanneer contact met de buitenwereld van levensbelang was voor het welzijn van de gevangene of diens familie. Het kwam dan ook zelden voor en Ozzy wist dat hem een dienst werd bewezen. De dominee wist op zijn beurt dat hij voor dit karweitje rijkelijk zou worden beloond. Hij gokte en zat bij de plaatselijke bookmaker voor een klein fortuin in de schuld. Ozzy had veel moeite gedaan om dat uit te zoeken en nu zou de dominee, die dacht dat dit een eenmalige aangelegenheid was, zijn lijntje naar de buitenwereld worden. Niemand had hem dat nog verteld, maar daar zou hij gaandeweg wel achter komen.

Ozzy kreeg een kop thee. De dominee was erg gastvrij, zag erop toe dat hij genoeg suiker had en een schaaltje koekjes. Ozzy glimlachte toen hij kalm de kamer uitglipte om de arme man zijn privacy te gunnen. De telefoon van de dominee werd niet afgetapt. Dit noemden ze een open lijn en Ozzy zou daar nu en in de toekomst zijn voordeel mee doen.

Patricia's stem klonk aan de andere kant van de lijn. Ze bracht hem van de recente gebeurtenissen op de hoogte. Hij luisterde zwijgend en wachtte terwijl de telefoon aan Freddie Jackson werd doorgegeven.

Maddie zette een groot bord steak en patat voor haar man op tafel die dankbaar knikte.

Ze haatte het zoals hij tegenwoordig was. Hij deed kruiperig tegen haar, ging in alles mee met wat ze zei. Het was alsof al zijn kracht uit hem was weggelekt. Ze dwong zichzelf hem recht in zijn gezicht te kijken, want ze wist hoe belangrijk het was dat hij er voor haar niet afschrikwekkend uitzag.

Hij had vreselijke pijn, dat wist ze wel, en hij zag er verschrikkelijk uit, ook al was de zwelling nu weggetrokken. Hij had meer dan zestig hechtingen in zijn gezicht. Hij had het kunnen verdragen als iemand anders, wie dan ook, dan zijn zoon hem dit had aangedaan. Maar het feit lag er dat zijn enige kind – de zoon van wie hij hield, de zoon die hij had opgevoed om net zo te worden als hij – hem had vernietigd en hij kon nauwelijks accepteren dat zijn enige zoon hem zo gewelddadig te lijf was gegaan.

Toch was haar echtgenoot degene geweest die dit monster van hem had gemaakt. Hij was de man geweest die hem had meegenomen op zijn bankovervallen, die hem had geleerd te vechten. Hij had ervoor gezorgd dat hij nauwelijks enige opleiding had gekregen, maar ook dat hij een weddenschap tot de laatste halve punt kon uitrekenen.

Hij had voor brood op de plank gezorgd en dat ze een mooi huis hadden. Hij had altijd overal liefjes zitten en zij had hem genomen zoals hij was. Toch was dat door hem gecreëerde monster de enige van wie ze haar hele leven echt had gehouden. Haar zoon was haar alles omdat zijn vader er sinds zijn geboorte eigenlijk nooit meer was geweest. Eerst was Freddie senior haar hele leven geweest, toen was zijn zoon dat geworden.

Nu wist ze niet meer wat ze voor beiden moest voelen. Maar deze man, die nu thuis zat en probeerde het haar naar de zin te maken, begon op haar zenuwen te werken. Hij was een karikatuur van de man die ze ooit had gekend. Hij was beleefd, aangenaam, hij was het compleet tegenovergestelde van de man van wie ze had gehouden.

Deze man kende ze niet. Als er op de deur werd geklopt verdween hij in de slaapkamer. Hij wilde niemand zien, zelfs zijn broer niet, en wat er om hem heen gebeurde interesseerde hem totaal niet. Hij at wat ze hem voorzette, hij bedankte knikkend en glimlachend en ze was doodsbang voor hem.

Ze kon maar moeilijk accepteren dat Freddie in feite zijn eigen vader had ontmand. Het viel haar nog zwaarder om te begrijpen hoe haar zoon de gewelddadige aanval kon rechtvaardigen, ook al werd ze daardoor in de ogen van elke vrouw die ze kende de gelukkigste moeder van allemaal.

Haar vriendinnen waren eigenlijk jaloers op haar, dat ze een zoon had die zo publiekelijk voor zijn moeder opkwam, hoewel hun mannen er schande van spraken. Niet dat iemand dat recht in Freddie juniors gezicht zou zeggen, natuurlijk.

Het leven kon vreemd lopen. Je wist nooit wat er met je ging gebeuren en je wist nooit hoe de normaalste en simpelste dagelijkse dingen konden uitpakken.

Jimmy keek toe terwijl Freddie aan de telefoon hing met Ozzy.

Hij sloeg de wisselende uitdrukkingen op zijn gezicht gade en wist instinctief dat Ozzy met hem meeging in die bloederige gebeurtenissen. Hij zag dat hij zich letterlijk opblies, zo belangrijk voelde hij zichzelf.

Freddie Jackson had nu een vrijbrief gekregen om te doen en laten wat hij wilde.

Nu Freddie de goedkeuring had van die man, was hij terug in de arena. Niemand zou er nog een woord over reppen of iets erover tegen hem loslaten. Ozzy had Freddies daden zojuist góédgepraat.

Het ging erom dat er voor de vrouwen werd gezorgd, dat mannen op hun verantwoordelijkheden moesten worden gewezen, maar het ging er vooral om dat Ozzy iedereen te vriend moest houden. Hij had een halvegare nodig en Freddie paste precies in dat plaatje. Meer nog dan dat. Ozzy wist dat Freddie na het gebeurde nooit meer te vertrouwen was. Dat niemand ooit deze schending van de regels zou vergeten, of het feit dat Ozzy het door de vingers had gezien.

Freddie had geen idee dat hij eigenlijk voor iemand werkte die veel leper was dan de arm van de wet.

Jimmy wachtte tot het gesprek was afgerond en ging toen met Freddie de beide lijken opruimen.

De arme Ruby werd drie dagen later op een vuilnisbelt in Essex gevonden. De man was in brand gestoken en zou de eeuwigheid in een schooloven even ten zuiden van Brentford spenderen. Hij zou met het gebruikelijke afval dat van en rond een schoolplein werd verzameld worden afgevoerd. In dit geval met naalden, windsels en lege condoomverpakkingen.

Zodra het donker werd kwam de school werkelijk tot leven, net als Freddie en zijn makkers.

9

Maggie deed haar ogen open en keek verwonderd naar het slecht gestuukte plafond.

Aan het eind van de dag zou ze Jackson heten, dan was ze een getrouwde vrouw. Haar lichaam trilde van opwinding en al haar zintuigen waren ervan vervuld. Haar hele leven had ze dit gewild en nu was het zover.

Ze kon zich niet herinneren dat ze niet met Jimmy wilde trouwen, zijn wederhelft, zijn vrouw worden. Vandaag zou dat uitkomen.

Ze keek de slaapkamer rond, naar de roze lampenkap, de donkergroene chenille beddensprei en de posters van Chrissie Hynde, en kon er niet over uit dat ze nooit meer in deze kamer wakker zou worden.

Ze rekte zich met haar armen boven haar hoofd uit en wiegelde van geluk toen ze haar kleine wereld overzag. Ze ging op haar knieën op het bed zitten en keek uit het slaapkamerraam, naar het uitzicht waar ze het grootste deel van haar leven op had uitgekeken. De andere flats met dezelfde gordijnen, het met regen bespatte beton en de ondergrondse garages, waar niemand het in zijn hoofd haalde om daar zijn auto te parkeren. Veel te gevaarlijk.

Ze had altijd van dit uitzicht gehouden. Het was er voortdurend geweest. Dit was haar wereld. Nu was ze klaar voor een andere wereld, en hun nieuwe huisje zou nooit zoals dit worden. Haar kinderen zouden alles krijgen wat hun hartje begeerde. Hun kamers zouden een thema krijgen, prachtige paleisjes voor haar prinsjes en prinsesjes. Haar kinderen zouden in een geschikte omgeving opgroeien. Zij zouden niet met de buurkinderen hoeven vechten om een plaatsje bij de ijscoman, zij zouden geen dronkemansruzies hoeven aan te horen en ook geen vechtende mensen op straat hoeven zien wanneer ze uit hun slaapkamerraam keken.

Ze zouden het beste krijgen wat ze te bieden had, het beste wat er voor geld te koop was. Niet zoals dit hier. Deze plek belichaamde betonnen haat. Dat was zo fout aan de wereld waarin zij leefden, en het ergste van alles was dat ze er op haar manier nog van hield ook. Dit was het enige wat ze kende. En toch was het alles waar ze vandaan wilde vluchten.

Jimmy en zij hadden al een huis gekocht. Daar gingen ze wonen, hier zou ze alleen nog maar op bezoek komen. Het was een klein, halfvrijstaand huis in Leytonstone. Het had een eetzitkamer, was in bruine en crème tinten geschilderd en ze vond het prachtig. Ze kon met de bus naar haar familie, wat uiteindelijk de doorslag had gegeven.

Ze sprong haar bed uit. Het was zes uur in de ochtend en ze had het gevoel alsof ze herboren was, alsof de wereld vol verwachting toekeek hoe zij een heel mens werd.

Over drie weken werd ze achttien. Voor die tijd wilde ze een getrouwde vrouw zijn, dan zou ze het gelukkigste meisje ter wereld zijn.

Jimmy zag het meisje naast zich en kreunde.

Hij wist niets meer van de vorige avond en hij wist dat het vooropgezet was geweest. Hij had brandy en port door elkaar gedronken, een dodelijke combinatie, en het gevoel dat iemand hem met een biljartbal met een sok eromheen op zijn hoofd had geslagen. En dat scenario zat er niet ver naast, als je het gezelschap bekeek waarmee hij de meeste avonden doorbracht.

Het was een jong meisje, dat kon hij nog net zien, en ze lag te snurken, daar was hij wakker van geworden. Ze klonk wel als een van de zeven dwergen en inwendig moest hij grinniken. Je kon hem rustig toevertrouwen dat hij met die verdomde Dommel zou eindigen. Maar hij wist ook dat als hij haar wakker zou proberen te maken en een gesprek met haar wilde beginnen, hij haar naam al snel in Stoetel zou moeten veranderen.

Hij ging rechtop zitten en slaakte een zucht. Hij voelde zich verschrikkelijk. Zijn kleren waren nergens te bekennen en het raam zat stevig dicht, waardoor de geur van seks niet te harden was in de kleine kamer.

Hij had een kater en hij zag in één oogopslag dat er in de verre omtrek geen condooms lagen. Misschien had hij op zijn trouwdag wel een druiper opgelopen en niemand zou dat leuk vinden, op Freddie na dan.

Hij stapte voorzichtig uit het bed op het tapijt. Het voelde plakkerig aan. Het was bedekt met alles wat maar walgelijk was, er zat een kleefkorst op en het stonk naar sigaretten en klanten.

Hij had het gevoel alsof twintig Ieren met hamers gaten in

zijn schedel aan het slaan waren. Het raam was dichtgespijkerd, wat hij zich pas realiseerde nadat hij vijf minuten had geprobeerd om het open te krijgen.

Hij kreunde. Dus was de deur ook dichtgetimmerd. De verwarming in huis stond voluit, wat de hitte en stank verklaarde. Hij durfde er zijn salaris onder te verwedden dat Freddie al hoog en droog thuis zat en zich rot lachte om de situatie waar hij nu in verkeerde.

Dit was Freddies idee van een grap.

Als het iemand anders was overkomen dan Jimmy, zou hij de eerste zijn geweest om hem uit te lachen. Maar nu zag hij de grap er niet van in. Altijd wanneer Freddie hem zoiets flikte, kreeg hij een smerige smaak in zijn mond.

Zijn enige sprankje hoop was een gebruikt condoom dat in de groene glazen asbak lag te glimmen. Hij slaakte een zucht van opluchting en begon toen aan zijn ontsnapping te werken.

Patricia werd om halfzes gewekt door een telefoontje van een van de meisjes.

Ze liep het huis in Bayswater binnen, gekleed in een schaapsleren jas en met een vleugje Chloe-parfum op. De oudste, een vrouw van vijfendertig die een mislukte borstoperatie achter de rug had en een slecht gebit had, was in paniek. Patricia moest twintig minuten op haar inpraten voor ze rond kon bellen en Freddie wist op te sporen.

Toen ging ze naar de slaapkamer van een zwart meisje dat Bernice heette. Het meisje was negentien, zag eruit als dertig en leverde het meeste op van allemaal. Helaas had een van haar vaste klanten, een directeur van een multinational, een uur eerder haar bed uitgekozen om een hartaanval te krijgen. Er lag amylnitraat en Patricia bedacht dat de diagnose waarschijnlijk correct was.

Hij was over de vijftig, veel te dik en medische hulp zou niet meer baten.

Bernice bleef kalm, waar Patricia haar eeuwig dankbaar voor was, en de andere meisjes hielden zich gedeisd.

Dit was wel vaker gebeurd, daar hadden ze een protocol voor.

Ze bedekte de man met een heldergroen laken, schonk zichzelf een kop koffie in en wachtte tot Freddie en Jimmy zouden komen om de zaak met zo weinig mogelijk ophef op te lossen.

Freddie senior lag in bed naar het plafond te staren.

De aanval had nu acht maanden geleden plaatsgevonden en hij was nog maar één keer buiten geweest, om de hechtingen eruit te laten halen. Nu verwachtte zijn vrouw dat hij meeging naar de bruiloft van Jimmy, wat hij zeker niet van plan was. Hij wilde er niet eens bij in de buurt zijn.

Elke keer wanneer hij het huis probeerde te verlaten, voelde hij hete lucht naar zijn hoofd stromen, hij werd misselijk en hij wist dat zodra hij een voet buiten de deur zou zetten, hij zou flauwvallen. Hij keek naar zijn pak dat aan de slaapkamerdeur hing en voelde de vertrouwde misselijkheidsgolven weer opkomen.

Maddie had hooggespannen verwachtingen van de bruiloft. Ze ging ervan uit dat hij ging en dat alles dan weer normaal zou worden. Vrouwen waren complete idioten als het ze uitkwam. Zij had dit allemaal veroorzaakt en nu deed ze alsof er helemaal niets aan de hand was, dat wat zijn zoon had gedaan niets voorstelde. Dat hij het allemaal achter zich kon laten.

Hij was publiekelijk gebroken, erger kon niet, en er bestond geen enkele kans dat hij het hem betaald kon zetten. Hij fantaseerde erover dat hij zijn zoon zou vermoorden, maar wist dat hij dat nooit zou doen.

Hij hoorde de vertrouwde geluiden van zijn vrouw in de keuken. Zij kon tegenwoordig ook niet slapen. Hij hoorde het water koken en het gekletter van de kopjes. Hij sloot zijn ogen en wilde dat zijn vrouw door de zwaarste hartaanval in vijfendertig jaar getroffen zou worden.

Als hij deze dag maar mocht overslaan.

Joseph Summers was in de wolken en ook al had zijn vrouw hem ervan weerhouden om zodra hij wakker werd zijn eerste feestborrel te nemen, was hij toch gelukkig met wat er ging gebeuren.

Zijn dochter stond op het punt te trouwen met de man van zijn dromen. Hij was ook de man van haar dromen maar dat was de kers op de taart. Hij zou nooit meer een dag in zijn leven hoeven werken en niemand kon er een woord van zeggen. Zijn kostje was gekocht, hij zou een heel nieuw leven beginnen.

Als zijn andere dochter maar het verstand had gehad om een man als Jimmy te trouwen in plaats van die nutteloze kwast met wie ze nu opgezadeld zat. Wat zou het leven er dan gelukkig uit hebben gezien. Maar hij was leep, hij wist dat kleine

Jimmy op een dag grote Jimmy zou worden en van die dag droomde hij. Hij had het Freddie zo vaak willen inpeperen, maar hij wist dat hij daar de ballen niet voor had. Als het leven nog iets voor hem in petto had, dan was het enige wat hij wilde dat hij lang genoeg zou leven om die bullebak, aan wie zijn oudste dochter vastzat, ten grave te dragen.

Zijn jongste dochter bracht hem een kop thee en hij lachte haar toe als een man die de lotto had gewonnen om er vervolgens achter te komen dat zijn schoonzoon dood was.

Geluk kwam er nog niet eens bij in de buurt.

Dit was het begin van een nieuwe orde en dat werd tijd ook.

Freddie en Jimmy waren moe, maar dit klusje moesten ze afmaken. Het was van levensbelang dat hun sporen werden uitgewist.

Toen ze de man het huis uit droegen, begonnen ze te lachen. Jimmy wist dat het niet grappig was, maar door de manier waarop Freddie naar de logge gestalte keek, barstten ze in lachen uit.

'Toen ik zag dat hij dood was, kreeg ik de stuipen op m'n lijf. Maar daardoor kwam ik tenminste die kamer uit!'

Freddie lachte weer. 'Dood, dat kun je wel zeggen, ja. Maar ik moest lachen toen ik weer aan je gezicht moest denken, dat moment dat ik die slaapkamerdeur opendeed. Je hebt niet eens gehoord dat we die kamer dichttimmerden, idioot.'

Jimmy grinnikte. 'Dankzij jou ben ik verdomme uit m'n dak gegaan!'

'Zo is het maar net.'

De mannen legde de man in de kofferbak van een gestolen taxi. Hij staarde hen met een halve glimlach en een paar melkwitte ogen aan.

Ze sloegen de klep dicht en Freddie zei glimlachend: 'Hier zorg ik wel voor. Maak jij dat je thuiskomt en je klaarmaakt voor je laatste wandeling. Je bent vandaag een veroordeeld man.'

Jimmy schokschouderde. 'Helemaal niet.'

Hij meende het serieus en Freddie zag de woede bij de jongen aan de oppervlakte komen.

'Ik heb het beste meissie van de wereld, ze is lief, vriendelijk en fatsoenlijk. Ze blijft me door dik en dun trouw en ze kan werken.'

'Tuurlijk, knul.'

Hij zei het alsof hij nog nooit zo'n lulkoek had gehoord, en toen hij naar de bestuurdersplaats liep, ging Jimmy achter hem aan en greep hem bij de arm.

Hij trok Freddie naar zich toe en zei zacht maar dreigend genoeg om een ruzie uit te lokken: 'Je laat haar met rust, Freddie, ze betekent alles voor me. Niemand kan ooit haar plaats innemen. Ze is mijn leven, ze staat voor al het goede in mijn leven en niemand zal respectloos over haar praten.'

Het was een dreigement, het begin van een oorlog. Maar zo oprecht was hij nog nooit geweest.

Freddie ademde diep in. Hij keek Jimmy in de ogen en zag daar oprechte liefde, niet alleen voor Maggie, maar ook voor hem. Jimmy vroeg hem nooit meer werk van Maggie te maken wanneer hij eenmaal met haar getrouwd was. Hij vroeg hem haar met alle respect te bejegenen dat hij kon opbrengen, hij vroeg hem zich te herinneren dat ze bloedbroeders waren, dat ze met elkaar verbonden waren, wat verder ging dan wie ook ooit had meegemaakt. Freddie stond in tweestrijd. Hij wist dat dit gelijk stond aan muiterij, maar hij begreep ook waar Jimmy vandaan kwam. Hij hield van die kleine hoer, en een hoer was ze. Hij moest het alleen uitzitten en wachten tot ze een slechte beurt zou maken, want dat ging zeker gebeuren. Dat deden ze uiteindelijk allemaal.

Dus lachte hij en zei vriendelijk: 'Het was maar een grapje, man. Je krijgt een prachtexemplaar. Kop op, jongen, het is verdomme je trouwdag.'

Jimmy zag dat Freddie vermeed hem aan te kijken en op dat moment zag hij voor het eerst in jaren zijn ware aard. Hij zág hem echt. Van zijn gouden nep-Rolex tot aan zijn diamanten zegelring. Hij zag de gerafelde nagels aan zijn vingers en de stoppels op zijn kin. Het grof zijden pak en de handgemaakte schoenen. Zelfs met al het geld dat hij verdiende, zag hij er nog verlopen uit, slonzig, en tot overmaat van ramp zag hij precies wat hij was.

Een armoedige bajesklant.

Je kon ze van van alles betichten, maar een armoedige bajesklant hoorde daar niet tussen. Ze waren het beste wat er in hun wereld te krijgen was en Jimmy deed welbewust zijn best om dat in zijn manieren en kleding tot uitdrukking te laten komen. Freddie verwachtte als altijd dat alles hem gewoon zou komen aanwaaien, vanwege zijn houding en zijn afschrikwekkende reputatie. De drugs en leningen kwamen als vanzelf. Mensen die vroeger nooit geld hadden gehad, wilden nu uitgaansdrugs of cocaïne. Speed was voor de armoedzaaiers, de girogeneratie. De nieuwe designerdrugs waren voor een nieuwe generatie mensen die hard werkten en het hard speelden.

Deze nieuwe wereld zou Jimmy alles geven wat hij wilde of waar hij ooit van had gedroomd en op dat moment wist hij dat deze man, de man die hij meer dan wie ook liefhad, altijd zijn achilleshiel zou zijn.

Hun wereld was aan het veranderen en zij moesten mee veranderen.

Ozzy had Freddie een fantast genoemd en Jimmy begreep eindelijk wat hij daarmee bedoelde. Hij voelde zich plotseling gedeprimeerd, maar hij reed naar het huis van zijn moeder en was vast van plan van zijn trouwdag te gaan genieten.

Jackie was gekleed in een blauw Ossie Clark-broekpak dat verstopt onder een schaapsleren jas uit Maison Riche in Ilford High Street was gewandeld en voor de helft van de prijs zijn weg naar haar huis had weten te vinden. Het had wijde pijpen en was met de hand genaaid. Het was van babyblauwe crêpe en gemaakt voor een vrouw met grote borsten. Die van Jackie welfden over het decolleté en ze zag er sexyer uit dan ze in jaren had gedaan.

De kinderen zagen er schattig uit, net engeltjes in hun bruidsmeisjesjurken. Freddie was in geen velden of wegen te bekennen.

Het was pas elf uur 's ochtends en Jackie had al een fles wijn achter de kiezen. Over een uur zou de auto hen komen ophalen en ze had er nu spijt van dat ze zo vroeg klaarstond. Normaal kwam ze altijd te laat, ook bij haar eigen huwelijk was dat het geval geweest.

Baby Freddie zat met zijn thee te gorgelen en de kleine Rox hield zijn fles voor hem vast ook al kon hij die uitstekend zelf vasthouden. Hij was dol op thee en Maggie, bemoeizieke heks die ze was, had de vorige dag een nieuwe fles langs gebracht, waar nog geen theevlekken in zaten. Jackie trok glimlachend nog een fles goedkope Griekse wijn open. Wacht maar tot die lieftallige Maggie een paar enkelbijters om zich heen had. Eens kijken hoe ze dan piepte!

Ze had haar zuster de laatste maanden in de gaten gehouden, met haar trouwlijst en monsterboeken, en nu keek ze naar haar meisjes in hun perzikkleurige bruidsmeisjesjurkjes en slikte de neiging in om opnieuw in lachen uit te barsten. Madam Modèle was die ochtend om acht uur langsgekomen en had hun haar opgestoken, daarna had ze de Franse vlechtjes versierd met perzikkleurige bloemen.

Jackies haar zat schitterend en ze was er de vrouw dankbaar voor.

Ze kon het niet helpen dat ze een steek van jaloezie voelde, want het ging er nu zo anders aan toe dan bij haar eigen huwelijk. Dat was een vluggertje geweest. Ze was toen vijf maanden zwanger en Freddie wist niet of hij het wel wilde.

Die vernedering stak haar nog steeds.

De manier waarop Freddie al die voorbereidingen belachelijk had gemaakt, had er uiteindelijk voor gezorgd dat ze zich beter was gaan voelen. Vanaf dag één had hij er grappen over gemaakt en toen Maggie en Jimmy hun huis hadden gekocht had hij ze uitgelachen.

Maar diep vanbinnen wist ze wel dat het helemaal niet om te lachen was. Het was fantastisch wat ze hadden bereikt, zeker gezien hun leeftijd. Ze wist dat wel, maar door haar aangeboren vijandschap en minderwaardigheidsgevoel was ze niet in staat om er samen met hen van te genieten. Haar zuster had alles voor de bruiloft geregeld en zij had niet eens een poging gedaan om haar te helpen, niet echt. Zoals altijd had ze hetzelfde gedaan als Freddie. Zelfs de jurkjes van de bruidsmeisjes waren alleen maar voor elkaar gekomen omdat die door een vrouw uit de buurt waren gemaakt en die wilde wat graag naar haar huis toe komen.

Ze was nu dronken en dat wist ze. De wereld kreeg plotseling een roze glans en de kinderen keken naar haar met die blik van ze, maar ze was vastbesloten dat ze haar vuurwerk vandaag niet zou laten bederven.

Freddie was nog steeds niet thuis toen ze in de volgauto naar de kerk gingen.

Joseph liep de laan op van de Holy Trinity Church in Ilford en hij barstte van trots.

Vanaf de voorste kerkbank keek Jimmy hem aan en hij zag de bezorgde uitdrukking op zijn gezicht. Op dat moment realiseerde hij zich pas dat er geen getuige was.

Freddie was nergens te bekennen.

Naast zich voelde hij hoe gespannen Maggie was en hij kalmeerde automatisch. De trouwmars weerklonk, de hele familie en al hun vrienden en kennissen waren er. Niemand, zelfs Freddie Jackson niet, zou deze dag bederven.

Toen ze naar het altaar liepen hoorde hij de vrouwen zuchten. Ze merkten ongetwijfeld op hoe mooi zijn dochter eruitzag.

En ze was prachtig. Ze was oogverblindend en zijn apengatje.

Hij hoorde Lena huilen en hij glimlachte bij zichzelf. Lieve hemel, deze keer huilde ze tenminste terecht. De laatste keer dat ze huilde was dat omdat ze wist dat haar oudste dochter de fout van haar leven ging maken. Waar was die patjepeeër van een man van haar, trouwens? Hij had er al moeten zijn. Sinds de jongen was geboren, ging het een poosje beter met hem. Hij kwam tenminste vaker thuis dan ooit tevoren.

Persoonlijk moest Joseph niet veel van het kind hebben, wat hij nooit hardop zou zeggen, natuurlijk. Zijn vrouw en alle andere vrouwen uit de familie beschouwden baby Freddie als de wederkomst des Heren. Maar hij had die gewiekste ogen van zijn vader en was een kleine, luie donder. Het bloed kruipt waar het niet gaan kan, zoals zijn oude vader placht te zeggen, en die had altijd gelijk.

Joseph was kwaad dat Freddie zelfs over de grote dag van zijn dochter wel weer een schaduw wist te werpen. Maggie glimlachte naar hem toen hij de sluier naar achteren deed. Uit zijn ooghoeken zag hij een magere zwarte man in jacquet en met dreadlocks langs de voorste rij schuiven en naast Jimmy gaan zitten. Hij vermoedde dat dit de nieuwe getuige was en hield zijn woede in omdat Freddie zoals gewoonlijk weer niet te vertrouwen was.

Maggie was eindelijk getrouwd. Ze had niet verwacht dat Glenford Prentiss getuige zou zijn, maar ondanks dat hij zo plotseling had moeten komen opdraven, had hij het fantastisch gedaan. Jimmy was goed bevriend met hem geraakt en ze mocht hem graag. Hij was aardig, zijn vriendin Soraya was een ster en ze waren een paar keer samen heel leuk uit geweest.

Jimmy deed alsof er helemaal niets aan de hand was maar ze wist dat hij zich gekwetst voelde. Tenzij Freddie was opgepakt, had hij in feite op de belangrijkste dag van hun leven een lange neus naar hen beiden getrokken. Zelfs Jackie zag er schaapachtig uit, waardoor Maggie eens te meer merkte dat dit een ernstige overtreding van de regels was.

Maar diep in haar hart hoopte ze dat hij helemaal niet op zou komen dagen. Hij was een ongeleid projectiel en ze wilde dat de receptie vlekkeloos zou verlopen, geen kink in de kabel, geen geknok of dronkemansgebral. Zonder Freddie had je negentig procent kans dat het zo zou gaan. Ze was gelukkig... Jimmy was eindelijk haar echtgenoot en voor hem hoopte ze dat Freddie nog zou komen, zodat hij gerust kon zijn en nog een leuke dag zou hebben.

Buiten de kerk kuste Jimmy haar stevig op de mond en iedereen juichte, maar ze voelde hoe gespannen hij was en vervloekte de man die zonder erbij na te denken de glans van de dag van haar leven had weten weg te nemen. Wat ze er inwendig ook van dacht, ze was niet van plan dat aan iemand te laten zien. Ze waren man en vrouw, daar ging het allemaal om.

Maddie zat een rum-cola te drinken en keek toe hoe haar kleinzoon mee de kamer rond werd genomen en aan iedereen werd geshowd. Het was een gezellige receptie en ze wilde dat ze haar echtgenoot had kunnen overhalen om mee te komen en ervan te genieten. Ze had iedereen verteld dat hij griep had, en die griep heerste al zo lang dat niemand er meer van opkeek. Het was net alsof hij dood was, maar nog niet begraven.

Het was iedereen in de kerk opgevallen dat Freddie er niet was, daar had ze nogal wat opmerkingen over gekregen. Maar inwendig hoopte ze net als Maggie dat hij weg zou blijven. Hij bedierf alles wat hij aanraakte, hij was als Jona in de oude mythen. Hij was haar zoon, maar tegenwoordig had ze een bloedhekel aan hem.

Ze slaakte een zucht en dronk haar glas in één teug leeg. Ze vond het moeilijk om steeds maar te blijven glimlachen en te doen alsof er niets aan de hand was. Het liefste wilde ze alleen maar haar hoofd op tafel leggen en huilen totdat ze niet meer kon. Maar dat kon niet. Ze moest de schijn ophouden, alles draaide erom hoe je óverkwam. Ze was te oud om dit spelletje mee te spelen. Ze had er jaren geleden al geen zin meer in gehad en nu wilde ze naar huis, de man van wie ze hield gezelschap houden, die glimlachend instemde met alles wat ze zei.

Freddie en Patricia lagen in bed en ook al kon het absoluut niet, deze kans kon hij niet laten lopen. Dat zei hij althans tegen zichzelf, hoewel hij best wist dat het een smoes was.

Hij had de taxi op een autokerkhof in Zuid-Londen achtergelaten en toegekeken hoe die met de ongelukkige Harry in de kofferbak tot een pakketje werd geperst. Toen was hij naar het huis teruggegaan om er zeker van te zijn dat alle sporen van de man waren uitgewist. Hij wist dat de meisjes de verleiding niet zouden kunnen weerstaan om een rondslingerende creditcard te gaan gebruiken. Hij was van de aardbodem verdwenen, en dat was dat. Het laatste wat hij kon gebruiken was dat zijn bankpassen in het winkelcentrum van Brentford gingen circuleren.

Toen had Patricia hem een lift aangeboden omdat hij geen auto had. Hij was na een ruzie door een van de mannen van het autokerkhof bij het bordeel afgezet, omdat die na alles wat hij had gedaan recht dacht te hebben op een vrije beurt met een van de meisjes. Op dat moment realiseerde hij zich dat hij niet naar de bruiloft zou gaan en eigenlijk had hij al die tijd geweten dat hij niet zou komen opdagen. Hij zou met een volslagen vreemde op de vuist zijn gegaan als hij daardoor zijn kont kon drukken.

Inwendig schold hij zichzelf uit, iets zei hem dat niets hem zou mogen weerhouden om naar Jimmy's grote dag te gaan. Dat ging kwaad bloed zetten, want Jimmy hechtte veel waarde aan zijn huwelijk. En hij vond het ook belangrijk dat Freddie zijn getuige was. Dat was een eer en in zekere zin walgde hij van zichzelf dat hij hem in de steek liet, maar hij wist ook dat hij nu op de bruiloft het gesprek van de dag zou zijn, en net als Jackie moest hij koste wat het kost in het middelpunt van de belangstelling staan.

Hij slaakte een zucht. 'Nu is het te laat.' Hij grijnsde lui naar haar en klopte op de lakens. 'Kom terug in bed. Ik heb het nu toch al bedorven.'

In haar ogen kende zijn arrogantie geen grenzen. Ze stond op en zei nonchalant: 'Had je gedacht! Ik ben voor de receptie uitgenodigd en ik ga er wel naartoe, makker. Ik mag kleine Jimmy graag en Ozzy ook. Ik moet het huwelijkscadeau aanbieden, daar heeft Ozzy zich behoorlijk het hoofd over gebroken.'

En met die paar woorden drong het eindelijk pas tot Freddie door wat hij had gedaan. Hij moest wel met iets heel goeds komen wilde hij deze gigantische blunder kunnen goedpraten.

De Ierse club zat tjokvol en de receptie was in volle gang. Zelfs de priester was dronken en hief bij een hoek van de bar een Iers rebellenlied aan.

Maggie had haar lange ivoorkleurige jurk nog aan en haar

haar zat nog steeds perfect. Jimmy staarde haar verwonderd aan. Eindelijk was ze de zijne en zouden ze altijd samen zijn.

Er was voedsel in overvloed, de drank was gratis en iedereen had de tijd van zijn leven, maar ondanks dat Jimmy bleef glimlachen en grappen maken, hield hij de deur voortdurend in het oog.

Freddie was helemaal niet op komen dagen.

Hij voelde in zijn zak naar de sleutels die Patricia hem had gegeven. Het waren de sleutels van een kleine kapsalon in Silvertown en hij was verbijsterd dat Ozzy zo genereus was geweest. Hij moest het Maggie nog vertellen, maar dat bewaarde hij voor later, hij zou het juiste moment afwachten. Toen hij dat aan Pat uitlegde, had ze hem begrepen en hem verteld dat hij eigenlijk een romanticus was.

Hij had haar met een glimlach geantwoord. 'Ik hoop het maar. Ik wil dat ze alle romantiek en liefde krijgt die ze aankan.'

Pat was weggelopen en hij had er wat onder durven te verwedden dat er tranen in haar staalgroene ogen stonden.

Glenford zat over zijn Ierse grootvader te vertellen en iedereen om hem heen had de slappe lach. Hij had de dag voor hen gered, had het gat opgevuld, zoals ze plachten te zeggen, en Jimmy zou hem tot zijn dood toe dankbaar zijn. De bruiloft was een groot succes, maar voor hem lag er een smet op omdat Freddie er niet bij was. Hij wist ook dat hij Freddie die vernedering nooit zou vergeven.

Maggie liep naar hem toe en gleed behaaglijk in zijn armen. Hij hield haar stevig vast en ze wiegden samen op 'Love TKO' van Teddy Pendergrass, muziek waarop ze zo vaak hadden gevreeën. Ze voelde dat hij teleurgesteld was dat Freddie hen zo in de steek had gelaten en fluisterde: 'Ik hou van je, Jimmy Jackson.' Het kwam recht uit haar hart en toen hij in haar diepblauwe ogen keek, besloot hij ter plekke dat hij niet zou toestaan dat Freddie dat moment zou verpesten, noch die dag of de prachtige reis die ze gingen maken. Hij zou voor dit meisje zorgen en proberen voor elkaar te krijgen dat ze geen ongelukkige dag in haar leven zou meemaken. En wanneer dat wel het geval was, zou dat niet door hem komen.

'Maggie, ik hou van je, meid, en ik beloof je dat ik je nooit zal kwetsen.'

Jackie was in de buurt met Joseph aan het dansen en toen ze die woorden hoorde, kon ze wel janken. Niet alleen voor hen en hun onmiskenbare geluk, maar omdat zij alleen was en haar leven een grote leugen. Ze zag hoe Jimmy haar zuster teder op de mond kuste en zijn armen beschermend om haar heen had geslagen. Haar zusters ogen keken vol vertrouwen en helder naar hem op toen hij iets in haar oor fluisterde.

'Ozzy heeft een prachtig cadeau voor je, babe.'

Maggie was verbijsterd en zei lachend: 'Wat? Waar heb je het over?'

Jimmy had naar Pat gebaard dat ze dichterbij moest komen. Jimmy legde de sleutels in Maggies hand en ze staarde er sprakeloos naar.

'Waar zijn die voor?'

Nu was het Pats beurt die vrolijk zei: 'Het is een salon, schatje, helemaal van jou. Ozzy geeft je ook nog eens tien rooien zodat je het helemaal naar eigen smaak kunt inrichten.'

Maggies gil werd door de hele Ierse club gehoord. Mensen draaiden met een ruk hun hoofd in haar richting en lachten toen ze zagen dat ze het uitschreeuwde van geluk. Ze omhelsde Patricia en maakte een vreugdedansje toen ze iedereen vertelde wat haar was overkomen.

Jackie stond een beetje achteraf. In tegenstelling tot haar vader, die zijn dochter hartelijk feliciteerde, voelde zij die vertrouwde steek van jaloezie en wrok. Zoals altijd kreeg Maggie het op een presenteerblaadje aangeboden.

Het nieuws deed de ronde, ze nam de gelukwensen in ontvangst en Jimmy was er des te trotser op dat Ozzy hem zo rijkelijk beloonde. Het was de bezegeling van een perfecte dag, en op 'My Girl' van de Temptations nam hij haar weer in zijn armen.

Terwijl ze samen dansten, kwam Freddie binnenlopen. Hij was in jacquet en zag er verlopen en bezopen uit. Zuchtend zag Jimmy dat hij doelbewust op zijn moeder afliep.

Maddie stond op en begroette hem, maar de glimlach bereikte haar ogen niet.

Toen liep Freddie de club uit. Hij maakte een schoudergebaar naar Jimmy die ondanks zichzelf achter hem aan naar buiten liep met zijn nieuwbakken vrouw in zijn kielzog. Hij wist dat alle ogen in de ruimte op hen gericht waren en hij vroeg zich af of hij vanavond, uitgerekend deze avond, met iemand op de vuist moest.

'Wat is er met jou gebeurd?' vroeg hij.

Freddie stak smekend zijn armen naar voren. 'Het spijt me, Jimmy, maar mijn vader heeft zelfmoord gepleegd.'

Maddie werd pas goed wakker toen Maggie zei: 'O god.' Ze jammerde als een banshee, een verschrikkelijk eenzaam geluid als van een gewonde vos, schril en zo vol pijn dat het onverdraaglijk was om aan te horen. Bij dit afschuwelijke gejammer kwam iedereen naar buiten en hoorde het vreselijke nieuws aan.

Jimmy sprak zijn medeleven uit, zei alles wat hij hoorde te zeggen, maar hij wist heel zeker dat dit niet de echte reden was voor zijn afwezigheid tijdens de bruiloft en Freddie was zich daar heel goed van bewust.

DEEL TWEE

Gij zult niet stelen; een holle frase;
het is zo lucratief om te belazeren.
ARTHUR HUGH CLOUGH
'The Latest Decalogue'

Proprium humani ingenii est odisse quem laeseris.
Het ligt in de menselijke natuur om de man te haten
die je hebt gekwetst.
TACITUS
Aricola, 42

10

1993
Jackie keek toe hoe haar zoon het zoveelste paasei soldaat maakte. Hij propte het in zijn mond, slikte het bijna zonder te kauwen door en was alweer met het volgende bezig. Hij zou al snel misselijk zijn en gaan huilen, dan zou het hele circus weer van voren af aan beginnen.

Als altijd waren er veel te veel eieren, was er te veel chocola en ze kon de energie niet opbrengen om tegen hem te zeggen dat hij eerst zijn mond moest leeg eten. Hij at nooit echt voedsel, althans niet in dit huis. Hij at rotzooi en ze nam niet meer de moeite om dat te veranderen.

Zijn woede-uitbarstingen waren legendarisch en zijn zusters gingen liever naar het huis van hun tante dan die te moeten aanhoren. Hij was die ochtend om halfzes wakker geworden en had ze alleen maar uitgescholden. Hij had de hele avond video's gekeken en was pas om twee uur naar bed gegaan.

Tegenwoordig werd hij zoetgehouden door actiefilms, hoe gewelddadiger de film, hoe spannender hij ze vond. Jackie wist dat ze hem er niet meer naar moest laten kijken, maar het was het enige moment dat ze een beetje rust had. Hij was dol op bloed en aangezien Freddie en Jimmy nu de clandestiene videomarkt in handen hadden, was het logisch dat de jongen elke film kreeg die hij wilde. Ze konden er zo makkelijk aankomen.

Kleine Freddie vond moord en doodslag grappig maar hij had er geen idee van dat het ook pijn deed. Als hij een hamer had gehad, zou hij je er lachend de hersens mee inslaan. Dat wist ze zeker, want hij had het al talloze keren gedaan. Ze leefde in een nachtmerrie.

Ze schonk zich nog een glas wodka in, ging zitten en vroeg zich af of Freddie op tijd terug was voor het etentje bij Maggie. Het was paaszondag en de hele familie zou er zijn. Op hoogtijdagen kwam de familie tegenwoordig bij Maggie bij elkaar. Maggie met haar mooie servies en tafelkleden. Maggie de kokkin, het goudhaartje. Met haar flitsende auto en haar kloteschoonheidssalon. Ze dacht werkelijk dat ze iets bijzonders was.

Jackie keek op de klok en wist dat ze weg moest, anders zou ze te laat komen voor het eten. Je moest Maggie één ding nageven: ze had altijd genoeg eten en drinken in huis.

Als Freddie nu niet gauw kwam, zou ze er alleen heen moeten, maar daar was ze de laatste tijd wel aan gewend. Ze verwachtte hem niet meer, had geleerd te wachten tot hij thuiskwam. Uiteindelijk was het makkelijker zo, dan kon ze het tenminste in alle rust op een zuipen zetten.

Hij deed alsof ze een probléém had. Moest hij nodig zeggen, hij zat elke avond onder de dope en was ladderzat, en als het even kon ook overdag. Tijdens een van die heftige ruzies had hij er zelfs op gezinspeeld dat zij de problemen met hun zoon veroorzaakte doordat zij zoveel dronk. Het kwam natuurlijk niet doordat zijn vader nooit thuis was, en als hij er wel was, hun allemaal als vuil behandelde, o nee. Zij kreeg de schuld dat kleine Freddie zo was – het evenbeeld van hem nota bene – dat hij driftig was, dat hij geen duimbreed toegaf en geen lor gaf om zijn eigen veiligheid, om wiens veiligheid dan ook.

Het was één ding dat hij haar voor dronkenlap uitschold, maar na het eerste bezoek van het maatschappelijk werk had hij zich afgevraagd of kleine Freddie misschien een prenataal alcoholsyndroom had? Waar haalde hij die term nou weer vandaan? Ze had er nog nooit van gehoord, wist niet eens dat zoiets bestond. Die belediging had haar pijn gedaan,want diep vanbinnen had ze dat verschrikkelijke gevoel dat er wel eens een kern van waarheid in kon zitten.

Ze dronk gulzig. Het verdoofde haar zodat ze de wereld buiten kon sluiten, haar familie, die enerzijds medelijden met haar had maar anderzijds haar de schuld gaf van haar problemen.

Kleine Freddie, zoals hij werd genoemd, was pas zeven maar droeg al kleren van een kind van tien. Hij stond op en liep naar zijn moeder toe. 'Gaan we nou?'

Hij raakte geïrriteerd. Hij had er een hekel aan om met haar alleen te zijn. Hij vond het heerlijk als er mensen om hem heen waren, wanneer hij het middelpunt van het universum was. Maar zelfs zijn liefhebbende zusters begonnen genoeg van hem en zijn manier van doen te krijgen, en hij begon eindelijk een beetje te leren zo nu en dan aardig te doen, zodat ze nog een beetje aandacht voor hem hadden.

Hij schopte zijn moeder tegen de schenen. Ze sprong naar voren en gaf hem een klinkende draai om zijn oren. Haar ring kwam hard tegen zijn oor terecht en hij schreeuwde luidkeels: 'Klotewijf, verdomde hoer.'

Hij probeerde haar vast te grijpen, haar aan de haren te trekken en op haar gezicht te beuken. Ze zette snel haar glas neer, gaf hem nog een klap en gooide hem bij zich vandaan. 'Sodemieter op, achterlijk kreng, voor ik je knock-out sla.'

Hij lag krijsend en vloekend op de grond. Ze pakte haar glas weer op en nam een gulzige slok. De tirade zou al snel een hoogtepunt bereiken, dan zou hij gewoon blijven liggen vloeken totdat ze hem weer een klap gaf. Jackie zat met gesloten ogen achterover in de stoel. Hij leek wel een beest en ze wist dat het haar schuld was.

Toen hij voor het eerst zo'n bui kreeg, hadden ze allemaal moeten lachen. Hij was toen anderhalf jaar oud en had het op Kimberley voorzien omdat ze hem had weggestuurd. De taal die hij had uitgeslagen! Ze waren allemaal even stomverbaasd geweest en toen in lachen uitgebarsten. De woorden die hij eruit gooide en dat lieve gezichtje dat hij erbij trok, ze wisten gewoon niet meer hoe ze het hadden. De meisjes hadden gezegd dat hij het nog een keer moest zeggen omdat het zo grappig was, en toen waren ze helemaal niet meer bijgekomen. Kleine Freddie had al snel in de gaten dat hij hiermee de aandacht kon trekken en voor je het wist sloeg hij gepeperde taal uit, het gevloek en gescheld waren niet van de lucht.

De toon was gezet en nu hij bijna acht was, sprak hij niet anders meer. Om die reden was hij van twee kleuterscholen getrapt. Nu weigerde de school hem terug te nemen, maar dat kwam ook omdat hij iedereen aanvloog die in zijn buurt kwam en niet naar zijn pijpen danste.

En zo was het maatschappelijk werk in hun leven gekomen, en alleen al daarom kon ze hem wel voor zijn kop slaan. Als dat mens Acton nog één keer over haar drankgewoontes zou beginnen, ging ze gillen. Klotemaatschappelijk werksters, als zij dat krankzinnige, kleine hoerenjong dag en nacht om zich heen hadden, zouden zij verdomme ook aan de drank raken! Jackie had haar dat precies zo gezegd en ervan genoten dat de vrouw zo geschokt was geweest. Eindelijk had ze het gevoel dat de boodschap was aangekomen.

Maar hij wás volkomen onhandelbaar, daar was geen twijfel

aan. De enige bij wie hij zich nog enigszins beschaafd gedroeg was zijn vader, en dat zou zo kunnen blijven als zijn vader regelmatig thuis zou zijn en hem voor eens en voor altijd zou gaan opvoeden.

Weinig kans op.

Jackie slaakte een zucht en schonk het laatste restje goedkope wodka in het glas. Hij lag nog steeds te vloeken en haar uit te schelden, maar ze negeerde hem zo veel mogelijk en zei alleen maar: 'Doe je jas aan, ik bel een taxi.'

Maggie had de hele ochtend in de keuken gestaan en iedereen werd gek van de geuren die ze produceerde. Lena en Joseph waren er al, helemaal opgedoft en apetrots dat hun jongste dochter er zo'n mooi huis van had gemaakt.

Zij en Jimmy waren een paar maanden eerder hiernaartoe verhuisd.Volgens Lena was het een spiksplinternieuw, groot, vrijstaand herenhuis in semitudorstijl, met een gigantische tuin en vier slaapkamers met badkamer. Lena vertelde het aan iedereen die het maar horen wilde. Ze liep over van trots op haar dochter.

Het was een leuk huis, maar voor Jimmy en Maggie was het gewoon de volgende sport op de ladder. In tegenstelling tot Freddie had Jimmy Ozzy's raad wel opgevolgd en zijn geld in onroerend goed geïnvesteerd. Het was het beste wat hij ooit van zijn leven had gedaan. Hij had vroeg gekocht, gewacht en toen waren ze weer verhuisd. De kleine winst stopten ze weer in het nieuwe huis dat altijd groter en comfortabeler was dan het vorige.

Maar nu hadden ze voor het eerst een spiksplinternieuw huis gekocht, en ook al vonden ze het prachtig, ze misten de atmosfeer van hun vorige onderkomen. Ze hadden het echter voor een habbekrats kunnen kopen. Een vriend van Jimmy, een aannemer, was hem veel verschuldigd en op deze manier had hij hem terugbetaald. Ze zouden het verfraaien en weer doorverkopen, want deze kans konden ze niet laten lopen.

Later zouden ze weer een karakteristiek huis kopen, maar dan groter en mooier. Dit huis ging nog jaren mee voor een ander stel. Het had een vrij gelegen grote tuin en ze hadden de keuken en badkamers van hun dromen.

Maggie keek op toen Jimmy de grote keuken binnenkwam om het glas van zijn schoonvader bij te vullen.

'Alles goed, babe?' zei hij.

Ze knikte. 'Natuurlijk. Zijn Paul en Liselle er al? Ik hoorde een auto.'

Jimmy liep naar de grote entree. Een paar seconden later zag hij hen naar de voordeur toe komen lopen en dirigeerde ze naar de keuken.

Liselle keek bewonderend rond. 'Wat een prachtig huis. Ik hoop dat je er gelukkig in wordt.'

Maggie gaf haar een kus op de wang. 'Doe je jas uit, joh. We hebben geluk met het weer.'

In de voorkamer zaten Jackies meisjes te lachen en grappen te maken. Ze zetten muziek op en Maggie moest lachen toen ze een oude soulband hoorde. De meiden waren dol op die oude liedjes, goddank. Onder het geblèr van Sam en Dave wandelde ze de tuin door en nipte dankbaar van haar witte wijn.

Maddie zat stilletjes op een tuinstoel. Ze werd altijd uitgenodigd en zat steeds een beetje achteraf, glimlachte, maar deed zelden mee. De dood van haar man was hard aangekomen en Maggie kon zich dat verschrikkelijke gevoel nog goed herinneren toen Freddie het nieuws op haar trouwdag eruit had geflapt.

Zijn vader had met doorgesneden polsen in bad gelegen, ze kreeg nog kippenvel als ze eraan dacht.

Het was voor hen allemaal zo traumatisch geweest, zo'n akelige gebeurtenis op zo'n gelukkige dag. Hij had gewacht tot het lichaam was weggehaald en had de badkamer schoongemaakt, zodat zijn moeder daar niet ook nog eens mee geconfronteerd zou worden.

Maggie wist dat Jimmy zich net als zij afschuwelijk had gevoeld, omdat ze hadden gedacht dat Freddie hen gewoon in de steek had gelaten. Ze zette die gedachten uit haar hoofd en liep naar Maddie in haar tuinstoel.

Ze ging naast haar zitten en ze babbelden een tijdje, maar ze wist dat de vrouw op haar zoon zat te wachten. Wanneer hij er was, zou haar hele dag goed zijn. Als hij niet kwam opdagen, zou ze naar huis gaan en daar op hem zitten wachten. Hij zorgde tenminste voor haar. Dat moest Maggie hem nageven.

'Ik wou dat je eens naar me luisterde, Freddie. Ik weet verdomme dat het watjes zijn.' Er klonk ergernis in Pats stem door want ze wist dat Freddie nog steeds niet luisterde.

Ze stonden in een pakhuis in Zuid-Londen dat vol lag met namaakspullen. Hoewel de term Jekyll en Hyde beter paste bij de goederen die om hen heen lagen opgestapeld, hadden ze het afgekort tot Jekyll of rotzooi. Het magazijn lag tjokvol gestolen spullen. Stapels video's waarvan de meeste nog niet eens officieel op de markt waren. Het grote geld kwam van Disney-video's. Alleen Disney bracht zijn films om de zeven jaar op de markt, dus er was altijd vraag naar. Het ene jaar was het *Bambi*, het volgende *Dumbo*, maar het belangrijkste was dat zodra de film was uitgebracht, het weer een hele tijd duurde voor die opnieuw te krijgen was. Daar lag hun winst. Ze hadden alleen maar een stel mastertapes nodig en een kind kon de was doen. Ze kopieerden ze voor een paar centen en de eenoudergezinnen konden hun kinderen verrassen én hun rokertje houden, en dan hielden ze nog wat over ook. Anders zouden ze bij Woolworths de volle mep moeten betalen.

Er was ook een grote voorraad harde porno, ook wel bekend als *Bluey*. Daar verdienden ze scheppen geld mee. Je kon die makkelijk importeren uit Denemarken en Zweden, waar je naar alles wat je maar wilde kon kijken zonder dat je je neukvoorkeur hoefde uit te leggen, behalve aan je eigen wijf dan.

Dan waren er nog de goedkope Fila-trainingspakken uit Korea, bedoeld voor de werklozen en iedereen die bij de buurtmarkt kocht. Het echte spul was een hoop geld waard en dit veroorzaakte veel ergernis, want er was veel concurrentie.

'Hoe lang deden ze erover, zeiden ze?' Patricia stampte geïrriteerd met haar voet op de grond, en Freddie keek op zijn gouden Rolex. Hij droeg tegenwoordig absoluut geen Jekyll. Patricia had het eerder gezien, maar ze hadden dozen vol nepexemplaren voor de kritische klant. Van Rolex tot Cartier. Het was de beste zwendel ooit. Iedereen wilde plotseling een filmster zijn en er duur uitzien, en zij waren in die markt gestapt.

'Ze hadden er nu al moeten zijn, Freddie.' Patricia stak een sigaret op, ook namaak. Deze kwamen uit China en waren volmaakt, van het juiste doosje tot de correcte belastingzegeltjes toe. Ze kostten vijftien cent per pakje en werden overal in de buurt voor een fortuin verkocht in dozen van tweehonderd. Het leek wel of ze een licentie hadden voor vals geld.

'Ze moeten nu als de donder komen, vind je ook niet?' zei ze.

Freddie hoorde buiten een bestelwagen optrekken en zuchtte theatraal. Hij kende het spelletje en Pat werkte op zijn zenuwen wanneer ze hem als een verdomde ballenjongen behandelde.

De mannen met wie ze hadden afgesproken waren twee broers uit Liverpool. Ze waren jong, ambitieus en feitelijk hersendood.

Ze hadden al een hoop handel van ze gekocht en in hun eigen regio in de markt gezet. Alles goed en wel, behalve dan dat de broers nu een hoop geld aan Freddie verschuldigd waren. Na herhaalde betalingsverzoeken, en grove en schaamteloze smoezen waarom ze niet met de poen de M1 waren afgezakt, stonden ze nu op het punt om een zware waarschuwing te krijgen, zoals het in hun wereld heette.

De twee broers heetten de Corcorans. Shamus en Eddie waren in de twintig en luidruchtig, grappig en goed gezelschap. Nu zou ook het woord oplichter aan hun cv worden toegevoegd.

Ze liepen het schemerige pakhuis binnen, rookten allebei een sigaret en lachten als altijd vrolijk. Toen ze Freddie zagen, dimden ze wat. Hem hadden ze hier niet verwacht, ze hadden op een van de mindere goden gerekend, Des en Micky Fleming, en Bobby Blaine.

'Hallo, Freddie, we hadden jou hier vandaag niet verwacht.'

Freddie trok een brede, kameraadschappelijke grijns. 'Dat weet ik. Hoe gaat het, jongens?'

Ze haalden tegelijk hun schouders op. 'Fantastisch, met jou ook?'

Shamus was het brein van de twee en voelde zich niet op zijn gemak. Hij wist dat Freddie van leer zou trekken en hij probeerde hem voor te zijn. 'We hebben een deel van het geld bij ons, in de bestelbus.'

Pat lachte. 'Dat zou nog eens wat zijn. We dachten al dat we van een nieuw soort bedeling waren, de Liverpoolse pooiersvereniging. Jij bent toch ook lid?'

Freddie moest daarom lachen, een oprechte, vriendelijke lach en de beide mannen ontspanden zich. 'Hoeveel heb je?'

Zo te horen was alles koek en ei en de jongens raakten meer op hun gemak. Freddie glimlachte. In de zak van zijn trainingsbroek had hij een paar boksbeugels. Ze waren op maat gemaakt en van punten voorzien, in een mum van tijd konden ze heel wat schade aanrichten.

Shamus legde een vriendelijke hand op zijn schouder en zei: 'We hebben daar tien rooien liggen.'

Shamus was een grote kerel, maar had niet die intimiderende uitstraling. Zijn broer had die wel, maar miste het killersinstinct. Ze zouden altijd onder iemand blijven werken en die iemand zou hen altijd de klappen laten opvangen. Jammer, maar helaas.

'Ga naar de bestelbus, Pat, en neem eens een kijkje of daar poen te vinden is. Ik zie je zo buiten.'

Ze knikte naar Freddie en liep onverstoorbaar bij de mannen vandaan.

Shamus wist wat eraan zat te komen en zette zich schrap. Hij wist dat hij werd belazerd maar zijn broer was niet de slimste thuis en hij wilde hem beschermen.

'Moet je horen, Freddie, laat m'n broer erbuiten, makker. Reageer alles maar op mij af... ik heb dat geld achtergehouden, niet hij.'

Freddie vond het bewonderenswaardig hoe loyaal hij was. Hij begreep wel dat de jongste broer bepaald geen partij was voor *The Krypton Factor*, dus nam hij snel een beslissing. Hij haalde zijn hand uit zijn zak en viel Eddie met alle kracht die hij in zich had aan. Shamus sprong tussenbeide maar Freddie sloeg hem tegen de grond.

Freddie nam Eddies gezicht twee minuten lang onder handen.

Toen die eenmaal op de grond lag, draaide hij zich naar Shamus om en grijnsde terwijl hij de ribben van de jongen tot moes schopte.

Buit elke zwakheid van je tegenstander uit. Volgens die wet had Freddie zijn hele leven geleefd en dat betaalde zich terug. Shamus' zwakheid was deze arme jongen die de rest van zijn leven ademhalingsproblemen zou hebben vanwege een doorboorde long en een gezicht vol littekens, met dank aan zijn boksbeugel.

Hij wist ook dat hij binnen een week zijn geld zou krijgen.

Freddie had al voor de Liverpool-tak gezorgd, dus hij trapte niemand op de tenen. Shamus zou daar gauw genoeg achter komen, dus besloot hij de jongen niet nog meer te belasten met de boodschap dat hij nergens verhaal kon halen. Ze waren voorgoed uitgerangeerd.

Hij schudde Shamus de hand voordat hij hem hielp zijn broer achter in de bestelbus te leggen en vertelde hem hoe hij bij het ziekenhuis moest komen.

'Even goeie vrienden, jongen, maar onthoud dat je me in de toekomst punctueel betaalt als je ooit nog zaken met me wilt doen, oké?'

Hij stelde zich grootmoedig op. Hij was de grote man die de knul liet weten dat het niks persoonlijks was, maar puur zakelijk. Hij probeerde hem te helpen met zijn toekomst, gaf hem een lesje in hoe het er in de grotemensenzakenwereld aan toeging.

Het was tenslotte paaszondag. Eén dag per jaar kon hij het zich wel veroorloven aardig te zijn.

Jackie ging uit haar dak en haar luide lach klonk steeds harder. Ze nam zoals altijd Maggie voortdurend in de maling, noemde haar in één adem door mevrouw *Bouquet* en bleef maar doorgaan.

Het was een terugkerend patroon en Maggie was er wel aan gewend, maar ze wist dat Jimmy er nooit aan zou wennen en dat hij op de grens balanceerde om haar eruit te gooien. Hij maakte zich niet bezorgd over hoe Freddie zou reageren, wanneer hij Jackie de deur zou wijzen, hij maakte zich meer zorgen over haar reactie. Freddie drong er altijd bij hem op aan om zijn vrouw naar huis te sturen, zei dat het zíjn huis was en dat hij zich niet zo door Jackie moest laten afzeiken.

Maggie begreep wel hoe teleurgesteld haar zuster in haar eigen leven was en elke keer dat ze haar zag, werd ze eraan herinnerd hoe ze haar jeugd had vergooid voor een man die niet echt om haar gaf, maar zonder wie ze niet kon leven.

Joseph sloeg zijn oudste dochter gade. Ze was zover heen dat het een wonder was dat ze nog een woord kon uitbrengen. Ze zaten allemaal in de eetkamer. Het was een volmaakte maaltijd geweest en de kinderen hadden zich goed gedragen, zelfs kleine Freddie die in Maggies huis altijd een complete persoonsverandering onderging. Ze genoten van port, brandy en de kaasschotels die Maggie prachtig had opgemaakt. Jackie begon nu persoonlijk en rancuneus te worden.

'Waarom hou je niet eens een keer je grote bek?'

Joe wees met een kaasmes naar zijn dochter. Lena probeerde zijn arm naar beneden te trekken en zei vriendelijk: 'Laat zitten, Joe, je maakt het alleen maar erger.'

Jackie schonk zich nog een brandy in. 'Jezus! Wie denkt ze verdomme wel niet dat ze is, met die vervelende familie-etentjes en dat klotehuis van d'r terwijl ze dat akelige neusje voor me optrekt!'

Maggie nipte van haar port en slaakte een zucht. Dit had ze al zo vaak meegemaakt en net als anders zou ze het uitzitten tot Jackie naar de woonkamer verdween en in slaap zou vallen.

'Laat me jou iets vertellen, dame.' Jackie prikte tegen haar eigen omvangrijke borst. 'Onthoud dat ik een beter mens dan jij. Ik ben verdomme een beter mens dan jij ooit zult zijn.'

Ze wees nu met een dikke vinger naar Maggie. De nagellak was afgebrokkeld en er zaten pijnlijke kloven in haar handen. 'Ik heb geen auto's en klotehuizen nodig om mezelf goed te voelen.'

Dit was de gebruikelijke tirade en Maggie sloeg er geen acht op, wachtte tot het over zou gaan. Maar Kimberley duwde haar hoofd tegen haar moeder en zei gemeen: 'Waarom zou je auto's nodig hebben, mam, jij hebt je smerige alcohol toch?'

Ergens drongen de woorden in Jackies achterhoofd door en ze wist dat het meisje de waarheid sprak, maar omdat haar dochter het zei leek het of er een mes in haar borst werd gestoken.

Lena was bijna in tranen. Ze was hier doodsbenauwd voor en elke keer was ze meer van streek. Ze wist dat het allemaal hun eigen schuld was. Ze hadden toegestaan dat Jackie er steeds maar mee wegkwam, en als gevolg daarvan was ze ervan overtuigd dat ze alles kon doen en zeggen wat en wanneer ze maar wilde. Hier hadden ze jaren geleden een eind aan moeten maken.

'Hoe durf je? Zo praat je niet tegen je moeder.'

Jackie sloeg die arrogante toon van haar aan en ze zag eruit als een vrouw die één keer te vaak is geslagen. Ze manipuleerde alles en iedereen om haar heen en naarmate de jaren verstreken, had ze niet in de gaten dat het niet meer werkte. Zeker niet bij de meisjes, die haar maar al te goed kenden.

'Je bent een zuipschuit, mam, en je vernielt alles omdat je het niet kunt uitstaan wanneer iemand het wel goed doet, zo is het toch?'

'Hou op, Kim, laat haar met rust.' Maggie zei het met kalme stem, gaf haar zuster een sigaret en stak die aan.

Zo wilde Jackie het graag... als Maggie niet boos op haar was, dan kon ze het misschien nog goedmaken. Ze trok aan de sigaret of haar leven ervan afhing en keek door de blinkend schone patiodeuren de tuin in.

Iedereen zat zacht met elkaar te praten en Jackie kreeg de neiging om te huilen, zoals altijd als ze bij haar familie was. Tegenover haar hing een grote vergulde spiegel en ze keek naar haar eigen spiegelbeeld. Eerst vroeg ze zich af wie dat verdomme was, de donker omrande ogen waar de bitterheid en haat vanaf spatten, dat zware lichaam en die bultige schouders, in-gesnoerd in een wit prullerig shirt dat haar nog dikker maakte dan ze al was. Ondanks dat ze het niet kon geloven, wist ze er-gens dat zij het was en toen ze haar eigen verval zag, werd ze nog woedender. Haar leven was één grote mislukking, zoveel zag ze wel.

Jackie keek weer uit het raam, staarde naar het groene gazon en het pas geschilderde prieeltje. Het was een prachtige dag, warm en helder, de zon glinsterde op de siervisvijver. Het zag er allemaal zo mooi uit, zo normaal, en juist dat maakte haar zo bang.

Dit had van haar moeten zijn, dit had haar huis moeten zijn, haar thuis. Freddie zou bij haar moeten zitten en van haar hou-den, zoals Jimmy van Maggie deed. Zij lieten zien hoe het leven kon zijn en dat kon ze soms niet verdragen.

Zelfs haar kinderen verdroegen haar aanwezigheid slechts. Zodra de meisjes groot waren zouden ze haar ontgroeien, elke week een beetje meer. Maggie en Jimmy hadden nog geen kin-deren, zij wachtten het juiste moment af. Ze planden alles en zorgden ervoor dat ze genoeg geld en tijd hadden om hun plan-nen uit te voeren. Zelfs Maggies kleine salon was nu uitge-groeid tot vijf filialen, kap- en schoonheidssalons, verspreid over heel Essex en East End. Jimmy had een pub, een garage en een nachtclub, en dan had ze het nog niet over zijn hotdogwa-gentjes en de huizen die hij verhuurde. Ze werkten er samen aan, ze deden alles samen. Ze hadden zelfs een huis in Spanje laten bouwen.

Ze herinnerden haar voortdurend aan wat zij niet had, nooit had gehad.

Jackie haatte hen erom.

Freddie had Pat naar haar huis gebracht en was nog een paar uur gebleven. Ze waren een stel, dacht hij, hoewel zij nog deed alsof ze single was.

Hij was dol op haar huis. Het was helder, schoon en rustig, zo verdomde rustig. Ze had de beste geluidsinstallatie die voor geld te koop was en net als zij vond hij het prettig wanneer die zacht aanstond, de volumeknop niet op honderd zodat je oren eraf dreunden, zoals bij Jackie en de kinderen. Pat had een koelkast voor chocola en een voor bier... het was een compleet andere wereld. Ze was ook zo onafhankelijk. Hoewel het hem door de jaren heen had geërgerd, kon hij het nu in haar waarderen, te meer omdat een van zijn liefjes hem een ultimatum had gesteld.

Voordat hij bij Jimmy ging eten zou hij nog even bij haar langsgaan. Jimmy wist dat hij nog wat zaakjes te regelen had dus hij verwachtte hem pas laat.

Freddie reed naar Thamesmead en parkeerde naast een torenflat. Hij deed zijn flitsende Mercedes op slot, slenterde naar de hoofdingang en keek naar de rondhangende kinderen die wel klonen van elkaar leken.

Toen Jimmy jaren geleden met bloemen was begonnen, had hij een paar kinderen uit dit blok gerekruteerd. Een paar jongens zorgden voor de planten en ze bleken nijvere handjes te hebben. Hij had ze overal in de hele buurt met een thermoskan thee neergezet, de bloemen in emmers water ernaast. Freddie had hem voor gek verklaard, totdat hij zag wat het opleverde, en was toen met hem gaan samenwerken.

Nu regelden anderen dat voor hen, uiteraard. Zij haalden van tijd tot tijd alleen nog maar de opbrengst op. Maar vanaf dat moment was hij beter naar Jimmy's ideeën gaan luisteren. Hij had een neus voor zaken, net als kleine Maggie. Moest je zien hoe ze die zaakjes van haar in goudmijntjes had veranderd. Zeven jaar verder en dat meissie had al een klein imperium opgebouwd, op eigen kracht en volkomen legaal. En ze was nog niet één keer de fout in gegaan, haar tieten zaten nog op de juiste plek en ze had een buik als een wasbord. Jimmy was een geluksvogel.

Freddie had nog steeds een doel in het leven en dat was fucking Maggie.

Als ze naar hem keek, wist hij dat ze haar mooie puntneusje voor hem optrok, maar er kwam een tijd dat hij haar een toontje lager zou laten zingen. Zoals zijn vader altijd zei, heb geduld dan krijg je alles van het leven wat je wilt. Zorg er alleen wel voor dat het het waard is.

Hij liep op de negende verdieping een flat binnen. De deur stond open, de deur stond altijd open. In de flat woonde een negentienjarig meisje, Charlene genaamd, met dik blond haar en groene ogen die werden omlijst door dikke, donkere wimpers. Er was geen twijfel mogelijk, ze was een stoot en haar strakke kleine lichaam was gemaakt voor Freddies forse, brute manier van vrijen. Ze had een kind, Deandra. Die naam had ze op tv gehoord en meteen mooi gevonden. Het kind was een leuk ding, maar was nu bij Charlenes moeder, want het was weekend.

Hij liep breed glimlachend de kleine voorkamer binnen. Charlene lachte echter niet.

'Je hebt verdomme wel de tijd genomen.'

Freddie deed zijn best haar niet uit te lachen. Ze dacht werkelijk dat ze iets bijzonders was. Wat hadden die meiden? Dachten ze werkelijk dat een paar keer neuken en wat Indiase etentjes een relatie voorstelden?

Pat begon argwanend te worden en als hij al om een vrouw gaf, dan was zij dat wel. Deze hoer hier had het bestaan om naar haar huis te bellen en hem gedreigd alles te zullen vertellen. Niet alleen aan haar maar ook aan zijn wettige echtgenote!

Dat was natuurlijk te gek voor woorden en hij wist dat hij die trut voor eens en voor altijd de mond moest snoeren, want anders zou ze het zoveelste wicht worden die meer problemen opleverde dan ze waard was.

'Hallo, Freddie, fijn om je te zien, Freddie. Zou je dat niet tegen me moeten zeggen?' Zijn sarcasme was niet aan het meisje besteed, die haar hele leven de hemel in geprezen was, eerst door haar vader en moeder en daarna door iedereen om haar heen, omdat ze zo mooi was.

Op haar zestiende was ze door een of andere lapzwans zwanger geraakt die haar zonder nog een blik waardig te keuren had laten zitten. Hij was nu tot achttien jaar veroordeeld voor gewapende roofoverval en drugsdelicten, dus die was voorgoed buiten beeld. Ze bleef aan Freddie hangen omdat hij er goed uitzag, zwom in het geld en in haar omgeving ook nog eens goudhaantje nummer één was.

Zij had alles wat hij wilde... een prachtig gezichtje, een perfect lijf en ze wist hoe ze een man zich als een koning in bed kon laten voelen. Nu begon ze ongeduldig te worden. Ze wilde hem fulltime, was niet gelukkig dat hij kwam en ging naar het hem beliefde. Ze had de indruk gekregen dat hij net zo graag in het sprookje wilde geloven als zij.

Hij keek haar onverschillig aan. Ze was prachtig, echt prachtig, maar als ze haar mond opendeed kon je net zogoed een gesprek met een junk in een cel voeren. Wat hem betrof was haar enige aantrekkingskracht dat ze haar eigen huis had, een schone onderbroek en dat ze 's ochtends een fatsoenlijke kop thee kon zetten. Dat waren zijn criteria voor een goeie neukpartij.

Charlene zat nu rechtop op haar tweedehands driezitter en keek hem vernietigend aan. Ze dacht werkelijk dat ze genoeg hersens had om een man als hij te blijven boeien. Ongelooflijk hoe die kinderen zichzelf voor de gek hielden wanneer ze achter iemand als hij aan zaten.

Ze zaten in elke pub en club waar hij regelmatig kwam, het waren net herfstbladeren. Als je de ene dumpte stond de volgende in dezelfde bar een paar uur later alweer te trappelen om haar plaats in te nemen.

Ze wilden hem, om wat hij was en wat hij te bieden had. Ze waren geen haar beter dan die jonge meiden die met die ouwe snoepers trouwden die zwommen in het geld. Als een van hen met een of andere ouwe rukker met alleen pensioen zou trouwen en zou mee verhuizen naar het bejaardenhuis, dan pas geloofde hij dat er sprake was van liefde.

Maar tot die tijd konden ze de kolere krijgen.

Als hij niet oppaste, begon deze meid nog over liefde te zemelen. Dat had hij al gehad, had hij al gedaan.

'Je kunt me niet als de eerste de beste slet behandelen, dat wil ik niet hebben.' Ze zat daar als een dame en liep over van haar eigen gewichtigheid.

Ze had haar ogen opgemaakt en haar lippenstift zat perfect. Ze had hem verwacht en hij wist dat ze zich elke dag helemaal opdofte en op hem zat te wachten.

Het was werkelijk een heerlijk ding.

Maar ze stond op het punt om een van de akeligste dagen van haar leven mee te maken en dat speet hem oprecht. Zodra de hoeren op hol slaan, moet er aan de noodrem worden getrokken!

Hij liep naar haar toe en sleurde haar bij haar dikke blonde haar van de bank af. Hij duwde zijn gezicht dicht tegen het hare en zei kalm, maar met een onmiskenbare dreiging in zijn stem: 'Weet je wel tegen wie je het hebt?'

Hij was zo dicht bij haar gezicht dat ze zijn adem kon ruiken, de zoete geur van de joint die hij eerder had gerookt.

'Ga je mijn vrouw over ons vertellen, hè?'

Charlene probeerde uit alle macht nee te schudden maar hij hield haar in de bankschroef.

'Niemand bedreigt mij, dametje, en iemand die dat wel doet, of het nou een man is of een vrouw, is een kuttenkop. Begrijp je wat ik zeg?'

Ze was doodsbang. Haar prachtige groene ogen vulden zich met tranen en godzijdank was ze door de angst met stomheid geslagen. Dit zou makkelijker worden dan hij dacht.

'Als mijn vrouw of kinderen ooit iets te horen krijgen over mijn avontuurtjes in jouw flat, dan blaas ik de hele verdomde bende de lucht in. Hoor je me?'

Ze probeerde wanhopig instemmend te knikken.

Hij liet haar los, glimlachte met die dodelijk charmante grijns van hem, kuste haar op het voorhoofd en zei: 'Da's toch logisch, liefje.'

Toen duwde hij haar op de bank terug en vertrok.

Ze hoorde hem op weg naar de liften een deuntje fluiten.

11

Tegen de tijd dat Freddie aankwam, had Jackie zichzelf nuchter gezopen.

Toen hij buiten parkeerde was hij ondanks zichzelf onder de indruk. Dit was zijn idee van een mooi huis, niet dat vorige van Maggie en Jimmy, met die dakpannen en ouderwetse open haard. Hij hield van dit nieuwe huis, de strakke lijnen, de inpandige garage. Hij zou er wat voor geven om zo'n woning te hebben, en als hij wilde, kon dat ook.

Hij moest daar altijd aan denken wanneer hij bij hen in de buurt was, en hij beloofde zich elke keer weer dat het er vroeg of laat van moest komen. Als Jackie niet zo'n smerig wijf was, was hij er jaren geleden al achteraan gegaan, maar wat hij ook deed, hoe vaak ze het ook opknapten, hun huis was nog steeds een smerig krot.

Vies, sjofel en er was altijd wel iets dat moest worden opgeknapt.

Jimmy had altijd cash betaald en er dan een hypotheek op genomen, op die manier werd het geld witgewassen. Het was een perfecte manier om het geld van hun overvallen en drugshandel legaal te maken. In veel opzichten had Freddie de boot gemist. Tegenwoordig was het veel moeilijker, tenzij je echt heel goedkoop kocht. Maar zijn geld stroomde als los zand door zijn handen heen. Hij gokte grof, verloor, wilde alles weer terugwinnen en verloor opnieuw. Hij was voortdurend onderweg. Hij wilde de avonden zo lang mogelijk rekken want hij had geen reden om naar huis te gaan. Uiteindelijk betaalde hij voor iedereen, niet alleen de drankjes maar ook voor de dope. Hij trok klitters aan, zuiplappen, junkies die wisten dat hij altijd in was voor een avondje uit omdat hij niet wilde dat de nacht voorbijging.

Jimmy zou een paar biertjes drinken en ze dan een goede avond wensen. Hij ging graag naar huis, naar Maggie, naar hun mooie bed en mooie leventje. Freddie had dat nooit gekund, zelfs niet toen de kinderen klein waren. Misschien was het wel een afwijking, of miste hij gewoon iets, hij wist het niet. Maar soms bleef hij wel vierentwintig uur zitten en besteedde hij gigantische bedragen aan mensen die hij niet eens mocht.

Het geld verdween gewoon. Als de nood aan de man zou komen, had hij geen appeltje voor de dorst en daar schaamde hij zich voor, want ze hadden echt bakken met geld verdiend. De meeste mensen zouden een moord doen om zoveel als zij te kunnen verdienen en hij smeet het over de balk.

Wanneer hij Jackie regelmatig hun huis zou laten opknappen, wist hij dat hij goed geld verkwanselde. Jackie had hem net zolang aan zijn kop gezeurd tot ze een paar maanden geleden een nieuwe, withouten keuken had laten aanrukken. En nu was die al aan het wegrotten. Zelfs toen de werklui de boel aan het installeren waren, had ze de moeite niet genomen om de vuile vaat op te ruimen, of het tenminste bewoonbaar te maken. Hij had gezien hoe de tegelzetters zelf de borden en koppen opzij hadden moeten schuiven.

Hij had de toestand zo gênant gevonden dat hij er een flinke ruzie over had geschopt. Maar Jackie was een verloren zaak en dat wisten ze allebei. Hij zei tegen zichzelf dat hij daarom niet naar haar omkeek. Hij zat aan haar vast en accepteerde dat. Sinds de geboorte van zijn zoon zat hij aan die plek vast. Hoe slechter zijn zoon zich gedroeg, des te minder wilde hij daar zijn, maar des te meer macht kreeg ze over hem. Hij haatte zijn leven en toch wist hij niet wat hij eraan moest doen.

Als Patricia er niet was geweest, zou hij compleet gek worden, zoveel wist hij wel. Hij wilde haar meer dan wie ook in de wereld, maar het kwam hem ook goed uit dat Pat niet van het klitterige soort was. Jackie zou zonder hem compleet de weg kwijt zijn. Hij wist wel dat dat bepaald niet gezond was, maar als hij haar zou verlaten, was dat het einde van haar wereld. Totdat zijn zoon werd geboren, was hij de enige die ze ooit in haar leven had gewild. Nu moest kleine Freddie het zien goed te maken dat zijn vader er nooit was.

Jimmy liet hem binnen en ze omhelsden elkaar. Dat was iets nieuws, het was een paar maanden eerder begonnen toen ze samen dronken waren geworden en nu leek het goed om hun diepe gevoelens voor elkaar te tonen. En die gevoelens gingen heel diep, ook al kon Freddie gaandeweg steeds minder goed om het succes van kleine Jimmy heen.

In de eetkamer zag hij dat Paul en Liselle al weg waren, maar de gebruikelijke plakkers waren er nog, inclusief zijn gezin. Hij kuste zijn moeder, zei iedereen gedag en ging zitten. Hij keurde zijn vrouw nauwelijks een blik waardig maar toen Maggie een bord eten voor hem neerzette, glimlachte hij vriendelijk naar haar en zei: 'Bedankt, makker.'

Ze glimlachte terug. Ze speelden een spelletje.

Maggie zag er fantastisch uit, ze had haar haar tegenwoordig donkerblond geverfd met lichtblonde plekjes waardoor ze er nog engelachtiger uitzag dan anders. Maar haar tanden vond hij het mooist, recht en stralend wit. Bovendien was ze tegenwoordig altijd zongebruind. Ze was de personificatie van de vrouw van de jaren negentig, onafhankelijk en goedverzorgd. Ze hield zich aan haar aandeel in de afspraak, haar man kreeg zijn natje en zijn droogje, en zijn vrijpartijen.

Hij benijdde Jimmy om zijn huwelijk en was jaloers op zijn hersens.

De kalkoen was mals en de salade knapperig. Hij zag dat Jackie haar ogen probeerde scherp te stellen en iets tegen hem wilde zeggen, en hij zuchtte inwendig. Zelfs kleine Freddie gedroeg zich bij Maggie en zijn meisjes aanbaden haar. Ze zorgde er altijd voor dat hun haar perfect zat en dat ze de juiste kleren droegen. Wanneer Jackie weer eens te veel gedronken had en het hun te veel werd, was zij hun veilige haven.

Hij was haar daar dankbaar voor, maar keerde zich er ook van af. Zo zat hij gewoon in elkaar. Zoals hij naar dat paar keek, zag hij, net als zijn vrouw, voor de zoveelste keer in hoe zinloos hun leven samen was, en daar wilde niemand graag aan herinnerd worden.

'Wil je me nou verdomme eens antwoord geven!'

Jackie schreeuwde naar hem en hij draaide zich glimlachend naar haar om. 'Dat heb ik nou al tien keer gehoord, Jackie. Ik heb het je vanochtend gezegd, als je toen tenminste naar me had geluisterd. Ik had zaken te doen, oké?'

Ze kalmeerde omdat hij het recht in haar gezicht zei.

Kleine Freddie kwam binnen, hij zette hem op zijn schoot en liet hem van zijn bord snoepen. Hij wist dat de jongen alleen zo fatsoenlijk at.

Zijn dochters zaten een film te kijken, hij hoorde ze samen lachen en babbelen. Ze zouden wachten totdat hij ze op ging zoeken. Het werden al grote meiden en hij wist dat hij ze in de gaten moest houden, vooral de oudste. Kim had de bouw van iemand van dertig en wist al meer dan de meiden die voor hem werkten. Ze was als een rijpe appel, en hij was vastbesloten dat zij een beter leven zou krijgen dan zij hadden. Als ze haar schoonheidsopleiding had afgerond, zou ze bij Maggie in de zaak gaan werken, en dat deed hem plezier. Ze was dan nog steeds in zijn buurt en dat vond hij belangrijk.

Joseph begon een lang ingewikkeld verhaal over hoe hij als jongeman zijn eerste opdracht kreeg. Freddie luisterde naar hoe het verhaal zich ontspon en ontspande eindelijk. Hij zou nog een tijdje blijven zitten en dan moesten Jimmy en hij ervandoor. Maar een uur of zo kon hij het hier wel uithouden.

Hij keek naar zijn moeder. Ze was zo lief voor hem en op zijn eigen manier aanbad hij haar. Maar hij werd ook verdrietig van haar. Haar hele leven zat ze op de dood te wachten en dat maakte hem kwaad. Het leven was voor de levenden en zelfs het slechtste leven was het nog waard om voor te vechten. Zelfs Jackie kon nog gillend om zich heen slaan, dat wist hij in elk geval zeker.

Hij was er trots op dat zijn moeder zichzelf nog steeds goed verzorgde maar sinds de dood van zijn vader was ze zo gek als een deur. Hij wist dat ze alleen nog doorging vanwege hem en de kinderen. Ze had hem aangeraden om kleine Freddie een veilig onderkomen te bieden en wat dat betreft vond hij dat ze gelijk had.

Maddie zag dat hij naar haar keek en knipoogde naar hem. Als kind had ze tijdens de mis altijd naar hem geknipoogd, daar had hij van genoten en hij knipoogde terug. Hij zag dat Lena het gebaar had opgemerkt en ze glimlachte vriendelijk naar hem.

Hij mocht Lena wel. Het was een aardige, oude dame en ze zorgde voor zijn moeder, dat scheelde hem weer. Maar ze was ook een sluwe ouwe vos en zag erop toe dat Jackie op de been bleef. Dat had Jackie tegenwoordig wel nodig, want door haar drankmisbruik begon ze bij de naden langzaam uit elkaar te vallen.

Als Jackie het naadje van de kous zou weten van waar hij en Jimmy nu bij betrokken waren, zou ze niet weten waar ze het zoeken moest. Haar grootste angst was dat hij weer in het gevang zou belanden, hoewel hij wist dat ze dat in zeker opzicht ook zou omarmen, al was het maar dat ze dan tenminste wist waar hij 's nachts uithing. Hij vroeg zich af of Maggie er iets van afwist. Jimmy vertelde haar meestal alles, maar hij had het gevoel dat zelfs Jimmy zich wel twee keer zou bedenken voordat hij haar alles uit de doeken zou doen.

Als dit goed afliep, zou dit de kroon op hun zwendelcarrière zijn. Maar het was ook mogelijk dat ze de rest van hun leven in een maximaal beveiligde gevangenis zouden doorbrengen.

Maggie had afgewassen en bijna alles opgeruimd. Haar moeder hielp haar daar graag een handje bij. Ze schonk hen allebei een grote scotch in en zei: 'Laat de rest maar zitten, mam, morgen ruim ik de vaatwasser wel leeg.'

'Het is zo gebeurd, lieveling.'

Maggie liet haar moeder begaan. Ze wist dat ze van dit deel van de dag genoot. Lena hield nog meer van haar huizen dan zijzelf.

'O, wat ben ik hier dol op. Hier moet je een tijdje blijven wonen, liefje, het is fantastisch.'

Maggie grinnikte. 'We blijven nog wel even, mam, maak je geen zorgen.'

Lena liet zich zwaar op de poef tegenover haar dochter zakken. Ze was zo betoverd door de ontbijtbar dat ze daar de hele dag wel kon blijven zitten kijken. Ze werd alleen al gelukkig door rond te kijken in het huis van haar dochter, in haar leven. Als Jackie dit soort rust maar kon vinden, dan kon ze zich eindelijk ontspannen en hoefde ze zich niet meer zoveel zorgen te maken. Maar nu was er werk aan de winkel, ze wilde het eigenlijk helemaal niet ter sprake brengen maar ze wist niemand anders om raad te vragen.

Ze stak nog een sigaret op en zei zacht: 'We moeten iets aan Jackie doen, dat weet je wel, hè?'

Maggie slaakte een zucht. Ze had dit al verwacht, ze hadden het hier eerder over gehad. 'Wat stel je dan voor? Ze stopt heus niet met drinken, dat moet ze zelf willen.'

Lena knikte instemmend. 'Iemand moet er met haar over praten...'

Maggie stak smekend haar handen omhoog. 'Nou, dit keer ben ik dat niet. Ik heb het al geprobeerd en toen heeft ze mijn hoofd er bijna af getrokken. Ze is ziek, mam, maar dat weet ze niet.'

Lena begon er de laatste tijd oud uit te zien, Maggie keek naar haar terwijl ze aan haar Chivas Regal nipte en zag de lijntjes die zich om haar mond en ogen hadden verzameld. Daardoor leek het alsof ze voortdurend ongelukkig was, wat niet het geval was. Wanneer je haar leven in ogenschouw nam, was ze een betrekkelijk gelukkige vrouw. Ze maakte zich alleen zorgen om Jackie, die bezorgde haar slapeloze nachten.

'Met dat kind van haar valt geen land te bezeilen,' zei Lena. 'Heb je gehoord wat er gisteren gebeurd is?'

Maggie schudde haar hoofd. 'Wat heeft hij nou weer uitge-haald?'

Het kwam er verveeld uit. Kleine Freddie haalde altijd kat-tenkwaad uit, zo zat hij in elkaar, zo leefde hij. Hij was de zoon van zijn moeder, die maakte ook altijd theater. Maar dat zei ze natuurlijk nooit hardop.

'Ze beschuldigen hem ervan dat hij dat meisje van de over-kant heeft betast, kleine Karen. Je weet wel wie ik bedoel, Sam-my's dochter.'

'Wat bedoel je, betast?' Maggie zei het scherper dan ze had bedoeld.

Lena bloosde van schaamte. 'Je weet heus wel wat ik bedoel. Moet ik het voor je uittekenen?'

Maggie slikte moeilijk. Wat haar moeder vertelde ging alle perken te buiten, zelfs voor die kleine sodemieter. 'Ik geloof het niet...'

Lena onderbrak haar. 'Ik ook niet, maar nu ben ik er niet zo zeker meer van. Er is iets grondig mis met dat kind.'

'O, mam, hou op. Hij is nog maar een jongetje, een kloot-zakkie, dat geef ik toe, maar hij is pas zeven.'

Ze wilde het niet geloven.

Ze verwierp haar moeders woorden en Lena was zich daar-van bewust. Ze keek naar de vloer en zei: 'Een van zijn zusters zag het gebeuren en heeft hem tegengehouden voordat hij ver-derging.'

Maggie ging achterover in haar stoel zitten en liet die woor-den tot zich doordringen. Ze kreeg het gevoel alsof iemand haar in haar buik had gestompt.

In haar vorige huis had kleine Freddie een keer bij haar gelo-geerd omdat haar buurvrouw een verjaardagsfeestje voor haar vier jaar oude dochter had georganiseerd. Ze was er nooit hele-maal achter gekomen waarom het kind het zo had uitge-schreeuwd, maar ze vermoedde wel dat het iets met haar neefje te maken had gehad. Iedereen was plotseling met dezelfde smoes naar huis gegaan. De kinderen waren moe, zij waren doodop. Maar in haar hart wist ze dat het iets met kleine Fred-die van doen had. De buurvrouw, een aardige vrouw met twee kinderen en een leuk huis, had haar sindsdien gemeden. Ze wist nog altijd niet waarom... wanneer ze elkaar tegenkwamen was het prima, ze zei wel gedag, vroeg hoe het met hen ging, ze roddelden op de oprijlaan... maar Maggie was nooit meer bij haar thuis uitgenodigd.

Toen ze vertelde dat ze gingen verhuizen, leek de arme vrouw wel opgelucht, dat durfde ze op een stapel bijbels te zweren. Maggie was ervan uitgegaan dat ze had ontdekt in wat voor zaakjes Jimmy nog meer zat, en daar zat ze niet ver naast, want hij was een bekend gezicht in de buurt. Maar nu vroeg ze zich af of er niet een veel onheilspellender reden achter zat.

'Heeft iemand er iets aan gedaan? Heeft-ie op z'n falie gekregen?'

Lena schudde haar hoofd. 'Jackie weet er niets van, dat denk ik tenminste. Je weet hoe ze is. Ze zou het toch niet geloven, niet van haar apengatje. Maar het is wel gebeurd, en het was een serieuze aanranding. Dat zei Kim in elk geval en zij verzint niet zomaar iets.'

'Hij is zéven, verdomme. Als-ie zoiets ergs doet, dan moet hij dat ergens hebben gezien. Hij moet het hebben afgekeken.'

Lena keek verslagen, ze was bijna in tranen. Ze stak met de peuk van de vorige de volgende sigaret aan. Voor het eerst merkte Maggie op dat ze tegenwoordig de ene na de andere sigaret opstak.

'Heb je die films gezien waar hij altijd naar zit te kijken?' vroeg Lena haar. 'Jackie houdt dat niet in de gaten, dat doet niemand. Hij zit de hele avond video's te kijken, smerigheid en geweld. Ze laten hem verdomme volkomen aan zijn lot over.'

Maggie was zich daar terdege van bewust maar had besloten er niets over te zeggen. Zij was er zelf ook schuldig aan. Kleine Freddie was een nachtmerrie en ze kon het tot op haar botten voelen dat er waarheid in het verhaal school. Kimberley verzon inderdaad niet zomaar iets, zoals haar moeder al had verklaard. Als zij zei dat het was gebeurd, dan was dat ook zo.

Ze werd plotseling misselijk. Ze had nooit kunnen dromen dat mensen zoals zij zoiets zou overkomen. Maar Jackie was niet zoals zij, Jackie dacht dat zij de wijsheid in pacht had.

'Wat heeft Sammy ervan gezegd?'

Lena haalde haar schouders op. 'Wat moet ze ervan zeggen? Niemand met een beetje gezond verstand zal Freddies zoon van aanranding beschuldigen. Maar hoe erg het ook klinkt, ik geloof het wel. Ik denk dat hij heel goed tot zoiets in staat is.'

Maggie wist dat haar moeder nooit zoiets zou zeggen tenzij ze er absoluut zeker van was.

Ze hoorde haar vader in de woonkamer met de meisjes lachen, ze zaten midden in een film. De meisjes zouden blijven logeren, dat deden ze meestal in het weekend. Jackie en kleine Freddie waren allang vertrokken, anders zouden ze dit gesprek nu niet hebben.

Ze keek naar de klok en zag dat het bijna middernacht was. Ze verwachtte Jimmy voorlopig nog niet thuis, maar op dit ogenblik wilde ze meer dan ooit dat hij er was.

'Je weet wat we willen, dus waarom drijven jullie het zo op de spits?' Freddie spande zijn spieren, iedereen in de kamer zag het gebeuren. Maar hij had hier wel te maken met twee serieuze tegenspelers, Joey en Timmy Black. Ze kwamen uit Glasgow en waren zware jongens die zich in hun wereld een weg omhoog hadden gevochten. Ze wilden fuseren met Londen. Drugs was nu hun belangrijkste business, dus was het niet meer dan natuurlijk dat ze met Ozzy's bendes samengingen.

Met zijn allen konden ze het grootste distributienetwerk in Europa in handen krijgen. Zij hadden het geld, de hersens en het inzicht. Ze hadden ook een vriend, die op de vlucht was en tussen neus en lippen door contact had gemaakt met een stel aardige Russen. Die konden bij wijze van spreken nog levende, als geishameisjes verklede ratelslangen binnensmokkelen en ermee wegkomen. Kortom, ze hadden op dit moment de meeste douanekantoren in de zuidoostelijke havens in hun zak.

Makkelijk zat, maar Ozzy en de Blacks wisten dat ze machtiger zouden zijn wanneer ze partners werden. Samen konden ze de hele handel dichttimmeren. Zoals het er nu voorstond, waren er zoveel verschillende hengelaars in dezelfde vijver aan het vissen, dat het onvermijdelijk was dat ze elkaar een keer in de wielen zouden rijden. Als dat gebeurde, zou er herrie komen en er zou een bendeoorlog uitbreken.

De Schotten waren op dit ogenblik de op een na grootsten in de drugshandel, want hoewel ze per vierkante meter meer heroïneverslaafden hadden dan waar ook in Groot-Brittannië, lag er nog altijd een snel groeiende markt voor andere verdovende middelen. De coke- en amfetaminemarkt was voornamelijk in handen van de Engelsen. De Welsh leunden nog steeds op hun magische paddenstoelen en LSD, terwijl de Ieren meer blowers waren, cannabisrokers. Maar de handel was snel aan het veranderen, dankzij de clubscene en een nieuw drug, ecstasy, die uit de VS was overgewaaid. PCP had het nooit echt goed gedaan in het Verenigd Koninkrijk, mescaline had een kleine hoeveelheid afnemers, maar deze nieuwe drug was de droom van iedereen. En omdat iedereen het wilde, gingen binnen de Europese Unie steeds meer bedrijven fuseren.

Ecstasy was een *feel-good, high-inducing* drug en hoewel die duur was en nog moeilijk te bemachtigen, wisten ze dat die algauw overal te krijgen zou zijn. Dus moesten ze nu hun slag slaan, nu ze er nog een fortuin voor konden vragen. Ze moesten iedereen met een lab zien op te sporen en aan hun kant zien te krijgen.

Dat vereiste een goede, doordachte planning. Vervolgens konden ze het verstandig distribueren en zich ervan verzekeren dat het spul alleen door hun eigen mensen zou worden verhandeld. Eigenlijk verschilde het niets van een grote organisatie die een nieuw product in de markt wilde zetten. Er zou mee worden geadverteerd, er zou over worden gepraat en dan zou de detailhandel het ten slotte op zijn schappen hebben liggen.

Deze fusie zou in één keer meer geld binnenbrengen dan ze ooit hadden meegemaakt. Het was Mickey Mouse-geld, monopoliegeld. Het zou in enorme hoeveelheden binnenkomen en allemaal in klinkende munt.

De enige kink in de kabel was dat Freddie en Joey elkaar niet lagen. Ze hadden allebei in Parkhurst vastgezeten en heibel over smokkelwaar gehad. Freddie ging voor Ozzy over de tabak en alcohol, en toen Joey Black erbij kwam met een lichaam vol tatoeages en een kopstoot uit Glasgow, was het hard tegen hard gegaan.

Freddie had met gemak gewonnen, dat had Joey hem moeten nageven, maar op een bepaald moment wilde hij een revanche om zijn in zijn ogen rechtmatige positie terug te veroveren. In de gevangenis had hij het moeten slikken. Je kon niet anders. Daar kon hij ook moeilijk om een revanche vragen, want daar was voor iedereen alles al een gelopen race.

In de gevangenis had hij het weliswaar niet kunnen vergeten, maar tenminste wel uit zijn hoofd kunnen zetten. Op straat wist hij echter dat erover werd gepraat en geroddeld. Voor zijn eigen zielenrust en om er zeker van te zijn dat de mensen hem als de onbetwiste koning van zijn wereld beschouwden, moest hij het Freddie betaald zetten.

Dat was niet zo eenvoudig want op dit moment hadden ze elkaar nodig, en hoewel hun ontmoeting bol stond van spanning en verborgen agenda's, zouden ze dat allemaal opzij moeten zetten in hun jacht op het grote geld.

Maar als het geld eenmaal ging rollen, de grenzen open waren en ze zichzelf tot legende hadden opgewerkt, was daar nog altijd die kwestie tussen Joey Black en Freddie Jackson.

De slimmeriken zetten hun geld op Freddie, maar de outsiders waren van mening dat Joey wellicht de betere partij was. In tegenstelling tot Freddie moest Joey zich bewijzen.

'Weet je zeker dat je hierdoor niet wordt opgepakt, Jimmy?' Ze vroeg het elke keer weer en hij lachte om haar bezorgdheid. Ze paste echt op hem en daarom hield hij van haar.

'Moet je horen, Mag, aan alles wat ik onderneem zit een risico, dat wisten we toch altijd al? Nu is het niet anders, behalve dat we hiermee eindelijk binnen zijn. We hoeven dan geen hand meer uit te steken, tenzij we dat zelf willen. Dus relax, als ik op mijn donder krijg, komt het met jou heus wel in orde.'

Ze glimlachte naar hem, dat deed ze altijd. Hij had het nodig dat ze achter hem stond, maar dat deed ze niet. Niet echt, dat had ze nooit gedaan. Maar dit was haar Jimmy en ze zou hem niet tegenhouden. Hij was dol op zijn werk, hij was altijd voorzichtig en tegen haar altijd eerlijk. Ze wist dat als Freddie ook maar enig idee had hoeveel hij haar vertelde, hij in paniek zou raken. Maar Jimmy vertrouwde haar en daar had hij goede redenen voor. Ze zou nooit iets doen wat hem of hun leven kon bedreigen.

'Kan iemand jou in verband brengen met de labs?'

Het was een eerlijke vraag die hij wel had verwacht. 'Nah, eerlijk gezegd nemen de Blacks dat stukje voor hun rekening wanneer we de distributielijnen eenmaal op orde hebben. Op dit moment is ons hoofddoel om het spul bij de dealers te krijgen. Maak je niet bezorgd, vrouw, we hebben het allemaal onder controle.'

Hiermee wist ze dat ze het moest laten rusten. Hij sprak met die stembuiging die haar vertelde dat het nu genoeg was en dat hij het er niet meer over wilde hebben. Ze kende hem zo goed.

Hij schonk zichzelf een glas koude melk in en ze sloeg hem gade toen hij de smetteloos schone keuken rondkeek. 'Liggen de meisjes in bed?'

Ze knikte.

'En dat kleine klootzakkie is naar huis, neem ik aan?'

Ze grinnikte en moest toen denken aan wat haar moeder over hem had gezegd. Ze besloot er nu nog niets over te zeggen.

'Heb je nog wat over hem gehoord?' vroeg Jimmy.

Maggie schudde haar hoofd en probeerde er onschuldig bij te kijken. 'Nee, wat dan?'

'Volgens Freddie, die het een prachtverhaal vindt, gooit hij allerlei vuilnis bij mensen voor de deur. Als ze hem dan op zijn falie geven, laat hij zijn broek zakken en gaat hij pal voor hun deur zitten schijten.'

Maggie schudde verdrietig haar hoofd. 'Het gaat volkomen de verkeerde kant op, Jimmy. Ik denk dat hij uit huis geplaatst wordt.'

Jimmy haalde zijn schouders op en dronk zijn melk op. 'Dat kon wel eens sneller gebeuren dan je dacht.'

Ze fronste haar voorhoofd. 'Wat bedoel je?'

'Volgens Freddie wil het maatschappelijk werk hem op een speciale afdeling plaatsen. Voor moeilijk opvoedbare kinderen, en ook al is hij daar de jongste, ik denk dat zelfs Fred wel inziet dat er iets moet gebeuren.'

Maggie zei niets maar ze hoopte dat de jongen wegging. Als het waar was wat ze had gehoord, moest hij zo snel mogelijk professionele hulp krijgen. Maar ze wist ook dat Jackie dat nooit zou toestaan.

'Komt mijn moeder morgen haar haar nog laten doen?'

Maggie geeuwde licht. Het was een lange dag geweest. 'Ze komt morgenochtend langs.'

Sinds hun trouwdag en Freddie senior zichzelf van kant had gemaakt had Jimmy's vader nauwelijks nog contact met zijn zoon. Hij ging nooit bij ze op bezoek en niemand had het er ooit over.

Jimmy knikte en spoelde zijn glas onder de koudwaterkraan af. Hij zag er niet zorgelijk uit, maar ze had het gevoel dat hij dat wel was. Hij zou altijd voor Freddie kiezen, op haar na dan.

Maar soms twijfelde ze daar zelfs aan.

Freddie lag in bed met Stephanie, een hoer met een goed hart die hij graag mocht. Ze was dik en had een kinderlijk gevoel voor humor. Maar ze hadden een beste verstandhouding en het mooiste was dat ze hem nooit ergens om vroeg, nooit.

Als hij kwam opdagen, prima, als hij maanden wegbleef knipperde ze nog niet met haar ogen. Wanneer Pat vanuit het huis in Ilford aan het werk was, was hij bij haar weggebleven. Maar nu stond ze weer op zijn verlanglijstje en ze vond het prachtig.

Ze lagen op bed een joint te roken en hoorden in de kamer

naast hen de springveren matras kraken. Ze moesten lachen.

'Die gaan flink tekeer, hiernaast,' zei Stephanie.

'En in meer dan één opzicht!'

Stephanie krulde zich nu op omdat ze stoned was en wanneer Freddie was zoals nu, maakte hij haar gelukkig. Hij was dan op zijn charmantst en zijn sexyst. Ze hield van zijn donkere huid en zijn witte tanden. Hij kauwde altijd op mintkauwgom, dus zijn adem rook altijd fris. Ze vond dat soort kleine dingen fijn. In haar werk liet bij veel klanten de lichamelijke hygiëne een hoop te wensen over.

Freddie trok haar dicht tegen zich aan en ze voelde zich veilig, veilig en gelukkig.

Toen gooide hij haar vakkundig op haar buik, ging op haar rug liggen en beet haar in het achterhoofd. Toen hij van achteren bij haar naar binnendrong, gromde hij als een beest en de pijn in haar hoofd en dijen veroorzaakte flitslichten in het duister van het kussen. Ze voelde hoe haar afhaalmaaltijd van eerder die avond in haar mond naar boven kwam en in haar neus drong. Wanhopig probeerde ze het uit haar mond weg te werken zodat ze kon ademen.

Ze stikte en het hulpeloze gevoel dat haar overweldigde was meer dan afschuwelijk. Ze hoorde dat hij haar uitschold en zei dat ze een hoer was, een slet. De woorden vermengden zich in een brij en toen ze het bewustzijn verloor voelde ze het brandende voedsel in haar neus, haar mond wijd open in een stille kreet.

Kleine Freddie hoorde de voordeur openslaan maar wendde zijn blik niet van de film af die hij aan het kijken was. *The Texas Chain Saw Massacre* was op dat moment zijn lievelingsvideo en de bloedspatten vlogen van het scherm. Hij zag zijn oom Jimmy in zijn ooghoek voorbijflitsen maar hij bleef tv zitten kijken.

Freddie sliep die nacht bij zijn derde vrouw... eerst Pat, toen Stephanie en ten slotte zijn eigen vrouw. Hij hoorde het lawaai en opende beneveld zijn ogen. Jackie lag nog naast hem te snurken, het dekbed was van het bed gegleden, haar vette lijf lag als een gestrande walvis over hem heen. Ze stonk ranzig uit haar mond en hij duwde zichzelf bij haar vandaan. Toen realiseerde hij zich dat er iemand de trap op kwam stommelen en hij hoorde Jimmy vloeken en tieren. Hij besefte dat er iets verschrikkelijks gebeurd moest zijn.

Freddie had eerder die avond coke gerookt in combinatie met brandy, waardoor zijn reflexen het ernstig lieten afweten. Pas toen hij letterlijk door Jimmy van zijn bed werd gesleurd, begon hij een beetje fatsoenlijk wakker te worden.

'Wat is er goddomme aan de hand!' Jackie zat rechtop in bed, ze had een kussen voor zich geklemd om haar naaktheid te verbergen en keek verbijsterd toe hoe Jimmy Freddie aanviel.

'Jij klote, smerige kuttenkop! Rukker die je bent!'

Jackie had Jimmy nog nooit zo kwaad gezien en hem ook nooit zo tekeer horen gaan. Maar ze vond het veel enger dat Freddie op geen enkele manier probeerde terug te vechten. Hij lag alleen maar op de vloer en liet het over zich heen komen.

Jimmy was hem aan het schoppen en toen hij daar eindelijk mee stopte, keek hij op Freddie neer. Hij schudde wanhopig zijn hoofd, wreef over zijn gezicht en ogen en Jackie zag hoe de vermoeidheid bezit van hem nam.

'Deze keer ben je te ver gegaan, verdomme. Ze is dood, Freddie. Dood.'

Jackie hoorde het woord dood en haar hele lichaam bevroor. De angst verlamde haar. Dit was ernstig, heel ernstig en ze was doodsbang dat ze haar man erdoor zou verliezen.

'Wie is dood? Wat is hier goddomme aan de hand, jongens?' De angst in haar stem schoot in golven richting haar echtgenoot, die plotseling uit zijn verdoving bijkwam.

Freddie stond op van de smerige vloer. Jimmy keek om zich heen naar de ellende en puinhoop waarin Freddie leefde. Hij moest zich er uit alle macht van weerhouden niet in tranen uit te barsten. 'Kijk nou toch eens naar je leven, zoals je hier in de troep zit. Jullie lijken godverdegodver wel een stelletje beesten in een hol. Dit is geen leven, Freddie, jullie leven als een stel schurftige parasieten, jullie allemaal.'

De woorden drongen diep in Jackies bewustzijn door en de belediging wist zich zelfs in haar door drank benevelde brein te nestelen. Hete schaamte golfde over haar heen.

'Dit kan het einde van ons betekenen, van alles waarvoor we hebben gewerkt, en alleen maar omdat jij godbetert maar achter je lul aan blijft lopen.'

Freddie zag dat zijn vrouw probeerde te begrijpen wat er aan de hand was. Ze staarde hen beiden in afgrijzen aan, maar toen ging ze geknield op het bed zitten en schreeuwde:

'Wie is er verdomme dood, in hemelsnaam, zeg het me!'

En van de drempel klonk een stemmetje: 'Alle mensen op de tv, mam, ze zijn allemaal dood.'

12

Maggie wist precies wat er was gebeurd en haar angst groeide met de minuut. Ze was op aanwijzen van Jimmy naar het huis gegaan, had de bezittingen van het meisje verzameld en op een vuilstortplaats in East Essex gedumpt. Alleen al door de gedachte aan wat er met dat meisje was gebeurd, werd ze misselijk.

Ze begreep beter dan wie ook waar Freddie toe in staat was, ze kon alleen niet geloven dat hij het arme kind zo achteloos, zo wreed had vermoord. Als meisje had ze genoeg met hem gevochten, maar dat hij tot zoiets in staat was had ze nooit gedacht.

Ze kreeg nog steeds flashbacks van vroeger, dat hij haar in haar eigen huis te pakken probeerde te nemen, en het onbehaaglijke gevoel op de momenten waarop hij haar soms aanstaarde, met die wezenloze ogen waaruit zo duidelijk bleek dat hij seksuele fantasieën over haar had. Als Jimmy maar de helft ervan wist, zou dat een breuk betekenen en zoveel narigheid geven dat de weerklank ervan nog generaties lang na zou trillen. Haar vader zou er ook niet erg van zijn gecharmeerd en dan had ze het nog niet over haar moeder. En ze wist niet beter dan dat Jackie haar de schuld zou geven. Ze gaf altijd iedereen de schuld, behalve haar echtgenoot.

Na deze gebeurtenis en nadat Maggie de pijn en verwarring die avond in de ogen van haar zuster had gezien, wist ze dat dit haar gedachten nog lang zou bezighouden.

Het was al erg genoeg dat dit in hun gemeenschap bekend zou worden, maar als de smerissen er lucht van kregen en hij zou worden opgepakt, dan zou alles waarvoor ze hadden gewerkt voor niets zijn geweest. Het zou alles vernietigen waarmee Freddie in aanraking was geweest, het zou hen allemaal raken.

Ozzy mocht er nooit achter komen en ze zag aan Jimmy's bezorgde gezichtsuitdrukking dat het de komende tijd pompen of verzuipen was.

Maggie reed met de raampjes open terug naar huis, ze was misselijk en haar hoofd voelde klam aan. Ze kon niet geloven wat ze zojuist had gedaan en ze wilde dat Jimmy haar erbuiten had gelaten. Hij maakte zich ernstig zorgen, anders had hij haar er niet bij betrokken.

Ze bedacht dat ze vanochtend zijn moeders haar had zullen doen en slaakte een zucht. Toen ze bij de stoplichten optrok staarden twee jongemannen naar die prachtige vrouw in de Mercedes sportwagen en probeerden haar aandacht te trekken. Dit overkwam haar elke dag, maar nu was ze er plotseling van overtuigd dat ze werd gevolgd. Ze reed met gierende banden weg en liet hen in haar kielzog achter zich, terwijl ze zich afvroegen wat er in godsnaam met dat blondje in die spiksplinternieuwe Merc aan de hand was.

Jackie dronk witte wijn met wodka. Het was elf uur in de ochtend, zelfs voor haar was het aan de vroege kant. Kleine Freddie begreep dat er iets heel ergs was gebeurd en hield zich eindelijk eens gedeisd. Daardoor werd alles nog onwerkelijker.

De alcohol was haar pijnstiller, haar steun en toeverlaat tegen de wereld en ook de reden waarom ze tegenwoordig haar bed uitkwam. Ze wist dat Freddie haar niet wilde, niet echt. Hij bleef alleen maar in de buurt vanwege zijn zoon, en nu de meisjes groter werden, begon hij zich plotseling ook meer voor hen te interesseren. Het leven was redelijk oké voortgekabbeld, totdat dit gebeurde. Nu was ze bang, heel erg bang voor alles wat komen ging, waar dit toe zou leiden.

Freddie had een hoer vermoord.

De woorden buitelden in haar hoofd over elkaar heen en ook al wist ze dat het waar was, ze kon het nog steeds niet bevatten. Haar handen trilden en ze wist niet zeker of dat door de schok kwam of doordat ze 's ochtends altijd zo onvast op haar benen stond.

Jimmy had hem van verkrachting beschuldigd, zei dat het wel verkrachting geweest moest zijn, want niemand liet zoiets vrijwillig over zich heen komen. Maar ze was een hoer, dus ze was eraan gewend als een stuk vuil te worden behandeld. Hoeren verdienden zo hun geld immers? Zij deden wat echtgenotes niet met hun man wilden doen, dat vertelde Freddie haar tenminste altijd.

Volgens Jimmy hadden ze haar bezittingen ergens gedumpt, maar hij had ook gezegd dat ze een ambulance hadden gebeld en het verhaal hadden opgehangen dat ze door een klant om zeep was geholpen. In haar hart wist ze dat dit klinkklare onzin was, dat hij het hele verhaal voor haar had verzonnen, door Jimmy bekokstoofd nadat hij tot bedaren was gekomen en had gezien hoe erg ze van streek was. Door haar gillen en krijsen was hij weer bij zinnen gekomen. Maar hoe kon ze zoiets geloven van de man die ze al zo lang liefhad, die de enige reden was waarom ze aan die tafel zat, die alles voor haar betekende, wat er ook gebeurde?

Zo stom was ze nou ook weer niet. Ze kon de waarheid zelf ook wel boven tafel krijgen, en juist de wetenschap dat hij precies had gedaan waarvan hij werd beschuldigd, joeg haar zoveel angst aan.

Ze hadden het lichaam ergens gedumpt, dat kón niet anders.

Ze vroeg zich af hoe ze de andere meisjes in het huis het zwijgen zouden opleggen. Dat moest hun scheppen geld hebben gekost. Nou, het kon haar niet schelen hoeveel, zolang Freddie er maar mee wegkwam.

Als die Stephanie, of hoe ze ook mocht heten, door een klant om zeep was geholpen, zouden ze haar ook ergens hebben gedumpt. Dat iemand in hun zaakjes begon rond te neuzen was wel het laatste wat ze konden gebruiken.

Ze dronk gulzig en toen ze nogmaals naar de klok keek, vroeg ze zich af of de meisjes vandaag thuis zouden komen. Ze vermoedde dat ze bij Maggie of bij haar moeder zouden blijven totdat Pasen voorbij was en dit allemaal was opgelost.

Ze liet een boer en proefde de tannine van de goedkope wijn. Ze schonk haar glas nog eens vol en nam een stevige slok. Ze had die vergetelheid nodig en ze wist dat ze daar uitgerekend vandaag niet in kon wegzinken. Dit ging veel te ver om met wijn of wodka te kunnen verdoven. Ze had brandy of zelfs whisky nodig.

Zoals altijd kon ze alleen maar over zichzelf nadenken, over wat zij nodig had. Ze dacht niet echt aan het dode meisje, dat was een hoer, wie maalde er om een hoer? Ze haatte de vrouw omdat zij dit alles had veroorzaakt, en ze wist zeker dat het een ongeluk was geweest. Freddie zou een vrouw nooit zomaar wat aandoen. Een man, ja, maar niet een vrouw, géén vrouw, dat bestond gewoon niet. Hij was een rokkenjager, zoveel wist ze wel, maar rokkenjager híélden juist van vrouwen. Wanneer een man hen wat aandeed, dan hield hij níét van ze. Het sloeg toch eigenlijk allemaal nergens op?

Bij die gedachten sloot ze haar ogen. Ze wist niet meer wat ze moest geloven. Ze wist alleen wat ze wílde geloven, wat ze móést geloven. En dat was dat haar man niet dat monster was zoals iedereen hem zag. Ze kende hem, ze had hem vier kinderen geschonken. Als iemand haar man kende was zíj het wel.

Ze wist wel dat de mensen haar een gatlarf vonden, maar dat maakte haar niets uit. Niemand kende hem zoals zij. Niemand zag de goedheid binnen in hem als hij met zijn kinderen omging of wanneer hij probeerde een fatsoenlijk mens te zijn. Hij was aan de drank en drugs, net als zij. Hij was ziek.

Aan deze nieuwe gedachte klampte ze zich als een reddingslijn vast, wat voor haar natuurlijk ook zo was.

Ze hoorde de voordeur opengaan en draaide zich verschrikt om.

Freddie wist dat hij het nu echt had verkloot. Hij wist ook dat hij zijn straatje moest zien schoon te vegen en als het aan hem lag wel zo snel mogelijk. Hij kon dat klerewijf zo nog wel een keer wurgen, die gaf alleen maar problemen. Zou hij hier de rest van zijn leven voor moeten boeten? Oké, hij had per óngeluk een hoer om zeep geholpen, een verdomde hoer, een vrouw die voor een meier nog de deurpost zou neuken. Hij kende Steph. Om te kunnen scoren en een klomp dope zou ze het zelfs met een rottweiler doen.

Waarom was hij niet gewoon naar huis gegaan? Steeds maar weer stelde hij zich diezelfde vraag.

Nu deden ze alsof hij een criminéél was, of zo. Ze maakten er zo'n heisa van, het leek wel of ze dachten dat hij een onschuldige burger iets had aangedaan en als Pat erachter kwam, nou, dan had je de poppen aan het dansen. Patricia zou zich geen twee keer bedenken, die zou bij hem en bij alles waar hij voor stond weggaan. Ze was een harde tante, maar ze hield op haar eigen manier van de meisjes en zorgde voor ze.

Hij had zichzelf gewoon niet meer in de hand gehad, dat kon iedereen toch overkomen? Hij had het heus niet met opzet gedaan, het was een óngeluk.

Als hij die cocaïne maar niet had genomen. Waarom kon hij dat niet gewoon laten liggen? Waarom moest het altijd op zoiets uitdraaien? De brandy had de scherpe kantjes er al afgehaald, dus waarom moest hij dan zo nodig doordrinken en coke snuiven? Hij wist het niet. Maar Steph was er net zo voor in als hij, alleen daar was niemand in geïnteresseerd.

Ze had hem gewild, ze was altijd blij om hem te zien, dus waarom werd hem vanwege een klotehoer de wacht aangezegd? Nou, wat hem betrof was het allemaal zwaar overdreven en ging het allemaal veel te ver.

Eigenlijk had hij ervan genoten, zo zeker als wat.

Maar hij zou het allemaal slikken, hij had geen keus, en als de tijd daar was, zou hij ze allemaal voor eens en voor altijd laten weten wie hij werkelijk was.

Paul en Liselle keken toe hoe Freddie de ene borrel na de andere achteroversloeg. Zij hadden de verhalen ook gehoord en deden hetzelfde wat iedereen deed. Ze wachtten de gebeurtenissen af voordat ze besloten wat ze gingen doen.

De pub was op Freddie na leeg en daar waren ze blij om. Maar toen kwam kleine Maggie binnengewandeld en ze wisten allebei dat er stront aan de knikker zou komen, daar kon je op wachten. Het was in haar ogen te lezen, hoe ze liep, haar hele houding.

'Jij gore kutklootzak, ik word kotsmisselijk van je!' Ze sprak met lage, hese stem en Liselle duwde haar man in de richting van hun woonvertrekken. Dit zou zij opknappen. Ze wist dat wat er ook gebeurde, Freddie geen haar op het hoofd van dat meisje zou krenken. In elk geval niet vandaag.

Liselle zette een grote scotch en cola op de bar neer voor het meisje, maar dat negeerde ze.

'Mijn Jimmy moet altijd de rotzooi achter je reet opruimen, maar nu ben je te ver gegaan. Mijn zuster mag dan denken dat je het neusje van de zalm bent, maar ik weet hoe je werkelijk in elkaar zit en Jimmy nu ook.'

'Donder op, Maggie.' Hij klonk verveeld, maar er lag een angstige ondertoon in zijn stem. Maggie en Liselle pikten die allebei op.

'Ga naar huis en maak een paar kinderen, dan hou je die grote bek van je voortaan wel.'

'Mijn Jimmy is een fatsoenlijk mens en zoals gewoonlijk helpt hij je weer uit de rotzooi. Je bent een lachertje, lul, maar nu waarschuw ik je, Freddie. Als je weer zo'n gore stunt uithaalt, ben je hem kwijt en als mijn zuster een greintje verstand in haar harses had, zou zij hetzelfde doen. Niemand heeft nog respect voor je, weg is je reputatie, je bent gewoon een ordinaire bullebak, een stuk shit en nu ben je over de schreef gegaan.'

Hij keek haar aan en stelde zich voor hoe het zou voelen om haar verrot te slaan en haar tot schreeuwens toe te neuken. Maar hij glimlachte alleen maar en zei tegen Liselle: 'Moet je haar horen! De mokkels hebben het voor het zeggen, de kutten gaan als een dolle stier tekeer.' Hij maakte een snelle beweging in haar richting en ze sprong op van angst, waardoor hij nog harder moest lachen.

'Ga naar huis, Maggie, voordat ik vergeet dat je familie bent.'

'Ik ben geen familie van jou, makker. Je bent tuig van de richel en alleen Ozzy's woede houdt je uit de rechtszaal. Dat realiseer je je toch, hè?'

'Sodemieter op en ga iemands haren knippen, dat is het enige waar je goed voor bent. Ga weg, ga Jimmy's lul pijpen. Krijgtie weer eens een lach op zijn gezicht, wat jij?'

Hij lachte nogmaals en ze was verbijsterd over deze man die iemand had vermoord terwijl het hem niets kon schelen.

'Als je niet oppast, Mags, dan gaat je man weer naar de hoeren. Hij heeft zijn portie gehad, dat beloof ik je.'

Ze wist dat hij tegen haar loog en ze spoog hem in het gezicht, de fluim bungelde aan zijn kin.

'Ga zelf naar huis, kúttenkop. Jackie weet zoals gewoonlijk niet waar je bent en misschien heb je wel een alibi nodig.'

Hij keek haar weer grijnzend aan, maar het was een schot in de roos en dat wist ze. Hij was nu openlijk haar vijand, maar dat kon haar niet schelen. Dat meisje was dood en door haar echtgenoot kwam deze klootzak ermee weg. Dat deed haar verdriet.

Ze liep met hoog opgeheven hoofd maar een nagenoeg gebroken hart de pub uit.

Freddie veegde zijn gezicht met zijn hand af en likte er smakelijk de spuug af, tot afschuw van Liselle.

De toon was gezet en Liselle bewonderde Maggie daarom, maar ze wist ook dat Freddie het haar nooit zou vergeven.

Jimmy zat met Pat de gebeurtenissen van de vorige avond te bespreken. Ze waren zich er allebei terdege van bewust dat Ozzy absoluut niets mocht opvangen over wat er echt was gebeurd. Hij zou door het lint gaan en had daar alle reden toe, dus ze moesten alles op alles zetten om hun eigen hachje te redden.

Freddie wist niet dat Patricia door een van de andere meisjes was gewaarschuwd en het ergerde haar dat hem geen strobreed in de weg was gelegd. Zij was de opperbaas, het hologram van haar broer omdat hij daar niet kon zijn en nog heel lang zou wegblijven, met dank aan zijn opvliegerige karakter en het rechtssysteem.

'Dit mag nooit naar buiten komen. Ik heb alle meisjes met de dood, pijn en marteling bedreigd, als ze ooit hun mond opendoen, niet tegen elkaar of tegen hun pooiers.'

'Pooiers?'

Pat kreeg de neiging om te lachen. Zelfs Jimmy was een sukkel als het om hoeren ging. Hoeren waren dol op hun pooier, ze leverden aan iedereen betaalde seks, maar met een pooier genoten ze tenminste nog een zekere mate van respect... als ze geld in het laatje brachten, werden ze fatsoenlijk behandeld. Daarom zou Jimmy nooit een goede bordeeljongen worden. Hij had die aangeboren geslepenheid van een pooier niet om de meisjes in het gareel te houden, of in de liefde, het was maar net hoe je het bekeek. Hij had ook niet die volslagen minachting voor andere mensen, het belangrijkste instrument van een man die van vrouwen leefde. Ze wist dat hij een hekel aan de bordelen had, vond dat hij daar boven stond. Maar het was een fatsoenlijke bron van inkomsten en hoe eerder hij dat accepteerde, des te beter voor hem.

'Ik denk dat hij zijn lesje nu wel heeft geleerd, Pat. Ik denk dat hij net zo bang is als wij voor wat er is gebeurd.'

Zijn loyaliteit kende geen grenzen. Als Jimmy eens kon horen wat Freddie met een slok op allemaal achter zijn rug om over hem zei. Zoals hij zijn perfécte leven met zijn perfécte vrouw bespotte. De jaloezie droop ervan af, en ook al wist ze wel dat Freddie zijn jongere tegenspeler bewonderde en van hem hield, ze begreep soms ook dat hij het moeilijk kon aanzien dat de jongen, die zo tegen hem had opgekeken, zoveel meer van zijn leven maakte dan hij ooit zou doen.

Het was een gekke wereld waarin ze leefden. Je kon de goorste klootzak zijn, maar als je iets bereikte en niemand op de tenen trapte, had je het helemaal gemaakt. Als je het verklootte of iemand kreeg het in zijn hoofd om alles van je af te pakken wat je had, en hij slaagde daarin, dan kon je het wel vergeten. Zo werkte het gewoon. Het maakte niemand een bal uit hoe je je geld verdiende, áls je maar geld verdiende.

Ze wist dat Jimmy haar verhouding met Freddie nooit had begrepen. Ze kon zelf de opwinding niet eens verklaren die deze levensgevaarlijke man bij haar wakker maakte. Zijn wapenfeiten en het feit dat hij haar met fluwelen handschoentjes aanpakte, bedwelmden haar. Elke keer als ze de kleren van zijn lijf rukte en het verlangen in hem zag opkomen, kwam ze bijna ter plekke klaar vanwege de spanning en opwinding. Hij was een wild dier dat zij had weten te temmen. En nu, hoewel ze dat nooit hardop zou zeggen, had ze hem praktisch in haar zak. Ze zou laten merken dat ze wist wat er was gebeurd, zou hem subtiel onder de neus wrijven dat ze hem in haar macht had, en toekijken hoe hij zijn best ging doen ervoor te zorgen dat zij naar hem verlangde, ook al had hij het totaal verkloot.

En ze verlangde naar hem, zoals ze nog nooit naar iemand in haar leven had verlangd.

Ze wilde de zaak graag in eigen hand hebben, zo werkte geld nu eenmaal. Als je voor jezelf kon zorgen, je eigen beslissingen kon nemen en de meeste mannen op hun hoede of zelfs bang voor jou en je connecties waren, was dat een natuurlijke stap voorwaarts. Zij gebruikte die mannen, niet andersom. Ze had behoefte aan seks, niets meer en niets minder. Er was geen man in de wereld die haar meer kon geven dan zijzelf, dus waarom zou ze zich er druk over maken?

Ze zou Freddie weer krijgen. Ze was ervan overtuigd dat Freddie echt om haar gaf, dichter bij liefde voor een vrouw zou die smeerlap waarschijnlijk nooit komen. Ze gunde hem nog een roes en deze keer zou ze hem zo onder de duim hebben dat ze een stempel achter zou laten.

Maar tot die tijd moest ze Jimmy bepraten en hem laten geloven dat ze het alleen maar voor hem slikte, dat ze bereid was Freddie erbij te houden vanwege al het geld dat ze hadden geïnvesteerd. Tenslotte, zo liet ze hem fijntjes weten, was Ozzy haar broer en ze zouden moeten liegen, misschien niet recht in zijn gezicht, maar een paar omtrekkende bewegingen moesten ze wel maken. Ze zouden bij haar in het krijt staan, Freddie en Jimmy zouden diep bij haar in de schuld staan.

Ze vroeg zich af of Jimmy haar doorzag. Hij was een sluwe vos en dat mocht ze wel in hem. Ze was ook beducht voor hem, want haar broer was van mening dat er uit elk gat bij hem goud blonk, dus ook uit zijn reet.

Ze wist dat Ozzy een goede kijk had op mensen en ze wist ook dat zolang Ozzy hem erbij wilde hebben, zij dat ook wilde.

Ze kende het spelletje door en door, ze was niet achterlijk.

'Alles goed, liefje?'

Freddie hield een huilende Jackie in zijn armen en ze liet hem begaan. Ze genoot van zijn sterke, stevige armen om zich heen.

Dit wilde ze, dit had ze nodig. Hij schonk haar een riant glas wodka in, bleef haar vasthouden en knikte met zijn hoofd naar het glas. In haar achterhoofd wist ze dat hij normaal gesproken tegen haar zou zeggen dat ze niet moest drinken, dat hij haar voor zuipschuit zou uitschelden, dat ze een dronkenlap was. Maar vandaag kwam het hem beter uit dat ze dronken was, dat wist ze wel, ze moest aan zijn kant staan en als altijd liet ze dat graag over zich heen komen.

Als hij er maar van overtuigd was dat ze altijd achter hem zou staan, wat er ook gebeurde. Zo was het toch altijd geweest? Wat hij ook had gedaan, ze had pal voor hem gestaan, hem verdedigd, voor hem gezorgd. Waarom zou dat nu anders zijn, tenzij hij natuurlijk dat meisje echt had vermoord en hij nu bang was?

Ze zette die gedachte uit haar hoofd. Hij was een man en alle mannen gingen vreemd. Haar eigen vader had in haar jeugd meer dan genoeg buiten de deur geneukt.

In een flits kwam een beeld van Jimmy in haar door drank benevelde brein op, maar ze duwde dat met geweld weg. Freddie grapte soms dat Jimmy een beetje burgerlijk was. Nou ja, misschien was hij dat ook wel. Dat verklaarde waarom ze zo gelukkig waren. Haar zuster en Jimmy waren een soort parodie op zo'n kloteadvertentie voor gelukkige gezinnetjes, of Kellogg's cornflakes.

Dat zou het wel eens kunnen zijn. Als Jimmy inderdaad een soort *shirt-lifter* was, dan verklaarde dat een hoop.

Ze wist dat het verkeerd was wat ze dacht. Erger nog, ze was haar zuster volslagen ontrouw, maar die steunde haar áltijd, ruimde altijd haar rotzooi op. Maar ze moest zo wel denken, dan kreeg ze een beter gevoel over zichzelf en de laatste escapades van haar man. Jackie zou iedereen opofferen aan haar eigen zielenrust of die van haar echtgenoot.

Ze was zo blij dat hij bij haar was, dat hij wilde dat ze in hem geloofde. Dit was precies wat ze in haar leven nodig had. Freddie wist dat zijn kostje gekocht was en dat kostje vond hij bij haar.

Freddie hield zijn vrouw vast in de wetenschap dat hoe langer hij bij haar was, de kans des te groter was dat ze zijn kant van het verhaal zou geloven. En bovendien, of hij haar nu verafschuwde of liefhad, Jackie zou hem nooit in de steek laten, ook al had ze alles met haar eigen ogen gezien. Ze slikte alles wat hij zei.

'Je hebt het toch niet met opzet gedaan, hè, Freddie?'

Hij had deze vraag verwacht, het betekende dat hij bijna binnen was. Op dit punt wilde ze zichzelf overtuigen dat hij de waarheid sprak. Hij wist precies hoe het ging, hij had het al zo vaak gedaan dat hij zonder nadenken de juiste antwoorden kon geven.

Hij duwde haar van zich af en zorgde ervoor dat ze zich kwetsbaar voelde, dat ze van zijn woede zou schrikken. Zich afgewezen zou voelen. Hij speelde de vermoorde onschuld, zette grote ogen op en veinsde een gebroken hart. Ze wist dat ze een verkeerd register had opengetrokken en dat ze daarvoor zou moeten boeten.

'Alsjeblieft, Jackie, wil je me kwetsen of zo? Moet ik me nog beroerder gaan voelen dan ik al doe?'

Hij begon zijn sigaretten te pakken en zijn aansteker, zijn lichaamstaal sprak boekdelen: hij zou bij haar weglopen, misschien wel voorgoed. Hij was ertoe in staat, zelfs in dit geval. Hij kon glashard vertrekken en haar dagen, zelfs weken achtereen laten zitten. Dat had hij zo vaak gedaan, hij wandelde gewoon bij haar en de kinderen weg.

Hij slaakte een diepe zucht. 'Ik kan er niet meer tegen, Jackie. Ik kan er gewoon niet meer tegen, weet je. Ik doe mijn uiterste best om eerlijk te zijn, recht door zee...'

Ze klampte zich aan hem vast, met haar hele lijf probeerde ze hem bij zich te houden, op zijn stoel vast te pinnen zodat ze naar hem kon kijken, de hele nacht bij hem kon zijn. Het was al zo lang geleden dat ze fatsoenlijk hadden gevreeën, dat ze zich zo goed voelde.

Ze vond het heerlijk als hij haar nodig had, maar dat gebeurde zo zelden dat ze er alles voor overhad om dit gevoel vast te houden.

Ozzy had geen idee wat er gaande was. Hij had zijn eigen problemen. Als bij toverslag was er een nieuwe cipier binnen de sbb-unit verschenen en hij kreeg de indruk dat die daar met een opdracht was neergezet.

Hij was niet om te kopen, liet zich niets zeggen, maar het ergste was nog dat hij het onterechte idee had dat hij ínvloed kon uitoefenen.

Dat ze zelfs naar hem zouden lúísteren.

Dit was voor alle mannen binnen de unit volslagen nieuw. Zij dachten dat hij wel voor een paar centen te porren viel. Dat was niet ongewoon in het gevangenissysteem, tenslotte waren ze er allemaal op uit te pakken wat ze krijgen konden, daarin verschilden gevangenbewaarders niet veel van gevangenen.

Maar deze vent, deze Harry Parker, was werkelijk níet te pakken. Ze wisten wel dat zijn soort bestond, maar ze kregen er nu pas voor het eerst mee te maken. Hij was grof, arrogant en onomkoopbaar. Het werd tijd dat er iets aan gedaan werd en Ozzy besloot het vuile werk op te knappen.

Toen jonge Harry, zoals hij werd genoemd, om halfacht 's avonds de recreatiezaal op wandelde om iedereen naar bed te dirigeren, lekker te dromen, enzovoort, was die helemaal leeg, op Ozzy na.

Ozzy glimlachte vriendelijk maar dreigend naar hem en zei: 'We moesten maar eens een babbeltje maken, vind je ook niet?'

Harry schudde zijn hoofd. Hoe meer gevangenbewaarders tegen hem zeiden dat hij een lul was, des te meer raakte hij overtuigd van zijn eigen gelijk en van wat hij dacht dat goed was. Zijn arrogantie kende geen grenzen, nog niet.

'Nee, dat vind ik niet. Volgens mij moet jij met je vette reet van die stoel af komen en maken dat je met je dikke lijf in je cel komt. Ik ga over...' hij keek op zijn horloge '... vijftien seconden afsluiten.' Hij keek Ozzy aan met dat neerbuigende glimlachje van hem, waardoor zijn vrouw bij hem was weggegaan, zijn familie hem slechts verdroeg en zijn vrienden met een boog om hem heen liepen.

Ozzy bleef een poosje stil zitten. Hij staarde de man recht aan en zei toen op redelijke toon: 'Dus dit kan nooit worden opgelost, begrijp ik dat goed?'

Harry knikte nogmaals en zei toen sarcastisch en triomfantelijk: 'Eíndelijk.' Hij priemde een vinger naar Ozzy en zei op uitermate grove toon: 'Jij maakt me niet bang, niemand van jullie. Jullie zijn stuk voor stuk schurken en zitten allemaal achter slot en grendel. Ik ga straks naar huis en naar mijn televisie. Hoe eerder jullie begrijpen dat met mij niet te spotten valt, dat je op je hoede moet zijn en goed voor jezelf moet zorgen, des te beter is het voor jullie allemaal.'

Op Harry's gezicht lag nog steeds dat krankzinnige glimlachje. Zijn ogen deden niet mee en er sprak bepaald geen vrolijkheid uit.

'Is dat zo, smerig stuk hoerenjong dat je d'r bent?'

Harry schrok van die taal ook al had hij door de jaren heen wel erger gehoord. 'In de benen, Ozzy, en sla nooit meer zo'n toon tegen me aan. Als het weer gebeurt, slinger ik je op de bon.'

Ozzy zat nog steeds bewegingsloos en was niet van plan ook maar ergens naartoe te gaan.

Harry raakte in verwarring en begon nu bang te worden. De andere gevangenbewaarders hadden er al moeten zijn en het schoot door hem heen dat hij er wellicht alleen voor stond. Hij was een bullebak, maar alleen als hij zeker wist dat hij back-up had, in welke vorm dan ook. Hij was de man in de pub die een gevecht begon, dan een stap achteruit deed en iemand anders de kastanjes uit het vuur liet halen.

Ozzy begreep hem maar al te goed, waarschijnlijk beter dan hij zelf doorhad. Hij stond op en liep op Harry toe. Met een razendsnelle uithaal stak hij hem neer. Hij gebruikte een heel scherp mes dat een paar dagen eerder in de machinewerkplaats was gefabriceerd. Het was een stanleymes met een houten heft dat eigenlijk bedoeld was geweest als boeg van een modelbootje voor een liefdadigheidsveiling.

Het was een dodelijk wapen, en ook nog eens een heel handig werktuig.

Ozzy keek toe hoe de jonge Harry zijn hand naar zijn keel bracht, zag de volslagen verbijstering op het gezicht van de man. Hij kon werkelijk niet geloven dat hij was neergestoken, hij had oprecht geloofd dat het hem nooit betaald gezet kon worden.

Het was eigenlijk verbazingwekkend. Iemand had hem het ongeschreven handboek moeten geven. De gevangenbewaarders moesten zelf voor elkaar zorgen, daar hadden de gevangenen niets mee te maken.

Jonge Harry slaakte verschrikkelijke gorgelgeluiden. Ozzy had dit zo vaak gedaan dat hij wist dat dit het einde betekende. Hij zou op die smerige vloer van de recreatiezaal sterven. Nou, hij was niet de eerste en zou waarschijnlijk ook niet de laatste zijn.

Wat een zinloze dood en wat een klootzak om in zo'n tent als deze te gaan werken en werkelijk te geloven dat je het beste uit ze kon halen.

Hij knielde naast de stervende man, maar zorgde er wel voor dat hij niets van de groter wordende plas bloed op zijn schoenen of kleren kreeg. Harry's ogen waren nog net niet glazig aan het worden. Hij probeerde iets te roepen en het bloed kwam als een fijne rode mist uit zijn gewonde luchtpijp.

Ozzy grijnsde naar hem. 'Ta ta, ventje.'

Hij stond op en kuierde onverstoorbaar de recreatiezaal uit.

Buiten waren de gevangenbewaarders in geen velden of wegen te bekennen, maar dat had hij wel verwacht. Het was allemaal vooropgezet geweest en als hij iets opzette, gebeurde het ook. Als dat klootzakkie dat had begrepen, zouden de dingen wellicht heel anders zijn gelopen.

Hij floot voor zich uit toen hij naar zijn afdeling slenterde, en naar zijn vrienden en zogenaamde vrienden zwaaide, die allemaal wisten wat hij had gedaan.

Hij liep naar de toiletten en gooide het mes in de wasbak. Een paar tellen later kwam een boodschappenjongen met de naam Paulie achter hem aan die er een ketel kokend water overheen goot. Toen nam hij het in een schone handdoek mee naar de bovenverdieping waar hij het hele pakketje in een theeketel gooide. Daar zou het de hele nacht staan koken en weer afkoelen, zodat er geen enkel spoor meer over was dat naar Ozzy of zijn maten zou kunnen leiden.

Een paar weken lang zouden ze min of meer in de isoleer zitten, dat betekende dat de vleugel zou worden afgezonderd, afgesloten. Er zou een onderzoek komen. Tenslotte was een cipier de hals doorgesneden. Daarna zouden ze weer overgaan tot de orde van de dag, maar met een arrogante kontkruiper minder en zonder welke represaillemaatregel dan ook.

Jimmy en Maggie waren bij Stephanies moeder op bezoek. Jimmy keek toe hoe zijn lieftallige kleine vrouw vertelde hoe erg ze het vonden wat haar dochter was overkomen. Ze hadden tienduizend aan de vrouw gegeven om haar onkosten te dekken. De moeder was in de wolken. Zij had de hoer gespeeld totdat haar dochter zelf oud genoeg was en voor hen beiden de kost kon verdienen.

Stephanies jongste zoon, een grote, potige jongen van vier, leek verdacht veel op Freddie. Jimmy wist dat het Maggie ook was opgevallen. De jongen was niet zo'n halvegare als zijn vader, eigenlijk was het een vriendelijk, schattig jongetje en Maggie kon wel janken toen ze zag hoe hij tegen zijn oma aankroop en bleef vragen waar zijn mammie bleef.

Ze had de indruk dat Steph een goede moeder was geweest en ook dat de grootmoeder de kinderen niet zomaar ergens anders zou dumpen.

Maggie schonk nog een kop thee in en zuchtte diep. Ze was boos dat ze hierin was meegesleurd en ook dat haar zuster kennelijk vond dat de dood van het meisje er niets toe deed.

Toen ze de haveloze, maar schone keuken rondkeek, zag ze het arme meisje weer voor zich. Zij was in zo'n keuken opgegroeid, en in een andere wereld zou dit ook van haar kunnen zijn geweest, haar leven en misschien zelfs haar dood.

In tegenstelling tot de meeste vrouwen overal te wereld wist zij hoe makkelijk je in de prostitutiefuik kon trappen. Ze moest altijd lachen wanneer ze de vrouwen in haar salon over hun leven hoorde praten, vrouwen die letterlijk door getrouwde mannen werden onderhouden. Maar die legden niet het verband met vrouwen die voor een paar centen precies hetzelfde deden met de eerste de beste arme sloeber. Ze zag veel jonge meisjes langskomen, vriendinnetjes van de plaatselijke schurk. Bij hen kwam het niet op dat als ze ouder werden, ze wellicht voor hem de baan op moesten. In haar ogen waren ze geen haar beter dan de Stephanies van deze wereld, maar ze was wel zo verstandig om dat pareltje van wijsheid voor zichzelf te houden.

Ze had Freddie precies onder de neus gewreven hoe ze over hem dacht, en ze wist dat hij dat niet over zijn kant zou laten gaan, nog in geen miljoen jaar. Ze voelde zich ook supergoed dat ze het tegen hem had gezegd en dat het van haar af was.

Hij had haar uitgelachen en gevoeld dat ze precies de vinger op de wond had gelegd, dat wist ze zeker. O, hij zou doen alsof hij berouw toonde, maar dat was allemaal gelul. Nu de schok was weggeëbd was hij weer helemaal zichzelf. Ze hadden zijn vege lijf gered en wat hem betrof was er geen vuiltje meer aan de lucht. Hij was ermee weggekomen, hij kwam overal mee weg, altijd. En ze had haar zuster naar hem zien kijken, alsof hij god zelf was.

Maggie had hem kutklootzak genoemd en tegen hem gezegd dat als Ozzy er niet was geweest, hij in de hel zou wegrotten voor wat hij had gedaan.

Jimmy wist wat ze had gedaan en het kon haar geen bal schelen.

Toen waren ze hiernaartoe gegaan, een huis vol verdriet en pijn, en ze zou geen van beiden, Freddie noch Jimmy, ooit vergeven dat ze haar hierin hadden meegesleept.

Freddie keek lachend naar het nieuws waarop ze het over de moord hadden. Hij wist wel dat Ozzy die schoft uit de weg zou ruimen en hij was blij dat het nu gebeurd was en niet op een andere dag. Als hij een beetje geluk had, zou hij een tijdje in de isoleer zitten en dat betekende geen bezoek, helemaal niets.

Hij had in meer dan één opzicht geluk. Soms vroeg hij zich zelfs af of hij zijn naam niet moest veranderen in Lucky Jackson. Als hij in de stront zou vallen, zou hij omgeven door de geur van Old Spice en dode hoeren weer overeind komen. Hij moest lachen bij die gedachte. Jackie draaide zich om en keek hem vragend aan. Hij zette zijn charmantste, onschuldigste glimlach op.

Zoals hij daar op zijn bank zijn wodka met wijn lag te drinken, met zijn vrouw en zoon naar de zoveelste seriemoordenaarsfilm lag te kijken, voelde hij zich bijna weer helemaal de oude.

Die stomme hoer was dood en daarmee basta. Nu ging het erom de levenden te beschermen en hij was springlevend. Ze was een klotehoer, een wegwerpartikel, ze had nog geluk gehad dat ze het zo lang had uitgehouden. Feitelijk had hij de wereld een dienst bewezen, ze was verdomme een smet op het schilderij des levens. Zijn vader zei dat altijd over hem, maar ja, die was nu dood en zo. Hij had dezelfde les geleerd voor hij ging, en dat betekende dat je bij hem niet over de lijn moest komen, want hij liet zich niet voor kutklootzak uitmaken.

In het leven moest je heel wat klappen incasseren, zoals zijn oude moeder altijd zei, en ze had gelijk. Maar hij zou het die bitch van een Maggie dubbel en dwars betaald zetten dat ze hem zo had uitgescholden, zo naar hem had gekeken.

Hij zag totaal niet in dat hij over zich moest laten lopen omwille van een dildodel, maar hij was leep genoeg om te weten dat hij het nu moest slikken en zijn kansen moest afwachten.

Want die kansen zouden komen, dat wist hij zeker, en als het zover was, kon ze haar mooie bruine kontje maar beter goed in de gaten houden.

13

Een poosje na Stephanies dood werd alles gaandeweg weer normaal, zo leek het in elk geval aan de buitenkant. Iedereen die omgekocht kon worden, was omgekocht, iemand die het wel iets kon schelen was inmiddels geschiedenis en de meisjes waren allemaal te bang om de beerput te openen.

Jimmy werd nooit meer dezelfde en Freddie was zich daar terdege van bewust. Hij bleef nooit meer nog wat met hem drinken tenzij het niet anders kon en Freddie had er schoon genoeg van. Het was een hoer geweest, wat was het probleem nou helemaal? Wat hem betrof had het allemaal niets om het lijf, iedereen keek ertegenaan alsof er een écht iemand was gestorven, iemand met een eigen leven, een leven met vooruítzichten.

Jimmy liet hem in de steek. Dat had hij als geen ander in de gaten, en hij voelde zich gekrenkt. Het leek wel of de jonge Jimmy een soort achterlijk mietje was, dat had hij jaren geleden ook al gedacht. Maar nu leek Jimmy ergens last van te hebben en dat hinderde hem.

De sfeer tussen hen werd nog steeds meer overheerst door verwijten en beschuldigingen, en ook al hadden ze het er na die onheilspellende nacht nooit meer over gehad, Jimmy keek hem altijd beschuldigend aan en daar begon hij echt de balen van te krijgen.

Dit vriendelijke schijnheilige gedoe, daar moest een eind aan komen en Freddie was er klaar voor om er wat aan te doen.

Sinds Jimmy zo agressief en woedend zijn huis was binnengestormd, had hij zijn mond stijf dichtgehouden. Hij wist dat Jimmy gelijk had en wilde maar al te graag het spelletje meespelen. Maar nu was het voorbij en werd het tijd om weer wat rond te gaan kijken. Freddie was zich ervan bewust dat het nog te vroeg was om zijn spierballen te laten zien, dus hij glimlachte, schudde handjes en wenste Jimmy het allerbeste.

Zo zag het er althans aan de buitenkant uit.

Maar hij had geen 'ouwe rukker' op zijn voorhoofd getatoeëerd en hij werd er doodziek van dat hij zo werd behandeld. Inwendig kookte hij.

En nu kwam het moment waarop hij zo lang had gewacht. De timing was perfect, wat het allemaal alleen nog veel plezieriger maakte.

De Blacks werden met elk wissewasje lastiggevallen, daar had hij zelf voor gezorgd. Als hij maar even de kans kreeg, legde hij op elke slak zout, waardoor ze hem spuugzat waren.

Hun belangrijkste leverancier was uit Amsterdam overgekomen en, o jee, was nu in Glasgow, dus kleine Jimmy moest daar als de gesmeerde bliksem naartoe. De man hád eigenlijk in Londen moeten komen, daar zat het hoofdkantoor van de business. De Blacks gingen door het lint, net als die Amsterdamse kerel, en nu moest arme Jimmy de boel gaan sussen. Nou ja, zo zat het leven nu eenmaal in elkaar, nietwaar? Hij grijnsde inwendig. Hij had er alles aan gedaan om de boel in het honderd te laten lopen, en de Blacks en hij konden elkaars bloed wel drinken, dus moest Jimmy gaan.

Maggie was zich aan het opdoffen want ze wilde uit vanwege hun trouwdag. Dat schoot er nu helemaal bij in en te oordelen naar het telefoongesprek dat Jimmy net met haar had, was ze daar bepaald niet blij mee.

Nou, ze kon de pot op en Jimmy ook.

Freddie glimlachte weer. Als Jimmy zijn koffers ging pakken en op het vliegtuig naar Schotland zou zitten, bleef hij lekker in de pub bij Paul en Liselle. Hij was gelukkiger dan ooit en zou het vanavond eens flink op een zuipen zetten.

Maggie kookte van woede en zorgde ervoor dat ze er niet was toen Jimmy thuiskwam. Ze wist dat hij er een hekel aan had om in een leeg huis thuis te komen. Hij had graag dat ze er altijd was, en het was typisch iets voor Jimmy dat hij niet wist waar zijn kleren waren. Dus reed ze naar haar moeder en grijnsde vals bij de gedachte dat hij de hele kleedkamer overhoop zou halen op zoek naar zijn ondergoed.

Nou, hij deed zijn best maar. Ze was er doodziek van dat hij altijd voor iedereen klaarstond behalve voor haar. Ze was zo woedend op hem dat het haar geen bal kon schelen waar hij heen ging, niets kon haar meer schelen. Ze had met Pat gepraat, die zoals gebruikelijk hoog van de toren had geblazen. Nog zo een die dacht dat ze heel wat was, maar ze was níéts, zonder haar broer was zíj helemaal níéts. Net als Jackie was zij geen haar beter dan de man met wie ze rotzooiden.

Nou, Maggie had haar eigen leven en eigen zaken... maar

diep vanbinnen wist ze dat zij Jimmy net zo hard nodig had. Ze probeerde zwanger te raken en ze had op een of andere manier het gevoel dat het nu stond te gebeuren. Dit had hun speciale avond moeten worden, en toen hij zei dat hij naar Schotland moest, had ze hem de ruimte wel in willen slingeren. Ze had nieuw ondergoed gekocht, een fles champagne koud gezet en aardbeien met slagroom klaargemaakt. Ze had alles uit de damesbladen opgevolgd om er een sexy, romantische en opwindende avond van te maken.

Ze glimlachte wrang. Jammer alleen dat die bladen er nooit rekening mee hielden dat er een drugdealende klootzak in het scenario voorkwam die op het laatste moment op het vliegtuig naar Schotland stapte omdat een stelletje andere drugsbaronnen er een gigantische puinhoop van hadden gemaakt. Ze dachten zeker dat iedereen die hun rotzooi las hetzelfde was als zij, middenklasse, getrouwd met bankiers en reclamejongens, mensen in een pak. Ze hadden geen benul van de criminele broederschap, behalve dan wat ze zelf over misdadigers publiceerden.

Op dit moment benijdde Maggie hen werkelijk. Soms, wanneer de vrouwen in haar salon over hun leven praatten, kon ze hen wel schieten. Niet degenen uit haar eigen wereld, met hun geblondeerde haar en permanentjes, maar de vrouwen die in het weekend kwamen. Ze noemde hen altijd de chique tantes, die het over hun vakanties en werk hadden. De vrouw die het abnormaal vond om de rechtszaak van de echtgenoot van een vriendin te bespreken, of zijn laatste escapades met de vrouwelijke sekse. Zij waren aan het sparen, wilden meer promotie op hun werk, want dat betekende meer geld en dan konden ze kinderen nemen.

Vrouwen wier echtgenoot niet elk moment kon worden weggeroepen, of elke dag hun leven op het spel zette en een zware gevangenisstraf riskeerde.

Vanavond had ze op dit punt Jimmy voor een ultimatum willen stellen, maar plotseling wist ze dat ze zich de moeite kon besparen. Dit was ervoor nodig geweest om in te zien hoe haar leven er werkelijk uitzag.

Het maakte niet uit wat ze zei, hij ging toch wel, dus besloot ze dat zijn brave kleine meisje er nu maar eens een keer niet voor hem was. Hij zocht het zelf maar uit, dan kwam hij er vanzelf wel achter hoe het was als zij niet altijd voor hem klaarstond. Ze gedroeg zich mal, kinderachtig zelfs, zo zou haar man er tenminste over denken. Ze liet hem zelden zitten en het feit dat ze het nu wel deed, zou Jimmy verdomme wel leren.

Ze wist dat hij moest gaan. Er zat zoveel kwaad bloed tussen Freddie en de Blacks dat ze anders nauwelijks meer bij hun zaken betrokken zouden worden, maar het knaagde toch. Freddie kwam overal mee weg, de pooier. Hij was een verdomde mislukkeling, hij deed altijd of hij heel wat was, maar als het erop aankwam stak hij geen hand uit. Ze wilde dat hij voor één keer eens deed waarvoor hij betaald werd, in plaats van Jimmy overal voor op te laten draaien.

Jimmy was Ozzy's rechterhand. Hij verdiende goed geld en ze hield oprecht van hem. Ze probeerde zich voor te stellen hoe het met iemand anders zou zijn, maar dat lukte niet. Er was nooit iemand anders geweest, en die zou er nooit zijn ook. Ze wist dat dat ook voor hem gold. Opeens voelde ze zich schuldig, ontrouw, en in hun wereld was loyaliteit alles. Haar Jimmy zorgde goed voor haar en ze waren nog jong, er zouden nog genoeg andere avonden komen.

Toen ze voor de deur van haar moeders huis parkeerde, had ze er spijt van dat ze niet thuis was gebleven om hem op weg te helpen. Eigenlijk was hij een schat van een man, echt. Het schuldgevoel begon nu aan haar te knagen en ze kalmeerde zichzelf. Ze wilde hem helemaal niet aan zijn lot overlaten, hem zonder gedag te zeggen laten gaan. Woede was een vreselijk gevoel, je ging er allemaal verkeerde dingen door doen.

Ze bleef in haar Mercedes sportwagen zitten en moest even huilen. Ze wist dat Jimmy haar vanuit Glasgow zou opbellen. Ze zou opnemen en dan zou alles weer in orde zijn. Maar ze kon hem niet op het vliegtuig laten stappen zonder het goed te maken. Stel je voor dat er iets met hem gebeurde?

Ze hield van hem, zou altijd van hem blijven houden, en ze wist dat het verkeerd was om hem dit aan te doen. Maar ze wilde zo graag een kind en dit was het perfecte moment om een volmaakte, schitterende kleine Jackson te maken.

Ze plakte een glimlach op haar gezicht, keerde de auto en reed zo snel ze kon naar huis.

De Blacks ziedden van woede. Freddie had de knuppel in het hoenderhok gegooid en nu stonden ze op ontploffen.

Freddie gaf altijd meer gedonder dan John Wayne en nu had hij ervoor gezorgd dat de chemicus naar hen in plaats van naar

Londen toe was gegaan. Londen, waar die klerezooi werd gefabriceerd en gedistribueerd. Volgens Freddie zouden ze ook nog de eerste keus van dat klassespul krijgen.

Hij had het allemaal aan het rollen gebracht en ze zouden hem wel eens even een lesje leren, en met wie werden ze opgezadeld?

Met kleine Jimmy.

Nou, ze móchten en respectéérden Jimmy, maar ze wílden Freddie. Ze wilden het hem inwrijven, ze wilden hem uit zijn tent lokken, zonder wapens, want iedereen wist dat hij een meester was met wapens.

Ze hadden ook gehoord dat hij een of andere meid de nek had omgedraaid, een hoer, met zijn jongeheer, godbetert. Ze waren al pissig op hem, maar nu hadden ze des te meer reden om het hem in te peperen.

Hij dacht dat hij god was, beter dan wie ook in zijn buurt, en dat akkefietje van laatst slikten ze ook zo maar niet, ook al dacht hij van wel. Ze waren zich er terdege van bewust dat Freddie op zijn laatste benen liep, niet alleen met hen, maar met iedereen die iets met hem te maken had. De Blacks waren fatsoenlijke kerels met vrouw en vriendin, en zowel wettige als onwettige kinderen. Zij zorgden voor degenen die afhankelijk van ze waren, wat meer was dan je van die gajeskop Jackson kon zeggen.

Het gerucht ging dat zelfs Ozzy het tot hier had zitten met hem. En als dat zo was, dan konden ze niet alleen vet scoren, maar ook nog eens een paar bonuspunten verdienen. En dat werd hun missie. De broers waren er helemaal klaar voor en als dat betekende dat ze het op Jimmy moesten afreageren, dan moest dat maar. Hij was een aardige en harde jongen, maar hij was ook familie van dat stuk moordenaarsvreten. Maar voor Jimmy hadden ze ontzag, per slot van rekening was hij wel het apengatje van Ozzy. Ozzy mocht dan niet in de buurt zijn, vergeten werd hij nooit.

Jimmy keek op van de puinhoop die hij in de kleedkamer had gemaakt en zag met een glimlach de coup soleil van zijn vrouw opduiken. Hij had gehoopt dat ze terug zou komen. Hij begreep haar woede, en het speet hem ook, maar uiteindelijk was werk nu eenmaal werk en hij moest de zaken rechtzetten. Daar werd hij voor betaald, daarvan kochten ze hun huizen en konden ze dit leven leiden.

Dat wist ze wel en hij wist dat ze van streek was omdat ze al van alles had voorbereid. Maar Ozzy was hun werkgever en hij moest de zaken soepeltjes laten verlopen met zo min mogelijk gedoe en zo efficiënt mogelijk.

Hij hoorde Maggie het huis binnenlopen en de trap op rennen, zelf liep hij naar de slaapkamer. De kleedkamer zag eruit alsof er een bom was gevallen en hij wist dat ze daar kwaad over zou worden.

Daar stond ze dan met haar lieve gezichtje. Haar blonde haar zat als altijd onberispelijk, ze was niet zwaar opgemaakt maar ze zag er onveranderlijk gezond uit, alsof ze het buurmeisje was. Het ongelooflijk knappe en sexy buurmeisje.

'Sorry, babe.'

Ze wist dat hij het meende.

'Ik vind het ook erg, want ik had me echt op vanavond verheugd. Ik wilde er een fantastische avond van maken.'

'Dat gebeurt ook, schatje, als ik uit Bokland terugben.

Ze moest erom lachen. 'Bokland? Die had ik nog niet gehoord.'

Hij trok haar in zijn armen. 'De Blacks zijn in alle staten, alleen maar omdat die klootzak van een Freddie...' Hij maakte de zin niet af, maar dat hoefde ook niet. 'Hij heeft ze vanaf dag één lopen opdraaien, dus nu moet ik er echt heen om de zaken recht te zetten.'

Maggie keek in zijn knappe gezicht, zag zijn diepblauwe ogen en zijn donkere aantrekkingskracht. Ze verlangde naar hem zoals ze nog nooit naar hem had verlangd.

Hij kuste haar hard op de lippen. 'Je weet dat ik er helemaal niet heen wil en als ik de keus had, zou ik bij jou blijven, dus, alsjeblieft, liefje, ga van m'n nek, ja? Het is werk, popje, alleen maar werk en je weet dat ze vanwege die lulhannes alleen nog maar naar mij luisteren.'

Ze glimlachte naar hem, een oprechte glimlach. Dit was de man die ze beminde, de enige man van wie ze ooit had gehouden. Ze had van haar leven nooit met iemand anders willen zijn. Zelfs toen ze jong was, toen haar vriendinnen over popsterren droomden, had zij haar ogen niet van Jimmy kunnen afhouden.

Hij was alles wat ze ooit had gewild en alles wat ze ooit nodig zou hebben. Hij duwde haar op bed en ze liet toe dat hij haar nam, daar was ze altijd toe bereid. Dankbaar dat hij haar wilde, dankbaar dat hij in haar leven was en dankbaar dat hij net zoveel van haar hield als zij van hem.

Ze vroeg zich vaak af of hij het ook met andere meisjes deed. Ze wist dat ze achter hem aan zaten en waarom ook niet? Hij was verdomme in meer dan één opzicht een begerenswaardige prooi. Maar ze zette die gedachten uit haar hoofd. Wat niet weet...

'Lieveling, we gaan de mooiste baby ter wereld krijgen, hè? Een knappe, schattige baby die precies op jou gaat lijken.'

'Ik hou zoveel van je, Jimmy.'

Hij grinnikte en kuste haar teder op de lippen. 'Je zult nooit weten wat liefde is, totdat je de liefde binnen in me kunt voelen, lieveling.'

Haar hart zwol op van trots. Hij meende het, daar was ze van overtuigd. Hij was haar grote liefde, haar enige liefde, zoals zij dat ook voor hem was. Het was net als die plaat van Barry White die ze zo mooi vond. Dat was hun nummer, daar hadden ze voor het eerst op gedanst in de jongerenclub. Hij was haar eerste, haar laatste, haar alles.

En dat zou altijd zo blijven, zo lag het gewoon tussen hen. Zonder hem was ze niets, voelde ze niets. Ze was van hem en hij wist dat beter dan zijzelf.

Freddie keek op de klok en Liselle vroeg zich af wat hij in zijn schild voerde. Ze runde al jaren samen met Paul de pub en ze wist wanneer iemand ergens op zat te wachten. Daar had ze een neus voor gekregen.

Ze had bankrovers zien wachten tot ze aan de bak gingen, moordenaars die zaten te wachten tot hun slachtoffer vertrok. En in hun buurt waren moorden niet van de lucht, laat staan het beramen ervan, dus ze kende haar pappenheimers beter dan wie ook. Ze had voor haar vaste klanten vaak genoeg tegen de kit gelogen.

Dit was een pub van oude rotten en terwijl ze Freddie zo gadesloeg, wist ze dat hij iets ging doen waar hij zich voor zou schamen. Het straalde van zijn smoelwerk af, zoals haar vader dat placht te zeggen. Hij ging een klotestreek uithalen. Zo was het met mensen als Freddie altijd.

Jackie deed haar uiterste best, dat kon niemand ontkennen, maar haar kinderen waren de grootste klootzakken van de buurt. Diep in haar hart haatte ze hen. Ze had haar handen vol aan ze.

Zoals altijd was het veel te warm in huis. Het was er ook

heel smerig en het stonk er verschrikkelijk. Ze hadden vis en patat gegeten en het huis rook naar azijn en goedkope kabeljauw. Bovendien plaste kleine Freddie vaak ter plekke waar hij zat in zijn broek, en elke keer dat de verwarming aansloeg was de stank niet te harden.

Nu zat Jackie thuis en sloeg haar dochters gade die naar hun lievelingsfilm, *Pretty Woman*, zaten te kijken. Ze kon het wel uitschreeuwen. Wat vonden ze nou mooi aan een film over een prostituee? Soms had ze het gevoel dat ze haar uitlachten, dat ze wisten wat hun vader had gedaan. Vooral Kim, die haar moeder kon aankijken en dan haar schouders omhoogtrok, zo van: mijn naam is haas, maar denk maar niet dat ik het niet weet. Jackie dronk haar borrel snel op. Dit had ze nodig, meer niet, dat stelletje herinnerde haar eraan wat een rotleven ze had.

Soms vroeg ze zich af waarom het haar nog iets kon schelen. Kleine Freddie was volkomen van god los en ze moest alles uit de kast halen om hem uit de klauwen van de kinderbescherming te houden. De meisjes maalden niet om haar en ze wist dat zodra ze oud genoeg zouden zijn, ze zich uit de voeten zouden maken. Weg uit die rotzooi, en wie kon het ze kwalijk nemen?

Ze waren toch altijd al veel liever bij Maggie. Ze vonden het daar heerlijk, volgens hen was het een cool huis, de beste plek van de wereld. Iedereen zou denken dat Maggie hun moeder was, zoals ze met haar wegliepen. Ze hadden het over haar salons, haar kleren en de regelmatige sessies onder de zonnebank. Wie dachten ze wel dat ze waren?

Zíj was hun moeder, zíj had ze ter wereld gebracht, zíj had ze opgevoed. Toen Freddie in de lik zat, had ze alles voor ze gedaan wat ze maar kon.

Maar kon er een bedankje af? Stank voor dank kon ze krijgen. Ze waren de ondankbaarste rotzakkies ter wereld en ze had ze allemaal op de wereld gezet.

Kleine Freddie spuugde naar haar toen hij langs haar heen liep om in de keuken snoep te gaan halen. Hij spuugde vaak naar haar, spuugde naar iedereen en dacht dat hij nog leuk was ook. Haar hand schoot uit en ze gaf hem een flink pak op zijn broek, waarna hij het uitgilde van de pijn en zoals altijd ging hij haar vervolgens te lijf.

Hij trok aan haar haar, spoog, schreeuwde tegen haar, schold haar uit.

Uiteindelijk stompte ze hem uit alle macht in de buik zodat hij dubbelsloeg. Hij kroop over de vloer en eindelijk, voor het eerst ooit, hield hij zijn rotkop.

Ze kreeg dat triomfantelijk gevoel dat ze altijd had als hij haar geduld tot het uiterste dreef.

Bij zijn volgende aanval werd ze op haar rug gegooid en de meisjes moesten hem met vereende krachten van zijn moeder wegtrekken.

Het ergste was nog wel dat ze hem zoals altijd uitlachten.

Het was stil in huis, Maggie lag in bad en wentelde zich in een absoluut geluksgevoel.

Ze was blij dat ze niet bij haar moeder was gebleven. Als ze alleen was voelde het huis weliswaar veel te groot voor haar, maar ze was blij dat ze naar haar echtgenoot toe was gegaan. Het woord echtgenoot werd tegenwoordig niet meer door vrouwen gebezigd, er werd bijna geringschattend op neergekeken, maar ze was blij dat Jimmy de hare was, blij dat hij haar echtgenoot, haar man was, haar wederhelft, zoals haar moeder zou zeggen.

Ze nipte van haar wijn en stak een sigaret op. Ze trok eraan en kreeg vlinders in haar buik, dat had ze ook vaak als ze zich voor de geest haalde dat ze met Jimmy naar bed ging. Alsof ze een steile heuvel nam in haar Merc, de opwinding als zijn handen over haar lichaam gingen. Zijn tong, zijn zware lijf boven op het hare als ze klaarkwam.

Ze sloot haar ogen en nam nog een trekje van haar sigaret. In de slaapkamer had ze Barry White opstaan. Zijn volle bariton weerklonk door de kamer en suite en ze dacht aan Jimmy en hoe ze met hem vrijde... toen voelde ze een hand op haar schouder.

Haar ogen schoten open en ze liet haar sigaret op haar borst vallen. Ze schoot van pijn en angst overeind en keek in het lachende gezicht van Freddie Jackson.

'Alles goed, Mags?'

Hij grijnsde haar aan en ze was verbijsterd omdat ze naakt was.

Ze voelde de gal uit haar maag omhoogkomen toen hij langzaam zijn lippen aflikte en toen, nogmaals glimlachend, zei: 'Wat is er, liefje, uitgeput?'

Ze voelde zich zo kwetsbaar, zo bang, erger nog, ze voelde zich als een vrouw die volkomen aan haar lot was overgelaten en compleet was overgeleverd aan andermans genade.

Ze zonk terug onder het badschuim om haar beschamende naaktheid te bedekken, beschaamd dat ze zich niet voldoende had beschermd en omdat ze in haar hart had geweten dat deze dag een keer zou komen. Nu was het dan zover en ze wist niet of ze de kracht had om hem van zich af te houden.

Het feit dat ze niet had gevraagd wat hij daar deed of wat hij wilde, zei hem meer dan genoeg.

'Alsjeblieft, Freddie, ga naar huis, laat me met rust...'

'O, schiet toch op, Maggie, jij wilt dit net zo graag als ik en je hebt me mooi laten wachten. Ik wil niet meer wachten.' Toen sleurde hij haar bij haar haren uit het bad en tilde haar op alsof ze een veertje was.

Ze gilde, maar ze wist dat haar geschreeuw verspilde moeite was. Niemand zou haar horen, dat was het nadeel van grote, goedgebouwde huizen. Ze voelde hoe haar voeten over de vloer werden getrokken, ze draaide en kronkelde en probeerde zich uit zijn greep te bevrijden.

Ze wrong zich in alle mogelijke bochten, maar hij lachte alleen maar, steeds harder en harder, smeet haar op het bed, het bed dat ze expres niet had opgemaakt na haar vrijpartij met Jimmy twee uur eerder. Ze probeerde zichzelf nog steeds te bedekken, haar naaktheid te verdoezelen, haar prachtige en zo aantrekkelijke lichaam te verstoppen. Haar echtgenoot was de enige die daar aan mocht komen.

Hij duwde zijn knie tussen haar benen en trok ze uit elkaar. Nu huilde ze werkelijk. Ze smeekte hem snikkend ermee op te houden en haar met rust te laten, voor het allemaal te ver ging.

'Ach, wat is er dan? Ga je me wijsmaken dat je geen harde in je wilt hebben?'

Ze rook hem, hij stonk en ze wist instinctief dat hij al bij iemand anders was geweest. Die gore lucht van een smerige vrouw hing om hem heen en ze wist dat hij dit met opzet had gedaan, hij wilde dat ze zich geen cent waard voelde, en hij had zijn doel bereikt.

Hij drong bij haar naar binnen en het brandde in haar, zoiets had ze nog nooit gevoeld, het was alsof ze een gebruiksvoorwerp was. Hij was zo grof en stonk zo verschrikkelijk dat ze erdoor werd overweldigd. Hij lag boven op haar en toen hij haar probeerde te kussen, trok ze haar gezicht opzij totdat hij haar ruw bij de kin greep en met geweld zijn tong in haar mond drong. Het smaakte afschuwelijk, bier, brandy en dope. Zijn spuug stond stijf van de cocaïne en bleef aan haar lippen hangen waardoor ze bijna stikte.

Het was zo doordringend, dat ze begon te kokhalzen en ze wist dat hij het allemaal prachtig vond, dat hij niet in de gaten had wat er aan de hand was. Voor hem was het gewoon een snelle wip, een manier om haar een lesje te leren. En hij had het allemaal zo uitgedacht dat hij haar kon misbruiken en gewoon weg kon wandelen, wel wetend dat ze het haar man nooit zou kunnen vertellen. Het haar man niet dúrfde te vertellen, aan niemand.

Hij begon te pompen en aan de spanning in zijn armen voelde ze dat hij op het punt stond klaar te komen. Ze probeerde hem van zich af te duwen, maar hij hield haar onder zich en spoog smerige woorden in haar oren toen zijn hete vocht in haar stroomde. Ze voelde zijn ranzige adem en toen zijn zweet zich met haar tranen vermengde, kwam hij met een siddering tot rust.

Hijgend lag hij boven op haar maar hij zorgde er wel voor dat ze nog niet onder hem vandaan kon komen.

Nog nooit in haar leven had ze zo gewalgd, zich zo misbruikt gevoeld.

'Een lekkere beurt had je wel nodig, hè?'

Ze hoorde de lach in zijn stem doorklinken, de triomf en het toppunt van de volslagen bevrediging toen hij haar op het puntje van de neus kuste en zei: 'Hier krijg je geen spijt van, wel, Maggie?'

Ze probeerde hem van zich af te werken, bij hem vandaan te komen, maar hij was te sterk en genoot er veel te veel van.

'Zoals jij je gedraagt zou iedereen denken dat je verkracht bent.'

Hij zat haar op de kast te jagen en toen realiseerde ze zich dat ze het niet van hem kon winnen, dat hij veel sterker was dan zij ooit kon zijn. Dat Jimmy hier niets van zou begrijpen, niet echt, wat hij ook geloofde of wat ze hem ook vertelde.

Ze wist dat Freddie zich terdege bewust was van wat hij aan het doen was. Hij vond het geweldig, genoot van elke seconde en hij zou ermee wegkomen, alleen maar omdat hij zich zou kunnen rechtvaardigen. Zelfs na wat hij met haar had gedaan sprak hij erover alsof het een spelletje was, iets wat ze samen hadden bedacht. Hij had zo lang aardig tegen haar gedaan, ze hadden een soort wapenstilstand bereikt en nu zou hij dat tegen haar gebruiken. Daar kon ze niet tegenop, dat wist ze maar al te goed.

Tijd om te incasseren.

Hij keek op haar neer en zelfs door haar verdriet heen zag ze hoe knap hij was, hoe schaapachtig hij berouw zou voorwenden terwijl hij haar familie uiteenreet. Als Jackie hier ooit achter zou komen, zou de pleuris uitbreken.

Vriendelijk zei hij, alsof hij haar gedachten kon lezen: 'Stel je eens voor wat Jackie zou doen als ze hiervan hoort, hè?'

Deze keer kuste hij haar op het voorhoofd, alsof ze zijn lievelingskind was. Hij kneep haar borst fijn waardoor ze met haar ogen moest knipperen. Toen trok hij zichzelf naar beneden en voelde ze zijn tong tussen haar benen. Op dat moment kon ze eindelijk kotsen.

Ze braakte hem, het bed en het crèmekleurige tapijt helemaal onder.

Ze zag hoe hij boven haar geknield zat, zag zijn zware lichaam, zijn harige benen en zijn gele teennagels; toen gaf ze opnieuw over. Het spoot eruit, over hen beiden en hij lachte alsof het het leukste was dat hij ooit had gezien.

Hij sprong van het bed. Ze werd ziek bij de aanblik van zijn naakte lichaam, zijn volslagen mannelijkheid was zo compleet het tegenovergestelde van wat Jimmy bij haar opriep. Hij had haar verkracht, haar haar kracht afgenomen en die tegen haar gebruikt. Ze zat diep verslagen, wanhopig op bed, elk greintje fatsoen was haar afgenomen. Toen ging de telefoon.

Ze staarde ernaar alsof ze nog nooit een telefoon had gezien. Ze wist dat het Jimmy was, waarschijnlijk belde hij vlak voor de vlucht om haar te zeggen dat hij van haar hield. Om haar te vertellen hoe hij haar zou missen. En daar zat ze in haar eigen huis, onder haar eigen braaksel en keek naar de enige persoon ter wereld van wie haar man net zoveel hield als van haar.

'Zal ik hem nemen, Mags?'

Ze schudde ongelovig haar hoofd. Hij dreef gewoon de spot met haar, genoot van de angst die ze voelde, en ze wist dat ze er niets aan kon doen. De telefoon ging nog steeds over en ze zag dat hij hem aan wilde nemen.

Ze krabbelde over het bed en was er als eerste bij. De lijn was dood en ze voelde pure opluchting dat ze niet met haar man hoefde te praten.

'Je bent wel een gekke meid, hoor, Maggie. Ik wist dat je lekker neukte, als kind had je alles al in je om een prachtmeid te worden. Als ik met Jackie lag te wippen dacht ik altijd aan jou. Nou hoef ik er niet meer over te fantaseren, wel?'

Ze ving een glimp op van zichzelf in de spiegel van de kleedkamer en realiseerde zich toen dat Freddie zichzelf tijdens de verkrachting had kunnen zien.

Ze zat onder het braaksel, haar borsten waren bont en blauw evenals haar bovenbenen. Hij had in haar schouder gebeten en toen ze zichzelf zo zag, voelde ze zich weer tot op het bot vernederd.

Freddie zat op de slaapkamerstoel, de stoel waar ze met Jimmy op had gezeten, waarop ze met elkaar hadden gevreeën en samen tv hadden gekeken.

'Je ziet er niet uit, Maggie. Jackie neukte lekker vandaag en zij hoefde niet over te geven, integendeel, zij vond het heerlijk. Ik moest aan jou denken, ik denk vaak aan jou als ik Jackie neuk, want jij bent een verdomde flitshoer, een flitskút. Jij dacht zeker dat je beter was dan ik, hè? Mooi, nu weet je dat dat niet zo is.'

'Rot op.' Het kostte haar de grootste inspanning iets tegen hem te zeggen, inwendig beefde ze. 'Jimmy zal je hiervoor vermoorden.'

Hij lachte weer, verkneukelde zich van pret en hij schudde zijn hoofd alsof het een komische voorstelling was.

De telefoon ging weer en het geluid klonk hard in de kamer.

'Zal ik hem opnemen, tegen Jimmy zeggen dat we een borrel zaten te drinken en dat alles een beetje uit de hand is gelopen?'

Verschrikt schudde ze haar hoofd en toen wist hij dat hij haar te pakken had.

'Ga nou maar, alsjeblieft.'

Ze rook zichzelf, het braaksel en de onmiskenbare walm van Freddie Jackson, een stank die ze van haar leven niet zou kwijtraken.

Deze keer sloeg het antwoordapparaat aan en hoorden ze Jimmy's stem vanuit de hal opklinken.

'Welterusten, lieveling, ik bel je morgen. Ik hou van je, babe.'

14

Jackie ziedde van woede. Ze voelde zich verraden en haatge-voelens golfden door haar heen.

'Stom wijf, ik heb geen woord gezegd.' Freddie zat op bed een sigaret te roken en hij keek haar zelfgenoegzaam aan. Hij vond altijd alles grappig.

'Je noemde me Maggie. Wat zou jij ervan vinden als ik Jim-my tegen je zei?'

Hij schudde zijn hoofd en gaapte besmuikt. 'Je weet dat die logica van je totaal niet klopt, hè, Jackie? Je zou in geen mil-joen jaar nog in de buurt van Jimmy kunnen komen, maar ik kan me zo voorstellen dat je zus naar mij wel oren heeft. Heb je niet gezien dat ze altijd lief voor me is? Altijd beleefd en vrien-delijk. Ik ben met de verkeerde zuster getrouwd. Ik had moeten wachten tot Maggie oud genoeg was, vind je ook niet?'

'Ze zou je nog met geen baggerstok aan willen raken.'

Ze zei het met elk flintertje zelfvertrouwen dat ze op kon brengen.

Hij drukte zijn sigaret uit en zei luidkeels: 'Wat jij wil, Jackie, maar ik heb zo mijn momenten en dat weet je heel goed. Ik doe het goed bij de vrouwtjes, dat is altijd zo geweest. Maar nu we toch zo eerlijk met elkaar zijn, ik ga vaak genoeg even bij Jimmy langs en denk dan hoe heerlijk het is om getrouwd te zijn met ie-mand die strakke tieten heeft, geen zwangerschapsstrepen en ook nog eens een neus voor zaken heeft, want haar salons ver-dienen goud geld.'

Jackie zweeg. Dat had hij wel verwacht. Zodra hij haar op haar fouten wees, hield ze altijd haar mond, want uit ervaring wist ze dat als ze dat niet deed, hij heel persoonlijk en gemeen kon worden.

'Klootzak.' Dat was alles.

Hij grijnsde.

Na een pijnlijke stilte van een minuut of vijf zei hij op con-versatietoon, alsof ze een stel vrienden waren die zaten te bab-belen: 'Jimmy vertelde dat Maggie zwanger probeert te wor-den. Denk je dat ze na zo'n tijd er nog eentje krijgen?' Hij reikte haar daarmee de hand, gaf haar de gelegenheid om het gesprek voort te zetten. Hoewel hij haar tijdens hun vrijpartij met opzet met haar zusters naam had aangesproken, zat de kans erin dat ze de vrede zou bewaren en normaal met hem zou gaan praten. Net als anders was ze banger dat hij bij haar weg zou lopen dan wanneer hij bleef ruziemaken.

Jackie koos eieren voor haar geld en greep de strohalm als een verdrinkende man beet. 'Maggie is al eeuwen geleden met de pil gestopt, anderhalf jaar al. Jimmy weet dat niet, maar hij zei dat de dokter had gezegd dat het wel een jaar kon duren voordat alles uit haar lichaam verdwenen was. Ik bedoel maar, ze wordt er niet jonger op, wel?'

Hij lachte weer. Alleen Jackie kon zo schitterend uit de hoek komen.

'Hoe moet het dan verder met jou, Jack? Ze is adembenemend, ouwe Maggie, en als ik Jimmy mag geloven, is ze altijd wel in voor een neukpartij.'

'Hou ermee op, Freddie, ze is mijn zus.'

Hij lachte. 'Dat weet ik wel, meid, maar ik wilde dat jij een stukje van haar hersens had, dat je er piekfijn bij liep en een lekkere strakke kut had, niet zo'n gapend gat.'

Ze reageerde precies zoals hij had verwacht. Hij was te moe om haar nog verder van streek te maken, maar hij wist dat hij het zaad had gezaaid, het zou in haar hoofd wortel schieten en uiteindelijk zou de groeiende jaloezie het werk voor hem doen.

Hij zou regelmatig bij Maggie langsgaan en er dan in Jackies bijzijn over beginnen, doen alsof ze intiem waren, toekijken hoe de twee met elkaar overhoop zouden liggen. Hij popelde.

Hij hield Jackie op armlengte afstand totdat ze gekalmeerd was en deed toen wat hij altijd deed, hij knuffelde haar totdat ze in slaap viel.

Maggie zou met de ruwe kanten van het leven geconfronteerd worden en Jimmy zou er wel achter komen dat zijn vrouwtje lang zo gelukkig niet was als hij had gedacht. Ze zou er niets over zeggen, dat wist hij zeker, ze was veel te bang voor de gevolgen.

Hij niet natuurlijk, hij zou ze koesteren.

Jimmy had hem zijn kroon afgepakt en hij had van Jimmy het enige afgepakt waar hij werkelijk om gaf.

Maggie keek op de klok. Het was halfzeven 's ochtends. Ze hoorde het gezang van de vogels en zag het licht over de slaapkamervloer kruipen. Ze lag nog steeds in bad, het water was steenkoud geworden maar ze voelde niets, ze was verdoofd.

Ze had het bed verschoond, het beddengoed afgehaald, in de wasmachine gestopt en het bed weer opgemaakt. Ze had het tapijt gereinigd, de kamer schoongemaakt en zichzelf tot bloedens toe schoon geschrobd.

Ze was in shock na wat er was gebeurd.

Freddie had zijn laatste troef uitgespeeld en ze wist dat dit haar in haar dromen zou achtervolgen, meer nog dan de verkrachting zelf. Ze rook hem nog steeds om zich heen. Het was een weeïge lucht en toen de tranen eindelijk kwamen, kon ze ze niet meer tegenhouden.

In haar hart wist ze dat ze hem aan de schandpaal moest nagelen, dat hij nooit meer de kans mocht krijgen, dat ze niet in zijn geheim mee mocht gaan. Maar ze wist ook dat als ze dat deed, haar huwelijk binnen de kortste keren op de klippen zou lopen.

Van wie ook, een vreemdeling, een kennis, zou Jimmy het hebben geloofd. Maar niet van Freddie. Jimmy zou daar nooit overheen kunnen komen. Met geweld of anderszins, er zouden doden vallen en ze realiseerde zich dat zij dat net zo goed zou kunnen zijn. Jackie zou haar verstand verliezen, zou nooit geloven dat Freddie tot zoiets in staat was. Dat kon ze gewoon niet, als ze dat wel deed zou haar eigen leven naar de kloten zijn en was er geen weg terug voor de beide zusters.

Maggie voelde zich verslagen, moedeloos en totaal in puin. Ze was slim genoeg om te weten dat dit precies was wat Freddie wilde, en dat ze hem feitelijk in de kaart had gespeeld. Hij had gewonnen en in meer dan één opzicht. Van nu af aan moest ze het spel intelligent spelen, ervoor zorgen dat ze nooit alleen met hem was en hem nooit de gelegenheid geven zonder anderen in de buurt met haar te praten.

Haar plezierige leventje waar ze zo van had genoten, was binnen een paar uur veranderd in een angstige reis, ze wist gewoonweg niet hoe ze dit beter kon aanpakken. Ze zou alle waardigheid die ze nog had bij elkaar schrapen en in de nasleep van al die haat haar leven proberen terug te winnen. Want daar kwam het allemaal door. Haat. Ze had het in golven van hem af voelen komen.

Maar het ergste van alles was nog dat ze zich zo volslagen hulpeloos voelde, dat ze geen raad wist met haar problemen, dat ze feitelijk het bezit was geworden van iemand die ze haatte.

Toen de melkboer een uur later de melk kwam brengen, lag ze nog na te snikken.

Jimmy was ongerust. Hij kon Maggie niet te pakken krijgen.

De Blacks lagen dwars, de chemicus sprak bijna geen Engels en alles bij elkaar had hij het helemaal gehad. Maar zoals altijd probeerde hij positief te blijven.

Dat was nog zo'n les van Ozzy, positief blijven. Hij vermoedde dat alle grote denkers erover hadden gedelibereerd dat positief denken werkelijk werkte, dus dat zou dan wel.

'Blijf kalm. Dit is niet iets wat je overkomt, je moet ermee leren omgaan.' Dat was een uitdrukking van Maggies moeder. Ze was een stuk bagger, maar deze kon hij wel waarderen en toen hij hem tegen Ozzy vertelde, hadden ze er samen om moeten lachen.

Hij voelde zijn woede wegebben. Hij deed zo zijn best om positief te blijven terwijl hij eigenlijk alleen maar thuis bij zijn vrouw wilde zijn en haar gezicht wilde zien wanneer ze haar huwelijkscadeau uitpakte. Hij had het in de garage voor haar neergelegd, op de stoel in haar auto.

Hij stelde zich voor dat ze er glimlachend en mooi gekleed heen liep – Maggie zag er altijd pico bello uit – en de leren doos op de passagiersstoel van de Merc zou zien staan.

Hij wist dat ze in de wolken zou zijn.

Hij wilde dat hij nu een mobieltje had. Veel mensen hadden die tegenwoordig al. Net als Ozzy maakte hij zich er ook ongerust over, want ze konden veel te makkelijk als bewijs worden gebruikt. Maar als hij er nu een had gehad, had hij Mags kunnen bellen en zeggen dat hij van haar hield. Geen rechter die dat tegen hem zou kunnen gebruiken.

Maggie had een autotelefoon, maar hij belde daar nooit naartoe omdat dat een fortuin kostte, hij kon trouwens nooit het nummer onthouden.

Hij was niet iemand van hebbedingetjes, maar kreeg nu het gevoel dat hoe sneller hij dat werd, des te gelukkiger hij zou zijn.

Hij had op alle antwoordapparaten een boodschap voor Maggie achtergelaten, thuis, in de salons, bij zijn nummer in Glasgow. Ze had nog steeds niet teruggebeld en hij wist dat ze haar cadeautje nu wel moest hebben gevonden.

Ze zou het absoluut prachtig vinden. Maggie hield wel van een beetje gekkigheid en dit was een eersteklas speeltje. Hatton

Garden, niets gestolen of onwettigs aan. Hij had nog nooit van zijn leven iets in huis gehad wat hem in een netelige situatie zou kunnen brengen. Nog zo'n waarschuwing van Ozzy: je moet nooit gestolen goed in je huis of je auto hebben liggen, bewaar je aankoopbonnetjes altijd als bewijs, en als je wat koopt, doe dat dan zo theatraal en vriendelijk mogelijk, zodat ze je zich in geval van nood nog kunnen herinneren.

Bovendien: leef nooit boven je stand, berg je geld buiten je huis op tenzij je kunt bewijzen waar het vandaan komt en ga nooit in gesprek met de kit of met bajesklanten die je niet persoonlijk kent of niet door iemand anders zijn aanbevolen.

Het was een verstandig advies en hij realiseerde zich dat nu meer dan ooit.

Als ze vanmorgen nog zijn huis zouden overvallen, zou er niets belastends te vinden zijn. Maggies salons verklaarden hun inkomsten evenals zijn huurpanden, zijn vijftien legale gerechtsdeurwaarderskantoren en twee aparte beveiligingsbedrijven. Die werden door een stel kerels gerund die hoog stonden aangeschreven, zo glad als een aal waren maar nog nooit in het gevang hadden gezeten. Ze speelden een ondergeschikte rol maar hij zorgde dat ze goed verdienden, beter dan ze ooit hadden kunnen dromen en daar waren ze hem werkelijk dankbaar voor.

Ozzy was een rijke bron van wijsheid en hij was dol op hem en zijn uitdrukkingen.

Neem nooit een hond om zelf te gaan blaffen... ergo: waarom iemand bedreigen als je iemand anders het vuile werk op kunt laten knappen? Tenzij het persoonlijk was, natuurlijk.

Schijt nooit op je eigen drempel, je zou er alleen maar over uitglijden en er een stel gebroken botten aan overhouden.

En zijn favoriet, zoals de Hollywoodbobo's altijd plachten te zeggen en wat ook voor de moderne crimineel opging: zorg dat je nooit betrapt wordt met een dood meisje of een levende jongen.

Van die was hij niet meer bijgekomen. Totdat Freddie had bewezen hoe waar die uitdrukking was.

Hij hoopte alleen maar dat dit drama in de komende paar dagen zou worden opgelost zodat hij naar huis kon en een lekkere nacht met zijn vrouw kon doorbrengen.

Hij was dol op Maggie en wist dat hij geluk met haar had gehad. Maar hij wilde dat ze belde, dan pas kon hij gerust zijn.

De slotenmaker vertrok net toen Lena in een taxi bij het huis aankwam. Ze zag dat haar dochter de man betaalde en het verbaasde haar dat ze er zo slecht uitzag. Maggie was zeker niet ziek, gisteren had ze er nog fantastisch uitgezien en vandaag zouden ze in Lakeside gaan winkelen.

Ze hoopte dat het oké was met Maggie. Ze verheugde zich op een dagje uit en ze vond Lakeside een leuk winkelgebied. Wat haar betrof kon ze daar een hele dag zoet brengen.

Ze betaalde de taxi en was wat op haar teentjes getrapt dat Maggie niet zoals gebruikelijk met het geld over de brug kwam. Ze zou zelfs kunnen zweren dat haar dochter haar niet eens had opgemerkt. Ze liep de oprijlaan op. Het was zo'n prachtig plekje en ze genoot altijd weer van de pracht en praal. Jackie was een verloren zaak, een nagel aan haar doodskist, maar Maggie, die was iemand uit een film, een ster of zoiets. Ze was zo succesvol in haar leven en Lena herinnerde zichzelf er altijd aan dat ten minste één van haar kinderen die smet van een gemeentewoning van zich af had weten te wassen. Dat straalde op haar af en ze genoot van elke seconde.

Ze moest op de deur kloppen, wat aangaf hoezeer haar dochter van slag moest zijn.

'Wie is daar?'

Lena stond perplex. 'Wie denk je, stomme sukkel? We hadden een afspraak, weet je nog? Doe die verdomde deur open en zet een ketel water op.' Ze lachte luidkeels, net als anders en hield toen plotseling op. Ze bedacht dat ze hier in een nette straat was en dat Jimmy zelfs meer nog dan Maggie de wenkbrauwen zou fronsen als ze stond te vloeken en schelden.

De deur ging langzaam open en Maggie glimlachte lusteloos. 'Je lijkt wel een opgewarmd lijk!'

Maggie had wel in tranen kunnen uitbarsten. Dit was wel het laatste wat ze nodig had, maar in de chaos was ze compleet vergeten dat haar moeder langs zou komen. 'Ik voel me echt heel beroerd, mam.'

'Een kater van je trouwdag, zul je bedoelen!'

Maggie schudde verdrietig haar hoofd en kon wel janken. 'Je weet toch dat Jimmy in Schotland zit.'

Haar stem bibberde en het kwam er benepen uit, zielig.

Lena was bezorgd. Ze zág er inderdaad beroerd uit. Eigenlijk zag ze er verschrikkelijk uit.

Ze stommelde rond, deed haar jas uit en haalde haar sigaretten en aansteker uit haar tas. In de grote keuken zette ze zelf maar een ketel water op en ging toen aan de geboende grenen tafel zitten. Toen ze een sigaret had opgestoken, was ze er helemaal klaar voor. 'Je hebt de griep, meissie, dat zie je op kilometers afstand.'

Maggie probeerde weer een glimlachje. 'Ik barst van de koppijn, mam, ik denk niet dat ik mee kan winkelen.'

Lena was teleurgesteld maar haar dochter zag er zo verschrikkelijk uit dat ze vriendelijk zei: 'Duik je bed in dan breng ik je een kop thee en wat ontbijt, oké?'

Maggie schudde haar hoofd. 'Alleen thee, dat is genoeg.'

'Waarom was de slotenmaker hier, trouwens? Ben je je sleutels weer eens kwijt?'

Maggie slaakte een diepe zucht en Lena keek haar nogmaals bezorgd aan. Het meisje had duidelijk iets onder de leden en ze zag er uitgeput en gedeprimeerd uit. Het zat in haar ogen, ze leken wel dood. Haar dochter leek griezelig veel op haar zuster, vernield, haar huid zag grijs. Dat alleen al alarmeerde Lena op een of andere manier. Ze maakte zich plotseling werkelijk ongerust. Haar kindje zag er echt heel ziek uit, donkere kringen onder haar ogen en een bleke gelaatskleur onder de gebruinde huid. Ze zag geel, alsof ze dagen niet had geslapen.

'Nou, geef antwoord, waarom heb je alle sloten laten veranderen? Wat is er aan de hand? Je hebt toch geen inbreker op bezoek gehad, wel?'

Maggie barstte in tranen uit, de tranen stroomden stilletjes over haar wangen en ze deed geen enkele poging ze tegen te houden.

Lena werd nu bang. Ze vloog naar haar dochter toe en trok haar stevig in haar omvangrijke armen. 'Hé, rustig, meissie, gaat het? Ben je beroofd of zoiets?'

Ze zei het zacht, zorgzaam en toen werd het Maggie allemaal te veel. Door het meeleven van haar moeder boven op wat ze had meegemaakt begon ze te snikken, eerst zacht maar na een paar tellen met lange uithalen. Ze klonk als een dier in nood.

Lena wiegde haar dochter en probeerde lieve woordjes tegen haar te fluisteren die alle moeders tegen hun kroost prevelen. Ten slotte, het leek wel een eeuw te duren, kwam Maggie tot bedaren maar ze hield haar gezicht begraven in het spiksplinternieuwe Marks en Spencer twinset van haar moeder.

'Wat is er in hemelsnaam aan de hand? Zeg het me, liefje, vertel het je moeder maar.'

Maggie snikte nog steeds, sidderde alsof ze het koud had, ook al was ze nu wat kalmer.

'Is er ingebroken, schatje? Heeft iemand ingebroken?'

'Nee. Doe niet zo gek, mam.'

Maggies stem klonk ruw en Lena schrok van de toon waarop ze het zei.

'Ik heb alleen maar mijn sleutels verloren. Jezus, mam, laat toch zitten, ja?'

Lena slikte haar antwoord in. De zogenaamde verloren sleutels lagen op het tafeltje in de hal, ze had ze zien liggen toen ze binnenkwam. Maggie had een aparte, zwaar koperen sleutelring waarin je als je goed keek haar naam gegraveerd zag staan.

Lena hield dat voor zichzelf en zette thee. Ze wist dat wanneer haar dochter eenmaal zover was, ze wel met een verklaring zou komen. Ze hoopte dat het niets met Jimmy te maken had, maar zette die gedachte uit haar hoofd. Wat het ook was, het had niets met hem van doen. Die twee waren dol op elkaar. Nee, hier was iets heel anders aan de hand. Maggie zag er niet uit en Lena concludeerde dat ze waarschijnlijk van streek was omdat ze zich zo beroerd voelde. Ze had jaren geleden een keer migraine gehad en dat wilde ze nooit meer meemaken.

Maar waarom had ze de sloten veranderd? Als er iets was gebeurd, zou ze de politie wel hebben gebeld. Waarom zou ze niet... alles hier was zo legaal als wat. Gestolen goed hadden ze niet in huis, zo slim waren ze wel.

Lena wist het niet meer, maar ze was verstandig genoeg om er nu niet over door te vragen. Maggie was nog steeds in de war en moest gekalmeerd worden. Maar dit maakte haar wel angstig, dit was helemaal niets voor haar dochter en ze hoopte niet dat het iets naars was, iets wat niet meer rechtgezet kon worden.

De enige persoon in de wereld die haar dochter dit kon aandoen, was Jimmy, maar hij zou haar nooit kwetsen, dat wist ze heel zeker.

Ze slaakte een diepe zucht en stak de zoveelste sigaret op.

Nou, zoals haar oude moeder altijd zei, in de was komt alles er wel uit.

Jackie bekeek zichzelf in de manshoge slaapkamerspiegel. Ze was net in bad geweest en wist dat dat bepaald geen overbodige luxe was geweest.

Doordat ze zoveel dronk had ze geen dagelijkse routine

meer, hoewel ze sowieso altijd al lui was geweest. Toen haar echtgenoot in de lik zat, vond ze zichzelf niet meer belangrijk. Ze was gaan drinken om haar strijd met de kinderen en haar worsteling met de eenzaamheid het hoofd te kunnen bieden. Freddie had dat nooit begrepen, hij had altijd soortgenoten om zich heen gehad. Zij was daarentegen te angstig om naar de pub te gaan, een man aan te spreken of in welke situatie ook betrapt te worden die verkeerd uitgelegd zou kunnen worden. Haar wereld was gaandeweg geïmplodeerd en koning alcohol was haar beste vriend geworden, wodka als ze van streek was, wijn en cider als ze dat niet was.

Ze sloot haar ogen en genoot van haar borrel. Het gaf haar een kick, meer nog dan de pillen, hoewel de valium die ze ook regelmatig innam altijd de kleine kreukels in haar leven gladstreek. Het rondde de scherpe kantjes af, maakte het leven een beetje draaglijker.

Ze had urenlang liggen weken, in de wetenschap dat de viezigheid tijd nodig had om van haar tenen op te lossen. Ze had besloten dat ze weer beter voor zichzelf moest zorgen en dus zat ze om halftwaalf 's ochtends aan de witte wijn met wodka en probeerde oogschaduw en lippenstift op te doen.

Ze hoorde de meisjes in hun kamer fluisteren. Ze waren aan het lachen, echt aan het lachen en het geluid knarste in haar hoofd. Stiekem dacht ze bij zichzelf dat ze om haar lachten.

'Hou op met dat gedonder, verdomme, en sodemieter op!'

Ze hoorde haar stem woedend overslaan en haatte zichzelf erom.

Ze wist dat het prima meiden waren. Ze wist ook dat ze misbruik maakten van het feit dat ze dronk en altijd ruziemaakte. Ze gooide nog een geel pilletje in haar mond en slikte het zonder water door.

Het lachen was opgehouden maar de muziek bleef aanstaan. Zelfs die herrie van de Spice Girls had ze nog liever dan dat geginnegap, waardoor ze altijd wat paranoia werd, alsof ze de spot met haar dreven. En waarschijnlijk was dat ook zo. Toen ze eerder in bad ging, had er uit volle borst *happy birthday* door het huis geklonken en dat was niet best geweest voor haar toch al slechte gevoel voor humor.

Een poosje later kwam Kimberley binnen. 'Je ziet er leuk uit, mam, waar ga je naartoe?'

Jackie raakte nog meer gedeprimeerd doordat ze aannam dat ze ergens naartoe ging. Was het al zo erg? Ze keek haar dochter aan. Kim werd een prachtig meisje, had alle welvingen op de juiste plaats zitten. Zo werden ze allemaal en haar jaloezie kende geen grenzen. 'Wie denk je wel niet dat je bent, de verdomde politie?'

Ze zag de verwarring in haar dochters ogen, de verbazing dat haar moeder zich netjes had aangekleed en make-up had opgedaan. Normaal lag ze in bed met haar schorre stem bevelen te schreeuwen terwijl ze de sigaretten en wodka van de vorige dag eruit aan het hoesten was.

'Ik vroeg het alleen maar!'

'Nou, hou daar verdomme mee op. Moet ik soms een reden hebben om mezelf een beetje op te knappen? Waarom wordt er in dit huis zo'n klotetoestand van gemaakt als ik er eens een keer leuk uit probeer te zien?'

Jackie wilde dat ze haar mond kon houden, maar dat ging niet. Ze moest zich tegenover deze jonge mensen altijd rechtvaardigen, die naar haar keken, haar veroordeelden en haar als moeder, persoonlijkheid en als mens jammerlijk mislukt vonden.

'Nou, sorry hoor, dat ik je iets heb gevraagd.'

Ze struinde kwaad weg en Jackie onderdrukte de neiging om haar terug te roepen en haar te knuffelen. Ze hadden er een bloedhekel aan als ze hen knuffelde en ze wist dat dat kwam door de stank van drank, wanhoop en, nog het allerergste, de stank van hopeloosheid. Haar wereld was al lang geleden ingestort en ze wachtte nu op de ultieme uitbarsting, dat Freddie eindelijk bij haar weg zou gaan. Zodra dat gebeurde, zou het met haar afgelopen zijn.

Freddie had haar de avond tevoren bang gemaakt. Een vrouw zonder gezicht kon ze nog wel aan, maar haar eigen zuster? Haar Maggie, die waarschijnlijk de enige mens op aarde was die ze met haar man in de buurt kon vertrouwen. Ze vertrouwde hem met helemaal niemand, maar wel met haar zuster. Ze had geweten dat wat hij ook wilde, Maggie haar dat nooit zou aandoen, maar nu was ze daar niet meer zo zeker van.

Maggie was niet alleen jong, ze was ook nog eens mooi. Ze was oogverblindend en verzorgde zich heel goed. Soms ging Jackies jaloezie zo ver dat het haar wanhopig maakte dat Maggie zo'n mooi jong lichaam had met zo'n strakke huid.

Maar Maggie zou toch zeker niet vreemdgaan? Dat was het probleem, dat Jackie er niet meer van overtuigd was. Haar zelfvertrouwen was te grabbel gegooid, haar leven lag in de toilet-pot en haar hoofd ging alle kanten op. Ze was een puinhoop.

Als Freddie iets wilde, zorgde hij ervoor dat hij het kreeg en niemand wist hoe charmant hij kon zijn wanneer hij iets in zijn hoofd had gezet. Hij zou frontaal in de aanval gaan en Maggie zou niet weten wat haar overkwam. Jimmy was haar wereld, maar als ze problemen hadden, wist ze dat Freddie zich ertussen zou wurmen. Hij zou het een goeie grap vinden, denken dat het leuk was om met Jimmy's vrouw naar bed te gaan. Freddie zag alle vrouwen als een prooi en al hun echtgenoten als een stelletje sukkels die uiteindelijk wel achter de ware aard van hun lieftallige vrouw zouden komen.

Maar Maggie? Maggie en Jimmy waren twee handen op één buik, en trouwens, Maggie zou daar te leep voor zijn, veel te leep, toch? Maggie had tenminste nog een greintje loyaliteit, zo zeker als wat.

Of niet?

Ze wist het van Patricia, was helemaal op de hoogte van hun zogenaamde verhouding, wist dat het meer van hem uitging dan van haar. Met de Patricia's kon ze wel overweg, want dat leidde toch nergens toe. Hij was fantastisch in bed, maar zelfs Jackie wist dat hij een type was en de meeste vrouwen wilden zijn soort niet al te lang om zich heen. Hij was gevaarlijk, een klootzak, maar uiteindelijk was hij van haar. Als hij over de schreef ging, stuurden de Patricia's hem aan het eind van het liedje met de staart tussen de benen naar huis en dan kon zij de brokken oprapen.

Dan had hij haar nodig omdat hij zich dan net zo voelde als zij. Waardeloos, ongewild, een nul.

Ze had haar verstand niet meer bij elkaar, de pillen namen het over en ze genoot werkelijk van de muziek van de Spice Girls. Ze wankelde de slaapkamer binnen en vroeg hun om de stereo wat harder te zetten. Ze moesten allemaal lachen toen kleine Freddie haar bij elk woord nadeed.

Toen ze hem de wind van voren wilde geven, maakte hij er een mooie voorstelling van en bij elk woord dat hij uitbracht werd ze kwader en kwader.

Toen sprong hij van het bed en imiteerde behoorlijk goed hoe ze liep wanneer ze dronken was.

Ze probeerde hem een draai om zijn oren te geven, maar Roxy sleurde hem op schoot en de meisjes begonnen weer tegen haar te brullen. Kleine Freddie deed alsof hij zijn vingers in zijn keel stak, alsof ze hem misselijk maakte, waardoor de meisjes opnieuw uit hun dak gingen.

Christus, wat haatte ze dat klotekind soms.

Patricia wist dat Freddie naar haar zat te kijken.

Ze zag er prachtig uit, dat wist ze ook. Ze was niet echt heel mooi, maar door haar zelfvertrouwen, onberispelijke smaak en gezaghebbende houding was ze voor de meeste mannen in haar omgeving een aantrekkelijke prooi.

Zij was de uitzondering op de regel dat vrouwen volslagen afhankelijk van mannen waren, zoals ze dat normaal gewend waren. Bovendien was ze een sluwe zakenvrouw wier broer gekker was dan de grootste krankzinnige die ooit voor gek was verklaard. Diezelfde broer gaf haar bij zijn meeste zaken carte blanche, waardoor ze in hun wereld groot aanzien genoot. Ze was ook zo rijk als Croesus, dat op zichzelf was al aantrekkelijk. Bovendien genoot ze de reputatie dat ze van een lekkere wip hield zonder de emotionele rompslomp eromheen, wat eveneens als een groot voordeel werd gezien. De meeste vrouwen wilden het nieuwe liefje worden, de boel overnemen, terwijl zij totaal geen interesse had om in iemands voetsporen te treden. Dus heel wat mannen hadden het op haar voorzien, om uiteenlopende redenen.

Maar niemand wilde haar meer dan Freddie Jackson, die haar aan zijn arm wilde zien, als een reflectie van zichzelf. Met haar zou hij verder komen, voor haar zou hij bij Jackie weggaan, zelfs bij kleine Freddie als hij haar daardoor fulltime voor zichzelf had.

Ze bespeelde hem, dat wisten ze allebei. Ze liet hem in de waan dat dat een mogelijkheid was, maar dan zou ze hem inpeperen dat het niet meer dan een belachelijk idee zou zijn.

Maar vandaag voelde Freddie zich als de kat die op het spek werd gebonden en ze zag aan zijn hele houding dat hij uitermate met zichzelf was ingenomen, zo opgeblazen als een derderangs tuba tijdens een legerfeestje.

Patricia had een fantastische flat en Freddie was er heel graag. Het was nieuwbouw, een penthouse, en hij vond het zo mooi dat hij zich verbeeldde dat hij er heer en meester was. Het was er brandschoon, de koelkast zat vol bier en lekker eten, en het bed was strak opgemaakt en rook altijd lekker.

Ze had een mooi huis en hij benijdde haar daarom. Hij was ook jaloers dat hij niet de enige man in haar leven was. Maar hij troostte zich met de gedachte dat hij wel de meest constante was.

Ze zette hem altijd onder de douche voor ze gingen vrijen en ook al beschouwde hij dat als een belediging, hij deed het toch. Als welke willekeurige vrouw hem zoiets zou vragen, zou hij haar stijf vloeken. Maar bij Pat deed je het op haar manier of helemaal niet.

Het was zo'n verademing in vergelijking met die jankende wijven met wie hij normaal altijd omging, die seks wilden en daarna zijn eeuwige trouw en liefde.

Mochten ze willen.

Toch zou hij dat zonder zich te bedenken aan deze vrouw aanbieden. Hij zou op zijn tellen passen en zelfs niet meer vreemdgaan, want de Patricia's van deze wereld geloofden niet in een tweede kans. Als je het verklootte, dan kon je het wel vergeten, zo simpel was dat.

Als ze wist wat hij die vorige avond had gedaan zou ze compleet uit haar dak gaan. Ze mocht Maggie, iedereen mocht Maggie. Eigenlijk leek Maggie veel op Pat... ze was een doener en wist wat ze waard was.

Merkwaardig dat hij Maggie wel ten val wilde brengen en Pat niet, maar hij begreep de redenering wel waarom hij Maggie wilde vernietigen. Tussen hen gezegd en gezwegen waren Jimmy en Maggie alles wat hij had willen zijn. Het was de waarheid toen hij die avond tegen Jackie had gezegd dat hij had moeten wachten, dat hij met de verkeerde zuster was getrouwd. Maar het ging nog dieper. Hij zag hoe ze leefden, hoe ze met elkaar omgingen, zoals ze bewonderd en gerespecteerd werden door hun familie.

Jimmy was Ozzy's ogen en oren. Freddie had met Ozzy vastgezeten, maar Jimmy was nu Ozzy's goudhaantje, kleine Jimmy die hij had opgeleid en van wie hij hield.

Maggie was zelf ook een portret, met haar salons en verdomde bazige manier van doen. Zelfs zijn dochters keken tegen ze op. Tegen een man die bijna tien jaar jonger was dan hij. Iedereen behandelde hen alsof ze een prinselijk paar waren en hij was slechts de ingehuurde loopjongen.

Nou, hij had de trein in beweging gezet en ging nu achterover zitten wachten wat ervan kwam. Maggie was van hem, zoveel wist hij wel. Jimmy was een onbekende grootheid, maar ze zou het nooit over hun kleine confrontatie hebben.

Hij wist ook dat het, juist omdat ze het voor zich zou houden, haar neergang zou inluiden, want als ze eenmaal tegen haar dierbare Jimmy begon te liegen, zou haar hele leven in duigen vallen.

Jimmy aanbad haar, sukkel die hij was. Hij beschouwde haar als de belangrijkste factor in zijn leven, en ze hadden een goed leven. Zij hadden het leven dat Freddie had gewild, maar door Jackie en de kinderen, zijn drank- en drugsgebruik, zijn onverschilligheid voor god en iedereen in zijn omgeving, had hij dat leven nooit kunnen bereiken.

Patricia had wel eens laten vallen dat Ozzy hem nu als de underdog zag. Hij was niet meer dan een zware jongen. Kleine Jimmy, die had het nu voor het zeggen. Nou, Jimmy begon naast zijn schoenen te lopen, schoenen die hij, Freddie, hem toevallig jaren geleden had aangemeten.

Hij was vol hoop en dromen de lik uitgekomen. Avond aan avond had hij in zijn cel zijn nieuwe leven zitten plannen en in zijn hart wist hij dat hij het allemaal had vergooid. Hij had elk gat dat hij tegenkwam geneukt, had iedereen die hij kende tegen zich in het harnas gejaagd en min of meer de teugels aan een jongeman overgegeven die hem ooit had beschouwd als de belichaming van wat hij zelf wilde zijn.

Freddie had het verknald en hij was zich ervan bewust dat het veel te laat was om nog vaste voet aan de grond terug te krijgen. Hij was alleen nog maar een zware jongen, weliswaar een zware jongen die ontzag genoot en die goed werd behandeld, maar evengoed slechts een zware jongen. Zijn vader had hem daar jaren geleden al op gewezen, toen Jimmy en Maggie met al die pracht en praal gingen trouwen. Toen al had hij geweten dat zijn vader de waarheid sprak. Nou, nu had hij het nog bewezen ook!

Hij had zijn verdiende loon gekregen, hij had de levensstijl gekregen die hij wilde, en hij had het allemaal door zijn vingers laten glippen.

De wetenschap dat hij het voor zichzelf had verkloot verzachtte de pijn niet dat zijn neef steeds meer macht kreeg. Hun zakencontacten waren zíjn vrienden, de belangrijkste figuren zaten net zo hoog op de sociale ladder. Hij wist dat hij nu alleen nog maar werd getolereerd en dat kon hij niet langer verdragen.

Hij werd liever gehaat dan getolereerd. Het ergste van alles was nog dat zelfs kleine Jimmy hem tegenwoordig nauwelijks nog tolereerde. En toch was het dankzij zijn reputatie, zíjn

knokpartijen en zíjn gewetenloosheid dat ze de kroonpreten-
denten op afstand hadden weten te houden.

Jaloezie was iets verschrikkelijks. Die vrat mensen op en
zorgde ervoor dat ze een hekel kregen aan hun dierbaren en
hen gingen wantrouwen. Partijen die het niet hadden gemaakt
gingen aan hun leven twijfelen en bekeken hun familie en zogenaamde vrienden met haatdragende ogen. Ze werden er paranoia van en veranderden in gevaarlijke bedgenoten.

Nou, Jimmy Jackson mocht dan nu naam maken, zijn kleine
liefdesnestje was nu besmet en dat zou een domino-effect op de
rest van hun leven hebben.

Hij zou die flitsneuker vanbinnen uithollen en toezien hoe
zijn leven zou verschrompelen, net zoals hém dat was overkomen.

'Alles goed, Freddie?'

Pats stem kwam van heel ver weg. Hij zat onder de coke. Hij
had uren liggen snurken als een man met een grotere neus dan
Barry Manilow.

Hij zuchtte en zei somber: 'Volgens mij gaat het niet goed bij
Chez Jimmy's. Maggie zit te balen als een stekker dat hij naar
Bokland is gegaan.'

'Nou, dat kun je haar niet kwalijk nemen, het was hun trouwdag.'

Ze wees hem af en weer voelde hij woede in zich opkomen.
'Ik denk dat hij losse flodders afschiet. Jackie heeft me verteld
dat Maggie anderhalf jaar geleden met de pil is gestopt en er is
nog steeds geen baby te bekennen.'

Patricia keek hem stomverbaasd aan. 'Wat bazel je nou? Wat
kan iemand dat nou verdomme schelen!'

Maar hij wist dat dit bij Ozzy terecht zou komen en dat was
precies wat hij wilde. In de toekomst zou hij de stabiele factor
worden, zou hij de boel oplossen, zelfs als hij aardig moest
doen tegen een stelletje rukkers als de Blacks uit Glasgow.

Jimmy zou er gauw genoeg achter komen. Niemand nam een
loopje met hem, om het even wie.

'Alsjeblieft, Mags, zeg me nou wat er met je hand is, meissie.'

Maggie haalde haar schouders op. 'Ik ben alleen maar moe,
dat is alles.'

Ze liep langs haar man en keek door de deur van haar kantoor naar buiten. Ze sloeg de bedrijvigheid in haar salon gade
alsof die van het allergrootste belang was. Het interesseerde

haar niet echt, de salons regelden zich nagenoeg vanzelf, maar als ze niet naar Jimmy hoefde te kijken, vond ze het helemaal oké.

Ze kon hem niet meer recht in de ogen kijken.

Wanneer hij haar aanraakte, kon ze wel janken en als hij haar niet aanraakte ook.

Jimmy keek haar bedachtzaam aan. Sinds hij naar Schotland was geweest, was ze niet meer dezelfde. Hij had steeds weer moeten uitleggen dat hij geen keus had gehad. De Blacks droomden ervan om Freddie om zeep te helpen dus moest hij wel als tussenpersoon optreden, dat was de enig logische keus. Dankzij hem, Jimmy, was het weer helemaal in orde met de Blacks en die arme chemicus uit Amsterdam, die nu in Ilford zat met een jong meisje, LaToya genaamd, die verslaafd was aan de crack.

Maar het was er niet beter op geworden en hoe hij ook met haar probeerde te praten, of van haar probeerde te houden, ze was anders. Het was alsof ze in een andere dimensie verkeerde en dat begon hem te beangstigen. Hij wist niet wat hij ermee aan moest.

'Ik ben oké, Jimmy, laat me nou goddomme eens met rust, ja!'

Hij slaakte een diepe zucht. 'Weet je zeker dat je in orde bent?'

Ze gaf hem geen antwoord en hij wist niet hoe hij de oorverdovende stilte tussen hen moest doorbreken.

15

Glenford Prentiss lachte zijn gespleten tanden bloot en Jimmy grijnsde terug. In de afgelopen jaren waren ze dikke vrienden geworden, zo vertrouwd met elkaar als in hun stiel maar mogelijk was.

'Kop op, Jimmy, je moet met iemand praten, man. Je ziet er gestrest uit, kerel, als iemand die geen raad weet met zijn problemen.'

Glenford wist dat hij misschien te ver ging, maar hij maakte zich zorgen om Jimmy. Hij zag er verschrikkelijk uit. Deze man ging in de drugfolklore ten onder. Hij had de markt overspoeld met ecstasy. Eerst op de megafeesten en toen het hele land door tot de blues op Railton Road, iedereen kon er aankomen. Het was goedkoop, goed van kwaliteit en het geld stroomde binnen. Jimmy zou in de wolken moeten zijn maar hij zat erbij met een gezicht als een oorwurm.

Jimmy was stoned. Dat was nogal ongebruikelijk en hij voelde het tinnef zwaar aan zich trekken. Hij deed eigenlijk niet aan skunk, dat was zwaar, krachtig spul. Hij hield zich meestal bij gouden Libanon. Hij wilde zich graag ontspannen, alles van zich af laten glijden en ten slotte in slaap vallen.

Maar skunk was heel andere koek. Als je er maar genoeg van rookte, kon je gaan hallucineren, het was chemische rotzooi en meestal brandde hij zijn vingers er niet aan. Maar op dit moment was alles één puinhoop, en omdat hij bij Glenford de avond zou doorbrengen, had hij besloten een lekkere joint te roken en er voor eens en voor altijd in zijn hoofd mee af te rekenen.

Daar had hij zich in vergist.

'Kom op, man, neem een paar red stripes, dan stromen de woorden als vanzelf over je tong.'

Hij lachte. Als jongeman had Glenford een dikke straf uitgezeten en hij had zijn tijd doorgebracht met een woordenboek en zijn rechterhand. Dat was zijn lievelingsverhaal en hoewel Jimmy er net als iedereen om had gelachen, wist hij dat er meer dan een kern van waarheid in school. Wanneer Glenford in de stemming was, kon hij heel Engeland omver lullen. Hij gebruikte woorden waar de meesten uit zijn publiek geen jota van snapten, maar als de gelegenheid zich voordeed kwamen ze er met zoveel overtuiging uit dat het wel muziek leek.

Hij was een woordensmeder en hij had Jimmy een keer, toen hij heel erg stoned was, toevertrouwd dat zijn grootste held Les Dawson was, godbetert. Die man, had hij vol verve tegen Jimmy gezegd, was de opwindendste woordensmeder van allemaal. De man werd schromelijk onderschat en volgens hem was hij de laatste grote komiek en spreker, op Spike Milligan na dan.

Jimmy was bijna niet meer bijgekomen van het lachen, maar toen hij met Glenford naar de tapes had gekeken, moest hij hem gelijk geven. Les Dawson was grappig en hij had bovendien verbeeldingskracht. Net als Glenford realiseerde Jimmy zich dat de man de Engelse taal in al zijn facetten beheerste. Maar zonder dope wist Jimmy het niet meer zo zeker. Glenford was ook een liefhebber van Monty Python. Hij kon elke sketch nadoen, kende elke scène uit alle films uit zijn hoofd en wist elke anekdote te vertellen die over het Python-team de ronde deed.

Nu wilde Jimmy wel dat zijn vriend over Les Dawson zou beginnen, of zijn nieuwe idolen Bill Hicks en Eddie Murphy.

Alles was beter dan aan zijn eigen situatie te hoeven denken.

'Het gaat niet goed met Maggie. Dat is al een tijdje zo.'

Lena verwoordde wat iedereen om haar heen dacht, maar in tegenstelling tot iedereen zei zij het hardop.

Jackie haalde haar schouders op, dat deed ze altijd wanneer ze met een probleem werd geconfronteerd dat haar niet aanging. Ze riep dan ook geërgerd uit: 'Het gaat prima met haar. Jézus, mam, ze verdient geld als wáter, dus zo slecht gaat het verdomme niet, wel?'

Lena had er spijt van dat ze iets had gezegd. Ze wist dat Jackie zo jaloers op haar jongere zuster was dat alles wat ze over haar zei belachelijk werd gemaakt. Haar jongste dochter leek in één klap van een gelukkige, liefhebbende vrouw te zijn veranderd in een nerveus wrak.

Het leek wel alsof alle vreugde uit haar was weggelekt, samen met haar geluksgevoel en aangeboren energie. Er was slechts een huls overgebleven, een levende, ademende huls, nog maar een schijntje van het meisje dat ze was geweest.

Net als vroeger ging ze door met haar dagelijkse routine, ze glimlachte, ze werkte en ze deed alles wat ze altijd had gedaan. Maar het leek wel of er een marionet voor in de plaats was gekomen.

Het meisje was niet in orde en Lena was als de dood dat er iets heel akeligs aan de hand was. Dus probeerde ze het nog een keer, misschien wist haar oudste dochter iets meer.

'Heeft ze tegen jou iets gezegd, Jackie?'

Jackie slaakte een zucht en zei toen sarcastisch: 'Zoals wat precies, mam? Misschien hang je haar wel mijlenver de keel uit omdat je voortdurend bij haar op de drempel ligt. Denk je niet dat je er een beetje te vaak bent?'

Lena sloot haar ogen, onderdrukte een opkomende woede en de aandrang om haar oudste dochter een klap in dat vette blotebillengezicht te geven. Maar ze ging haar met woorden te lijf omdat ze wist dat bij deze dochter woorden harder op die dikke schedel van haar aankwamen dan een honkbalknuppel.

'Je bent een bitter stuk vreten, hè, Jackie? Verdomde jaloerse kat. Ze is hier in geen weken over de vloer geweest en het interesseert je geen bal, wel?' Lena stond op, trok haar jas aan en ging zonder nog iets te zeggen weg. Maar ze voelde Jackies woede en ze wist dat die nergens op sloeg.

Jackie had die aantijgingen maar te slikken, dat wist ze ook wel, haar moeder sloeg de spijker op zijn kop. Ze waren tenslotte familie. In plaats daarvan was ze blij dat haar moeder was vertrokken en haar met rust liet.

Sinds Freddie zo gecharmeerd was van Maggie, was ze maar wat dankbaar dat haar zuster zich buiten haar leven ophield. In de weekenden ging Jackie nog wel steeds naar haar toe, at en dronk van haar, maar het maakte haar niet veel uit dat Maggie niet meer bij haar langskwam. Ze kwam daar toch alleen maar om te spioneren, te controleren en met haar vermoeiende preken de bezorgde zuster uit te hangen.

Jackie sloot haar ogen en weerhield zich ervan het uit te schreeuwen dat haar echtgenoot het op Maggie had voorzien en dat ze bang was dat Maggie misschien op zijn avances zou ingaan.

De laatste tijd hoorde ze alleen maar dat hij bij Jimmy was langs geweest, dat Maggie koffie had gezet en een sandwich voor hem had klaargemaakt en dat ze er zó goed uitzag, en hoe móói ze wel niet was. En dat ze het huis zó goed aan kant hield. Elk compliment kwam er min of meer achteloos uit. Als iemand ze hoorde, zou die zich niet realiseren dat hij op de versiertoer was en bij elk compliment had ze het gevoel dat ze door een brandend mes werd gestoken omdat zij wist dat hij Maggie wilde.

In Jackies beleving wilden bijna alle vrouwen in hun wereld een Freddie, dus ze zag geen reden waarom Maggie met haar veilige leventje en haar saaie echtgenoot dat niet zou willen. In haar duistere, eerlijker en nederiger momenten veegde ze die gevoelens aan de kant, ze wist wel dat ze achterlijk waren en nergens op sloegen. Ze hield van Maggie en ze wist dat Maggie waarschijnlijk de enige was die oprecht van haar hield, de enige die ze werkelijk kon vertrouwen.

Ze wist ook dat ze Maggie in de afgelopen jaren als een stuk vuil had behandeld. Ze stelde iedereen boven haar jongere zuster, ze had geld van haar geleend en gemeen over haar geroddeld. Vaak tegen mensen van wie ze wist dat die haar net zo behandelden, om hun eigen bestaan te rechtvaardigen. Die net als zij er niet bij konden dat een vrouw in hun wereld, die het allemaal voor elkaar leek te hebben en gelukkig was met zichzelf, een man had die het niet aanlegde met elke vrouw met een gat en een uitkering.

Jackie ging er in haar hart van uit dat de mensen in haar omgeving haar niet echt respecteerden, het waren geen echte vriendínnen. Ze belazerden je, geen van allen had een baan of structuur in haar leven, maar voor haar was het van belang dat ze net als zíj waren.

Ze hadden geen doel in hun leven en verbeeldden zich heel wat. Ze haalden hun zelfvertrouwen uit de mannen in hun omgeving en hadden er geen idee van wat echte vriendschap of eergevoel eigenlijk betekende. De meesten van haar zogenaamde vriendinnen deden aardig tegen elkaar omdat ze te veel van elkaar wisten, bang waren om buiten de boot te vallen als ze te loslippig werden en zelf schijnheilig behandeld zouden worden.

Toen Maggie op een zeldzaam moment een keer kwaad was, had ze gezegd: 'Bij mijn vriendinnen hoef ik tenminste niet bang te zijn om als eerste te vertrekken.'

Dat had Jackie gekwetst omdat ze wist dat het waar was. Zodra een van haar maatjes weer uit haar huis vertrok, bleef er geen spaan van haar heel, werd er schaamteloos over haar geroddeld en deden ze alsof ze een verschrikkelijk beest was. Zo gingen ze met elkaar om en Jackie wist dat het bij haar nog betrekkelijk meeviel, omdat haar man zo'n gevaarlijke gek was.

Zij had het tenslotte in de buurt helemaal gemaakt en mocht zich erop verheugen dat ze min of meer veilig zat. Zij stak ook de draak met Freddie, maakte hem belachelijk, zo zat hun sociale structuur in elkaar. Jackie was de spil waarom hun wereld moest draaien, binnen hun milieu hielden ze Jackie te vriend vanwege haar connecties. Als Freddie haar ooit zou dumpen was het met haar gedaan. Zij wist dat en zíj wisten het ook. Wanneer dat zou gebeuren, zou niemand daar blijer om zijn dan haar 'beste vriendinnen'.

Jackie was echtgenote nummer één en ze zei tegen haar vriendinnen dat haar zuster Maggie zich te goed voor hen voelde en dat ze zich als een filmster gedroeg, alleen maar omdat ze een paar centen had. Ze vergat niet te benadrukken dat Freddie ook goed geld maakte, maar zij bleef in tegenstelling tot haar zuster haar afkomst trouw en had niet de behoefte om haar geluk bij anderen in te peperen. Of haar eigen volk te verraden.

Op sommige momenten voelde ze zich vreselijk wanneer ze zo over Maggie sprak, maar ze zei het toch. Vooral als haar echtgenoot binnen gehoorsafstand was, maar nooit met haar moeder in de buurt. Lena zou haar scalperen.

Haar dochters namen het haar allemaal kwalijk. Zij waren dol op Mags, vonden haar een lot uit de loterij. Daar werd Jackie dan nog kwaaier om en ze wilde haar des te meer op haar nummer zetten. Ze moesten tegen háár opkijken en Maggie had ook ooit tegen haar opgekeken. En dat zou ze nog steeds moeten doen want zíj was immers de oudste zuster, alleen al dáárom zou haar zuster respect voor haar moeten tonen.

Soms werd ze erdoor overweldigd dat ze de vrouw zo verraadde die zorgde dat ze geld had, zorgde dat het goed met haar ging, zorgde dat haar haar goed zat en dat ze fatsoenlijk in de kleren zat.

Ze wist dat Maggie letterlijk voor haar had gevochten wanneer mensen maar in de verste verte kritiek op haar hadden gehad. Maggie gaf nooit op haar af, ze probeerde haar alleen maar van haar drankprobleem af te krijgen en vroeg hoe het met kleine Freddie ging. In tegenstelling tot de anderen had zij altijd geprobeerd haar te verdedigen en haar tegelijk op een positieve manier proberen te helpen. En zo klein als Maggie was, zo hard kon ze van zich afbijten, knokken als de beste als het erop aankwam. Jackie wist dat zij altijd vocht omdat het in haar persoonlijkheid zat, maar Maggie vocht alleen maar om een principe of omdat ze niet anders meer kon. Als Maggie in een strijd verwikkeld raakte, ging ze als een razende tekeer. Maggie had door de jaren heen heel wat mensen tot de orde geroepen en Jackie wist dat ze dat eigenlijk ook voor haar zou moeten doen.

Maar Maggie was haar een doorn in het oog. Elke keer als ze naar haar keek, zag ze hoe ze haar eigen leven had vergooid, en dat ze haar eigen jeugd door de vingers had laten glijden door haar zwangerschappen en haar neiging tot zelfvernietiging. Sterker nog, ze zag haar enige kans op een gelukkig leven met haar man in rook opgaan.

Want als Freddie haar jongere zuster echt wilde, maakte zij geen enkele kans, en eigenlijk maakte het niet zoveel uit of Maggie hem ook wilde. Hij wilde haar en dat was voor Jackie genoeg.

Als ze naar Mags keek, dan zag ze een jonge vrouw met een goede baan, een zakeninstinct en een goed huwelijk met een man die haar aanbad. Maar het ergste van alles was wel dat haar eigen kinderen én haar echtgenoot Maggie een heel stuk beter vonden dan haar.

Maggie was alles wat ze had willen zijn en alleen al daarom kon ze haar nooit vergeven.

'Laat toch zitten, Glenford. Ik ben alleen maar moe, meer niet. Die ingehuurde gozer uit Amsterdam draait op volle toeren, alsof hij verdomme een BV is, we hebben de markt stevig dichtgetimmerd en we staan op het punt binnen te lopen.'

Glenford grinnikte maar blij was hij niet. Hij wist het allemaal al, hij had zijn vriend niet nodig om daar nog eens aan herinnerd te worden.

Hij lustte er nog wel een. Hij begon nu een Jamaïcaanse joint te draaien. Je wikkelde vloeitjes om een kegelvormig stuk hout, dan haalde je de vloeitjes weg en vulde ze met wiet, of in dit geval met skunk. Als je hem aanstak, ontstond er een steekvlam maar daarna brandde hij lui verder, en een paar trekjes legden zelfs Mike Tyson om.

Toen hij hem aan Jimmy aanbood, schudde die zijn hoofd en zei vriendelijk: 'O nee, makker, ik moet zo naar huis.'

Hij wist dat hij knetterstoned was en dat hij helemaal nergens naartoe kon rijden. Hij zou een taxi nemen en de volgende dag zijn auto wel komen ophalen.

'Hoe is het met Maggie?'

Glenford zei het met die diepe, raspende keelklank van een

rasta die stoned is, Jimmy schoot in de lach. Uit de luidsprekers klonk Beenie Man en hij zat er geconcentreerd naar te luisteren. 'Prima.'

Glenford haalde zijn schouders op en nam weer een lange haal aan zijn joint. 'Ze ziet er zorgelijk uit, en jij ook. Wil je er niet over praten? Je weet dat ik mijn mond houd en er niets buiten deze vier muren terechtkomt.'

Dat wist Jimmy wel en hij glimlachte dankbaar, maar zei niets.

Uiteindelijk sprak Glenford weer. 'Je bent een klootzak, jongen. Toen Clarice en ik mot hadden, heb ik er ook met niemand over gesproken. Nu leeft ze met een blanke knul met een goede baan en mijn kinderen praten als een stelletje verdomde bankiers. En nu zit ik met mijn kleine meid, heerlijk hoor, maar voor mij is Clarice de enige, alleen in haar ben ik werkelijk geïnteresseerd. Maar ik heb het ongelooflijk verknald en uiteindelijk heb ik dat wel geaccepteerd. Ze gaan zich gek gedragen, weet je, dat komt door het soort leven dat wij leiden, de onzekerheid, de lifestyle van een crimineel. Een fatsoenlijke vrouw kan daar eigenlijk niet tegen, ze willen echt zekerheid en elke avond een stel liefhebbende armen om zich heen. Nou, dat heeft ze nu, ze heeft wat ze wilde maar ik weet dat diep vanbinnen...' hij bonkte met een vuist tegen zijn borst, '... heeft ze liever mijn armen dan die blauwogige rukker die ze nu heeft. Maar weet je, respectabele vrouwen doen ten slotte toch alleen maar wat het beste voor ze is, of in haar geval wat het beste was voor de kinderen. Mijn kinderen, en dat respecteer ik en hij is een goeie vent, zij is nog blanker dan hij, van nature blond en altijd onberispelijk, als je begrijpt wat ik bedoel. Maar hij is dol op mijn kinderen en nu hebben ze er samen ook één. Maar ik weet dat ze op een dag terugkomt, als ik dit leven achter me heb gelaten en op mijn lauweren kan gaan rusten.'

Hij trok nogmaals aan zijn pas opgestoken joint, lachte even en zei toen ernstig: 'Weet je, Jimmy, als ik daar niet in geloof, dan is mijn leven de moeite niet meer waard, toch?'

Jimmy keek zijn vriend aan en glimlachte. Ze wisten allebei dat dit het laatste stukje van hun vriendschap was dat op zijn plek viel. Geen van beiden had eerder de ander over zijn diepste gevoelens in vertrouwen genomen, maar nu waren ze daar allebei toe bereid.

'Het gaat niet goed met haar, Glenford. Ze lijkt wel een ander mens te zijn geworden. Ze is op van de zenuwen, bij elke klop op de deur schrikt ze zich wezenloos. Het lijkt wel alsof ze op iets zit te wachten, maar ze wil me niet vertellen wat dat is.'

Glenford schudde zijn hoofd alsof hij het helemaal begreep. 'Dat probeer ik je nou juist te vertellen, dat heeft met het soort leven te maken, jongen. Ze komen op een bepaalde leeftijd en krijgen een bepaalde gemoedstoestand, ze zijn bang voor de gevolgen van je werk.'

Jimmy overpeinsde die woorden een poosje en zei toen somber: 'Nah, dat is het niet, Glenford. We zijn zo legaal als wat, jongen, ze kunnen mij alleen op dopegebruik pakken. Dit zit dieper. Er is iets met haar gebeurd en ik kom er maar niet achter wat. Ik weet niet wat ik moet doen, ik probeer het steeds uit haar te krijgen, maar ze praat er gewoon overheen.'

Glenford zat plotseling rechtop. In tegenstelling tot Jimmy kon hij nog zo stoned zijn, hij kon het ook zo weer van zich af schudden. Een kunststukje binnen hun leefwereld. 'Wat kan haar zijn overkomen?'

Jimmy slaakte een zucht. 'Ik weet het niet maar ik kom er wel achter. Het begon toen ik naar Glasgow was geweest, sindsdien is ze niet meer dezelfde.'

Glenford zweeg, maar zijn geest werkte koortsachtig. Hij was er een groot voorstander van dat je tegen niemand iets moest zeggen voordat je alle feiten boven tafel had. Hij ergerde zich nu dat hij zo stoned was geworden, omdat Jimmy net iets had gezegd wat een belletje bij hem deed rinkelen. Maar nu was het weer weg en hij wist dat het te belangrijk was om het nu te laten zitten. Dus stond hij onvast van zijn stoel op en ging doen wat hij altijd deed als hij high was en iets moest onthouden.

Hij liep naar zijn keuken en schreef het in zijn notitieboekje op.

Toen pakte hij twee blikjes Red Stripe, keerde naar de zitkamer terug en bleef nog een tijdje gemoedelijk met zijn vriend zitten babbelen.

'Kom op, Maggie, we staan allemaal op je te wachten!'

Dianna's stem klonk luid in de salon en iedereen draaide zich automatisch om. Dianna wist dat dit zou gebeuren en knipoogde naar Kimberley toen Maggie eindelijk uit haar kantoor tevoorschijn kwam.

De salon in Chingford, Essex, was de grootste van allemaal en het was Maggies baby. De meisjes wisten net als Maggie dat de andere precies zo zouden worden. Hij liep zo goed dat ze nu een hoop geld in de andere investeerde om die op peil te krijgen. Het was niet alleen een kapsalon, er waren ook zonnebanken, een nagelstudio en je kon je laten harsen – benen, wenkbrauwen en bikinilijn, wat de klant maar wilde. Je kon er een gezichtsbehandeling laten doen, Reiki, massage en eens per maand kwam er een arts die cliënten die wilden afvallen van alles voorschreef.

Het was een goudmijn.

Maggie serveerde wijn, spritzers, frappés en cappuccino's. Ze stond zelfs toe dat haar klanten in het toilet een lijntje snoven, als ze dat maar discreet deden.

Het was in alle opzichten dé plek waar je wilde zijn.

Dianna en Kimberley waren er nu altijd, Kim werkte er als kapster, naast haar opleiding als schoonheidsspecialiste, en Dianna was nog in opleiding.

Maar Maggie was niet zichzelf en ze waren vastbesloten om haar vandaag uit haar tent te lokken, ook al zouden ze ter plekke dood neervallen.

Maggie wilde hen daar niet alleen omdat ze dol op hen was, maar omdat Freddie om die reden uit de buurt bleef. Hij werd zenuwachtig van zijn meisjes, die hem al heel jong in de smiezen hadden gehad. Ze hielden toevallig van hem, op een soort 'o, dat is mijn vader, wat kan ik eraan doen?'-manier. Maar Maggie wist dat hij gek op ze was en zoals alle vrouwen in zijn omgeving, waren ze zijn bezit. Ze geloofde ook dat hij er doodsbenauwd voor was dat zij erachter kwamen wat er was gebeurd. In tegenstelling tot hun moeder zouden zij wel geneigd zijn haar kant van het verhaal te geloven.

Ze hoorde al zo lang bij hun leven. Ze kenden haar zo goed en vertrouwden haar volledig. Ze respecteerden haar en hun vader had haar vernietigd.

Nu keek ze om zich heen, ze zag de drukke salon vol mensen, hoorde de harde muziek en zag het geld binnenstromen, en ze kon het wel uitschreeuwen.

'Kom op, Maggie. Iedereen vraagt de laatste tijd naar je, we kunnen niet de hele tijd de smoes ophangen dat je de boekhouding moet doen, wel?'

Ze keek Kimberley aan en zag zichzelf. Dat was haar al een keer eerder overkomen sinds het meisje in haar tienerleeftijd was gekomen. Kimberley leek op haar, ze zag het zo duidelijk als wat en mensen hadden er al opmerkingen over gemaakt. Ze had het donkere voorkomen van haar vader, zijn donkere haar en getinte huid, maar ze had Maggies fijne gezichtsstructuur wat in tegenspraak was met Jackies zware bouw.

De gedachte aan Jackie joeg haar het bloed naar het hoofd.

'Hé, Mags, lange tijd niet gezien. Ben je ziek of zo, meissie? Je ziet er belabberd uit!'

Maggie schonk de vrouw een brede glimlach. Daar zat ze met haar zongebruinde huid en coupe soleil. Ze liet haar handen manicuren en kreeg een pedicure in de nieuwe, peperdure leren pedicurestoel, met verwarmd voetenbad en bekerhouder. Maggie kon het opnieuw wel uitschreeuwen. Ze kon dat mens wel in het gezicht slingeren dat ze een leeghoofdige idioot was, dat ze een bloedhekel had aan dat egoïstische leventje van haar. Net zoals ze een bloedhekel had aan mannen als Freddie, want veel van deze vrouwen hingen bij mannen als Freddie rond. Gingen met mannen om die nog over een tafelpoot heen zouden gaan, als die er was, en er niet eens aan dachten fatsoenlijk een condoom te gebruiken. Ze kende genoeg vrouwen uit de salon die van alles hadden opgelopen, van een druiper tot aan herpes vanwege een Thailand-avontuurtje van hun man. Plotseling leek al die roddelpraat wel het Nieuwe Testament, een soort openbaring. Ze doorzag het leven en wat het was geworden alleen maar omdat ze een keer haar zuster had geprobeerd te redden, en haar huwelijk in stand te houden. En kijk wat ervan geworden was.

Ze kreeg de neiging om tegen iedereen te zeggen dat ze konden ophoepelen, maar dat deed ze niet. Tegenwoordig schold ze alleen nog maar in haar hoofd. Op een of andere manier werd ze daar kalm van, maar ze wist niet hoe lang ze dat kon volhouden.

In plaats daarvan zei ze zo vriendelijk mogelijk tegen de geblondeerde domme gans die kennelijk een antwoord verwachtte: 'Je komt hier alleen maar omdat ik de sterkste borrels schenk!'

Alle vrouwen in de salon lachten. Maggie keek om zich heen, naar de perfecte tanden en de perfect geconserveerde lijven. Toen stortte ze in en barstte in huilen uit.

Kimberley, die van haar grootmoeder een uitstekende antenne voor stront aan de knikker had geërfd, bracht haar naar het kantoor voordat te veel mensen zouden zien wat er was gebeurd.

Maggie hield zich aan haar jonge nichtje vast alsof haar leven ervan afhing, en huilde bittere tranen. Ze sprak onsamenhangend en het enige wat Kimberley ervan kon maken was dat ze steeds maar weer zei: 'Het spijt me zo, liefje, het spijt me zo verschrikkelijk.'

Toen ze eindelijk gekalmeerd was, vertelde ze nog steeds niet wat er nou verdomme eigenlijk met haar aan de hand was.

Freddie en Jimmy waren bij een woning in Noord-Londen. Het was een groot pand aan een laan met mooie bomen. Zijn en haar BMW stonden op de oprijlaan en het had de uitstraling van een duur en groot gezin.

Op de oprijlaan waren een paar mountainbikes achteloos op het beton neergegooid en er stond ook een elektrisch autootje. Dat kon wel een likje verf gebruiken en omdat het vol bladeren zat, was het duidelijk dat het er al even geleden was achtergelaten, overgeleverd aan de regen. Jimmy, die nog steeds goed wist wat zijn geld waard was, kon er met zijn pet niet bij dat iemand zelfs met zijn halve verstand een stuk kinderspeelgoed van meer dan zevenhonderdvijftig pegels zo neerdumpte, tenzij hij echt achterlijk was. Het kon ook zijn dat ze dachten dat het geld altijd wel binnen zou blijven stromen, en dat leek hier het geval te zijn.

Er stond een dubbele garage waarvan een deur halfopen stond. Dat was weer zo'n geval van het lot tarten. Waarom nodigde iemand dieven uit in zijn tuin? Jimmy wist dat de elektrische deur was verneukt, maar zelfs in het schemerlicht zag hij de vriezers staan. Bovendien telde hij drie verschillende grasmaaimachines, waarvan één zo'n zitmaaimachine, en ander duur tuingereedschap. Zelfs hij had dat niet allemaal in zijn schuur staan en zijn tuin leek wel op het Serengeti-park in vergelijking met dit verdomde zooitje.

Jimmy was boos, bozer dan hij in jaren was geweest. Nou, hij had nieuws voor deze eikel en hij hoopte maar dat hij snel eieren voor zijn geld koos en zich er niet uit zou proberen te lullen. Want hij was totaal niet gelukkig met dit varkentje en deze berisping had hij net nodig om stoom af te kunnen blazen.

Freddie klopte licht met zijn massief gouden ring op de voordeur, ook al wist hij dat Jimmy dat shit vond. Jimmy had er een hekel aan dat hij zichzelf zo met goud vol hing. Het was alsof Freddie aan de hele wereld wilde laten zien hoe rijk hij wel niet was. Dat soort ringen waren voor zware jongens en van die kloteruziezoekers in de pub. Voor tieners die zichzelf heel wat vonden, niet voor volwassen kerels en serieuze zakenlui. Maar ze konden een hoop schade aanrichten, dus vanavond liet Jimmy het maar zo. Toch vond hij nog steeds dat Freddie eruitzag als een goedkoop stuk vreten.

Onlangs was er een serre aan het huis gebouwd. Er zaten glas-in-loodramen in, er stonden rozen en groene bladplanten, wat paste bij de rest van het huis. Zo te zien waren alle ramen recent geplaatst, evenals de deuren. Het huis leek wel zo'n verdomd nieuwbouwhuis van de National House Building Council, behalve dan dat dit al zo'n vijfentwintig jaar oud was. De eigenaar had een punthoofd gekregen van al die renovaties en op een andere keer zou Jimmy onder het genot van een paar biertjes daar een paar uur met hem over hebben zitten babbelen. Helaas was de man nu compleet gek geworden. Hij had het een en ander van hun winst afgeroomd om zijn fantastische maar, laten we eerlijk blijven, wat overdreven stapel stenen te kunnen financieren.

Nu zou Lenny Brewster erachter komen dat hij ver over de schreef was gegaan en dat Jimmy en Freddie niet van plan waren dat te slikken.

Lenny had de beide mannen zijn oprijlaan op zien komen lopen. Zijn vrouw, die een kop thee aan het zetten was en een baconsandwich klaarmaakte toen er op de deur werd geklopt, merkte dat hij uit zijn doen was. Hij leek wel nerveus. Hij zag er áfgebrand uit, zoals ze dat in haar wereld uitdrukten. Absoluut doodsbang en schuldig, alsof hij de grootste kraak van zijn leven had gezet.

Hij was een kontdraaier, hing verhalen op en zij accepteerde dat. Maar eigenlijk verdiende hij niet veel meer dan een drugdealer in een maximaal beveiligde gevangenis. Er kwam een constante stroom geld binnen en ook nog in enorme hoeveelheden. Ze wist dat hij voor de Jacksons werkte, maar had tot nu toe nog nooit persoonlijk met ze te maken gehad. Lenny had haar de indruk gegeven dat ze hém nodig hadden, dat hij een sleutelrol in hun criminele organisatie speelde.

Maar nu zag ze, zoals vele vrouwen voor haar, hoe haar echtgenoot werkelijk in elkaar stak en dat maakte haar bang. Helemaal omdat ze net die dag een aanbetaling had gedaan op een cruise op de Caribische Zee en aan iedereen die het maar horen wilde had rondgebazuind dat ze eersteklas gingen, in een luxehut met patrijspoorten en een grote zitruimte.

'Zal ik opendoen, Lenny?'

Hij knikte en deed een poging om te glimlachen.

Toen ze de deur opendeed, zei Freddie op zijn allercharmantst: 'Ruik ik daar de geur van bacon uit je kombuis opstijgen?'

Ze lachte blij naar hem. Hij was helemaal haar type, die Freddie. Ze was altijd in voor een wip, want haar man was nou niet de meest opwindende minnaar onder Gods hemel, dus het duurde maar een paar tellen of ze begrepen elkaar voortreffelijk.

Jimmy sloeg het tafereeltje met zijn gebruikelijke scheve glimlachje vol ongeloof gade. Die kon nog een moskee opvrijen, daar durfde hij wat onder te verwedden.

Hij zag Lenny langzaam de hal in komen wandelen. 'Alles goed, Len?'

Jimmy's stem klonk vriendelijk maar er zat een waarschuwende ondertoon in en Lenny probeerde tot een besluit te komen wat hij hiermee aan moest. Dus glimlachte hij en zei tegen zijn vrouw: 'Kom op, June, schenk ons verdomme eens een borrel in. Wil iemand een sandwich?'

Freddie grinnikte. 'Ik eet wat de pot schaft, makker. Heb je een biertje?'

June keek Jimmy lachend aan die er hoofdschuddend bij stond. Toen leidde Lenny hen door de pas opgeknapte gang via de zitkamer naar de grote serre achter in het huis.

Jimmy en Freddie keken met plezier maar afstandelijk om zich heen. Ze keken elkaar even aan en trokken theatraal de wenkbrauwen op om hun verbazing aan Lenny te laten zien. Dat moest een lieve duit gekost hebben. Ze beloonden hem rijkelijk voor zijn diensten, maar zelfs zij zagen wel in dat hij met dit huis ver boven zijn stand leefde. En hij wist dat ze gelijk hadden.

'Zo, wat kan ik voor jullie doen?'

'Kom op, Lenny, met de billen bloot, kerel. Je weet waarom we hier zijn. Waarom zouden we bij een schooier als jij langsgaan tenzij we wisten dat je ons een oor aannaaide, hè?'

Jimmy zei het op zachte toon, maar het klonk heel redelijk.

Lenny besloot open kaart te spelen, hij had geen andere keus. Hij had een dure vrouw, zes kinderen, maar ook een reputatie op te houden. Hij werkte al voor Ozzy toen die nog op straat liep en dat zou zeker meetellen.

'Ik had even een dip. Wat geeft dat? Ik had het geld nodig.' Hij keek naar Freddie toen hij dit zo kalm mogelijk zei. 'Ik doe drie keer zoveel als vorig jaar om deze tijd. Ik heb jullie vaak genoeg om meer geld gevraagd, maar jullie stuurden me alleen maar met een kluitje in het riet.'

Hij wachtte op een antwoord en toen dat niet kwam, zei hij met naar zijn gevoel terechte woede: 'Ik heb fortuinen voor jullie verdiend en dat weten jullie heel goed.'

Er kwam nog steeds geen reactie. Freddie en Jimmy keken naar hem zonder enige uitdrukking op hun gezicht en daardoor verloor hij zijn zelfbeheersing.

'Ik werkte al met Ozzy op straat toen jullie nog auto's stalen en cola dronken in de pub. Ik heb mijn plek in deze business verdiend. Jullie hadden me moeten geven waar ik recht op had, dan had ik het zelf niet hoeven pakken.' Lenny glimlachte nu naar hen, hij leek opgelucht dat hij eindelijk zijn verhaal kwijt was, bijna ontspannen en Jimmy zag voor het eerst iets van opstandigheid. Alsof hij bedacht: nou, het is gebeurd, wat kun je er nog aan doen? Hij zou een pak ransel over zich heen laten komen, denken dat het dan achter de rug was en alles weer bij het oude zou zijn. Als Lenny dat geloofde, was hij een nog grotere klootzak dan hij al dacht.

Maar voordat Jimmy een woord kon uitbrengen, viel Freddie hem aan en toen Lenny zwaar op handen en voeten op de vloer terechtkwam, zag hij dat Freddie hem met een slagersmes in de buikstreek had gestoken.

Lenny probeerde zijn darmen binnen te houden, het dikke bloed gulpte eruit, stroomde tussen zijn vingers door en er ontstond een akelige vlek op de pas betegelde serrevloer.

Jimmy geloofde zijn ogen niet toen hij zag wat Freddie had gedaan. Nu had je de poppen aan het dansen.

Freddie grijnsde die krankzinnige scheve grimas die hij sinds zijn jeugd al had gehad. Hij leek wel een klein kind dat betrapt werd bij het jatten uit zijn moeders portemonnee.Maar hij was geen kind en hij had net in koelen bloede Lenny vermoord, in zijn eigen huis. En alleen maar omdat Lenny een beetje opstandig werd. Dit leek wel een nachtmerrie. Hiervoor kreeg je levenslang... eerst doen, dan pas denken. In veel gevallen dacht de dader tien of vijftien klotejaren later nog stééds aan dat ene krankzinnige ogenblik.

Jimmy greep Freddie bij zijn jasje en shirt en sloeg hem met al zijn kracht tegen de muur. Het geluid weerklonk door de serre, het glas begon te beslaan en de vloer was bedekt met het donkerrode bloed van Lenny die nu op zijn gezicht was gevallen.

Hij was echt de pijp uit en zijn vrouw stond in haar keuken te wachten om ze baconsandwiches en een kop thee te serveren.

Freddie stond te giechelen, hij lachte alsof het de een of andere grap was. Jimmy hield hem stevig beet toen Freddie hem van zich af probeerde te duwen, bij de muur vandaan probeerde te komen. Freddie kon geen kant op en probeerde daar uit alle macht verandering in te brengen.

Nu pas kwam Freddie erachter hoe sterk en groot Jimmy eigenlijk was. Hij was zo sterk als een os en Freddie, die altijd de sterke arm van het duo was geweest, realiseerde zich dat Jimmy niet alleen jonger, maar ook groter, gezonder en sneller was dan hij.

Het grote verschil was, bekende Freddie eindelijk bij zichzelf, dat Jimmy zijn kracht onder controle had, een kracht die dieper ging dan alleen lichaamskracht. Er huisde een sterke geest in een sterk lichaam. Jimmy gebruikte zijn hersens, en goed ook, terwijl Freddie bij het minste geringste alleen maar domme kracht gebruikte om te krijgen wat hij hebben wilde.

Jimmy bleef het hoofd van zijn neef maar tegen de stenen muur slaan. Hij wist dat hij bloedde maar het maakte hem geen bal meer uit. Hiervoor was hij altijd al bang geweest. Als dit uitkwam, ging dit hem een lange gevangenisstraf opleveren. Zo'n zinloze afslachting, die had met geen enkel principe of welke reden dan ook iets te maken. Een volslagen onnodige dood die de rest van hun leven kon verwoesten.

Hij trok Freddie bij zijn kin omhoog, met alle kracht die hij kon opbrengen. Hij sloeg hem zo hard dat hij hem overeind moest houden om te voorkomen dat hij in de bloedplas op de vloer zou duiken.

'Jij vuile klootzak, Freddie, achterlijke, smerige klootzak!'

Toen kwam June binnen, ze zag het bloedbad en de hel brak los.

16

Jackie hoorde de meisjes praten en zoals altijd luisterde ze naar hun roddels over de salons en haar zuster Maggie. Ze zaten tijdens een late avondmaaltijd in de keuken met elkaar te babbelen.

Jackie zat in haar woonkamer met op het glazen tafeltje naast haar het gebruikelijke grote glas wijn, haar sigaretten, een grote zak snoep en haar medicijnen. Haar andere medicijnen, de medicijnen die ze wérkelijk nodig had, zaten in haar tas, maar ze wilde graag dat de mensen zagen dat ze antidepressiva slikte, omdat dat naar haar gevoel luid en duidelijk aantoonde wat voor leven ze had en hoe ze daarmee omging.

Maggie had haar er een keer op gewezen dat ze in zo'n kleine wereld leefde, waarin zij als enige voorkwam, zij alleen. Nou, naar de verhalen te oordelen begon Maggie eindelijk het echte leven te ontdekken.

'Ze huilde de ogen uit haar hoofd en ik wist niet wat ik moest doen!'

Roxanna begon met de dag meer op Maggie te lijken. Ze zat met grote ogen naar haar zuster te luisteren en nam nerveuze, korte trekjes van haar sigaret terwijl ze dit akelige nieuws over haar tante aanhoorde.

Kleine Freddie zat zoals gewoonlijk video te kijken. Het geluid van schiettuig klonk keihard en toen hij zag dat zijn moeder naar de meisjes zat te luisteren, schroefde hij het nog wat op. Toen Jackie de afstandsbediening uit zijn handen graaide en het geluid zachter zette, schopte hij haar hard tegen de borst. Ze voelde een folterende pijn en morste ook nog eens het grootste deel uit haar glas.

Jackie sloeg hem met haar vlakke hand en zette daar haar aanzienlijke kracht achter. Elk ander kind zou het hebben uitgeschreeuwd, maar hij lachte haar uit en slingerde een paar verwensingen naar haar hoofd, waar zelfs zij door geschokt was.

'Jij kleine rotzak!'

Hij lachte haar nog steeds uit en in zijn ogen las ze precies hoe hij over haar dacht. Ze stond wankelend op en ving haar reflectie op in de spiegel boven de schoorsteenmantel. Ze had een smerige nachtpon aan, haar haren leken wel rattenstaarten en ze was helemaal opgezwollen, haar gezicht en lichaam schenen haar ineens reusachtig toe.

Ze liep op de spiegel toe en staarde naar zichzelf. Ze zag hoe dun haar haar was geworden, dat eens zo weelderig was geweest, en de ziekelijk bleke gelaatskleur. Ze had voortdurend hoofdpijn en kreeg zelfs haar snoep, waar haar dieet voornamelijk uit bestond, maar met moeite weg.

Op de schoorsteenmantel stond een oude foto van haar en Freddie uit de tijd dat ze nog verkering hadden. Ze pakte hem op en keek er voor het eerst in jaren eens goed naar. Ze was een schoonheid geweest, dat had ze eigenlijk nooit geweten. Maar nu ze zichzelf in dat jurkje zag staan, met die gelukkige glimlach op haar gezicht, was het alsof ze naar een vreemde keek.

Ze hoorde kleine Freddie woord voor woord met de mannen op de video meevloeken. Toen ze de gang in liep, waren de meisjes nog steeds in de keuken. Ze liep naar binnen en lachte naar hen. 'Een fijne dag gehad, liefjes?'

Het klonk geforceerd, dat wist ze wel. Het interesseerde haar totaal niet wat ze hadden gedaan, maar ze vond ze wel geestig.

'Fantastisch, mam. En jij?'

Dit kwam van Kimberley, die sarcasme tot een schone kunst had verheven.

Ze overdacht de belediging en zei toen vriendelijk: 'Wat is er aan de hand met Maggie, dat ze in de salon in huilen is uitgebarsten?' Ze klonk bezorgd en vol belangstelling, en Dianna schudde ongelovig haar hoofd. Ze wisten wat er tussen haar moeder en Maggie gaande was. Ze hadden precies in de gaten wat er in dit huis aan de hand was en waren verbaasd dat hun moeder zich dat niet realiseerde.

Kimberley haalde haar schouders op. 'Weet niet, mam, ze wilde niks zeggen.'

Er sprak een zodanige loyaliteit uit, dat haar moeder wel in de gaten had dat ze er met haar niet over wilden praten.

Jackie voelde de woede weer opkomen die altijd onder de oppervlakte borrelde, maar ze onderdrukte die en zei zachtjes: 'Het gaat niet goed met haar en ze is mijn kleine zus. Misschien moet ik maar eens bij haar langsgaan, wat denken jullie? Een gesprek van vrouw tot vrouw.'

De drie meisjes keken haar alleen maar uitdrukkingsloos aan. Ze zag hoe knap ze allemaal waren, leuk en netjes, en totaal niet geïnteresseerd in wat ze zei.

Ze voelde zich een outsider in haar eigen huis, en dat deed pijn. 'Verdomde domme ganzen dat jullie zijn. Ik doe goddomme alles voor jullie en jullie behandelen me alsof ik een stuk vuil ben, een niks.'

Kimberley pakte haar handtas en de anderen volgden haar voorbeeld. Ze lieten hun sandwiches en thee staan en probeerden langs haar heen te kruipen om naar bed te gaan.

Ze duwde ze allemaal weer terug de keuken in en bleef in de deuropening staan. 'Jullie zullen me antwoord geven, of ik veeg een voor een de vloer met jullie aan.'

Kimberley slaakte een zucht en zei rustig: 'Je bent dronken, mam. Ga naar bed en laat ons met rust, ja?'

Ze zei het op zo'n redelijke toon dat Jackie een paar tellen overwoog dat inderdaad te gaan doen. Maar toen kregen haar drift en paranoia de overhand.

'Sodemieter op, ik wil weten hoe dat verdomde drama in de salon in zijn werk ging. Was jullie vader daar? Komt hij daar ooit wel eens?' Ze hoorde het zichzelf zeggen en wist dat ze klonk als een idioot, maar ze kon zich niet inhouden.

'Waarom zou hij daar komen, mam?'

Roxanna zei dit, ze was doodziek van deze vrouw en haar aanstellerij.

Jackie lachte. 'Dat wil je niet weten, schat, maar luister maar eens goed naar me. Ze krijgt haar verdomde verdiende loon. Als jullie denken dat ze zo geweldig...'

'O, mam, hou toch op!' Dianna's stem klonk zo hard en vastbesloten dat Jackie met stomheid geslagen was. 'Maggie houdt van je, ze spreekt nooit een kwaad woord over je, en het enige wat jij doet is goddomme haar proberen af te slachten.'

Jackie keek naar de drie gezichtjes die naar haar toegekeerd waren en las de verwarring, de pijn en de afkeer ervan af. Toen zei ze met een stem vol zelfmedelijden en in tranen: 'Ze heeft jullie tegen me opgezet, hè?'

Kimberley schudde wanhopig haar hoofd. 'O, mam, dat heb je helemaal zelf gedaan. Ga nou alsjeblíeft naar bed. Wil je hiermee ophouden en ons met rust laten?'

'Jullie vinden Maggie zo geweldig en in jullie ogen ben ik slecht. O, ik weet wel wat er tussen jullie speelt.'

Ze wist dat ze haar mond moest houden maar ze voelde zich zo gekwetst dat ze hen ook wilde raken, hun laten merken wat zij voelde.

'Hou op, mam! Moet je jezelf nou eens horen, je bent dronken. Ga naar bed en slaap je roes uit, ja.' Roxanna, haar kleine meisje, haar babydochter, keek haar aan en ze zag de minachting op haar gezicht, hoorde het in wat ze zei.

'En hoe zit het dan met mij, meiden? Zien jullie niet wat ik moet doormaken? Hebben jullie dan helemaal geen meegevoel met je moeder?'

Jackie jankte bijna van woede, schaamte en alcohol. Ze had de hele dag en nacht door gedronken.

Kimberley duwde haar zusjes beschermend achter zich. Ze wist dat wanneer haar moeder zo was, ze in staat was geweld te gebruiken, maar ze kon het niet laten hardop, zonder enig meegevoel voor Jackies gevoelens, te zeggen: 'Niet alles draait om jou, mam. Wanneer je dat eens kon inzien, zou je leven er zoveel eenvoudiger uitzien. Maggie is een schát, ze heeft nog nooit íéts over jou tegen ons gezegd wat we niet in je gezicht zouden durven herhalen. Ze neemt het voor je op. We mogen verdomme geen woord zeggen over je drankmisbruik en je kolere haat. Ze is de enige die werkelijk om je geeft en jij ziet het niet, zoals gewoonlijk. Je eet van haar eten en je drinkt haar drank, je gebruikt haar zoals je iedereen gebruikt. Maar ze is wel de enige die er altijd voor ons is, en leer dat nu maar eens te begrijpen en te accepteren. Dus, voor de laatste keer, mam, ga naar bed.'

Toen liep ze de keuken uit en Jackie probeerde hen niet tegen te houden. In plaats daarvan deed ze de koelkast open en pakte nog een fles wijn.

Haar echtgenoot en haar meiden... Maggie had ze allemaal van haar afgepakt.

June Brewster was in shock, maar ze had wel in de gaten dat Jimmy Jackson hier niet de hoofdverdachte was en dat hij degene was met wie ze de zaken moest regelen. Freddie Jackson was een moordlustige pooier, dat had ze al heel wat vaker over hem gehoord. Ze kende het spelletje, wist precies in wat voor leven ze verzeild was geraakt. Ze zat er al lang genoeg in om er realistisch over te zijn, net als zoveel andere vrouwen van afpersers.

Toen ze de serre in kwam lopen, had ze één keer geschreeuwd, toen had ze zich zo goed mogelijk in bedwang gehouden. Ze had niet de kit gebeld, en ze wist dat Jimmy haar dat zeer in dank zou afnemen.

Hij was nu ook gekalmeerd, hoewel ze bij binnenkomst in de

serre Jimmy's volslagen minachting voor Freddie Jackson op zijn gezicht had gelezen.

Freddie had het verknald, alleen door haar reputatie dat ze haar mond op slot wist te houden, had ze de goede kant weten te bewaren. Als vrouw van Lenny had ze meer geheimen bewaard dan de Dalai Lama, maar ze wisten dat ze die altijd voor zich had gehouden.

Lenny had eens gezegd dat de jonge Jimmy Jackson het brein van de business was en na het debacle van vanavond was ze geneigd het met hem eens te zijn. Jimmy zat al aan de telefoon om een oplossing voor hen allemaal te bedenken. Ze wist dat ze haar compensatie wel zou krijgen, en die moest reusachtig zijn, want ze wilde de maximale levensverzekeringsuitkering. Dus nu moesten ze ervoor zorgen dat Lenny onder heel wat minder verdachte omstandigheden de dood had gevonden.

Jimmy pleegde talloze telefoontjes en tussen die gesprekken en het plannen door schonk hij haar brandy's in om de last voor haar wat te verzachten.

Maar hoe was dat mogelijk?

Lenny was een klootzak, dat wist zij beter dan wie ook, maar hij was haar echtgenoot en ze waren al zo lang bij elkaar, meer dan twintig jaar. Ook al was het jongste kind verdacht donker in vergelijking met de andere vijf, hij had het geslikt, had haar het voordeel van de twijfel gegund. Dus was ze nooit meer met haar zusters op vakantie naar Tunesië gegaan, kon haar wat schelen. Lenny had haar schaamteloos verwaarloosd en dat wist hij ook. Juist door het feit dat ze de koffer in was gedoken met een jonge ober met strakke buik en enorme lul, en die nauwelijks een woord Engels sprak, was hij er volgens haar achter gekomen wat hij aan haar had. Dus op een of andere manier waren ze daar uitgekomen. Het kind, een meisje, werd zelfs Lenny's oogappeltje. Ze hadden al vijf jongens en zij was een prachtig klein meisje dat haar vader aanbad.

Nu was ze op zichzelf aangewezen met zes kinderen en een huis dat ze alleen maar hadden gerenoveerd omdat zij dat zo graag had gewild. Lenny was een diefachtige schurk, hij had deze twee klootzakken een oor aangenaaid en nu was hij dood. En het enige waar zij aan kon denken was aan Tunesië en de jonge vent die haar weer zelfvertrouwen en zin in het leven had gegeven.

Ze haalde zich hem weer voor de geest, dat strakke kontje en die gespierde armen, een glimlach witter dan een Colgate-advertentie en zijn lange, dikke, zachte haar dat in een paarden-staart was gebonden. Elke keer dat ze met Lenny naar bed ging, had ze aan hem gedacht, want van Lenny werd ze niet meer warmd of koud. Dat was al jaren zo. Hij had buiten de deur geneukt en de opvoeding van de kinderen praktisch hele-maal aan haar overgelaten, dat had haar gekwetst. Ze had hem dat kwalijk genomen, maar ze had vaak genoeg achter zijn rug om een wip gemaakt met een ander.

Onder het klaarmaken van de baconsandwiches had ze de hele tijd aan Freddie Jackson moeten denken, benieuwd naar hoe hij in bed zou zijn. Nu had hij haar man vermoord, de va-der van bijna al haar kinderen. De man die, ondanks dat de buitenkant wat barstjes begon te vertonen en haar kansen op een beetje romantiek steeds minder werden, haar zijn onvoor-waardelijke liefde had verklaard, een kind had aangenomen dat niet van hem was en die deze twee verdomde gekken had bestolen om haar het huis van haar dromen te kunnen geven.

Hoe vaak had ze er de afgelopen jaren niet over gefantaseerd dat hij de pijp uit zou gaan, dat ze haar eigen baas was, op va-kantie kon en zich suf kon neuken met elke kerel die ze maar wilde zonder hem ooit nog te hoeven zien? Hoe vaak had ze Lenny niet dood gewenst? En nu het zover was, wilde ze op dit-zelfde ogenblik dat haar Tunesische ober haar in zijn armen nam en haar helemaal plat zou naaien.

Eigenlijk was ze van plan geweest om met Freddie Jackson van bil te gaan, maar nu dacht ze erover dat met iemand anders te gaan doen. Ze was volslagen gék aan het worden, dacht aan de verkeerde dingen, maar met zes kinderen om haar nek had ze geld en zekerheid nodig. Het huis moest afbetaald worden en de leningen moesten van haar nek af, niet alleen van de au-to's maar ook van de verbouwing en het nieuwe meubilair. Daar moest ze zich nu op richten, en wanneer het allemaal ach-ter de rug was kon ze instorten. Misschien in Tunesië, waar de zon elke dag scheen en waar haar moeder haar belde om te zeg-gen dat het prima ging met de kinderen. Waar ze kon doen als-of ze zo vrij was als een vogeltje in de lucht en waar ze mis-schien deze hele avond en de nasleep ervan kon vergeten.

Elke keer als ze aan Lenny dacht, daar op de vloer in al dat bloed, werd ze ziek van ongerustheid en angst wat er nu van haar moest worden.

Freddie zat de baconsandwiches te verorberen die ze eerder had klaargemaakt. Het maakte haar hysterisch. Hij dronk zijn thee en gedroeg zich alsof er geen vuiltje aan de lucht was. Hij had zelfs naar haar geknipoogd. Er lagen vier kinderen in bed, de oudste twee zouden de volgende dag pas terugkomen en haar man, die stompzinnige kloterukker, lag zo dood als een pier in haar nieuwe serre.

Het was allemaal zo onwerkelijk, maar ze wist dat het echt gebeurd was, want haar geest had het toegegeven en probeerde haar nu te helpen er wijs uit te worden. Ze wist dat ze op een buitenstaander moest overkomen als een huurling, koelbloedig, zelfs hard en gevoelloos. Maar ze was niet van plan om het aan de stok te krijgen met de Jacksons of met Ozzy zelf. Ze had al gezien waar ze toe in staat waren wanneer ze getart werden.

Ze had zés kinderen van drie tot negentien jaar, en ze moest haar hoofd boven water zien te houden. Stel je prioriteiten, was Lenny's mantra altijd geweest en dat was precies wat ze probeerde te doen.

Maggie lag alleen in het grote bed en vroeg zich af hoe laat Jimmy eindelijk thuis zou komen. Het was drie uur in de ochtend en hij had een boodschap achtergelaten dat hij achter een zaakje aan moest, dat ze zich niet ongerust moest maken en dat hij zo snel mogelijk naar huis zou komen.

Hij was zo zorgzaam en ze wist dat hij zich zorgen om haar maakte, ook over hoe ze zich gedroeg. Maar ze kon niets doen om zijn angsten weg te nemen.

Ze was, zoals altijd de laatste tijd, klaarwakker, maar ze had de telefoon niet opgenomen toen hij de boodschap insprak. Ze had niet met hem gepraat aangezien hij had aangenomen dat ze nog niet in slaap was. Ze wilde niet echt dat hij al naar huis kwam. Hij wilde haar knuffelen, haar kussen en haar gelukkig proberen te maken. Hij wilde haar beminnen en daar was ze nog niet aan toe. Ze wilde daar niets van weten want met Jimmy eindigde een knuffel altijd in seks. Tegenwoordig stond ze hem toe haar te nemen, en ze wist dat hij zich ervan bewust was dat ze hem liet begaan, dat ze niet meer meedeed.

Vanaf de allereerste keer dat ze met elkaar naar bed gingen, had ze ervan genoten. Ze had toen geen orgasme gekregen, maar ze had het heerlijk gevonden hem in zich te voelen, ook al deed het een beetje pijn. Ze weerspiegelde zijn opwinding en kreeg een natuurlijke reactie toen hij klaarkwam. Hij wist dat en zij wist dat hij daarom van haar hield.

Op haar veertiende werd ze zich van haar seksualiteit bewust, dat het niet alleen om kindjes krijgen ging, niet om een snelle ontlading. Maar dat er twee jonge mensen bij betrokken waren die niet dicht genoeg in elkaar konden kruipen, maar dat elke keer wel probeerden. Bij elke diepe stoot waarmee Jimmy haar had doorboord had ze haar rug gekromd om hem met dezelfde hartstocht en opwinding te beantwoorden die hij voor haar voelde.

Als hij haar nu kuste, voelde het verkeerd. Zijn handen voelden niet langer zacht op haar lichaam. Wanneer hij met zijn tong tussen haar benen kwam, voelde die dik en rauw aan, vol wit schuim zoals bij Freddie die avond. En hoewel ze wist dat het Freddie niet was, dat het haar man was van wie ze hield, kon ze dat gevoel maar niet kwijtraken.

Ze rook hém nog steeds en ze voelde hém, en vanwege die avond had ze moeten leven met de wetenschap dat Jimmy niet langer de enige was die toegang tot haar had gehad. Daar was ze trots op geweest en ze wist dat hij daar nog steeds trots op was. Het was alleen niet meer waar.

In de badkamer, waar ze samen in bad hadden liggen lachen, grappen en vrijen, zag ze zichzelf slechts op haar knieën met Freddies handen in haar haar toen hij haar pijnlijk dwong hem in haar mond te nemen. De vloer was schoon maar ze zag nog steeds de lange blonde haren die hij uit haar schedel had getrokken toen ze geprobeerd had hem tegen te houden.

Het was allemaal kapot, en ze kon het niet meer goedmaken, nu niet en ook in de toekomst niet. Alles waar ze samen voor hadden gewerkt was vernietigd en Freddie had die puinhoop met opzet veroorzaakt. Het betekende niets meer voor haar als Jimmy met haar naar bed ging. Ze had er nu een afkeer van en wist dat hij zich dat realiseerde, maar hij probeerde er ook iets aan te doen, alleen wist zij dat er geen weg meer terug was.

Ze werd verteerd door het bedrog en Freddie greep elke gelegenheid aan om haar te sarren, te bespotten, net als met het bed. Hij had het bed meegenomen. Jackie was er niet enthousiast over, dat had ze wel gemerkt en ze had een gevoel dat haar zuster er langzamerhand wel achter zou komen.

Ze voelde de tranen weer achter haar ogen branden en vocht om ze binnen te houden. Als Jimmy binnenkwam en haar zag huilen, zou hij weer met zijn vragen beginnen en lief voor haar zijn. Dat lief zijn, daar kon ze juist niet tegen.

Maggie sliep niet meer. Ze was lichamelijk en geestelijk uitgeput, maar zodra ze in bed ging liggen, lag ze klaarwakker.

Dit nieuwe bed was lang zo comfortabel niet als het oude. Jimmy had er een hekel aan, maar ze had erop gestaan deze te nemen, en zoals altijd had hij toegegeven.

Toen Freddie om hun oude bed had gevraagd, had Jimmy daar zonder erbij na te denken in toegestemd en zij was bijna gek geworden van verdriet. Ze wist dat hij elke nacht lag na te denken over wat zich daarop had afgespeeld. Hij kon er niet genoeg van krijgen haar te vertellen hoe goed hij erop had geslapen. Ze had in de eetkamer gezeten en hem toegeknikt terwijl haar avondeten in haar keel was teruggekomen en ze het er wel uit had willen spugen. Ze had hem van frustratie en woede de huid wel vol willen schelden.

Maggie voelde hoe haar hart als vanouds weer brak en ze dwong zichzelf rustiger te ademen. Paniekaanvallen, zo noemde de dokter ze. Zij omschreef ze eerder als schuldaanvallen. En de schuld drukte zwaar op haar omdat ze dit over zichzelf had afgeroepen, en dat was zo moeilijk te aanvaarden. Als ze hem niet had geconfronteerd, hem niet had bespuugd, dan was dit misschien nooit gebeurd. Een woord, een zin, een tv-programma – Freddie liet niets voorbijgaan om haar spottend aan te staren – brachten het allemaal weer in haar herinnering. Ze wist niet hoe lang ze zichzelf nog in de hand kon houden.

In alle eenzaamheid had ze luidkeels gevloekt. Ze had dingen kapotgegooid, tegen de muur gesmeten en dat verlichtte de pijn voor een paar minuten.

Maar die kwam altijd weer terug.

'Je bent godverdomme ook wel een hufter. Waar was je in godsnaam mee bezig?' Ze zaten in de auto. Jimmy probeerde wijs te worden uit Freddie, maar het was verspilde moeite.

Freddie had een van zijn zwijgzame momenten. Die kreeg hij altijd als hij de boel ongelooflijk had verknald en meestal liet Jimmy hem in zijn sop gaarkoken, maar nu kwam het allemaal te dichtbij en hij eiste een verklaring.

'Lenny was een kloothommel, maar dit verdiende hij niet, en dat weet je heel goed. Hij vroeg om een pak slaag. Waarom gaf je hem dat dan niet? Ik ging ervan uit dat hij gepromoveerd was, dat hij meer geld kreeg voor zijn diensten. Ik wist niet dat hij nog steeds op hetzelfde bedrag zat. Dat betekent dat jij míj hebt belazerd, hè? Want als hij nog steeds dezelfde hoeveelheid pegels kreeg, dan heb jij het verschil in je zak gestoken, ja toch? Stuivers, verdomde centen als je het vergelijkt met wat wij binnenhalen en nu heb je hem om je eigen schraperige inhaligheid omgelegd.'

Freddie zei nog steeds niets. Hij stak nog een sigaret op en rookte die kalm op terwijl hij Jimmy gadesloeg. Hij had een behoedzame uitdrukking in zijn ogen, maar los daarvan leek hij zich nergens zorgen over te maken.

Jimmy was verbijsterd. 'Zijn vrouw en kinderen waren in dat huis. Stel dat zijn vrouw verdomme over de rooie was gegaan, wat had je dan gedaan, hè? De hele familie afgeslacht? Kom op, Freddie, ik ben wel heel benieuwd naar je verklaring.'

Freddie haalde nonchalant zijn schouders op. 'Ik liet me gaan, dat is alles.'

Jimmy keek hem aan. Nu was er geen greintje respect meer over en ze wisten het deze keer allebei.

'Je liet je gaan omdat hij verdomme volkomen in zijn recht stond. We hadden er niet eens mogen zijn. Hij verdiende goud geld voor ons en jij hebt hem van zijn geld beroofd. Hij deed het goed en bovendien was hij een vriend van Ozzy. Wat moet ik tegen hem zeggen?'

Nu Ozzy ter sprake kwam, werd Freddie weer alert, en dat was Jimmy's bedoeling ook. Hij had er een hekel aan om Ozzy op die manier in de strijd te werpen, maar het leek de enige manier om hieruit te komen. Freddie moest eindelijk eens begrijpen dat dit nooit meer mocht gebeuren. Het was verdomde link. Ze konden levenslang aan hun broek krijgen voor iets volkomen onzinnigs.

'Ga je het Ozzy dan vertellen?'

Het klonk als een dreigement en een mededeling tegelijk.

Jimmy moest lachen, een vermoeide, geërgerde lach. 'Nou, hij moet het wel weten. Een van zijn oudste makkers en beste verdieners is dood, zijn vrouw blijft alleen achter met zes koters, dus we hebben wel iets uit te leggen. Zo werken de dingen, namelijk, Freddie. Jij hebt de wet niet in pacht. We moeten de dingen góédpraten, met name als het dooie kerels betreft die ons een goed inkomen bezorgen en die op mysterieuze wijze in hun eigen huis zijn neergestoken.'

Freddie had genoeg gehoord. Hij was duidelijk kwaad. 'Zit je me soms in de maling te nemen, makker?' Hij sperde zijn ogen zo wijd mogelijk open. 'Ga je me vertellen dat je Ozzy gaat vertellen hoe het in zijn werk is gegaan? Probeer je me dat wijs te maken?'

Jimmy werd nu zelf ook kwaad en Freddie moest eraan denken hoe sterk en fit hij feitelijk was.

'Ik zou je dat nooit aandoen, maar ik zou het wel moeten doen. Jij moet nodig eens een lesje leren, Freddie. Je bent een wandelende tijdbom. Jíj mag dan misschien de nor weer in willen draaien, maar voorarrest gaat míj al te ver, laat staan tien of achttien jaar.'

Freddie snoof minachtend. 'Jij zou het nog geen vijf minuten volhouden in de bak, makker...'

Hij was te ver gegaan. Hij hield op met praten en Jimmy staarde hem lang aan voordat hij de auto startte.

Terwijl ze over een landweg in Sussex reden, voelde Jimmy de woede weer in zich opkomen. Hij bracht de auto tot stilstand en zei rustig: 'Dit moet ophouden, Freddie, want ik knap het niet meer voor je op. Je hebt dat meisje vermoord en ze had een kind van je. Ik heb haar moeder een schadevergoeding betaald voor de begrafenis en het kind, maar dat had jíj moeten doen, het was jóúw puinhoop, jíj hebt de hele zaak verneukt. Je begint verdomme een sta-in-de-weg te worden, makker. Je denkt zeker dat je alles maar kunt maken, maar ik zeg je nu al, Freddie, dat op een dag je geluk op is en je het gevang weer indraait. En het zal me verdomme een klotezorg zijn.'

Freddie luisterde maar met een half oor naar hem, hij zat met zijn hoofd alweer ergens anders. Daar was hij heel goed in. Als hij de boel weer eens volkomen had verknald, wist hij dat heel handig te vergeten door gewoon aan een ander akkefietje van hem te denken, iets van minder belang. Maar zelfs hij wist dat Jimmy het nagenoeg met hem had gehad en wanneer het zover kwam, zou hij het in zijn eentje niet lang volhouden.

Jimmy was nu Ozzy's jongen en Freddie was door de jaren heen uitgerangeerd. Het leek wel of hij voor Ozzy nooit had bestaan, toen hij nog jonger was, de knul die hij onder zijn vleugels had genomen. Alleen had dit kind onder zijn vleugels tanden gekregen, die afgebeten en uitgespuugd.

Hij was Freddie Jackson, hij was degene die aan de wieg stond van dit alles, en nu was hij de loopjongen, godbetert.

Maar ondanks zijn woede en jaloezie was Freddie zich er ook van bewust dat híj al die verschillende bedrijven nooit zou kunnen runnen. Hij had nooit de moeite genomen om zich erin te verdiepen, had geen enkele belangstelling getoond voor de details, maar ze waren voor Jimmy zijn lust en zijn leven. Hij had zich veel meer moeten bemoeien met de dagelijkse gang van zaken, maar dat was nooit nodig geweest. Jimmy voelde zich als een vis in het water en hij was stom genoeg geweest om te denken dat hij nooit tegen hem op kon. Jimmy deed de dingen op zijn eigen manier, maar hij, Freddie, door wie ze om te beginnen al dat werk op zich af hadden gekregen, was eigenlijk de sleutelspeler. De topman, degene die het overzicht had, de fucking plantagehouder. Maar in plaats daarvan was hij gaandeweg aan de kant gezet.

Hij had dánkbaarheid verwacht, hij had gedacht dat zijn kleine Jimmy hem erkéntelijk zou zijn voor zijn geluk, hij had verdomme zijn verdiende lóón verwacht! Nou, hij had zich vergist en daar zou hij zijn voordeel mee doen.

Hij was al met zijn wraak begonnen, maar hij kon wachten tot hij weer in de arena terug was. Hij kon heel goed zijn kansen afwachten. Bovendien had hij nu iets wat hij tegen Jimmy kon gebruiken en op een dag, als de tijd rijp was, zóú hij dat ook gebruiken. Jimmy zou het uiteindelijk verknoeien, daar zou hij persoonlijk voor zorgen, en op zo'n manier dat het catastrofale proporties zou aannemen. Daar zou hij ook op toezien.

Maar nu moest hij een wit voetje bij Ozzy zien te halen en weer naast Jimmy zien te komen. Hij zou moeten helpen om van Lenny af te komen, die in een landbouwwerktuig zou worden vermalen, uitgerekend in Guernsey. Ze hadden een dokter in hun zak die maar wat graag een overlijdensakte wilde uitschrijven en die ervoor zou zorgen dat het lichaam zo snel mogelijk zou worden gecremeerd. Het grootste probleem was om het lichaam daar te krijgen, daarom waren ze ook in Sussex. Ze gingen een kerel opzoeken die een boot had en bereid was letterlijk alles te doen voor geld en een aanzienlijke portie dope.

Op dit moment moest Freddie doen alsof hij berouw had van zijn kleine uitbarsting. Maar Jimmy zou er spijt van krijgen dat hij nam wat hem toekwam. Freddie was de nemer, hij was de enige die er sowieso voor had gezorgd dat ze kónden nemen.

Jimmy zat zwijgend naast hem en slaakte een zucht. Toen haalde hij een klein doosje tevoorschijn en versneed een paar lijntjes op het dashboard. Hij snoof het zijne snel op, zich ervan bewust dat Freddie zijn verbazing probeerde te verbergen over wat hij met eigen ogen zag.

'Ik heb het nodig. Ik ben gesloopt, Fred, en ik moet morgen naar Ozzy, weet je nog.'

Freddie was dat vergeten en nu wist hij dat het absoluut noodzakelijk was dat hij het op een of andere manier goedmaakte.

'Het spijt me, Jimmy, ik kan mijn klotehanden er wel afhakken. Ik was compleet de weg kwijt, makker. De dope, drank en die del van een Jackie, daar valt geen land mee te bezeilen...' Hij maakte de zin niet af, maar ging na een paar tellen met pijnlijke en berouwvolle stem verder: 'Kleine Freddie, nou, die is pas goed van god los, moet je weten. Daar heb ik elke dag mee te maken. Hij is volkomen losgeslagen, Jimmy. Ik weet absoluut niet wat ik er verdomme mee aan moet.'

Hij snoof snel zijn lijntje achterover en keek toe hoe Jimmy er nog twee versneed.

'Gaat het niet goed, Freddie?'

Jimmy probeerde begrip op te brengen, probeerde het beste van hem te denken, er wijs uit te worden. Sinds de dood van Stephanie en de totale minachting die Freddie daarvoor aan de dag had gelegd, stond er een muur tussen hen in en nu stond alles wat ze hadden bereikt op het spel.

'O, Jimmy, je weet de helft nog niet. Hij loopt bij zo'n klotezielknijper. Mijn kleine jongen moet naar zo'n gatlarf van een Looney Tunes-expert, en die ouwe lul denkt dat hij een borderline psychoot is. Jackie is voortdurend dronken, de meiden mijden haar als de pest en die arme kleine Freddie staat op de wachtlijst voor het gekkenhuis. Ik kan er niet meer tegen. Van de week zei ik het nog tegen Maggie van jou en ze begreep wat ik meemaakte, want zij is de laatste tijd ook niet zichzelf, wel?'

Jimmy hield op met coke snijden en draaide zich naar Freddie om. 'Wat bedoel je? Wat heeft ze gezegd?'

Freddie hoorde de wanhoop in zijn stem, voelde hoe graag de man wilde weten wat er met zijn vrouw aan de hand was, en hij zei rustig: 'Ik weet het niet, makker. Ze is in de put, gedeprimeerd, maar dat weet je zelf toch ook wel? Ik heb niks gezegd wat niet door de beugel kan, maar je gaat het je toch afvragen, hè?'

Jimmy fronste. 'Je wat afvragen?'

Met de peuk van de vorige stak Freddie de volgende sigaret aan en haalde toen bezorgd en onschuldig zijn schouders op. 'Nou, misschien zit het wel in de familie. Jackie met haar drankprobleem en zo. Jouw Maggie die alles heeft wat haar hartje begeert, een mooi uiterlijk, hersens en het huis van haar dromen, en toch is ze niet gelukkig. En dan mijn kleine Freddie...'

'Wat probeer je me verdomme te vertellen?'

Freddie had hem precies waar hij hem hebben wilde. 'Wees niet zo lichtgeraakt, zeg. Ik zeg alleen maar dat ze niet in orde is en dat weet je best. Jackie vertelde een poosje geleden dat ze al eeuwen van de pil af is en dat ze zwanger probeert te worden, dus misschien is dat het wel.'

Het was Freddie zonneklaar dat Jimmy hier helemaal niets van wist.

'Sodemieter op, Freddie, je lult uit je nek. We hebben een dooie in onze kofferbak en jij hebt het over dingen waar je niks van weet. Laten we ons maar richten op wat we moeten doen, ja?'

Maar de schade was aangericht, het zaad was gezaaid.

Freddie gedroeg zich nu schuldbewust, gegeneerd. Hij stak verontschuldigend zijn handen omhoog en uit zijn hele houding spraken leed en berouw.

'Ik zeg het alleen maar, man, dat is alles. Ik probeer je alleen maar aan het verstand te brengen wat er aan de hand is. Vrouwenpraat, zij vertellen andere wijven wat ze ons nooit durven vertellen. Sorry dat ik voor m'n beurt heb gepraat, en je hebt gelijk. Ik heb het vanavond reusachtig verziekt en het moet geregeld worden, dus laten we het er maar niet meer over hebben en op weg gaan.'

Jimmy knikte, maar hij was bezorgd. Hij zat tot zijn nek in de problemen en deze nieuwe ontboezeming hielp bepaald niet bij het bezweren van zijn angsten.

17

Ozzy zat met gefronst voorhoofd en Jimmy probeerde het nieuws zo redelijk mogelijk over te brengen. Dat was bepaald geen makkelijke opgave, maar uiteindelijk was Freddie zijn naaste bloedverwant en degene die het hem mogelijk had gemaakt om sowieso voor Ozzy te kunnen werken. Freddie had dat op reis naar het eiland Wight uitgelegd en Jimmy was het met hem eens geweest.

Freddie zat buiten het gevang in de auto te slapen. Hij had beloofd naar huis te rijden, zodat Jimmy ook een paar uur zijn ogen dicht kon doen.

'Dus Freddie heeft mijn makker omgelegd, probeer je me dat verdomme te vertellen?'

Jimmy knikte. Voor het eerst in jaren leek hij enigszins nerveus en Ozzy moest weer denken aan die jongeman die jaren geleden bij hem binnen was komen lopen. Een jongeman die door Ozzy was opgeleid en die hij in houding en zelfvertrouwen had zien groeien. Hij vermoedde, feitelijk wist hij het wel zeker, dat de dood van Lenny een onrechtmatige, ja zelfs een onrechtvaardige daad was geweest. Wanneer dat niet het geval was geweest, had Jimmy het zonder omhaal medegedeeld met alle feiten die erbij hoorden, erop vertrouwend dat hij het zou begrijpen en binnen paar minuten zou vergeten.

'Lenny Brewster was mijn ouwe gabber. Hij kon van tijd tot tijd een klootzak zijn, maar daar maken we ons allemaal wel eens schuldig aan, zoals je weet. Maar ik wil absoluut precies weten waarom hij om zeep is geholpen. Als het voor de goede zaak was, kan ik ermee leven. Maar als die krankzinnige bagger-aap van een Freddie een van zijn beruchte driftaanvallen heeft gekregen, dan wil ik dat weten, Jimmy. De waarheid is, zoals wel wordt gezegd, een balsem voor de ziel. Nou, hou op met dat gedraai en vertel me precies wat er is gebeurd.'

Hier had Jimmy bepaald niet om gevraagd, maar hij moest het zien op te lossen, anders legde Freddie diezelfde avond nog het loodje. Ozzy had een lange arm en een kort lontje. Hij besloot hem min of meer de waarheid te vertellen.

'Moet je horen, Oz, Lenny had ons gevraagd langs te komen.

Hij nam geld aan, maar bestal ons evengoed. We gingen naar zijn huis om het erover te hebben en hij ging door het lint. Zei dat hij jouw vriend was, dat hij je al weet ik niet hoe lang kende, het bekende verhaal. En toen liep het uit de hand en heeft Freddie hem geraakt. Niks moeilijks aan.'

'Nou als dat aan de hand was, waarom draaide je er dan zo omheen? Waarom zei je dat niet meteen?'

Jimmy haalde zijn schouders op, Ozzy zag de pure macht die van deze jongeman uitstraalde en wist dat hij een goede keus had gemaakt.

'Hij was jouw makker. Ik denk dat hij het gevoel had dat hij er recht op had en Freddie gaf hem alleen maar zijn verdiende loon. Het liep alleen allemaal uit de hand. Hij was een grote zak.'

Ozzy knikte veelbetekenend. 'Lenny was altijd al een zak, maar hij verdiende goed, je zei zelf hoe goed hij was. Dus waarom zou hij meer willen meesnoepen?'

Jimmy was onder de indruk. Hij realiseerde zich dat Ozzy het allemaal in de gaten had en hij haatte zichzelf omdat hij tegen hem loog. Maar wat moest hij anders?

Ozzy zag de verwarring en gespleten loyaliteit op het gezicht van de jongen en hij hield om die reden zelfs nog meer van hem. Freddies doodvonnis was getekend, dat was zo duidelijk als wat. Zelfs in de nor had hij mensen die hij met rust had moeten laten ongelooflijk tegen zich in het harnas gejaagd. Dat deden mensen als Freddie. Hun hele leven was een aaneenschakeling van incidenten, en die veroorzaakten ze zelf omdat ze zonder die opwinding niet het gevoel hadden dat ze leefden. Door dat trekje van hem had Ozzy zijn oog op Freddie laten vallen. Dat was de reden waarom hij zo nuttig was, maar daardoor werd hij ook zodra de gelegenheid zich voordeed aan de kant gezet voor deze knaap hier.

Ozzy wist er alles van, dat Freddie het onophoudelijk met de Blacks aan de stok had. Hij wist alles van het dode meisje, en nog van een aantal andere incidenten waarvan Freddie dacht dat hij die geheimgehouden had en dat niemand daar iets van wist.

Ozzy had een heel netwerk van mensen die op allerlei manieren direct met hem in contact stonden, en Jimmy had geen idee hoe complex dat netwerk in elkaar stak. Zelfs Jimmy werd in de gaten gehouden en gadegeslagen door mensen van wie hij totaal niet wist dat die op Ozzy's loonlijst stonden. Dat was nu eenmaal het spelletje.

Ozzy zou nog een eeuwigheid achter de tralies zitten. Dat wist hij inmiddels, zijn advocaat had hem dat in simpele bewoordingen uitgelegd. Ze waren zeker niet van plan om hem zonder slag of stoot te laten gaan tenzij hij zich totaal zou bekeren. Dat betekende dat hij of een bekeerde christen moest worden, of een graad moest halen in de sociologie of psychologie, en zich dan moest gaan gedragen als een van die *Guardian* lezende, levenslang veroordeelden aan wie hij zo'n hekel had.

Omdat hij weigerde berouw te tonen voor zijn misdaden, wist hij dat het nog lang zou gaan duren voordat hij voorwaardelijk zou worden vrijgelaten, maar dat kwam hem wel goed uit. Hij was al zo lang weg, dat hij zich heel goed op zijn gemak voelde in de omgeving, waar hij nu zat. Daar had hij geluk mee, want dat was precies wat je nodig had om een lange straftijd te kunnen overleven. Hij gooide daarmee feitelijk zijn eigen ruiten in, want als hij gewoon deed alsof hij spijt en berouw had en de collectieve reet van de paroolcommissie zou kussen, zou hij gauw genoeg weer op straat lopen. Maar zijn trots stond hem in de weg. Bovendien vond hij het wel prettig hier.

'Kijk, Ozzy, het is gebeurd en ik heb het opgelost, oké?'

Ozzy lachte naar hem. 'Heb je gehoord wat je daarnet zei?' Jimmy schudde zijn hoofd, blij dat er een lach in Ozzy's stem doorklonk.

'Je zei: "Het is gebeurd en ik heb het opgelost," toch?'

Jimmy knikte geïntrigeerd. Hij vond het heerlijk als Ozzy hem levenslessen leerde en die zaten er nu aan te komen.

'Die tekst betekent voor mij dat jíj de rotzooi hebt moeten opruimen, rotzooi die door Freddie Jackson is veroorzaakt omdat die een halfuur lang zo gek als een deur was en om die reden goddomme Lenny heeft vermoord. Heeft Freddie dat gedaan vanwege een paar centen? Lenny zou nog over vijftig cent in discussie gaan als hij dacht dat hij genaaid werd. Bovendien zou Lenny het niet tegen Freddie of jou hebben opgenomen als hij niet had gedacht dat hij in zijn recht stond, en zo zijn we weer terug bij geld en een rechtvaardige beloning voor goed werk. Hij was een verdiener, hij was ook een ouwe makker van me, dus had hij recht op het voordeel van de twijfel. Nu vraag ik je voor de laatste keer, knul. Is Freddie over de schreef gegaan of is het gewoon volkomen uit de hand gelopen?'

Jimmy slaakte een zucht, woelde met zijn vingers door zijn dikke, donkere haar en zei haastig: 'Hij heeft erom gevraagd,

Oz. Hij heeft erom gevraagd en hij heeft het gekregen. Wat moet ik er nog meer van zeggen?'

Ozzy schokschouderde, wist dat hij loog maar begreep ook waarom. 'Zaak gesloten, dan. Nog één ding. Is zijn vrouw schadeloosgesteld?'

'Ja.'

'Onbeschaamde teef, maar je moet het haar wel geven, want ze heeft altijd haar mond stijf dichtgehouden. Geef haar geen redenen om hem open te doen, oké?'

Jimmy wist dat hem te verstaan werd gegeven dat als hij absoluut niet wilde dat Ozzy achter de waarheid zou komen, hij haar een fatsoenlijk bedrag moest betalen.

'Zeg tegen Freddie dat ik het dit keer door de vingers zie, maar zeg hem ook dat als er weer zo'n akkefietje plaatsvindt, hij er geweldige spijt van gaat krijgen.'

Jimmy knikte weer, maar hield zijn mond, en Ozzy bewonderde zijn scherpe verstand. 'Moet je horen, Jimmy, weet je nog dat ik een vriend van me uit de nor naar jou en Freddie heb gestuurd en dat zij tweeën boezemvrienden werden?'

Jimmy was op zijn hoede. Bobby Blaine had vanaf zijn vrijlating opnieuw gesolliciteerd naar een lang verblijf achter de tralies.

'Nou, die zit weer binnen. Niet dat ik daar verbaasd over was, maar hij heeft me een paar anekdotes over Freddie verteld die me niet lekker zitten. Zolang Freddie nuttig is voor mij en mijn kompanen, zit hij goed. Je hebt hem het voordeel van de twijfel gegeven en dat respecteer ik, maar als hij weer buiten zijn boekje gaat, of hoe dan ook een sta-in-de-weg wordt, dan verwacht ik van je dat je dat voor eens en voor altijd regelt. Begrijp je wat ik zeg?'

Jimmy knikte nogmaals en Ozzy zag dat hij inderdaad in staat was om te doen wat nodig was. Eigenlijk was hij alleen maar daarin geïnteresseerd geweest en nu had hij zijn antwoord.

'Kom op, Maggie, kop op.'

Roxanna lachte haar toe en Maggie dwong zichzelf terug te lachen. Rox was een goed zaterdaghulpje en ze had haar nodig omdat ze nooit alleen wilde zijn.

'Ben je weer ziek geweest?'

Roxanna bekeek haar tante eens goed. Haar haar zat volmaakt, haar make-up was perfect, maar op een of andere manier zag ze er niet uit, versleten, met rafelige randjes.

Ze waren in de salon in Leigh-on-Sea. Die was net helemaal in chroom en glas omgetoverd en het zag er fantastisch uit. Hij keek op zee uit en ook al was het bewolkt en donker buiten, de salon, die ter ere van Maggies lievelingsnichtje 'Roxy's' heette, zag er vandaag uitnodigend, sophisticated en – in Essex heel belangrijk – duur uit.

Het was er niet goedkoop, maar ook niet overdreven duur, en dat was het geheim om in Essex en Oost-Londen geld te maken. Als het er goed en chic uitzag, dan kon je in je vuistje lachen op weg naar de spreekwoordelijke bank.

Maggie overzag de nieuwste aanwinst van haar keten en voelde niets. Haar normale trots was verdwenen. Maar ze begon zo'n goede actrice te worden, dat niemand het eigenlijk in de gaten had. Ze wist zelfs haar moeder om de tuin te leiden. Ze glimlachte, praatte, ze was in praktisch alle opzichten weer zichzelf.

Maar Jimmy wist dat ondanks hun succes en liefde ze niet meer met elkaar konden praten.

Hij was weer de hele nacht weggebleven en daar was ze blij mee geweest, opgelucht dat hij er niet was. Omdat hij bij Freddie was, had ze zelfs een beetje kunnen slapen, relaxed dat Freddie niet zou opduiken, haar niet zou bellen en met haar over koetjes en kalfjes zou praten maar haar ondertussen wel terroriseerde.

Roxanna had water opgezet en zette een kop koffie voor hen beiden. Toen Maggie van de hare nipte, kreeg ze zo'n aandrang om over te geven dat ze over een van de spiksplinternieuwe glazen wasbakken moest kokhalzen. Haar koffie vloog alle kanten op en ze liet de kop op de vloer vallen. Ze bleef maar kokhalzen, terwijl er niets kwam.

Roxanna zette haar koffie zachtjes weg en liep naar achteren. Ze kwam terug met schoonmaakspullen en zag haar tante op een van de nieuwe zwartleren kappersstoelen zitten. Ze zei zachtjes: 'Waarom doe je geen test? Je moet toch weten dat je zwanger bent, Maggie?'

Roxy was de laatste tijd altijd om haar heen. En het arme kind geloofde dat ze zoveel van haar hield, maar dat was niet waar. Ze was dol op haar, maar ze was ook haar verzekering tegen Freddie. Zolang Roxanna er was, moest hij zich gedeisd houden.

Maar omdat ze zo vaak bij elkaar waren, had Rox haar toestand wel kunnen raden.

Maggie keek haar nichtje aan en het meisje zag de angst in haar ogen. Roxanna liep op haar toe, knuffelde haar stevig en zei volkomen verbijsterd: 'Wat is er in hemelsnaam met je aan de hand? Vertel het me alsjeblieft, Mags, ik zweer je dat ik het er met niemand over zal hebben. Ben je bang om zwanger te zijn? Is dat het, maatje?'

Maggie vermande zich. Waar ze het meest van alles bang voor was geweest, was nu hardop uitgesproken en daardoor was het als het ware realiteit geworden. Ze had zichzelf gedwongen er niet aan te denken, had de gedachte uit haar hoofd gezet en zich erop geconcentreerd zich zo normaal mogelijk te gedragen. Nu had Rox haar met haar neus op dat ene feit gedrukt dat ze nooit onder ogen had willen zien.

Ze was zwanger en het moest van Freddie zijn. Ook al had Jimmy diezelfde avond ook met haar gevreeën, Freddie had haar verkracht. Jimmy was langer dan een jaar met haar naar bed geweest nadat ze met de pil was gestopt en er was niets van gekomen. Nu was datgene wat ze meer dan wat ook in haar leven had gewild, ook écht gebeurd. Waar ze om had gebeden, van had gedroomd en zo wanhopig naar had verlangd, was haar eindelijk overkomen en ze wilde het niet.

Ze had het gevoel alsof ze door een alien was overrompeld, en elke gedachte aan dit kind bracht haar niets dan angst en wanhoop.

Ze haatte het nu al en haar kleine apengatje, haar kleine Rox, keek haar aan alsof ze gek was geworden. Misschien was ze dat ook wel. Maar het geheim was geen geheim meer en nu zou de hel losbreken.

Lena keek haar man aan terwijl hij tegen Maggie praatte en onderdrukte de aandrang om hem met het eerste het beste botte wapen dat ze te pakken kon krijgen op zijn hoofd te slaan.

'Jij domme gans. Heeft je moeder daar nu over in de zenuwen gezeten? Een baby, verdomme! Jullie vrouwen met jullie hormonen. Ik zei toch dat het allemaal wel zou loslopen, niet dan, Lena?'

Lena schonk Joseph zo'n blik dat hij wel onder de vloer kon kruipen. Hij begreep eindelijk de hint en hield zijn mond. Hij vouwde zijn krant open en begon de race-uitslagen te bestuderen terwijl hij zich niet voor het eerst verwonderde over dat grillige vrouwvolk. Maggie was zwanger, maar zoals zij eronder was, deed iedereen alsof ze terminale kanker had.

Hij zuchtte en richtte zich op zijn paarden. Daarvan wist je tenminste wat je aan ze had. Ze renden, verloren en zeiden niets terug.

Lena gaf haar dochter een kop thee en ging naast haar zitten.

'Je ziet eruit als het meisje dat haar laatste oortje heeft versnoept. Alsjeblieft, liefje, zeg me wat er nou zo erg is aan het krijgen van een kind. Ik dacht dat je dat juist wilde.'

'Dat is ook zo, mam. Ik ben gewoon uitgeput na die nieuwe salon en zo.'

Zoals Maggie al had voorspeld, had Rox het nieuws snel rondverteld. Het was nu drie uur 's middags en haar vader en moeder wisten het al. Nu moest ze Jimmy, Jackie en hém onder ogen komen. En dus moest ze haar rug rechten en hem ervan zien te overtuigen dat het van Jimmy was, ook al was ze er zelf van overtuigd dat het van Freddie moest zijn.

Het voelde als Freddies baby. Hij voelde duivels en kwaadaardig aan, een indringer. Hij was er met haat bij haar ingestopt en zo dacht ze ook over hem.

Met heel haar hart wilde ze dat het dood was, maar dat kon ze niet hardop zeggen. Ze zou Jimmy vertellen dat ze in de wolken was en toekijken hoe hij ging vieren dat hij vader werd.

En dat zou ze doen ook, want wanneer Freddie ook maar enig vermoeden van de waarheid zou hebben, was haar leven werkelijk voorbij.

Jimmy hield zijn vrouw in zijn armen en zei tegen haar hoeveel hij van haar hield. Al haar stemmingen en rare gedrag zouden nu tot het verleden behoren, want het kwam gewoon door haar toestand.

Ze verwachtte hun baby en ook al zinde het hem niks dat ze het zo lang voor zichzelf had gehouden, hij was opgetogen.

Later op de dag zou de hele familie langskomen en hij had champagne gekocht om op de gelukkige gebeurtenis te proosten. De meisjes stonden al sandwiches te maken en zijn vrouw zat zwijgend op hun bed.

Na die verschrikkelijke avond en zijn bezoek aan Ozzy was dit nieuws een godsgeschenk geweest. Dit had hij nou net nodig, dat er eindelijk eens iets goeds gebeurde. Ze had het hem via de telefoon verteld, het eruit geflapt. Hij was sprakeloos van verbazing en geluk geweest, maar nu voelde hij eens te meer dat er iets grondig mis met haar was. Ze leek wel een robot, ze lachte en babbelde, alleen lachten haar ogen niet mee en ze sprak geforceerd. Hij kon het niet met elkaar rijmen. Hij had het gevoel dat hij in een toneelstuk speelde of aan een spelletje meedeed. Hij hield met heel zijn hart van haar, maar hij kende haar niet meer. Ze deden alsof er niets aan de hand was en tegen beter weten in hoopte hij dat het de hormonen waren, zoals Lena hem eerder had uitgelegd.

Ze wist dat hij zich bezorgd maakte om Maggie, want een tijdje geleden was hij bij haar komen praten. Hij had haar gevraagd of ze iets had gezegd, of hij iets had gedaan wat hij niet in de gaten had gehad en haar in de war had gebracht.

Maar Lena had hem ervan verzekerd dat het gewoon een dipje was, dat kwam in elk huwelijk voor, dat de verliefdheid niet maar kon duren en Maggie waarschijnlijk het werk in de salons moe was. Jimmy had die verklaring met beide handen aangegrepen en geloofd dat ze gelijk had omdat hij dat zo dolgraag wilde geloven. Maar daar zat ze dan op het bed dat hij niet had gewild maar zij per se wel. Ze droeg hun kind, dat ze meer dan wat ook in de wereld wilden en ze leek wel een opgewarmd lijk.

Hij was bang. Hij knielde neer, nam haar handen in de zijne en zei zacht: 'Gaat het wel, Mags? Ben je blij dat we een baby krijgen?' Ze keek hem in de ogen. Hij zag er zo goed uit, hij was alles wat ze ooit had gewild. Hij wilde zo graag dat ze zei wat hij graag wilde horen en ze wist dat ze hem moest zien te overtuigen.

Van abortus kon geen sprake zijn want ze was katholiek opgevoed, maar toen ze zich tot een warme glimlach dwong begon een plan in haar hoofd vorm te krijgen. Ze zei: 'Natuurlijk ben ik dat, schatje, maar ik ben ochtend-, middag- en avondziek. Ik voel me gewoon belabberd.'

Hij kuste haar zachtjes op de lippen en voor het eerst in tijden duwde ze hem niet weg.

'Ik hou van je, Maggie, je betekent alles voor me. Dat weet je toch, hè?'

Ze voelde de tranen achter haar ogen prikken, ze knikte en zei droevig: 'Ik weet het, maatje, ik weet het.'

Jackie was opgetogen. Nu Maggie ook bij de club zat, kon ze zich een beetje ontspannen. Ze wist uit eigen, bittere ervaring dat Freddie niet van zwangere vrouwen hield. Toen kleine Freddie in aantocht was, had hij zich zelfs zo voor haar genegeerd dat ze bijna met hem op de vuist was gegaan.

Ze wilde dit zo graag omdat ze wist dat ze nu weer vriendjes kon worden met Maggie, echte vriendinnen, zoals vroeger. Ze was nu een zwangere vrouw en Jackie kon opnieuw haar rol van oudere zuster spelen, haar advies geven, haar leren begrijpen wat er met haar gebeurde, mevrouw weetal uithangen. Hier had ze zo naar verlangd, dit had ze nodig. Dit had zij tenminste al eerder doorgemaakt, en voor Maggie, hoe slim ze ook met haar salons omsprong, was dit de eerste keer.

De meisjes waren al bij Maggie. Jackie zat in de auto bij haar twee Freddies en het maakte haar zelfs niets uit dat haar man haar negeerde. Hij zag er kwaad uit, maar kleine Freddie had dan ook even eerder zijn gouden aansteker uit het autoraam gegooid.

Maggie, haar mooie kleine Maggie, was nu verboden terrein en dat was het enige wat ertoe deed.

'Steek een peuk voor me aan, Jack, en grijp dat klootzakkie bij zijn lurven voordat hij uit het raam valt, ja?'

Ze draaide zich om en stompte kleine Freddie tegen zijn arm. Elk ander kind zou het hebben uitgeschreeuwd van de pijn. Het was een stevige klap waar ze al haar kracht in had gelegd omdat iets anders toch niet hielp.

Kleine Freddie greep haar bij de haren en probeerde haar vloekend en tierend op de achterbank te sleuren.

Freddie keek naar zijn vrouw en zoon, en verbaasde zich erover dat zijn leven zo klote was. Volslagen en helemaal klote. Hij liet het stuur met één hand los en sloeg zijn zoon zo hard dat het kind hevig naar adem snakkend tegen de leren bekleding terechtkwam.

Maar hij liet zijn moeders haar los, Jackie zat weer recht in haar stoel en probeerde zich te fatsoeneren. Ze had vanavond een hoop werk van zichzelf gemaakt en ze vond dat ze er goed uitzag.

'Steek die peuk verdomme aan, Jack, en jíj, kleintje, pas op je tellen want ik ben hier totaal niet voor in de stemming, begrepen?' Hij keek in de binnenspiegel naar zijn zoon. Kleine Freddie knikte, maar zijn ogen waren tot spleetjes geknepen en zijn gezicht zag donker van woede.

Freddie was geïrriteerd en moe, maar toen ze de oprijlaan van Maggie en Jimmy's prachtige vrijstaande huis opreden en naar binnen gingen, klaarde zijn humeur, zelfs zonder hulp van dope, meteen op.

Zoals gewoonlijk was Maddie er en ze was dolblij voor het jonge stel. Dit luidde een nieuw leven en een nieuw tijdperk in, zo zei ze tegen Lena.

Lena omhelsde haar. Tegenwoordig begon ze Maddie werkelijk aardig te vinden. Ze leek in de verste verte niet meer op de vrouw die ze was toen haar echtgenoot nog leefde.

Jimmy's pa en moe waren er voor de verandering ook een keer, als altijd wat teruggetrokken. Deirdre observeerde alles maar zei niets tenzij haar iets gevraagd werd. Lena had haar al lang geleden afgeschreven, maar net als bij alles in het leven moest je glimlachen en aardig doen omdat je ze altijd wel weer een keer tegenkwam.

Lena merkte op dat Maggie er wat beter uitzag. Ze zag er gelukkiger uit dan ze in tijden had gedaan, haar make-up zat helemaal goed en ze droeg een mooi wit jurkje. Ze had hem laten aanmeten en haar kleine buikje was al zichtbaar. Van dat alleen al werd ze blij. Jimmy en Maggie zouden een prachtkind krijgen, dat wist ze zeker. In tegenstelling tot Freddie en Jackie, die een stel fantastische kinderen hadden maar daar geen waardering voor konden opbrengen, wist ze dat zij geweldige ouders zouden worden.

Vooral haar Maggie, want ook al was Jimmy een bekende figuur uit de onderwereld, hij zorgde meer dan goed voor zijn gezin. Zelfs als hij in de kraag zou worden gegrepen, dan zou haar dochter het financieel prima kunnen redden. Zo heel anders dan die lulhannes die binnen kwam lopen alsof de tent van hem was, die haar oudste kind zonder een nagel om haar reet te krabben en met een buik vol armen en benen had laten zitten.

Freddie had een magnum champagne gekocht. Hij liep recht op Maggie af, gaf hem aan haar en zei luidkeels: 'Gefeliciteerd! We begonnen allemaal al te denken dat hij alleen maar met losse flodders schoot!'

Maggie schonk hem haar stralendste glimlach en zei opgewekt: 'Nou, dan had je het mis, Freddie. Mijn Jimmy is een echte man.'

Jimmy kwam naast haar staan en toen hij zijn arm om het smalle middel van zijn vrouw sloeg, zei Freddie schertsend: 'Weet je zeker dat je niet een beetje hulp hebt gehad?'

Maar hij keek daarbij Maggie aan en ze kon hem niet in de ogen kijken. In plaats daarvan drukte ze zich tegen haar man aan en begroef ze haar gezicht in zijn heerlijk ruikende shirt.

'Klootzak, alsof ik daar hulp bij nodig zou hebben.'

Niemand die hen kende zou vermoeden dat ze maar deden alsof er niets aan de hand was. Jimmy had het liefst Freddie het huis uit gegooid, maar dat kon hij niet maken.

'Ik dacht dat ze misschien een nachtje iemand anders in haar bed had genomen. Dat zeiden die oude wijven vroeger toch altijd, mam?'

Maddie knikte, blij dat hij haar had opgemerkt en haar bij het gesprek betrok.

Freddie verhief zijn stem toen hij vervolgde: 'Onthoud dat andere oude gezegde, Jimmy, een wijs kind weet wie zijn moeder is, maar een héél pienter kind weet ook wie zijn vader is!'

Iedereen lachte. Jackie sloeg het tafereeltje gade en voelde de jaloezie weer de kop opsteken. Bij haar had hij er nooit zo'n toestand van gemaakt, en zij had het vijf keer moeten doormaken, als je de miskraam meetelde.

Maggie ging naar haar toe en omhelsde haar. 'Alles goed, Jack?'

Jackie probeerde haar woede aan de kant te zetten en omhelsde haar kleine zuster zo hartelijk als ze kon opbrengen. 'Ik ben zo blij voor je, Mags. Kinderen zijn het beste wat je kan overkomen.'

Nog terwijl ze het zei schopte kleine Freddie Lena tegen de schenen. Ze gaf hem een klap die klonk als een klok waardoor hij op de grond viel. Hij werd regelmatig geslagen, dus was hij spijkerhard geworden.

'Jij kleine etterbak! Als je dat weer doet, vil ik je levend.'

Kleine Freddie lachte zijn grootmoeder gewoon uit en toen Maggie naar al die glimlachende gezichten om zich heen keek, dacht ze dat ze gek werd.

Ze zat op de toiletpot en probeerde zich te vermannen, toen Freddie haar eindelijk alleen aantrof. Het slot van de badkamerdeur kon zo nodig van buitenaf worden geopend. Hij had haar heimelijk gadegeslagen en de hele avond afgewacht om haar alleen te pakken te krijgen. Hij liep naar binnen en zag de angst in haar ogen opkomen.

'Relax, ik wist niet dat je hier was, wel?'

Maggie stond snel op. Hij keek op haar neer en verwonderde zich erover hoe klein ze was. Hij was een grote kerel en zij was maar klein, zelfs onder het gemiddelde. Dat was een van de dingen die hij zo aantrekkelijk aan haar vond.

Hij haalde zich voor de geest hoe ze had gevoeld, herinnerde zich hoe smal haar middel was, haar volle borsten en haar kleine handen in de zijne. Ze was een schoonheid en nooit van zijn leven had hij zo van een vrouw genoten.

Toen hij haar van top tot teen bekeek, voelde ze zo'n woede in zich opkomen dat ze er bijna gelukkig van werd. Ze had zo lang niets kunnen voelen, dat elk gevoel welkom was.

'Sodemieter op, Freddie, of ik gil het hele huis bij elkaar.'

Hij lachte naar haar en stak zijn arm uitnodigend uit om haar te laten vertrekken. 'Ga je gang, gil zoveel je wilt.'

Ze drong zich langs hem heen en hij greep haar pijnlijk bij de arm. Maar hij zorgde er wel voor dat er geen blauwe plek achterbleef. Meteen wist ze dat hij bang was voor Jimmy.

Na die ramp bij Lenny zat Jimmy op het randje. Hij had het met Oz weliswaar gladgestreken, maar Freddie wist dat er een heleboel gezegd was waar hij nooit iets van te weten zou komen. Jimmy had hem harde toezeggingen moeten doen, dat wist hij zeker. Hij was niet achterlijk, en hij wist dat Ozzy zich grondig liet informeren over iedereen die op zijn loonlijst stond. Dus hiermee speelde hij met zijn leven, want als Jimmy hem zou betrappen, zouden er slachtoffers vallen.

Maar deze kans kon hij niet laten lopen. 'Weet je zeker dat je me niets te vertellen hebt?'

Hij schonk haar weer dat lachje dat het voorwerp van zijn spot altijd het gevoel gaf dat hij niets waard was, een niemand.

'Zeker weten. Wat zou ik in hemelsnaam zo'n graflul als jij te zeggen hebben, Freddie?' Het kwam er vastberaden uit en ze was dankbaar dat haar woede nog ergens goed voor was, daardoor kon ze de strijd met hem aanbinden.

'Gek dat je nu wel zwanger bent, vind je ook niet? Jackie zei tegen me dat je al een tijdje van de pil af was.'

Ze gaf geen antwoord en trok haar wenkbrauwen op alsof hij volslagen idioot was.

'Ik bedoel, zie het eens van míjn kant, ja? Dit zou wel eens een nieuwe kleine Freddie kunnen zijn, toch?'

Hij zat haar op te jutten, maar ze slikte haar angst weg toen ze zijn hand van haar arm schudde. 'Je denkt écht dat je heel wat bent, hè? Nou, ik ben meer dan drie maanden heen, makker, dus hou maar op jezelf te feliciteren. Nou, uit de weg, want anders ga ik deze keer echt stampei maken. Ik weet alles van Lenny, Jimmy vertelt me alles. In tegenstelling tot jou en mijn zuster, hebben wij wel een goed huwelijk. Al waren er vijftig zoals jij, Freddie, dan nog kun je dat niet kapotmaken. Jij bent niets meer dan een ordinaire moordenaar, en je kunt me geen pijn meer doen.'

Ze staarde hem recht in de ogen en met een triomfantelijk gevoel zag ze dat hij van haar woorden schrok. 'Voor mij beteken je niets, en deze baby is kleine Jímmy. Hij wordt een prima kind, krijgt een goede opleiding en hij komt niet in de buurt van dat beest dat jullie kleine Freddie noemen en dat jullie twee op de wereld hebben geschopt, voor zover dat menselijkerwijs mogelijk is. Sodemieter nou op.'

Deze keer deed hij een stap opzij en ze opende de deur. Haar hoofd spleet zowat in tweeën maar ze liep met hoog opgeheven hoofd en rechte rug bij hem vandaan. Ze liep de trap af naar het feestje waar ze met een lach op haar gezicht opgewekt met iedereen begon te praten.

Hiervoor was ze meer dan wat ook bang geweest. Nu was het gebeurd en ze was er nog. Haar wereld was niet ingestort en ze was niet meer zo angstig nu ze het hem recht in het gezicht had gezegd. Zo zou ze het gaan spelen en nu ze eenmaal met het verraad was begonnen, zou ze er tot het bittere einde mee doorgaan.

Freddie had al zoveel vernield wat haar dierbaar was, maar hij zou er niet achter komen dat hij wel de vader moest zijn van het kind waarvan haar man dacht dat het het zijne was. En het zou bij Jimmy niet in zijn hoofd opkomen dat zoiets mogelijk was. Hij vertrouwde haar, en ooit had hij daar alle reden toe gehad.

Dit kind was haar opgedrongen, en ze zou doen alsof ze het graag wilde, ervan hield en ze zou ervoor zorgen. Die schijn zou ze op moeten houden en ze was vast van plan dat te doen.

Als Freddie ook maar de kleinste hint had dat het van hem was, dan zou hij haar dat voor eeuwig onder de neus wrijven en Jimmy zou compleet instorten als de waarheid naar buiten kwam. En nu realiseerde ze zich dat het daar allemaal om draaide. Jimmy had met succes de ladder beklommen terwijl Freddie nog altijd op de laagste sport stond.

Hij was een wraakzuchtig en gevaarlijk tegenstander, maar ze moest zichzelf, haar man en haar gezonde verstand beschermen.

Op 1 november 1996 beviel ze van een zoon.

Hij werd James Jackson junior genoemd en na de geboorte huilde zijn moeder drie dagen lang.

DEEL DRIE

Zelfs als we het huwelijk het laagste van het laagste vinden,
beschouwen we het toch als een vriendschap
die door de wet wordt erkend.
ROBERT LOUIS STEVENSON, 1850-1894
Virginibus Puerisque

Wanneer vaders onrijpe druiven eten,
krijgen de kinderen ruwe tanden.
EZECHIËL 18:2
De Bijbel

18

2000
'Je laat hem toch zeker niet weer hier?'

Maggie snauwde met schelle stem tegen haar moeder: 'Nou, als je hem niet wilt, mam, hoef je het alleen maar te zeggen, hoor.'

Kleine James junior sloeg het tafereel voor zich zoals altijd zenuwachtig gade.

Hij had zijn halve leven bij zijn nana doorgebracht en hij vond het er fijn. Op zijn derde had hij al uitgevogeld dat zijn moeder anders was dan andere moeders. Ze knuffelde hem bijna nooit en raakte hem zelden aan, tenzij het absoluut niet anders kon. Toch zorgde ze goed voor hem. Hij zag er netjes en goed doorvoed uit, maar zijn nana paste meestal op hem en dat kwam hem uitstekend van pas.

Zijn vader was heel andere koek. Hij was dol op zijn dada en zijn dada was dol op hem. Hij knuffelde en kuste hem, en speelde met hem totdat zijn mam hem in bad en in bed stopte. Zijn vader las hem voor, nam hem mee in de auto en zorgde ervoor dat hij zich veilig voelde.

Van zijn moeder werd hij daarentegen onrustig. Hij had een zenuwtrek en knipperde voortdurend met zijn ogen als hij met haar alleen was. Hij wist dat hij haar niet snel genoeg was, dat ze zich aan hem ergerde, en toch wist hij ook dat ze zijn gevoelens niet wilde kwetsen, dat ze zich er niet goed bij voelde. Op zo'n moment gaf ze hem een knuffel, maar meer als een excuus dan als een uiting van liefde.

In haar ogen kon hij niets goed doen en hij wist niet hoe hij ervoor moest zorgen dat ze van hem ging houden.

Nu schoot zijn nana uit haar slof, zijn grootpapa noemde dat buien, en hij wist dat hij er hoe dan ook zou blijven. Dat hoopte hij tenminste. Zijn grootpapa maakte hem aan het lachen en vertelde hem verhaaltjes. Zijn nana kookte heerlijk en kroelde zoveel ze kon met hem. Het was alsof zij het volslagen gebrek aan liefde van zijn moeder wilde goedmaken.

Maar hij maalde er niet om. Als hij bij zijn nana mocht blijven wonen en zijn vader elke dag kon zien, dan zou zijn leven perfect zijn.

'Geef me nog een kus, jij!'

Rox ging uit met een jongen uit de buurt, Dicky Harmon genaamd. Hij was een aantrekkelijke knul en ook een aankomende jonge crimineel. Hij werkte voor Jimmy en dat vond hij prachtig. Voor Freddie was hij bang, maar hij was wel zo wijs om hem dat niet te laten merken. Freddie zou als het aan hem lag de relatie in de kiem smoren, maar Rox had hem al lang geleden zijn plaats gewezen. Hij wist dat Freddie het niet kon verdragen dat zijn dochters verkering hadden, het maakte niet uit met wie, dus vatte hij zijn vijandige houding niet persoonlijk op. Hij was zich ervan bewust dat Freddie het op alle fronten had laten zitten wanneer het om zijn dochters ging, maar Freddie kon het niet verdragen dat zijn dochters net zo werden behandeld zoals hij zelf de vrouwen in zijn leven behandelde. Freddie zou er een persoonlijke zaak van maken wanneer een van zijn dochters geneukt en afgedankt zou worden. Maar het ging niet om hen, het ging om hém en hoe er tegen hem aan werd gekeken.

Dicky had hem al lang geleden in de smiezen gehad. Hij had net zo'n vader als Freddie en hij was vastbesloten niet ook zo te worden. Rox was een ster en hij was dol op haar. Op dit moment wilde hij niemand anders, maar als het wel zover kwam, zou hij dat discreet doen zonder dat hij de liefde van zijn leven zou kwetsen.

Rox was het evenbeeld van Maggie toen die net zo oud was. Op haar eenentwintigste was ze oogverblindend en ook nog eens een gediplomeerd kapster en schoonheidsspecialiste. Ze runde Maggies op een na grootste salon in Chingford, had haar eigen flat gekocht en haar eigen auto. Maggie had haar daarbij geholpen, maar dat wist uiteraard niemand.

Elke dag dankte ze God op haar blote knieën dat ze Maggie had en ze aanbad haar. Maggie had ervoor gezorgd dat ze weg kon uit die puinhoop waarin ze was opgegroeid en had haar de weg gewezen naar een beter leven.

Nu had ze Dicky en ze was verliefd, haar leven was beter dan het ooit was geweest. Haar vader had geprobeerd ze tegen te houden, maar toen Jimmy haar toestemming had gegeven, had hij zich gedeisd gehouden. Bovendien, bedacht ze, mocht haar vader Dicky eigenlijk wel, hij kon het alleen niet toegeven.

Het was vrijdagavond en de salon zat propvol. Alle zonnebanken waren volgeboekt en de geur van snelbruiners hing zwaar in de lucht die zich vermengde met de zoete geuren van de haarproducten van de kapsters. Rox was moe en gelukkig en ze probeerde Dicky uit haar kleine kantoor te werken zodat ze verder kon met haar werk.

Een van de juniors, een knap meisje met brede heupen en een grote bos haar, riep door de deur: 'Margarets wekker ging net. Zal ik de kleur uitwassen of wil je het eerst controleren?'

'Ik kom eraan, Renee. Schenk haar een glas witte wijn in en doe mij er ook maar een. Ik ben er zo.'

Ze duwde Dicky door de deur. 'Kom op, jij, in de benen. Ik heb werk te doen.'

Hij lachte. 'Gaat het vanavond nog door?'

Ze knikte, altijd weer verbaasd dat deze heerlijke man haar wilde. 'Kom maar om halfacht naar mijn flat, of wil je liever in de pub afspreken?'

'De pub is beter, vind je niet? Je vader en iedereen zullen er wel zitten, denk je niet?'

Ze slaakte een zucht. Ze liepen samen door haar drukke domein en ze was zoals altijd opgetogen dat dit allemaal onder haar leiding gebeurde.

Dicky ging weg en er kwamen twee vrouwen binnen voor een snelle föhnbeurt. Ze glimlachte professioneel naar Margaret Channing en controleerde met een kennersoog haar haar, ook al was ze met haar hoofd al bij de komende avond.

'Waar is m'n knul?'

Jimmy klonk geërgerd en Maggie zei zo lief mogelijk: 'Hij is bij m'n moeder. We gaan naar Jackies verjaardag, weet je nog?'

Hij knikte maar ze wist dat hij er niet gelukkig mee was, dat hij liever de jongen onderweg had afgezet. Ze had haar smoes klaar waarom ze Jimmy junior daar al had gebracht. Ze had een hoop werk moeten inhalen en had tijd voor zichzelf nodig. Het was volkomen uit de lucht gegrepen maar ze probeerde toch zichzelf ervan te overtuigen dat het waar was.

'Gaan je vader en moeder dan niet?'

Maggie draaide zich naar hem toe. Toen hij in haar knappe gezichtje keek, vroeg Jimmy zich voor de zoveelste keer af wat er mis was met zijn vrouw dat ze haar eigen kind niet kon verdragen.

'Maddie gaat naar mijn moeder en past een tijdje op hem. Ze blijven sowieso niet lang, dat weet je toch. Mijn vader heeft een bloedhekel aan Freddie en mam neemt hem voor lief. Zodra Jackie er een paar achter haar kiezen heeft en vervelend begint te worden, maken ze dat ze wegkomen.'

Jimmy knikte, maar hij was nog steeds in de war dat zijn kleine mannetje niet thuis was om hem te begroeten. Hij keek zijn huis rond en wist dat hij er trots op mocht zijn. Het was een vrijstaand huis in Georgian stijl, het had zes slaapkamers en stond op ruim een hectare grond. Het bezat een zwembad, een sauna en kon zo uit een blad komen.

Maggie had er een neus voor om huizen in te richten, dat kon hij niet ontkennen. En toch voelde het huis leeg aan, alsof het niet echt leefde. Het was krankzinnig, want zo'n huis had hij zijn hele leven al willen hebben, en nu hij het had, kon hij er niet van genieten. Hij wist dat dat door Maggie kwam en hoe ze met de jongen omging. Hij was dol op haar, maar aanbad zijn zoon. Jimmy junior was een juweeltje, slim, grappig en hij had een goed karakter. Als hij naar het kind keek, zag hij zichzelf, alsof hij in de spiegel keek, en zijn moeder en die van Maggie liepen met hem weg. Als hij net zo'n ettertje was als kleine Freddie, dan had hij Maggies houding kunnen begrijpen. Toch deed ze alles voor het kind wat ze moest doen, dat wist hij best. Belangrijker nog, kleine Jimmy wist dat ze dat deed omdat dat van haar werd verwacht, niet omdat ze van hem hield.

Ze had nooit echt om hem gegeven. Na de geboorte hadden ze Maggies toestand toegeschreven aan een postnatale depressie, maar hoewel ze daar uiteindelijk van herstelde, had ze eenvoudigweg nooit een band met het kind opgebouwd.

Hij liep de brede trap op en verwonderde zich als altijd wat een mooi huis dit was, en toch wist hij dat hij morgen nog naar een kleine flat zou verhuizen als hij daarmee het geluk kon terugbrengen dat ze in de beginjaren van hun huwelijk hadden gehad.

Maggie kwam hun slaapkamersuite uit en zag er verbluffend uit. Hij lachte haar toe en zei oprecht: 'Je ziet er oogverblindend uit, Mags.'

Ze beantwoordde zijn lach en hij zag de deskundig gebleekte tanden en de onberispelijke make-up. Hij wist dat haar ogen alleen meelachten omdat hun zoon niet in huis was. Ze ontspande zich als haar zoon niet bij haar was en hij wist dat hij zich dat niet verbeeldde, want hij voelde hoe ze veranderde, zag haar stemming omslaan.

Ze liep rustig langs hem heen en hij ging zijn grote slaapkamer met de dubbele badkamer en kleedkamer in en voelde zich volkomen leeg vanbinnen.

Jackie zag er prachtig uit. De meisjes hadden haar haar en make-up gedaan en haar op drankrantsoen gezet zodat ze niet al te snel lam zou zijn.

Kleine Freddie, die nu reusachtig en log was, lag zoals gewoonlijk op de grond in de voorkamer naar Sky te kijken.

Dianna keek om zich heen en slaakte een zucht. Het was weer eens een puinhoop en ze wist dat wanneer zij er niet eens goed doorheen ging, niemand anders dat zou doen. Ze was verbijsterd, maar het ergerde haar ook hoe haar ouders leefden. Aan meubilair en schilders waren astronomische bedragen uitgegeven, maar niets werd onderhouden en er was nergens zorg voor. Haar slaapkamer zag er perfect uit, maar er zat een stevig slot op de deur om kleine Freddie buiten te houden. De klootzak jatte alles wat niet vastgespijkerd was en ze hoopte dat hij bij de volgende rechtszaak werd opgeborgen.

Hij was inmiddels een goede bekende van de politie en iedereen in zijn omgeving had een bloedhekel aan hem. Omdat hij de zoon en erfgenaam van Freddie Jackson was, kon hij wegkomen met moord, maar op een dag zou hij daarvoor hangen. Daar twijfelde ze geen moment aan!

Jackie liet een boer en Dianna's maag draaide zich om. Soms leek ze wel een beest. Ze hoopte alleen wel dat haar vader zou komen opdagen, want als hij niet kwam, was Leiden in last. Haar moeder hechtte grote waarde aan haar verjaardag en aan het feit dat ze samen met haar echtgenoot in de pub werd gezien. Het was één grote komedie en Dianna was er doodziek van.

Jackie had een zwart broekpak aan en ze zag er leuk uit. Ze genoot ervan dat ze haar zo hadden opgepoetst, maar door de drank was ze helemaal opgeblazen. Hoewel de kilo's van de afgelopen jaren er in een alarmerend tempo af vlogen, waren haar handen en gezicht nog steeds opgezet. Ze wist dat ze minder moest drinken, maar ook dat ze dat niet zou doen.

Trouwens, het was haar verjáárdag. Als je geen borrel mocht op je verjáárdag, wanneer dan wel?

Dianna zag er fantastisch uit, bedacht Jackie. Ze was een schoonheid en Kimberley was ook prachtig. Ze maakte zich zorgen om Kim. In tegenstelling tot Rox, die bij de eerste de beste gelegenheid haar kont had gedrukt, leek zij hier voor eeuwig te blijven. Kimberley, die altijd de grootste bek had gehad, was de laatste paar jaar veranderd. Ze ging 's avonds zelden nog naar de pub of met vriendinnen uit. Ze leek wel de kerstgeest uit het verleden, en nu werkte ze ook al niet meer zoveel. Jackie wist dat Maggie haar meer dan eens een uitbrander had gegeven omdat ze haar in de salons had laten zitten.

Kim zag er altijd uit alsof ze het helemaal had gehad, alsof ze het gewicht van de hele wereld op haar schouders meetorste. Maar ze was nu een volwassen vrouw, dus het ging haar niet aan wat er in het koppie van dat kind omging. Zij had haar aandeel geleverd, nu moest ze het zelf maar uitzoeken.

Jackie zette haar dochters uit haar gedachten en vroeg zich af of Freddie zou komen opdagen, zoals hij had beloofd. Dat was hem wel geraden. Zoveel vroeg ze niet van hem, alleen maar dat hij op zon- en feestdagen zijn gezicht zou laten zien. Als zijn vrouw had ze daar toch zeker recht op?

Kleine Freddie haalde naar Kimberley uit toen ze langs hem liep maar ze negeerde hem. Toen ze de trap naar haar slaapkamer opliep, schold en vloekte hij haar uit.

Dianna zag haar weggaan en zuchtte. Het was een kwestie van tijd tot er een uitbarsting zou komen, en die zou niet lang meer op zich laten wachten. Als haar vader en moeder een keer echt belangstelling zouden hebben voor Kim, zouden ze precies weten wat er aan de hand was. Maar van haar zouden ze het niet te horen krijgen. Zij had al genoeg aan haar hoofd.

Freddie zat al in de pub, niet omdat hij op zijn vrouw zat te wachten, maar omdat hij achter een rok aanjoeg die achter de bar werkte. Ze was jong, nog maar achttien, maar hij vond dat ze er geweldig uitzag en haar dellerige kleding sprak voor hem boekdelen.

Zo was hij nou eenmaal. Hij investeerde in zijn toekomstige seksleven, hij bood haar drankjes aan en versierde haar met zijn verhalen en grappen. Hij was Iemand en alleen al daarom zat hij halverwege haar slip. Hij was ook kwaad, maar hij speelde de brave jongen omdat hij indruk wilde maken op dit poesje en haar hopelijk voor de avond om was het bed in zou krijgen.

Hij wist dat ze een kind had, wat in zijn beleving een garantie was voor een wereldwip. Zodra ze met een kind in een gemeenteflat vastzaten, was de nieuwigheid van het moederschap er al snel af. Dan werden ze eenzaam, raakten ze blut en, belangrijker nog, gingen ze op zoek naar wat opwinding in hun uiteindelijk heel saaie en suffige bestaan.

Meisjes als deze kleine barmeid verbaasden hem telkens

weer. Ze wilden kinderen, maar zodra die er eenmaal waren, beleefden ze er weinig plezier aan en vroegen ze zich af waarom de man die het allemaal had veroorzaakt bij de eerste de beste gelegenheid zijn kont had gedrukt. Welke man met een beetje verstand kon geloven dat ditzelfde meisje, dat haar broek in een mum van tijd voor hem liet zakken, dit niet ook bij talloze andere kerels voor hem had gedaan? Dus bleven die meiden terecht uiteindelijk in hun eentje over, en werden de plaatselijke wip voor getrouwde mannen zoals hij.

O, hij herkende alle signalen. Ze kleedden zich uitdagend aan... zelfs wanneer ze in de buurtwinkel brood gingen halen of hun uitkering gingen innen, waren ze halfnaakt en zaten ze onder de make-up. Hun leventjes draaiden om een paar vriendinnen die in dezelfde situatie zaten, hun moeder en hun moeders huis, en het versieren van een vent, hopelijk een die leefde.

Daar kwam alleen maar narigheid van, daar kon je op wachten, en hij had ze het liefst als ze er nog min of meer fatsoenlijk uitzagen. Binnen een paar jaar zou dit meisje weer een kind krijgen, misschien wel twee en dan zou ze niet meer zijn dan een prooi voor de buurtnietsnutten en trainingspakdragers. Maar op dit moment wilde hij haar en hij was vastbesloten dat hij haar zou krijgen.

Hij voelde liefkozend in zijn zakken naar de bundel biljetten. Elke keer als hij die tevoorschijn haalde om haar drankje te betalen, puilden haar ogen bijna uit haar hoofd. Hij dacht dat ze Charmaine heette, ze had een dochtertje van dertien maanden, en een flat op loopafstand van de pub en van het huis waar hij met Jackie woonde, en ze droomde van een reis naar Florida. Hij had al gezien dat ze niet al te gecompliceerd in elkaar stak en niet gehinderd werd door enige verbeeldingskracht, dus hij liep weinig gevaar dat ze lange gesprekken met hem wilde voeren om hem met haar onthutsende intelligentie te imponeren.

Hij was lekker op dreef toen Jackie en de meisjes de pub binnenwandelden en slaakte een diepe zucht toen Charmaine na één blik op Jackie, die nu bezitterig naast hem was komen staan, zo wijs was om doodsbenauwd naar de andere kant van de bar te verhuizen.

'Feliciteer je me niet met mijn verjaardag?'

Freddie grijnsde en zei achteloos, alsof hij de waardin om een drankje vroeg: 'Nee, Jackie, dat doe ik niet.'

Kleine Jimmy zat naar een tekenfilm te kijken en een koekje te eten toen kleine Freddie eindelijk bij zijn nana binnenzeilde. Jimmy junior was als de dood voor zijn neef omdat die zoveel kabaal maakte en zo agressief was, en omdat die er veel genoegen in schepte om hem de stuipen op het lijf te jagen.

Zodra hij de flat binnenkwam, veranderde de atmosfeer en Maddie, die had gehoopt dat kleine Freddie niet zou komen en dat ze alleen met Jimmy junior had kunnen zijn, voelde zich nu al één bonk zenuwen.

Kleine Freddie genoot van het effect dat hij op anderen had. Hij vond het heerlijk dat mensen bang voor hem waren en liever een straatje omliepen, of een wit voetje bij hem probeerden te halen. Het was een knappe jongen, hoewel zijn gelaatstrekken werden ontsierd door zijn aanmatigende en ontevreden gezichtsuitdrukking. Hij had ook veel littekens omdat hij zo vaak gehecht was, vooral omdat hij lachte om gevaar en omdat hij in zoveel knokpartijen verzeild was geraakt.

Nu keek hij naar de kleine jongen van wie hij wist dat die hoopte dat hij niet naar tegen hem zou doen. Hij glimlachte naar hem want zijn vader had hem gewaarschuwd dat als zich nog één incident met Jimmy junior zou voordoen, hij hem mores zou leren.

Kleine Freddie was zich ervan bewust dat zijn vader op zijn hoede was voor grote Jimmy, en daar had hij van geleerd. Hij had zich nooit kunnen indenken dat zijn vader voor wie of wat ook bang kon zijn. Maar het was hem een poosje geleden al duidelijk geworden dat Jimmy de touwtjes in handen had en dat zelfs zijn vader moest doen wat hem werd opgedragen.

Dus lachte hij zijn neefje toe, gaf zijn oude nan een dikke knuffel en ging met een licht hart en uiterlijk kalm naar de tekenfilm zitten kijken.

Net als zijn vader vroeger was hij een plan aan het uitdokteren en net als zijn vader moest hij daar diep over nadenken en op broeden. Maar in tegenstelling tot zijn vader dacht hij wel aan de details.

Maggie keek de pub rond en wilde dat ze de tijd vooruit kon zetten. Tegenwoordig had ze een bloedhekel aan die plek hoewel ze er vroeger graag kwam. Het was er nog steeds smerig, er hing nog steeds die weeïge stank van desinfecterende middelen en bier. Wat haar het meest verontrustte was dat sinds al die jaren dat ze er voor het eerst kwam, dezelfde mensen nog steeds op dezelfde stoelen zaten.

Het leek wel alsof ze een sprong in de tijd had gemaakt.

Haar vader en moeder hadden de tijd van hun leven, ondanks dat ze hadden bezworen dat ze vroeg zouden vertrekken en ze benijdde hen dat ze zich hoe dan ook zo zorgeloos konden vermaken.

Jackie was weer pissig en Freddie loerde naar een magere barmeid met veel te veel make-up en vettig haar. Aan de bar zaten de meisjes te lachen en grappen te maken en Dicky stond naar Rox te kijken alsof hij zojuist de hoofdprijs in de nationale loterij had gewonnen.

Maggie voelde een steek in haar borst toen ze eraan moest denken dat zij ooit ook zo was geweest... zorgeloos, jong en onstuimig verliefd. Haar ogen zochten Jimmy en ze zag hem in een ernstig gesprek verwikkeld met Dianna.

Ze was een prachtmeid, die Dianna. Maggie sloeg hen gade terwijl ze zo stonden te praten, en ze hoorde hoe Jackie met overslaande stem het jonge barmeisje begon te beledigen. Ze sloot haar ogen en toen ze die weer opendeed, zag ze dat Freddie door Jimmy en haar vader in bedwang werd gehouden en dat de meisjes Jackie van de vieze vloer probeerden te hijsen. Jackie had een bloedneus en ze kreeg de aandrang om in huilen uit te barsten bij het zien van die volslagen puinhoop waar haar leven uit bestond.

In plaats daarvan liep ze op haar zuster toe, nam haar zachtjes bij de arm en hielp de dronken en bloedende vrouw naar de toiletten.

Freddie duwde Jimmy en Joseph van zich af, wuifde met zijn armen om te laten zien dat hij nu weer kalm was en zei toen luidkeels: 'De voorstelling is voorbij, doe mij nog maar een rondje.'

Iedereen in de pub ging weer over tot de orde van de dag. Dat kwam vaak genoeg voor en het doorbrak de pure verveling waar de meesten van hen dagelijks aan ten prooi vielen.

Rox en Dianna zagen hoe hun moeder met Maggie naar de toiletten wankelde en toen hoe hun oudste zuster naar de andere bar glipte. Dicky keek Rox aan en trok een gezicht waarmee hij te kennen gaf dat hij liever vroeg dan laat weg wilde.

Ze knikte instemmend. Zij hadden hun aandeel geleverd en konden nu met goed fatsoen vertrekken om pret te gaan maken.

Maggie had hoofdpijn en ze wist dat die alleen maar erger zou worden. Toen ze haar kleren uittrok, keek ze naar zichzelf in de manshoge spiegel die aan de muur van haar kleedkamer hing. Er zat geen streep op haar lichaam, niemand zou geloven dat ze een kind had gekregen. Ze wist dat Jackie daar absoluut niet tegen kon maar haar maakte het allemaal niet uit. Ze beleefde al heel lang geen plezier meer aan haar lichaam.

Daar had Freddie wel voor gezorgd.

In haar salons kreeg ze aan de lopende band complimentjes van vrouwen die naar perfectie streefden en vonden dat zij dat had bereikt. Als ze de waarheid eens wisten. Ze beschouwde haar lichaam als iets verdorvens, iets walgelijks, een vehikel waardoor zij en haar gezin zover waren gekomen.

Ze glipte in een witzijden nachthemdje. In de spiegel zag ze dat ze er prachtig uitzag en ook dat Jimmy naar haar zou verlangen. Ze zou hem laten begaan. Dat was makkelijker dan smoezen te verzinnen om maar niet te hoeven vrijen.

Ze liep terug naar de slaapkamer en ging op de chaise longue zitten die bedoeld was voor de romantische momenten, maar die nu werd gebruikt om tv te kijken. Jimmy was de jongen in bed aan het stoppen en ze wist dat hij het aan het goedmaken was, omdat hij hem eerder die dag niet had kunnen zien. En ook zou hij proberen goed te maken dat zijn moeder zich totaal niet voor hem interesseerde.

Na de geboorte van de jongen had ze nooit meer voorbehoedsmiddelen gebruikt, maar er kwam geen volgend kind. Dit had haar alleen maar in haar overtuiging gesterkt dat Jimmy gek was op Freddies kind. En door een vreemde speling van het lot was Jimmy junior een líéf kind, een schatje. Maar ze wist dat dat op een dag zou veranderen. Dan zou zijn ware ik naar boven komen en zou ze opgescheept zitten met een Freddie Jackson.

Maggie wist dat hij nog steeds geloofde dat Jimmy junior zijn kind was, en dat hij daar heel trots op was. Ze hoorde hem tegen Jimmy zeggen hoeveel hij op zijn vader leek en dan keek hij haar veelbetekenend aan. De twee mannen leken griezelig veel op elkaar.

Ze haatte Freddie Jackson en de jongen was gewoon nog een stok om haar mee te kunnen slaan. Als ze nu nog maar een kind kreeg, dan kon ze met haar verraad wegkomen, Freddie vergeten Maar het was nooit gebeurd, in de verste verte niet.

Elke keer dat ze Jimmy in haar bed toestond, bad ze dat hij haar deze keer een fatsoenlijk kind zou geven, een kind van hen beiden.

Maar diep vanbinnen wist ze dat dat nooit zou gebeuren.

'Was het gezellig bij nana, maatje?'

Jimmy junior knikte. 'Freddie was er ook en hij deed aardig tegen me.'

Jimmy hoorde in zijn stem opluchting en verbazing, en hij knuffelde de jongen. Net als anders voelde hij de pure kracht van de liefde die hij voor dit kind voelde.

Boven de blauwe ogen van de jongen prijkten ongelooflijk lange wimpers en zijn neusje was een perfect knopje op zijn knappe gezichtje. Het dikke donkere haar had hij van hem, zwart golvend en hij was volledig vertrouwd met de onmiskenbare geur van zijn mollige lichaampje.

'Ben je gelukkig, soldaatje van me?'

De jongen keek hem vol vertrouwen aan en zei gelukkig: 'Ja, ik hou van je, pap.'

'En ik hou van jou, jongen. Nu lekker slapen, hè?'

Hij keek toe hoe hij zijn teddybeer knuffelde en zijn ogen dichtdeed. Hij vond het onnatuurlijk dat dit kind nooit had geprobeerd bij zijn vader en moeder in bed te kruipen.

Jimmy keek de volmaakte slaapkamer rond. Het was een echte jongenskamer. Op de muren prijkten handgeschilderde treinen, en er hingen overal vlaggen om te laten zien waar hij allemaal al in zijn jonge leventje was geweest. Zijn andere speelgoed zat in de grote speelgoedkast opgeborgen, zoals Maggie die koppig bleef noemen, maar het enige speelgoed dat er lag waren een legpuzzel van Sesamstraat en kleurboeken met potloden die netjes in hun doos zaten.

Zo hoorde de slaapkamer van een driejarig kind er niet uit te zien. Jimmy wist niet waarom hij dat dacht, maar daar was hij van overtuigd. De legpuzzels en kleurboeken betekenden dat hij eenzaam was, en hij wist dat dit kind veel meer alleen was dan goed voor hem was.

Hij kuste zijn zoontje op het voorhoofd en liep zachtjes de kamer uit.

Freddie zat in het verrukkelijke huisje van Charmaine vrolijk een biertje te drinken en een video te kijken, terwijl zij iets te eten voor hem maakte.

Haar flat was tenminste schoon, dat leverde haar sowieso een paar punten op, en zo te zien aan de foto's die overal stonden, had ze een leuk kind. Dat logeerde bij haar grootmoeder. Nou, niets nieuws onder de zon. Hij durfde te wedden dat in deze buurt geen kind van onder de twaalf op een vrijdagavond ooit bij zijn moeder thuis was.

Char, zoals ze graag genoemd wilde worden, kwam terug in de kleine woonkamer en gaf hem een kaassandwich en nog een biertje. Het was een lief klein ding, heel proper en met een strak kontje.

'Ik wist niet dat jij Kimberleys vader was.'

Dit was helemaal nieuw voor hem. Ze was toch zeker geen vriendin van zijn dochter!

'Hoe ken je haar dan?'

Charmaine moest lachen en zei met een grijns: 'Ik ken haar uit de buurt, dat is alles. Ze wipt soms bij mijn moeder binnen voor een kop thee.'

Freddie knikte en wist niet waar dit gesprek toe moest leiden. 'Ik begrijp het, nou, waarom kleed je je niet uit, dan eet ik die sandwich op, ja?'

Charmaine viel zowat flauw en het verbaasde hem dat ze zo verlegen was. Hij had er wat om durven wedden dat ze een lekkere ondeugd was.

'Sodemieter op!' Ze geneerde zich oprecht en om een of andere reden raakte hij daardoor vertederd.

'Nou, liefje, je hebt mijn vrouw gezien vanavond. Ik ben niet bij je langsgekomen om de klotebijbel met je door te nemen, wel?'

Ze lachte en zei toen ernstig: 'Heb je zin in een joint?'

Ze maakte een blikje open en opgetogen zag hij hoe ze een perfecte joint draaide, er de brand in stak en geroutineerd de rook in haar longen zoog.

Ze gaf die aan hem door en hij nam een forse trek.

'Lekker spul. Hoe ben je daaraan gekomen?'

Ze zat aan haar biertje te nippen, en dat deed ze heel damesachtig en sierlijk, zag hij.

'Van Taffy Robin.'

Hij lachte, een bulderende lach waardoor het meisje verschrikt een sprongetje maakte. 'Van wie, verdomme?'

Giechelend herhaalde ze: 'Taffy Robin, je weet wel, die Welshe jongen die in een van die flats bij het kleine parkje woont. Hij heeft altijd goeie spullen. Hij heeft zowat alles wat je maar wilt. Vraag maar aan Kimberley, zij zou het moeten weten.'

Hij was weer helemaal bij de les en ontnuchterde sneller dan een rechter van het hooggerechtshof die onder invloed wordt betrapt. 'Wat? Hoe kent Kimberley hem?'

Charmaine hoorde de subtiele verandering in zijn toon en realiseerde zich dat ze iets stoms had gezegd. 'Ik weet het niet, Freddie, ik dacht dat ze hem kende, dat is alles. Ik had het kennelijk mis, hè?'

Ze probeerde het te verdoezelen en dat lukte haar aardig, maar hij herkende een leugenachtige trut als hij er een zag. Zijn vader zei altijd: 'Hoe kun je zien dat een vrouw zit te liegen? Dan gaan haar lippen trekken.' Hij had gelijk.

Hij ging rechtop zitten, zette zijn bord neer, zette zijn charmantste glimlach op en zei vriendelijk: 'O, nee, Char. Jij weet iets wat ik niet weet. Dus nu ga je me de waarheid vertellen, en ik bedoel de echte waarheid, en dan blijven we vriendjes, of je belandt via het puntje van mijn laars op de dichtstbijzijnde eerste hulp. Je mag zelf kiezen, liefje.'

Charmaine werd nerveus. De dope begon te werken en ze genoot er totaal niet van. Erger nog, ze begon te zweten, ze voelde het over haar hele lichaam en ze wist dat het angstzweet was.

'Ik weet niet wat ik moet zeggen, Freddie. Ik weet alleen dat ze daar soms in de buurt is...'

Binnen een paar tellen lag ze op haar rug terwijl hij haar bij de keel vasthad, het duizelde haar vanwege de klap waarmee ze op de grond terecht was gekomen. De pijn kwam zo plotseling dat ze er opeens aan werd herinnerd hoe gevaarlijk deze man kon worden.

Ze keek in die blauwe ogen die ze eerder nog zo sexy en uitnodigend had gevonden, maar nu zag ze alleen maar woede en bedreiging.

'Ik waarschuw je, Charmaine. Ik denk dat je me maar beter kunt vertellen wat míjn dochter in het huis deed van een klotedealer uit Wales, plus wat ze daar haalt. Want als ik erachter kom dat je weer zit te liegen, dan breek ik je gore nek. En nu zeg je me wat het was.'

De ogen van het meisje puilden uit en hij was zo kwaad dat het een paar seconden duurde voordat hij zich realiseerde dat ze hem letterlijk geen antwoord kón geven. Hij maakte zijn greep iets losser en bulderde boven haar gehoest en gesputter uit: 'En nou ga je me dat vertellen, trut!'

Binnen een paar tellen was haar gelukkige en zorgeloze leventje, misschien zelfs met de belofte van een liefdesrelatie, omgeslagen in geweld en paniek. Ze beefde van angst en de schok, en zei door haar tranen heen: 'Bruin, ze is aan het bruine spul.'

Het duurde even voordat de woorden tot hem doordrongen en toen het zover was, kon hij van zijn leven niet op de juiste term voor bruin komen.

Toen hoorde hij in zijn gedachten als een gillende claxon het woord heroïne en wist gelijk, zonder enige twijfel, dat het waar was, helemaal waar.

Hij sloeg het meisje op de grond een paar keer in het gezicht en op het hoofd, voordat hij zover zou gaan dat hij haar ging stompen en schoppen. Hij was zo woedend dat hij wel iemand kon vermoorden, en hij wist precies wie dat zou zijn.

Maggie lag klaarwakker naar het gesnurk van Jimmy te luisteren. Ze vond het fijn hem in het donker naast zich te hebben en hield ervan hem in zijn slaap te horen ademen, want dan voelde ze zich veilig.

Toen hij naar bed kwam, had hij haar niet aangeraakt, wat een teleurstelling was want ze had zich er helemaal op voorbereid. Ze wilde zo graag hun eigen kind, ze had het gevoel dat alleen dat haar kon zuiveren, dan zou alles weer goed komen.

Hij draaide zich naar haar toe en ze voelde zijn hand op haar dij. Ze schrok onwillekeurig, zoals altijd wanneer ze onverwacht werd aangeraakt. Haar maag draaide om en ze ontwaarde de vertrouwde misselijkheid, alsof ze opnieuw Freddies handen voelde, zijn adem rook en de stank van zijn lichaam. Ze wist dat die walm haar zolang ze leefde bij zou blijven en dat die net zo plotseling kon opduiken als toen.

De telefoon ging en ze nam hem voorzichtig aan, nerveus dat het Freddie was. Hij belde soms 's nachts en vroeg dan naar Jimmy, maar ze wist dat het een onderdeel vormde van zijn kruistocht tegen haar. In plaats van Freddies stem hoorde ze een onsamenhangend krijsende en jankende Jackie.

19

Robin Williams, een naam die hij vervloekte dankzij een zekere filmster en nu zanger in een jongensband wiens seksuele geaardheid in twijfel werd getrokken, verwarmde voorzichtig wat heroïne. Een paar jonge vrienden, van het vrouwelijke geslacht, lieten zich maar wat graag als een stel lammetjes naar de slachtbank voeren terwijl hij ze liet zien hoe je het op zilverpapier moest laten pruttelen. Toen begon hij het ingewikkelde mysterie uit te leggen van hoe je een injectienaald vulde.

Hij was achter in de dertig, maar zag er een stuk jonger uit. Zijn lange, verwilderde haar had een rossige gloed, net als zijn kleine sik. Hij had overal tatoeages en de in elkaar geknutselde plaatjes stelden vooral schedels en andere doodsbeelden voor. Hij luisterde uitsluitend naar Pink Floyd, Led Zeppelin of zijn idool Ozzy Osbourne, en zijn leven draaide om zijn verslaving en/of het in stand houden daarvan.

Net als bij de meeste heroïneverslaafden was er op de dag dat hij verslaafd werd een eind gekomen aan elk greintje normaal leven. Hij had geen echte vrienden, geen echt sociaal leven en wist nergens over te praten, behalve dan over de beste kick die hij had meegemaakt of de dood van mensen die nu pas zijn vrienden waren geworden omdat ze een overdosis hadden genomen en zich niet meer konden verdedigen.

Het was een eenzaam, deprimerend en uiterst gevaarlijk bestaan. Maar voor deze twee jonge mensen, die hij alleen maar als toekomstige verdieners beschouwde, was het een spannend avontuur vol plezier. Robin, die ook wel bekendstond als Taffy Robin, had drie kinderen die hij nooit zag, een reeks vrouwen die hij de vernieling in had geholpen en had verlaten, en een hopeloze schuld die in hun wereld te vergelijken was met die van een derdewereldland. Vandaar deze nieuwe rekruten.

Als hij er zin in had deed hij ook in crack, en ter ontspanning rookte hij dope. Hij verkocht zijn methadon maar hield de recepten achter voor de herhalingen, want die waren zijn magische ticket voor de sociale dienst. Hij kende elke oplichterstruc en hij had nog nooit een dag van zijn leven gewerkt.

Hij was een junk en dat betekende dat elke instelling die

door de Labourregering werd gesubsidieerd alleen maar bestond om mensen zoals híj te helpen. Hij had het nog nooit zo goed gehad en het leven werd er steeds beter op.

Zijn verslaving had ervoor gezorgd dat hij uit de gevangenis bleef, had hem zo nu en dan onderdak verschaft als het hem te heet onder de voeten werd en wanneer hij maar wilde voor zijn drugs gezorgd, want hij was tenslotte, godbetert, verslááfd.

Leve Tony en zijn schitterende verzorgingsstaat.

Toen hij het bruine spul in de injectienaald zoog, schoot zijn voordeur uit zijn hengsels en zijn voorkamerdeur, die meestal wijd open stond vanwege de stank, bood uitzicht op zijn ergste nachtmerrie.

Hij had het vaak genoeg aan de stok gehad met woedende vaders, maar dit was geen gewone woedende vader. Meestal waren ze slappe, bier zuipende kerels die hem een oplawaai verkochten, wat hem een blauw oog opleverde. En daar schepten ze dan over op tegen hun vrouw en vrienden.

Maar voor deze man was hij zijn hele leven al doodsbang geweest. Deze man was krankzinnig, dat kon je in zijn ogen zien, aan zijn houding en ook aan de koevoet die hij met beide handen vasthield en waarvan Taffy wist dat die over niet al te lange tijd op zijn schedel zou belanden.

Net als alle verslaafden probeerde hij de heroïne snel neer te leggen, om hem te rédden, zodat hij niet verloren zou gaan, want voor hem was dat belangrijker dan zijn leven.

De twee meisjes keken naar de reusachtige man met die van woede vervulde ogen, en toen hij bulderde: 'D'ruit, stelletje nutteloze junktrutten!' lieten ze zich dat geen twee keer zeggen.

De beide meisjes grepen hun spullen bij elkaar en renden in de richting van het gapende gat waar eens de voordeur had gezeten.

Freddie wees naar ze met de koevoet zodat ze zich niet te snel uit de voeten konden maken en zei op conversatietoon: 'Als jullie de kit of wie ook bellen, dan weet ik je te vinden, begrijp je dat?'

Ze stonden stokstijf stil en knikten. Hij praatte net als hun vader, heel normaal, en ze knikten weer eendrachtig, zo hard dat hun nek er pijn van deed.

'Nou opsodemieteren!'

Ze renden de deur uit en op de trap kwamen ze buren tegen die nieuwsgierig kwamen kijken wat er aan de hand was.

Taffy Robin was hen een doorn in het oog. Op alle uren van

de dag en de nacht kwam er volk over de vloer en ze moesten oppassen dat ze niet beroofd werden, want een verslaafde ging meestal niet ver bij de bron vandaan, tenzij het niet anders kon. Deze mensen kwamen thuis van boodschappen doen en zagen dat hun tv of videorecorder weg was, wat de dief net genoeg opleverde tot de volgende keer. Net genoeg voor zijn portie smack.

De flats waren kort na de Tweede Wereldoorlog gebouwd en sindsdien was het er bergafwaarts gegaan, van verzekeringen hadden ze nog nooit gehoord. Geen enkele maatschappij wilde daar haar vingers aan branden. Als er iets werd gestolen, dan was het gewoon wég, zo ging dat. Degene die het kwijt was, moest zelf voor vervanging zorgen. De politie kwam eigenlijk nooit als er voor diefstal werd gebeld, en als ze dan op wonderbaarlijke wijze toch hun gezicht lieten zien, vertelden ze de slachtoffers wat die op eigen houtje al hadden uitgevist. Het kwam door de junkies. Dus konden Taffy's buren weinig anders doen dan een kop thee zetten voor degenen die ze toch al als hun vijand beschouwden. Iedereen wist dat, ook al dronk de politie de thee van heel Engeland op, ze het toch helemaal zelf zouden moeten uitzoeken.

Nu leek het erop dat daar eindelijk een einde aan kwam.

Een oudere man in pyjama en baseballpet op schreeuwde door de deur: 'Leg hem verdomme om, Freddie. Hij is een kankergezwel. Vermoord hem, jongen.'

Freddie liet zich dat geen twee keer zeggen.

Met de koevoet sloeg hij keer op keer met alle kracht die hij in zich had. Toen Taffy zich niet meer bewoog, nam Freddie de voorkamer onder handen en sloeg alles kort en klein, ramen, tv en wat er maar in de weg stond.

Al met al had het nog geen twintig minuten geduurd en hij liep als een overwinnaar de flat uit.

'Wie heeft dit bij uw dochter gedaan, mevrouw Jackson?'

De politieagente was een vriendelijk meisje met leuk geknipt haar en amandelvormige groene ogen. Maggie bekeek haar met haar vakkundige blik en concludeerde dat ze er vijf jaar af kon krijgen en haar er als een filmster uit kon laten zien.

Jackie zei niets, Maggie slaakte een zucht en zei op ernstige toon: 'Ze werd op straat aangevallen, in elkaar geslagen. We vierden vanavond de verjaardag van haar moeder en ze was in de pub. Toen ze geen taxi kon krijgen, is ze gaan lopen. Het is maar tien minuten, moet u weten. En wat ik eruit heb begrepen, is ze van achteren gegrepen.'

'Maar ze wist nog wel thuis te komen?'

Jackie en Maggie knikten.

'Met een gebroken been?'

Jackie haalde haar schouders op. 'We vonden haar bij de voordeur. Wat weet ik er nou van? Misschien heeft iemand haar geholpen, dat weten we niet. Dat is toch jullie werk, dat las ik tenminste laatst in een misdaadroman.'

'En hoe zit het met u, mevrouw Jackson, hoe komt u aan die bloedneus?'

Maggie en Jackie zagen wel in waar haar vragen op uit zouden draaien en Jackie zei opzettelijk en berekenend onbeschoft: 'Sodemieter op, liefje. Dacht je dat we niet wisten waar je op uit was?'

Maggie knipoogde naar Jackie en ze begeleidde de agente de kleine woonkamer uit. 'Moet je horen, pop, mijn zus is alcoholist en ik weet zeker dat je dat wel weet ook. Je loopt hier nu lang genoeg rond om alle brandhaarden te kennen. Ze heeft áltijd schaafwonden en blauwe plekken, dronkenlappen vallen nou eenmaal vaak.'

Ze geeuwde discreet voordat ze verderging, maar het was een beledigend gebaar, een verveelde gaap en ze liet er geen twijfel over bestaan dat de politieagente het voorwerp van die verveling was.

'Nu moet je eens goed naar me luisteren. De vader van het meisje is Freddie Jackson en je mag hopen dat je de schurk vindt voordat hij hem vindt. Maar waag het niet ooit nog één zo'n insinuatie naar het hoofd van mijn zus te slingeren, tenzij je het met haar en haar gezin aan de stok wilt krijgen.'

Het meisje knikte. Ze wist wanneer ze verslagen was. Dit gezin volgde zijn eigen wetten en ze realiseerde zich dat ze daarom op ze af was gestuurd. Dat zag ze nu glashelder. Niemand had zin in die rotzooi, wilde er helemaal niets mee te maken hebben!

De Jacksons zouden dit onderling oplossen en de politie zou het laten gaan. Zo werkte dat in hun wereld.

Later op de avond hoorde ze in de kantine dat een of andere kerel, Thomas Halpin heette hij en lid van het team zware misdrijven, het bureau kennelijk al had gewaarschuwd zich er niet mee te bemoeien. Dit gebeurde niet voor het eerst en het zou zeker ook niet de laatste keer zijn.

Dus deed ze hetzelfde wat de anderen deden. Ze had haar best gedaan, haar werk gedaan, en eerlijk gezegd hoopte ze dat Freddie Jackson die klootzak te grazen nam. Als er inderdaad een gek op straat rondliep en Jackson zou hem opruimen, dan bespaarde hun dat een hele hoop werk.

Op een dag wilde ze van dat uniform af en als dat betekende dat de Jacksons een vrijkaartje kregen om uit de gevangenis te blijven, dan moest dat maar.

Ozzy was ziek. Hij had plotseling pijn op de borst gekregen. Hij zat rechtop in zijn cel en greep naar zijn arm. Het leek wel alsof er een groot koud gewicht zijn borst samenperste. Alsof er van grote hoogte een blok ijs op hem was gevallen.

Hij transpireerde hevig en zijn ademhaling werd steeds oppervlakkiger.

Hij vroeg zich af of hij op de bel moest drukken om een gevangenisbewaarder te waarschuwen. Maar hij moest eerst gaan liggen, hij moest zien dat die pijn minder werd.

Eindelijk viel hij in slaap en week de pijn.

Jackie en Maggie kwamen om halfzeven 's ochtends uit het ziekenhuis. De meisjes waren gebleven en aan hen was hetzelfde verhaal verteld, dat ze door een vreemde was aangevallen. Ze geloofden het geen van allen, maar ze zouden de schijn ophouden, vooral Kimberley, die zich haar aanvaller nog in detail kon herinneren.

Maggie zette in de keuken het water op terwijl Jackie een fles wodka uit de koelkast viste. Ze schonk die in een groot waterglas waar al lauwe witte wijn in zat en sloeg het achterover. Maggie keek hoe ze met trillende handen een volgend glas inschonk en haar hart brak voor de zoveelste keer toen ze zag wat een zielig hoopje mens van haar zuster was overgebleven.

'Je moet hem de deur uitzetten, Jackie, dit kun je niet over je kant laten gaan.'

Jackie keek haar verbijsterd aan. 'Waar heb je het over, idiote koe? Hij heeft het goed gedaan, hij heeft voor zijn eigen volk gezorgd!'

Door de trotse toon in Jackies stem klonk het bijna alsof ze gelukkig was met haar dochters hachelijke toestand. Freddie was thuisgekomen, had het arme kind bijna vermoord, had een hoop kabaal gemaakt en voor Jackie betekende dat liéfde.

Maggie moest er bijna om lachen. 'Hoor je wat je zegt, Jackie? Hij heeft haar niet aangevallen omdat hij om haar gééft, hij heeft het kind te pakken genomen omdat hij besmet raakt wanneer zij zo'n klotejunkie is. Gebruik je hersens, veeg de stront uit je ogen en zie nou eindelijk eens hoe hij echt is.'

Jackie keek Maggie aan. Zelfs in spijkerbroek en T-shirt zag ze er nog schitterend uit, volmaakt gewoon. Ze zag er altijd perfect uit, als een wandelende advertentie voor de gezonde vrouw. Maar eigenlijk was ze helemaal niets, ze dacht alleen maar dat ze beter was dan iedereen om haar heen.

'Als zijn dochter een junkie is, moet hij afrekenen met andere mensen die daarvan afweten. Anders zou hij een nederlaag moeten toegeven, moeten bekennen dat hij als vader heeft gefaald. Het heeft niks te maken met jou, de kinderen of liefde. Het gaat niet om jóú, stomme teef, het gaat om hém. Het gaat altijd om hém.'

'Je hebt het mis, Maggie. Hij mag zijn fouten hebben, maar hij houdt van ons.'

'Hij behandelt jullie als vuil, hij lacht om je drankmisbruik, hij pakt alles van je wat hij maar wil, laat je dan weken in je sop gaarkoken en jij vindt dat allemaal goed. Je laat dat toe, Jackie, omdat je om een of andere mysterieuze reden gelooft dat hij geweldig is, en toch heeft hij jou en die kinderen vanaf dag één de vernieling in geholpen.'

Jackie schudde haar hoofd. Ze kwam veel te dichtbij, veel te dicht bij de waarheid en dat kon ze niet aan, nu niet, nooit. 'Je zit ernaast, Mags, hij houdt van ons, hij houdt van zijn gezin.'

Maggie pakte een sigaret van Jackie, stak er een aan en zei met een sarcastisch glimlachje: 'Kijk eens om je heen, kijk naar je eigen bestaan, hoe je leeft. Je dochter is verslaafd omdat jíj verslaafd bent. Iedereen op die onzin uitkramende, populair-psychologische dagprogramma's op de tv kan je dat vertellen, Jack. Kimberley heeft een goede leermeester gehad en die was jij. Je bent al jaren wóédend, Jackie. Je bent verdomme een drónkenlap.'

Die woorden joegen Jackie de stuipen op het lijf. Dit wilde ze helemaal niet. Ze wilde rustig drinken en een paar uur naar bed.

'Hoe durf je mij verdomme de les te lezen...'

Maggie zei door opeengeklemde tanden zo dreigend als ze maar kon: 'Dat durf ík, Jackie, omdat iemand je moet vertellen dat dit voor eens en voor altijd moet ophouden! De man van wie jij zoveel houdt, háát jou en jij hebt goddomme een bord voor je kop. Besef je wel dat hij en Jimmy ongeveer evenveel verdienen en dat jij nog steeds in een huis van de gemeente zit? Schatje, denk erover na. Waar geeft hij al die poen aan uit, denk je? Niet aan jou en de kinderen, wel?'

Ze keek naar de puinhoop in het huis van haar zuster en zei toen verdrietig: 'Het is een stinktent, Jackie. En moet je die rottige kleine Freddie eens zien. Die heeft het allemaal niet meer op een rijtje en het lijkt wel of het niemand iets kan schelen! Waar is hij nu? Zwerft op straat rond, durf ik te wedden. En hoe zit het met die arme Kim? Ze is al tijden aan de heroïne en jíj hebt daar nooit iets van gemerkt. Ik wist dat er iets met haar aan de hand was, en ik heb geprobeerd haar te helpen, maar jíj keek de andere kant op! Die kinderen bestaan niet voor je tenzij ze ervoor kunnen zorgen dat Freddie bij je blijft. Freddie heeft een auto van een ton op straat staan en jouw toilet is al weken kapot. Vind je dat niet een beetje gek? Dringt er dan niks door tot dat benevelde drankbrein van je?'

Ze stak nog een sigaret op en zag dat Jackie nogmaals van haar wodka met wijn dronk.

'Hou op, Maggie, nog één woord en ik sla je in elkaar.'

Daar moest Maggie om lachen. 'Ik ben geen kind meer, Jackie, bang voor mijn grote zus. Als jij me met een vinger aanraakt, reken ik voor eens en voor altijd met je af.'

Jackie wist dat het waar was, daarom ging ze Maggie ook nooit meer te lijf. Jackie viel alleen de mensen aan van wie ze wist dat ze niet terugvochten. Tenzij ze dronken was, natuurlijk, dan maakte het haar niet uit, maar zelfs dan ging ze ervan uit dat de mensen in haar omgeving er op een bepaald moment wel een eind aan zouden maken.

'Ik probeer je alleen maar te helpen, Jackie, wat verstand in je te pompen. Zelfs Freddie ziet dat je een probleem hebt, dus als hij zoveel van je houdt, waarom doet hij dan geen enkele poging om je te helpen? Ik weet dat de kinderen geprobeerd hebben je om te praten, ze hebben verteld dat ze ongerust over je zijn. En nu probeer ik met je te praten en het is verdomme zonde van mijn tijd. Maar je zult het eindelijk moeten toegeven. Je leven is een puinhoop en je moet proberen er iets aan te doen voor het te laat is.'

Jackie begreep wel dat haar zuster haar oprecht wilde helpen, de overgrote meerderheid van de mensen om haar heen waren meelopers die haar problemen negeerden en haar alleen maar gebruikten. Maar ze vond het zo moeilijk om het toe te geven, want ze wist dat niemand haar wilde. Als ze zichzelf toestond erover na te denken, zou ze zichzelf precies zo zien als ze was, precies zien wat ze van het leven te verwachten had.

'Ga naar huis, Mags, ik kan hier niet mee overweg.'

Maggie slaakte een zucht. 'Besef je wel dat je het er geen moment over hebt gehad dat Kim aan de drugs is of je hebt afgevraagd waar je zoon uithangt? Beséf je dat wel, Jackie? Ja, heel even, toen je me vertelde dat Freddie zoveel van je houdt. Ga je nog hulp zoeken, denk je? Ga je een ontwenningskliniek uitzoeken of zoiets, of laat je dat zoals gewoonlijk weer aan mij over?'

Jackie gaf geen antwoord.

'Kijk in de spiegel, Jackie, ruik het huis waarin je met je gezin woont. Kijk naar de vloer, de muren en de meubels, vertel me maar eens wat er zo goed is aan jouw manier van leven, dan beloof ik je dat ik je met rust laat.'

Jackie ging op een stoel zitten en dronk haar wodka op. Toen ze zich nog een glas inschonk, hoorde ze Maggie het huis uitgaan.

Jimmy en Freddie zaten een biertje te drinken in Jimmy's nieuwe snookerkamer. Maddie was gevraagd om op Jimmy junior te passen en toen Jimmy eindelijk Freddie in de vroege uurtjes had opgepikt, had hij geen andere keus dan hem mee te nemen naar zijn huis.

Hij wist dat Maggie daar niet blij mee zou zijn, maar wat kon hij anders? Freddie had het in zijn ogen goed aangepakt. Hij had precies gedaan wat Jimmy onder dezelfde omstandigheden zou hebben gedaan. Maar toegegeven, hij zou Kimberley met rust hebben gelaten. Freddie was legendarisch om zijn uitbarstingen en hij had er nu spijt van.

'Wat een huis heb je, Jimmy.'

Jimmy haalde zijn schouders op. 'Het is allemaal zo betrekkelijk, vind je niet? Ik hou van dit huis en Mags ook, zij is er zelfs dol op.'

'Zij zorgt er tenminste voor. Jackie niet, zelfs als haar leven ervan afhing zou ze nog geen spons aanraken.'

Jimmy lachte. 'Ze is nooit het stofzuigertype geweest, ouwe Jackie.'

Ze lachten beiden. Het was voor het eerst dat ze weer een fatsoenlijk gesprek hadden sinds de avond dat Lenny was gestorven. Ze deden alsof ze een hechte vriendschap hadden, maar er hing altijd een spanning tussen hen in. Vanavond leken ze eindelijk weer op het goede spoor te zitten.

'Ze heeft het geprobeerd, een paar keer heeft ze echt haar best gedaan, weet je. Maar drank en Jackie...' Voor het eerst ooit sprak Freddie over zijn vrouw zonder haar te bespotten of te beschimpen. 'En nu is Kimberley aan de smack. Ironisch, vind je niet? Ik heb de afgelopen jaren heel wat geschoven, en nou is mijn dochter slavin van het bruine spul.'

Jimmy schonk hun brandyglazen bij. 'Kom op, Freddie, dat kan iedereen overkomen. Het komt in elk gezin wel voor, het is inmiddels deel van de samenleving geworden.'

Freddie hield zijn geslepen glas met brandy omhoog en zei sarcastisch: 'Dank zij ons en mensen zoals wij!'

Ze lachten nogmaals.

'Hoe gaat het met het ventje?'

Jimmy grijnsde. 'Ik ben dol op die knul, Fred. Hij is zo slim, hij is pas drie en kan zijn naam al schrijven.'

Freddie knikte. 'Een zoon van zijn vader, hè?'

Hij zei het gekscherend maar Jimmy hoorde er zoals altijd een ondertoon in waar hij niet de vinger op kon leggen. 'Wat bedoel je daarmee?'

Freddie speelde de vermoorde onschuld. 'Wat is er met jou verdomme aan de hand, Jim? Ik zeg dat hij een zoon is van zijn vader en jij bent toch zijn vader? Dus wat zou ik er goddomme mee moeten bedoelen?'

Jimmy ontspande zich. 'Sorry, Freddie, maar soms heb ik het gevoel dat je me in de maling neemt, en dat doe je ook vaak genoeg, dat weet je ook wel.'

Freddie nipte aan zijn brandy en zei: 'Dat doe ik niet, Jimmy, in elk geval niet bij jou.'

Het kwam er oprecht uit, genoeg om Jimmy te kalmeren.

'Hij is een leuk joch, Jimmy, en ik verwacht een hoop van hem. Hij lijkt wel een kleine Brahma, godzijdank. Hoe gaat het trouwens met Maggie?'

Jimmy schokschouderde. 'Hoezo?'

'Niks, makker. Ze is alleen zo afstandelijk. Nou is ze dat bij mij altijd geweest, maar Jackie denkt dat ze het moederschap niet zo goed aankan.'

Jimmy kon wel in lachen uitbarsten en Freddie zei gekscherend: 'Alsof je het over de pot en de ketel hebt, hè?'

Jimmy glimlachte. 'Ze is alleen maar een perfectionist. Als

Maggie aan iets begint, wil ze de klus zo goed mogelijk klaren.'

'Nou, Jimmy, als je zo'n zoon had als ik, zou je begrijpen wat zorgen zijn. Die kleine klootzak is altijd de hort op, schuimt de straten af, richt overal vernielingen aan. Ik verwacht dat hij binnenkort wel zal worden opgeborgen, en als je het mij vraagt is dat voor iedereen het beste.'

Jimmy was verbijsterd. 'Laat je hem in een tehuis stoppen?'

Hij geloofde zijn oren niet en Freddie gaf hem zo eerlijk mogelijk antwoord. Hij had er behoefte aan de woorden hardop uit te spreken.

'Moet je horen, Jimmy, dit blijft onder ons, oké?'

Jimmy knikte geïntrigeerd.

'Vorige week is hij beschuldigd van aanranding. Dat meisje had gezegd dat hij het had gedaan met een paar makkers van hem. Maar ze heeft de beschuldiging weer ingetrokken. Jackie wil het niet hebben. Zij denkt dat het meisje het zelf heeft uitgelokt, dat het gewoon een kinderspelletje was, maar ik denk dat er iets grondig mis is met hem. Een paar maanden geleden heeft hij de hond van de buren vermoord. Hij had verdomme een plastic zak over zijn kop getrokken en hem laten stikken. Ik weet dat hij het was. Ze waren te bang om hem rechtstreeks te beschuldigen, dat is duidelijk, maar ik weet dat hij het is geweest toen Jackie het me vertelde, want hij heeft het konijn van Bugsy's jongen net zo omgebracht.'

Jimmy was met stomheid geslagen.

'Hoe weet je dat hij dat konijn heeft vermoord?'

Freddie schudde wanhopig zijn hoofd. 'Ik heb hem betrapt. Zij waren met vakantie en hij zou ervoor zorgen. Ik liep zijn kamer binnen en daar lag het, op zijn schoot, de zak zat tegen zijn snuit aan geplakt.'

'Wat heb je gedaan?'

Freddie streek nerveus over zijn lippen voordat hij zachtjes vertelde: 'Ik heb het hem fiks ingepeperd en tegen hem gezegd dat hij zijn mond stijf dicht moest houden. Maar ik kan je wel vertellen dat ik er misselijk van was, en je kent me, er is niet veel waar ik me druk om maak. Hij is nog maar een kind en nu al zo gek als een deur. Zodra ze het van die hond vertelden, wist ik dat het niet de eerste keer was.'

Jimmy knikte maar hij vroeg zich in al zijn verdriet af of Freddie ook had moeten denken aan zijn eigen behoefte om iemand pijn te doen en de momenten dat hij zelf de controle had verloren waardoor er, voor zover hij wist, twee doden waren gevallen. Maar Freddie leefde dan ook geheel volgens zijn eigen regels.

'Weet je nog dat we allemaal in de pub moesten lachen omdat ik zei dat het konijn dood was en we een opsporingsbevel moesten uitvaardigen voor een wit pluiskonijn met een zwarte staart? Nou, ik heb een nieuw konijn gekocht en dat aan Bugsy's zoontje gegeven, hij zag het verschil niet eens. Ik zei tegen Bugsy dat het andere konijn erin was gebleven, maar ik weet dat hij er niks van begreep, dat zag ik in zijn ogen.'

Freddie nam een flinke slok brandy voor hij kwaad verderging: 'Het is haar schuld. De hele zwangerschap door was ze dronken, dat weet je ook wel. Ik denk dat dat schadelijk voor hem is geweest. Ik hou van hem, hij is mijn knul, maar als we er niet iets aan doen, eindigt hij levenslang op een gekkenafdeling zonder kans op voorwaardelijke vrijlating.'

In de lik had Freddie ze wel gezien, mensen zoals zijn zoon, dus hij wist waarover hij het had. 'Voor zijn leeftijd is hij een enorme klootzak. Wat gebeurt er als hij een meter tachtig is? Dan kan ik hem zelfs niet meer aan, begrijp je wat ik bedoel? Hij moet echt weg en die verdomde Jackie, zij weigert te geloven dat er iets aan de hand is. Hij is in staat iedereen in huis te vermoorden en dan nog staat ze voor hem in.'

'Jezus, Freddie, dit kan toch helemaal niet? Kun je niet iets in de privésfeer regelen?'

Freddie moest daarom lachen, een vermoeid, verdrietig lachje. 'Denk je dat geld uitgeven de diagnose verandert? Maar, volgens zijn maatschappelijk werkster vertoont hij alle "klassieke symptomen" – haar woorden, niet de mijne – van een sociopathische persoonlijkheid. Kortom, hij heeft geen enkele moraal, geen wroeging, geeft om niets en niemand, heeft totaal geen emoties. Om te verbergen dat hij volslagen gek is, ja, doet hij alsof hij dat allemaal wél heeft. Doet hij alsof hij iets voelt wat hij helemaal niet voelt. Dat staat althans in het boek uit de bibliotheek.'

Jimmy wist dat hij de waarheid sprak, en voelde met hem mee want hij wist dat Freddie ondanks al zijn fouten op zijn eigen manier van zijn kinderen hield. Kleine Freddie hield deze man gekluisterd aan een dronken vrouw die hij verafschuwde. Natuurlijk kwam ze Freddie soms ook goed van pas, want ze kreeg alles voor haar kiezen wat hij haar maar voor de voeten kon gooien.

Hij kon het bijna niet geloven dat dit zijn bloedverwant was, de man tegen wie hij had opgekeken, van wie hij had gehouden en die hij had bewonderd. Nu vond hij het al moeilijk om met hem te praten, en als Freddie zou weten wat Ozzy de afgelopen jaren allemaal aan zijn neef overliet, wist hij dat Freddie daar totaal niet mee overweg zou kunnen. Freddie zag zichzelf als de grondlegger van hun imperium, dat nam hij voor waarheid aan. Maar Freddie vergat voor het gemak ook dat wanneer alles aan hem was overgelaten, ze binnen een jaar weer op straat kruimeldiefje aan het spelen zouden zijn geweest. Hij had Clancy uitgeschakeld, en daardoor hadden ze de kans gekregen, maar door hém, Jimmy, waren ze zover gekomen als ze nu waren. Freddie moest dat maar eens aanvaarden en begrijpen, maar in plaats daarvan vond hij dat hij was áfgezet, zoals dat in hun kringen heette. Hij hoefde alleen maar te kijken naar hoe hij leefde, hij had geen cent, kocht dure spullen van zijn cash en liet ze dan wegrotten. En Jimmy wist ook dat hij geen cent opzij had gezet voor slechtere tijden.

Toch was dit de man die oprecht geloofde dat hij zijn plaats aan het hoofd van dit bedrijf kon opeisen. Wanneer het een legaal bedrijf was geweest, kon je het feitelijk vergelijken met een grote international. Ze handelden met Europa, Afrika, het Verre Oosten. Overal viel drugs of smokkelwaar te verhandelen. Freddie wist nog niet de helft en als het aan hem lag, zou dat zo blijven.

'Wat ga je eraan doen, Freddie?'

Hij haalde zijn schouders op. 'Alleen die klootzak daarboven weet daar het antwoord op, makker, en die doet zijn bek niet open.'

Ozzy was blij dat de celdeur werd geopend door een cipier die hij vertrouwde en in zijn zak had. Hij zat op bed, wenkte hem en vroeg of hij twee gevangenen wilde halen die hij moest spreken.

De man knikte.

Vijf minuten later zeilde een jonge Ier met de naam Derry binnen samen met een grote zwarte man die David heette.

'Wat wil je, Oz?'

Hij glimlachte. 'Jullie moeten me naar de afdelingsdokter brengen, jongens. Gisteravond deed ik wat push-ups en heb ik verdomme mijn rib gebroken.'

Zoals hij had verwacht, moesten ze lachen, maar ze deden wat hun gevraagd was.

Ozzy wist dat als hij ook maar een greintje zwakheid toonde, hij net zo goed meteen op een messteek kon liggen wachten. Zo had hij een geldige reden om naar die kwakzalver te gaan. Hij kende de dokter goed. Die handelde al jaren in smokkelwaar met de gevangenen.

Maggie liep de snookerkamer binnen met de kleine Jimmy op de arm. Ze lachte stijfjes naar de twee mannen.

'Zou je niet eens naar huis gaan, naar je vrouw?'

Freddie had gemerkt dat ze de laatste jaren steeds aanmatigender tegenover hem werd en hij wist dat hoe meer zij hem uitdaagde, des te meer hij haar het leven zuur zou maken. Soms liet hij haar maanden met rust. Maar dan, wanneer Jimmy hem ergens buiten had gelaten, of wanneer hij een gerucht hoorde dat Jimmy met iets bezig was waar hij niets van wist, moest hij als bij toverslag weer aan dit kleine ding voor hem denken en begon het hele circus weer van voren af aan.

'Kom op, Mags, vind jij het dan zo gezellig bij Jackie?' Toen stak hij zijn armen uit en zei tegen het kind: 'Kom bij me, schatje van me. Hij is inderdaad de zoon van zijn vader, kijk eens naar al dat spuug.'

Maggie snoof minachtend. Ze zette het jongetje voorzichtig op de vloer en zei vriendelijk: 'Ga maar naar nana, liefje, mammie moet even met pappie praten.'

Zelfs haar stem klonk verkeerd als ze tegen het kind praatte, haar liefkozingen waren geforceerd, maar Jimmy junior deed wat hem gezegd werd.

'Ga jij niet aardig tegen mijn jongen lopen doen, probeer dat maar bij je eigen verdomde kinderen. Hoe gaat het met Kim? Ben je al bij haar geweest? Nee, jij weet alleen maar hoe je haar been moet breken, nietwaar?'

Freddie wist het niet maar het kon hem geen bal schelen.

Jimmy zei bedaard: 'Kom op, Maggie, dit lijkt me geen goed moment.'

Ze draaide haar hoofd met een ruk naar haar man om en zei kwaad: 'Nou, dat spijt me dan, Jimmy, maar ik vind van wel.'

Freddie lachte. 'Voorzichtig aan, je wilt het toch niet met haar aan de stok krijgen, wel?'

Maggie liep op hem toe. Het was een grote kamer en er stonden een snooker- en pooltafel in. Er stond een grote, goed voorziene bar en hij was met houtpanelen bekleed. Een van deze mannen was haar grote liefde en de ander was een kankergezwel dat al zo lang in haar had gewoekerd dat ze dacht dat ze uit elkaar zou barsten van haat. En toch moest ze hem hoe dan ook gedogen. Want als de waarheid ooit naar buiten zou komen, dan zou ze alles verliezen, evenals iedereen die haar dierbaar was.

Aan weerskanten van de reusachtige open haard stonden twee leren oorfauteuils en de mannen zaten daar alsof er geen vuiltje aan de lucht was. Daar werd ze zo woedend van dat ze hen wel aan kon vliegen.

'Probeer niet tussen ons te stoken, klootzak. In tegenstelling tot jíj, Freddie, respecteert mijn echtgenoot me en ik respecteer hem. Maar ik verwacht niet dat je weet wat dat inhoudt, want jij behandelt iedereen in je gezin als een stuk stront. Trouwens, Kim gaat naar een ontwenningskliniek. Dat heb ik vandaag geregeld, dus over haar hoef je je geen zorgen meer te maken. Niet dat je dat sowieso zou doen.'

Ze prikte nu met haar vinger in zijn gezicht en hij zag de haat vanbinnen smeulen.

'Maar ik zal je wel vertellen, Freddie, mijn zuster ligt in puin en jij moet met haar praten over dat drankgedoe, want om een of andere mysterieuze reden denkt ze dat jij om haar geeft. Dus zet je glas neer, bel een taxi en verdwijn uit mijn huis.'

'Vind je dat goed, Jimmy, dat ze zo tegen me praat?'

Jimmy stond op en rekte zich uit voordat hij zei: 'Ze heeft wel een punt, Freddie. Ik moet trouwens toch aan het werk.'

Freddie kon zijn oren niet geloven. Voor die uitbarsting zou Maggie een aframmeling moeten krijgen die ze zich nog lang zou heugen, zo keek hij er althans tegen aan. Maar ze stond nog steeds voor hem.

'Als je nog iets tegen mijn echtgenoot over mij te zeggen hebt, zeg het dan nú. Nú, hoor je me? Ik daag je uit het hem nu te zeggen.' Freddie zag in haar ogen dat hij het spel verloren had, dat ze kwaad genoeg was om de aap uit de mouw te laten komen.

Beter om zich nu maar terug te trekken en munitie te verzamelen voor de toekomst. Freddie zette zijn glas neer en liep zwijgend de kamer uit.

Toen de voordeur dichtsloeg, keerde Maggie zich om naar Jimmy en zei bedroefd: 'Bedankt, Jimmy.'

'Prima zoals je hem te pakken nam. Ik had je natuurlijk op je donder moeten geven, volgens hem althans. Maar hij is een Neanderthaler, hij snapt er niets van.'

'Ik wil hem hier niet meer hebben, Jimmy, niet na wat er gebeurd is. Die arme Kim en die rottige Jackie, nou ja...'

'Ik begrijp het wel. Ik zorg ervoor dat hij hier zo min moge-lijk komt, oké?'

Ze glimlachte dankbaar naar hem en hij trok haar in zijn ar-men. Deze keer liet ze hem begaan, kon ze zich bij hem ont-spannen.

Tijdens het ontbijt was ze zelfs ontspannen met Jimmy juni-or, knuffelde hem met oprechte zorg en aandacht. Hij had het gevoel dat ze over een onzichtbare streep waren gestapt, ook al had hij er geen idee van waarom hij dat dacht.

Maddie, die was blijven ontbijten, knipoogde van de over-kant van de tafel naar Jimmy en het schoot hem te binnen dat Freddie was weggegaan zonder zijn moeder zelfs maar gedag te zeggen.

20

Maggie en Rox kozen lachend de stof uit voor Rox' slaapkamergordijnen. Ze ging eindelijk met Dicky trouwen en ze was volmaakt gelukkig.

'O, Maggie, dit is prachtig. Je hebt zo'n goeie smaak.'

Maggie glimlachte. Ze had zachtgrijze zijde gekozen waarvan ze wist dat die geweldig uitkwam tegen de lichtroze verf die Rox per se op haar muren wilde hebben.

'Als je eenmaal getrouwd bent, moet je hier nog heel lang tegen aankijken, dus moet je ervoor zorgen dat je niet alleen goede kwaliteit kiest, maar ook iets wat lang meekan.' Ze hoorde zichzelf raad geven aan het kind en ze had wel terug willen rennen en die luie dronken zuster van haar met zich mee willen sleuren.

Niet dat ze iets aan Jackie zouden hebben, maar het was akelig dat alles wat met deze bruiloft en hun nieuwe huis te maken had, aan haar werd overgelaten. Maggie vond het niet erg, wist alleen dat Rox zo vreselijk graag wilde dat haar ouders zich er ook mee bemoeiden. In elk geval haar moeder... Rox was nooit een grote fan van haar vader geweest.

Jimmy junior rende op haar toe en Maggie tilde hem moeizaam op. Hij was nu vier en werd al een behoorlijke knaap. Ze kuste hem op de wang toen hij opgewonden zei: 'Ik heb een clown gezien, mammie.'

De clown stond op een poster aan de muur en ze wist dat hij haar zou vragen of hij naar het circus mocht, en zij wist dat ze hem zou meenemen.

'Het is het circus, mammie.'

'En jij gaat ernaartoe, snoepje!'

Hij schaterde van het lachen en ze gaf hem nog een kus.

Rox sloeg ze gade en slaakte een zucht van geluk. Met Maggie was het weer in orde, al een tijdje, trouwens. Het was alsof ze in één klap was veranderd, gelukkiger, zorgelozer was geworden. En Rox hield meer van haar dan wie ook ter wereld, op Dicky na dan.

Maar Maggie was tegenwoordig wel lichtgeraakt, dat had iedereen gemerkt. Eén verkeerd woord en ze stond met haar vuisten klaar. Het paste totaal niet bij haar, maar was nu toch deel van haar geworden, onderdeel van deze nieuwe en verbeterde Maggie, dus iedereen accepteerde het.

'Je weet dat je dat eerst met mij moet regelen, voordat je aan zoiets begint. Dat zijn de regels hier, wie je ook bent.'

Ozzy's stem klonk kwaad en de man tegen wie hij praatte vroeg zich af of er een kans was om hem zijn verdiende loon te geven. Hij keek om zich heen en besloot wijselijk dat hij dat maar niet moest doen.

Ozzy was onder de indruk dat het zelfs maar in de jongen was ópgekomen om zich fysiek te verweren tegen zijn terechtwijzing, en dat vertederde hem ook weer.

'Moet je horen, Ozzy, ik had niet gedacht dat het je iets zou kunnen schelen, makker.'

Ozzy moest lachen en schudde traag zijn hoofd alsof hij in gezelschap van de stompzinnigste man in de geschiedenis verkeerde. Hij vroeg zich af of Carl Water inderdaad de stompzinnigste man in de geschiedenis wás.

Hij sprak luid met zijn donkere, ernstige stem omdat hij helaas nou eenmaal geen andere had. 'Ik ben niet de eerste de beste lul, moet je weten. Ik weet dat je met een goed stel mensen werkt, maar onthoud goed, jongen, zíj staan buiten en jíj zit binnen. Als je weer zulke stomme dingen doet, beland je in de ziekenboeg, weet dat wel.'

Carl knikte, maar hij wist intuïtief dat Ozzy het hem niet kwalijk nam. Ozzy was een realist en in zijn plaats zou hij waarschijnlijk hetzelfde hebben geprobeerd.

'Het spijt me, Ozzy. Ik ben een lulhannes, je hebt gelijk. Ik wilde alleen maar wat poen verdienen en dat lukt prima met dat kleine ventje dat me daaraan kan helpen.'

Ozzy grinnikte. 'Doe jij je best maar met je handeltje, jongen, daar ga ik niet over zeuren. Alleen werk je voortaan in míjn naam en zorg je voor mijn natje en droogje, zie je. Zover lopen we nou ook weer niet achter, maar als het om nieuwelingen gaat, hebben we nog steeds een feodaal systeem.'

Dit was meer dan de jongen had verwacht en een paar minuten later verliet hij in opgewekte stemming de cel.

Ozzy legde een pilletje onder zijn tong en verwonderde zich over een jonge knul die alle kansen van de wereld had gehad en toch de schuld op zich had genomen van twee volslagen klote sjoemelaars. Carl had een overval gepleegd met twee zogenaamde 'Faces'. De kit had ze te pakken genomen op de plek waar ze van auto's en kleren zouden wisselen, en waar ze zo nodig het geld zouden verdelen voordat ze uit elkaar gingen. Dat betekende dat ze verlinkt waren. Hoe hadden de juten anders geweten waar de wisseling plaatsvond? Dit was verdomme vooropgezet geweest en deze arme jongen was tot zondebok gebombardeerd.

Dus hij was in de kraag gegrepen, had zijn mond stijf dichtgehouden over wie zijn kompanen waren en kreeg achttien jaar aan zijn broek. Zijn hele jeugd zou hij in deze tent doorbrengen, terwijl de oudere, wijzere 'Faces' buiten nog steeds hun handeltjes konden drijven.

Eigenlijk was het een verdomde schande, maar de jongen kon wel eens nuttig voor hem zijn. Hij was jong, wilde graag en kon zijn kop dichthouden.

Ozzy was ziek. Hij slikte al een tijdje medicijnen voor zijn hart en hij wist niet of hij het nog lang zou maken. Hij moest eens goed met Jimmy praten, en hij besloot dat bij het volgende bezoek te doen. Hij had er gewoon niet meer zoveel zin in en zodra dat eenmaal in hun milieu het geval was, leefde je in geleende tijd.

Zijn zuster Patricia naaide nog steeds iedereen met een leuke glimlach en een dikke pik, Freddie Jackson incluis, en hij vertrouwde haar niet meer helemaal. Naarmate ze ouder werd, was ze minder kieskeurig met wie ze de koffer in dook en dat begon hij zorgelijk te vinden.

Het ging om enorme bedragen en serieuze business, en nu hij ziek was, moest het maar gebeuren. Hij had hard voor zijn geld gewerkt en ervan genoten dat hij zoveel had verdiend. Zodra ze eenmaal een grote klapper hadden gemaakt, verloren zoveel mensen het overzicht. Ze hadden er geen zin meer in en verloren hun ontzag voor het geld, maar dat was een vereiste wanneer je rijk wilde zijn. Hij was er nooit erg op gebrand geweest om het uit te geven, maar voor het verzámelen ervan had hij nachten wakker geleden en plannen gesmeed. Hij wilde zijn rijkdom aan iemand zoals hij geven, iemand die er verstandig mee om wist te gaan, die zou begrijpen wat het had gekost om het sowieso bij elkaar te krijgen.

Het werd tijd dat hij zijn zaakjes op orde ging brengen.

Hij draaide zijn hoofd naar zijn draagbare tv. *Emmerdale* begon net en hij genoot ervan om naar de wijde vergezichten te kijken. Hij had er nu spijt van dat hij zich nooit om de Dales had bekommerd toen hij nog vrij rondliep. Ze zagen er schitterend uit, verbijsterend. Dus genoot hij ervan door bij volmacht te kijken, op Emmerdale Farm.

De meiden waren ook goed in vorm, dus het was niet helemaal een verloren halfuur geweest.

Hij wilde dat hij aan de bevolking kon uitleggen dat, ook al konden ze naar Spanje, Amerika of de hele wereld over reizen, ze haar eigen land niet kende. Dat ergerde hem nu, want pas de laatste jaren had hij in de gaten gekregen wat een groen en prettig land het eigenlijk was. Als hij de kans kreeg om het over te doen, dan zou hij zeker door Engeland zijn getrokken. Van heinde en verre kwamen de mensen hier wonen. Ze beschouwden het als een haven, een plek waar ze iets van hun leven konden maken en het had hem zijn hele tijd in de nor gekost om erachter te komen waar die mensen vandaan kwamen. Net als het oude gezegde: je weet nooit wat je hebt, totdat je het kwijt bent.

Nou, dat gold ook voor de mensen met wie hij al die jaren te maken had gehad.

Hij zou eindelijk zijn laatste wil en testament laten opmaken en hij wist dat dat een hoop heisa zou veroorzaken. Dat moest dan maar.

'Waar is hij, Jackie?'

Ze was in paniek en dat ergerde haar man.

'Ik weet het niet, Freddie.'

'Dat had wel gemoeten, verdomme! Waarom geef ik je mijn geld eigenlijk nog? Je kunt zelfs nog niet op kleine Fred passen. Je weet dat hij niet uit mag, dus waar is-ie, verdomme?'

Op dit moment kon Jackie haar zoon wel levend villen, hij had het verknald en daardoor had zij herrie. Freddie had een avondklok ingesteld en in tegenstelling tot de andere keren dat hij zijn zoon had proberen in te tomen, zat hij er nu bovenop en controleerde hij of zijn zoon thuis was. In zeker opzicht was ze daar blij mee, want dat betekende dat ze meer tijd met hem had en hij niet bij die andere vrouwen was. Maar het werkte ook behoorlijk op haar zenuwen, want kleine Freddie had niet verwacht dat hij gecontroleerd zou worden, hoewel hij te oud en te slinks was om nog als kind te kunnen worden behandeld.

Met zijn vader hoefde je geen spelletjes te spelen, maar ook al had ze dat meermalen aan haar zoon proberen te vertellen, hij wilde niet naar haar luisteren. Hij had nog nooit naar haar geluisterd, dat was juist het probleem.

Ze stonden als een stel kemphanen tegenover elkaar toen de voordeur openging en kleine Freddie met al zijn arrogantie binnenwandelde. Hij was heel groot en Freddies dubbelganger, maar in tegenstelling tot zijn vader, die op zijn leeftijd alleen maar een herrieschopper was geweest, zat deze jongen diep in de moeilijkheden. Enkel Freddie kon hem in bedwang houden. Dat wist Jackie en ze was blij dat iemand hem nog in het gareel kon houden, maar ze kon het nog steeds niet verdragen wanneer hij werd afgezeken, in de problemen zat of van iets werd beschuldigd.

Kleine Freddie stond voor zijn vader en moeder en schraapte omstandig zijn keel. Duidelijk beledigend bedoeld.

Freddie keek zijn zoon aan en vroeg zich voor de duizendste keer af waarom hij zich nog met hem bemoeide. Maar dit was geen normale klootzak, dit was een geváárlijke klootzak. Nou, einde verhaal. Hij wees met zijn vinger naar hem en zei hard: 'Waar heb je verdomme gezeten, hè?'

Jackie probeerde de situatie te redden en zei opgewekt: 'Daar is-ie! Ik zei toch dat hij er zou zijn?'

Freddie duwde haar van zich af en keek zijn zoon aan. Met donkere, woedende stem zei hij: 'Ga je me soms vertellen dat je niet kunt klok kijken?'

Kleine Freddie staarde zijn vader aan en er zat geen greintje angst in hem ondanks de woede van zijn vader. Freddie wist dat deze jongen van god los was, dat hij totaal de weg kwijt was en hij was vastbesloten om hem hoe dan ook weer in het gareel te krijgen.

Vraag en antwoord ketsten razendsnel woedend over en weer zonder dat een van de twee ook maar een moment aarzelde.

'Ik vroeg waar je verdomme gezeten hebt.'

'Uit.'

'Waar uit?'

De jongen haalde zijn schouders op. 'Met een stel vrienden.'

'Wat voor vrienden?'

'Gewoon, vrienden.'

'Hebben ze ook een naam?'

'Hebben die van jou die ook?'

Freddies vuist raakte de kin van zijn zoon met zo'n snelheid dat de jongen geen tijd had om weg te duiken en zichzelf te beschermen. Hij verwachtte het niet, hij was nog verbaasder toen zijn vader doorging en hem nog een stomp verkocht en hevig op hem in begon te beuken.

Jackie keek toe hoe haar zoon alle hoeken van de kamer zag totdat hij in een verkreukelde hoop op de bank belandde. Ze zag dat zijn vader boven op hem dook met die blik op zijn gezicht die haar zoveel pijn deed. Ze gilde het uit, ze leek wel krankzinnig geworden. Niemand kwam aan haar baby, níémand.

'Laat hem met rust!'

Freddie greep haar bij de armen, gooide haar met geweld de kamer uit en sloot de deur achter haar. Toen ging hij verder met de ondervraging alsof die nooit was onderbroken.

'Welke vrienden?'

Zijn zoon keek hem nu met openlijke haat aan, maar dat kon Freddie niet schelen. Hij moest weten waar hij was geweest.

'Was je vandaag in de metro?'

Hij zag de ogen van kleine Freddie groter worden en wist dat zijn vermoeden bewaarheid was, en niemand vond dat erger dan hij.

'Was je daar?'

Kleine Freddie schudde met tranen in zijn ogen ontkennend zijn hoofd. 'Nee, pap, ik heb het niet gedaan, zij...'

Freddie bekeek zijn zoon en vroeg zich af of hij de wereld een dienst zou bewijzen en hem ter plekke van de aardbodem zou wegvagen.

'Waar is-ie, verdomme, Jimmy?'

Jimmy spreidde smekend zijn armen. 'Hoe moet ik dat goddomme weten? Ben ik nu al plotseling Freddies klotevader?'

De andere mannen in de achterkamer van de pub konden de woede in zijn stem niet negeren. Glenford, de eeuwige vredestichter, zei op redelijke toon: 'Relax, het is maar een vergadering.'

Amos Beardsley wist dat hij buiten zijn boekje was gegaan en toonde berouw. Iedereen wist dat Freddie een halvegare was, maar Jimmy was degene voor wie je werkelijk bang moest zijn. Jimmy had geen woede nodig om mensen iets aan te doen, Jimmy had alleen maar een réden nodig. Dat was heel iets anders. Voor Jimmy was geweld altijd het allerlaatste middel en dat betekende dat wie het slachtoffer ook was, die diep in de shit zat.

Hij was weliswaar begonnen als Ozzy's rechterhand, maar hij was nu zelf een belangrijk man geworden, en net als met alle grote geldmakers had niemand ooit van hem gehoord, totdat het te laat was. Hij verschool zich achter een heel stel namen en had persoonlijk nog nooit een parkeerboete gehad.

'Is er wat te drinken?'

Glenfords stem klonk joviaal. Ze slaakten allemaal een zucht van opluchting, Jimmy incluis, die wel wist wat zijn vriend aan het doen was. 'Kom mee, Glen, dan halen we een paar flessen.'

Ze gingen de kamer uit. Toen ze eenmaal in de bar waren, zei Jimmy zacht: 'Ik kan die verdomde klootzak wel een trap onder zijn reet geven, echt waar.'

Glenford bestelde de drank en duwde Jimmy toen door de uitgang de koude nachtlucht in. 'Hou ermee op, Jim, je moet nu de schade zien te beperken. Freddie heeft ze uitgenodigd. Dat weet jij, dat weet ik en hij weet dat, maar wat belangrijker is, zíj weten het. Nou, jongen, geef ze waar ze recht op hebben. Doe het met een beetje respect en dan laten ze het wel zitten. Daarna móét je Freddie in zijn kladden grijpen en hem ongelooflijk op zijn donder geven.'

Jimmy gaf geen antwoord, maar Glenfords laconieke, traag uitgesproken, ernstig klinkende West-Indische accent doorboorde zijn geest.

'Ik méén het, Jimmy. Dit heeft ook invloed op míjn inkomsten, weet je en mijn jongens zijn niet meer te houden. Bloed is bloed, dat accepteren we wel, maar dit is niet de eerste keer. Ze zijn nu alleen maar naar jou toe gekomen omdat Freddie totaal niet voor rede vatbaar is. En nu heeft hij ze ook nog te kakken gezet door vanavond niet te komen opdagen. Dit zijn Afrikánen, het maakt hun geen bal uit wie hij is of voor wie hij werkt. Dit zullen ze níét vergeten. En ze brengen pegels binnen, jongen, veel pegels. Ze zijn geen sta-in-de-weg zoals iemand die ik hier maar niet zal noemen.'

Jimmy keek zijn vriend aan, hij was een echte vriend. Hij hield van die man en hij wist dat Glenford ook van hem hield. In hun wereld waren echte vrienden met een kaarsje te zoeken.

'Wat moet ik met hem aan, Glen? Het lijkt wel alsof hij denkt dat hij alleen op de wereld is, alsof hij de wet in eigen persoon is.'

Glenford moest glimlachen met die uiteenstaande tanden van hem, zijn hele leven al een garantie voor vrouwen en seks. Hij gaf zijn vriend oprecht antwoord. 'Maar hij is zijn eigen wet in persoon, Jimmy. Daar heb jíj wel voor gezorgd. Wat hij ook doet, jij beschermt hem en nu ga ik je iets vertellen wat je helemaal niet wilt horen. Hij is een verrader, hij heeft zelfs geprobeerd míj tegen je op te zetten. Heel vaak, en hij weet dat wij dikke maatjes zijn. Als hij dronken is, is hij een verdomd verraderlijke schoft en je moet hem intomen, en wel zo snel mogelijk, want als je dat niet doet, ga je je zelfrespect verliezen en dat van anderen ook.'

Glenford zei tegen Jimmy wat hij al heel lang wist maar niet aan zichzelf wilde toegeven. Hij wilde zo graag geloven dat Freddie volgens dezelfde normen leefde als hij, maar in zijn hart wist hij dat Freddie daar niet toe in staat was. Freddie vond dat hij boven hen stond, ook boven hem.

Hij moest hem hard aanpakken en gauw ook, maar hij was er als de dood voor. Niet omdat hij bang voor hem was, maar omdat hij wist dat het voor hen het einde betekende.

'Laat hem met rust, Freddie, je vermoordt hem verdomme nog.' Jackie was de kamer weer in gerend en probeerde haar man van haar zoon af te sleuren zodat hij zou ophouden met slaan, het begon steeds meer op moord te lijken.

'Jij schoft, jij godverdommes stuk gajes!'

Freddie was zo woedend dat hij spoog en Jackie wist dat het nu ernst was, want hij zou die moeite niet nemen tenzij hij een heel goede reden had.

Ze drong zich tussen hen in. 'Zeg me wat hij volgens jou heeft gedaan.'

Het klonk alsof ze wist dat hij weer ouwe koeien uit de sloot ging halen. Alsof híj zijn eigen zoon te pakken zou nemen, tenzij hij daar niet een heel goede reden voor had. Zo kwamen ze nergens. Zolang zijn moeder in de buurt was had kleine Freddie het gevoel dat hij nog een kans had.

Dus duwde Freddie zijn vrouw ruw opzij, maar zelfs hij had met de vrouw te doen die nog steeds aan een kind hing, aan een droom die er nooit was geweest.

Kleine Freddie háátte haar. Hij haatte iedereen.

Jackie, die dronken tor, dacht werkelijk dat kleine Freddie alleen maar een hérrieschopper was, dat alles wat hij deed alleen maar kinderspel was. Ze zou nu toch moeten weten dat dat niet waar was, dat er een steekje aan hem loszat, dat hij ze niet allemaal op een rijtje had.

'Nou, zeg het dan, wat hij heeft hij nu weer gedaan?'

Ze stond hem werkelijk uit te dagen, maar nu kon hij de angst in haar stem horen doorklinken. Ze vermoedde dat haar zoon iets verschrikkelijks had gedaan, maar ze was banger om het te horen dan voor de gebeurtenis zelf. Dus deed ze zoals altijd alsof iedereen de schuld had, behalve hijzelf.

Ze gilde uit alle macht. 'Jij geeft hem ook nooit een kans, hè, Freddie? Je zoekt er altijd iets verkeerds achter. Nou, hij was de hele dag bij míj. Wat zeg je daarvan?'

Freddie schudde zijn hoofd, wat hij altijd deed wanneer hij met Jackie en haar gewauwel te maken had. 'Schiet op en ga een borrel pakken, Jack. Ik heb een mooie fles wodka voor je meegenomen om je uit mijn buurt te houden terwijl ik voor eens en voor altijd met die rukker hier ga afrekenen.'

'Maar wat heeft hij dan gedaan?'

Freddie besloot het haar te vertellen. Hij liet zijn zoon zonder zelfs maar naar hem te kijken op de grond vallen. Toen liep hij met zijn vrouw naar de keuken, wat althans voor een keuken moest doorgaan, en zei doodernstig: 'Schenk jezelf maar een grote in, Jackie, want je zult het nodig hebben.'

Ze ging op de dichtstbijzijnde stoel zitten en begon te huilen. Freddie schonk haar een flink glas wodka in en zei: 'Seksueel geweld en aanranding, Jackie. En dat is nog maar het begin, schatje. We hebben wel wat op de wereld gezet.'

Jackie schudde hevig met haar hoofd, ze ontkende eenvoudigweg dat zoiets in hun gezin kon gebeuren. Ze zat nu te snikken, een luidruchtig, angstaanjagend gejank waardoor haar echtgenoot wist dat ondanks die ontkenning ze op een bepaald niveau alles zou geloven wat hij te zeggen had, zelfs zonder de feiten te weten.

'Nee, Freddie, je zit ernaast, niet onze jongen, niet mijn baby...'

Freddie sleurde zijn vrouw van haar stoel en fluisterde zo hatelijk en woedend in haar gezicht dat ze weer doodsbang voor hem werd: 'Ze was tachtig, Jack, en werd beroofd en aangerand. En het is niet de eerste keer dat hij zoiets heeft gedaan. Ik heb het de laatste keer door de vingers gezien, mijn schuld. Ik heb het toen voor hem geregeld, want dat doen we toch altijd voor onze kinderen? Maar nu doe ik dat niet meer, hij is een verdomde verkrachter, een verkráchter en dit keer knijp ik mijn ogen niet dicht. En hou je waffel nou eens een keer, voor ik die voor eens en voor altijd dicht timmer. Hij is een béést en we moeten nu wat aan die klootzak doen!'

Jackie brulde het nu uit. Ze was kapot van verdriet, en ook verstijfd van schrik dat Freddie de waarheid sprak.

'Het is niet waar, Freddie, hij is nog maar een kleine jongen!'

Voor het eerst in jaren had Freddie enig meegevoel voor zijn vrouw, zo onder de indruk was hij van haar loyaliteit naar hun zoon. Als kleine Freddie een bank had beroofd of zelfs iemand had vermoord, had hij naast haar gestaan en samen met haar gelogen. Maar dit was iets anders, dit was slécht. Dit was beestachtig, dit ging over die gestoorde verkrachters op gesloten afdelingen. Dit ging zover boven zijn pet dat het hem angst aanjoeg. Denk je eens in dat die klootzak iets deed en de mensen zouden dat te wéten komen, weten dat deze fucking zedendelinquent zíjn vlees en bloed was.

'Het was mevrouw Caldwell, de oma van je vriendin! Ze hebben haar beroofd, haar áángerand en toen – wat dacht je van dit feestelijke detail, Jackie – hebben ze een verdomde hoer in de fik gestoken die het arme mens te hulp wilde schieten!'

Jackie was nu compleet hysterisch. 'Hij zou zoiets nóóit doen, Freddie, zo is hij niet. Mijn baby is zo niet... Waarom hebben ze hem dan nog niet opgehaald? Waarom is ouwe Bill dan nog niet langs geweest?'

Freddie slaakte een zucht. 'De dienstdoende politieagent heeft me over mevrouw Caldwell verteld. Met een beetje geluk kunnen we hem afkopen. Hij maakte me erop attent wat er aan de hand was, Jackie, en ik heb een fortuin moeten betalen om die kloterukker uit de lik te houden. Geloof je me verdomme nou, Jackie? Ik heb die klootzak alleen een kans gegeven omdat ik niet kan leven met wat hij heeft gedaan. Of dat mensen weten wat hij heeft gedaan. Kun je godverdegodver dat dan tenminste begrijpen?'

Kleine Freddie lag op de bank in de woonkamer en luisterde naar het geruzie van zijn ouders. Uit ervaring wist hij dat ze hem uiteindelijk zouden vergeten. Hij had het verknald, maar ook al dreigde zijn vader met nog zoveel, hij zou hem toch niet laten opbergen. Hij zou hem aan banden leggen, hem in de gaten houden en hem een uitgaansverbod opleggen.

En dan zou de storm weer gaan liggen. Zijn verwekker zou andere dingen te doen hebben en zijn moeder zou hem naar buiten laten en voor hem liegen, zo ging het altijd.

Al met al kwam hij er nog goed vanaf.

Jackie kwam de zitkamer binnen en gaf haar schatje een knuffel. Ze had uiteindelijk wel begrepen wat haar man had bedoeld, maar wat hij ook zei of waar hij ook mee dreigde, haar zoon ging nergens naartoe. Hij was niet slécht. Als Freddie hem maar eens meemaakte zoals zij dat deed. Hij was nog maar een joch. Hij was groot voor zijn leeftijd en daarom dachten de mensen altijd dat hij ouder was en behandelden ze hem als een volwassene. Maar hij was een kind en Freddie was veel te streng voor hem.

Iedereen was tegen hen, vanaf de eerste dag had ze zich met hand en tand verzet tegen elke hulp van buitenaf. Hij was nog een jongen en omdat hij toevallig Jackson heette, werd hij door iedereen uitgekotst en moest iedereen hem hebben. De kit haatte hem, het gerechtshof haatte hem, de maatschappelijk werkers beschouwden haar als een stuk vuil! Ze moesten hem altijd hebben. Hij was haar oogappel, haar jongste, en ze was niet van plan zich door iemand te laten zeggen dat hij slecht was.

Hij had gewoon verkeerde vrienden, en omdat hij zo'n klootzak was, bleef hij bij die mensen hangen. Hij was gewoon makkelijk te beïnvloeden, dat was alles. Ze wilden hem opsluiten, laten behandelen, of in zo'n klotehuis stoppen, een of andere gestoorde instelling. Nou, niet zolang zij nog lucht in haar lijf had. Zij zou voor haar baby opkomen, zij zou zorgen dat hij bij haar thuis bleef. Niemand bracht hem ergens naartoe.

Vanbinnen wist ze wel dat hier niets van waar was, dat de naam Jackson juist ervoor zorgde dat zoiets niet gebeurde, maar dit was de enige manier waarop ze met de problemen van haar zoon om kon gaan.

Ze was dankbaar dat Freddie wodka voor haar had meegenomen, hoewel het ook bewees hoe slecht de zaken ervoor stonden. Maar zoals gewoonlijk zette ze al die verschrikkelijke dingen uit haar hoofd, dronk zichzelf een stuk in de kraag en deed haar uiterste best om alle kwaad te vergeten en terug te keren naar haar eigen gemoedsrust of welzijn.

Freddie was hem gesmeerd en voor één keer was ze blij dat hij was weggegaan. In de afgelopen jaren had ze zo graag gewild dat hij bij haar thuis bleef, maar nu maakte het haar niets meer uit. Haar kleine Freddie was bij haar, knuffelde haar en ze had niemand anders nodig. Hij was haar leven, en niemand kon hem van haar afnemen.

Ladderzat zei ze dat steeds maar weer tegen kleine Freddie.

Maggie lag op bed met haar zoon. Hij lag in haar armen te slapen en ze was verbaasd hoeveel ze van hem hield. Ze keek naar hem en vroeg zich af hoe ze ooit Freddie haar gevoelens had laten dicteren voor zoiets kostbaars, iemand die uit haar éígen lichaam was voortgekomen. Hij was voor de helft van haar, de helft bestond uit haar genen, en zij had haar haat voor Freddie tussen haar en haar kind laten komen.

Haar kind.

Sinds de dag dat ze Freddie de wind van voren had gegeven, ging het een stuk beter met haar. Ze had het gevoel dat ze weer macht over zichzelf kreeg, ook al ergerde ze zich aan die uitdrukking, vooral omdat die te pas en te onpas in de dagelijkse talkshows door volslagen sukkels in de mond werd genomen, zonder dat ze ook maar enige idee hadden van de werkelijke problemen van vrouwen. Zij wíst wat het betekende wanneer je echt macht over iemand had. Daar had ze lang genoeg mee moeten leven, dag in dag uit.

Freddie had macht over haar gehad omdat zij doodsbenauwd was dat hij zijn vrouw zou vertellen wat er was gebeurd en Jackie zou haar de schuld geven omdat ze nooit zou toegeven dat hij in staat was om haar zuster te verkrachten.

Ze was nog het bangst voor Jackies reactie geweest.

Ze was er ook beducht voor geweest dat Freddie het aan haar man zou vertellen, het aan iedereen zou rondbazuinen dat hij met haar naar béd was geweest, en zij had geloofd dat íedereen zou geloven dat ze dat vrijwillig had gedaan. Nu, na al die tijd wist ze dat niemand zou geloven dat ze er zelfs maar over zou denken om hem met een vinger aan te raken.

Ze was gelukkig nu, in elk geval gelukkiger dan ze in jaren was geweest.

Toen ze die avond Kimberley in het ziekenhuis had zien liggen en ze Jackie in haar ware gedaante had gezien, een verdomde lafaard en dronken drel, had ze haar eigen angsten en problemen onder ogen kunnen zien.

Het was zo'n grote stap voor haar geweest dat ze tegen Jackie had gezegd dat ze sterker was dan zij. Haar hele leven had haar oudere zuster de baas over haar gespeeld, haar gezegd wat ze moest doen, haar raad gegeven, op haar afgegeven, haar beledigd. Ze had Jackie behandeld alsof ze een klotegodin was of zoiets, terwijl ze in werkelijkheid een zuipschuit was. Een manipulerende, gemene, dronken lor van wie ze altijd heel veel en oprecht had gehouden. En ze was er altijd van uitgegaan dat die gevoelens wederzijds waren. Maar daar was Maggie niet meer zo zeker van. Ze wist dat Jackie haar bij haar vriendinnen bespotte en binnen de familie kwaad van haar sprak.

Maggie was zich er ook van bewust dat, wat er ook tussen haar en Jackie zou voorvallen, ze nooit de liefde van de meiden zou kwijtraken. Ze had ze jaren geleden al onder haar hoede genomen en zij hielden van haar en hadden haar nodig. De meisjes zouden er altijd zijn, of ze nu wel of geen contact had met Jackie.

Dus had ze haar zuster eens flink de mantel uitgeveegd, was naar huis gegaan en had daar Freddie aangetroffen die voor de zoveelste keer in haar vertrouwen, in haar geest wilde kruipen, erger nog, ook in het echte leven met haar man.

Hij zat in haar huis met haar echtgenoot en ze had het helemaal gehad. Ze had zo wanhopig graag gewild dat hij Jimmy zou vertellen wat er gebeurd was. Ze was er ziek van dat ze het voor zich moest houden, dat ze mensen moest beschermen die dat niet verdienden.

Het zou haar niets hebben uitgemaakt om Jackie nooit meer te gezien. Ze voelde zich voor het eerst in jaren bevrijd, onbelast, met een licht hart en onverschillig voor wie gekwetst zou kunnen raken wanneer de hele zaak naar buiten zou komen.

Ze konden allemaal naar de hel lopen, Jimmy ook. Juist omdat ze wist dat het haar niet veel kon schelen hoe hij zou reageren, was het allemaal zoveel makkelijker geweest. Jimmy hoorde ook bij degenen die ze wilde beschermen, en Jimmy was de sterkste van allemaal.

Ze had Freddie uitgedaagd om uit de school te klappen en hij was ervoor weggelopen. Zij had de touwtjes weer in handen.

Nu was ze gelukkig. Ze was dol op haar jongen, was áltijd dol op hem geweest – de helft was immers van haar – maar vanwege Freddie had ze zich zo schuldig gevoeld over de omstandigheden waaronder hij was verwekt en het zo moeilijk gevonden om te zien hoe Jimmy als vader was. En omdat ze zoveel om Jimmy gaf, was ze als de dood dat Freddie het geheim zou laten uitlekken, al was het maar om iets te bewijzen, om rotzooi te trappen. Om haar een lésje te leren.

Maar die avond had ze ontdekt dat hij beducht was voor Jimmy, zelfs bang. En ten slotte had ze uitgevogeld dat Jimmy uiteindelijk de reden was waarom het hele circus in gang was gezet.

De dingen waren niet allemaal zoals ze vroeger waren, maar

ze probeerde ze weer recht te zetten, en als Freddie hen maar met rust zou laten, zou hun leven er een stuk op vooruitgaan.

En moest je zijn kinderen eens zien. Wat zou er godbetert van ze terechtgekomen zijn als zij er niet was geweest? Het interesseerde hem niet eens dat Rox ging trouwen. Voor hun wereld had ze een fantastische partij aan de haak geslagen en het maakte hem allemaal geen zier uit.

Jackie had ook totaal geen belangstelling voor ze. Kimberley was van de smack af en Maggie had haar geholpen met een flat, maar Jackie noch Freddie had de moeite genomen om bij haar langs te gaan en daar was het kind door gekwetst. Maggie wist hoe ze zich voelde, wist hoe het was als mensen je in de steek lieten, maar deze mensen waren zélf in de steek gelaten en Kimberley was zonder hen beter af. Alle meiden waren zonder hen beter af. Zelfs Dianna had nu verkering met zo'n opdondertje en zou voor ze het wisten vertrokken zijn. Geen van beiden kon het ook maar dát schelen, maar wanneer Freddie uiteindelijk zou ontdekken wie die knul was, wist Maggie dat de Derde Wereldoorlog zou uitbreken.

Waarom kon één persoon zoveel macht hebben? Waarom voelde iedereen de behoefte om zíjn leven makkelijker te maken terwijl híj alleen maar misbruik maakte van anderen? En Jackie was van hetzelfde laken een pak, wat voelde die zich belangrijk.

Maggie had Jimmy onder de neus gewreven dat hij iedereen uitbetaalde, niet Freddie, en toch gaf hij nog steeds aan hem toe. Ze wist dat ze Jimmy daarmee had gekwetst en dat het provocerend was geweest. Maar, had ze steeds maar weer herhaald, wie dacht Freddie Jackson wel niet wie hij was? Welk recht had hij om de mensen zo te behandelen, inclusief haar Jimmy, haar man?

De avond tevoren had ze ruziegemaakt met Jimmy. Hij had haar verteld dat Freddie nog steeds geld van mensen wist af te persen. Dat was nog eens wereldnieuws. Na zoveel jaar roofde hij nog steeds stuivers en centen van een stelletje verdomde klootzakken. En ze had tegen Jimmy gezegd: 'Jíj geeft hem al die macht, en tot het moment dat jij hem die afneemt, zal hij altijd problemen maken.'

Nu ging zij over het leven van zijn dochters en ze wilde hen verder helpen omdat ze van hen hield. Net als haar kleine zoon, ze wist dat hij maar voor de helft van hen was, maar de andere helft had niets met hem of zijn leven te maken.

Maar kleine Freddie joeg haar angst aan. Ze wist dat hij in geleende tijd leefde. Ze zorgde er wel voor dat haar mannetje nooit een moment in zijn buurt kwam en dat hij nooit alleen met hem was.

Als het nu aan haar lag, zou ze Freddie en Jackie zonder blikken of blozen uit haar leven bannen. Ze waren gewoon de moeite niet waard.

Jimmy junior deed zijn ogen open en ze glimlachte naar hem. Hij kwam overeind, ze kuste zijn knappe gezichtje en kietelde hem tot hij schaterde van het lachen.

Dit was nu haar leven, deze jongen, haar baby en ze was vast van plan er alles uit te halen wat erin zat.

21

'Moet je horen, Jimmy, er lag heel wat op mijn bordje.'

Het was duidelijk dat Jimmy dacht dat Freddie hem voor de gek hield. Hij lachte spottend en geërgerd. 'Jíj had heel wat op jóúw bordje? Ik had Amos hier, Glenford, de hele godverdommese mikmak. Het leek hier verdomme wel de *Black and White Minstrel Show* – zo noemde jij die bijeenkomst, als ik me niet vergis, ik niet. Weet je het weer? Die ontmoeting waarin je jezelf uit de prut moest zien te draaien? Gaat er godverju nog ergens een bel rinkelen, of zo?'

Het was zo abnormaal dat Jimmy zich zo sarcastisch en vijandig uitliet, dat Freddie dit keer met stomheid geslagen was. Jimmy was nooit zo tegen hem uitgevaren, Jimmy verloor zijn zelfbeheersing nooit, dat was Freddies afdeling. Freddie was het ongeleide projectiel, hij was degene aan wie niemand zijn handen durfde te branden. Niet Jimmy. Jimmy was de kalmte zelve, de denker, het verdomde brein van de hele onderneming, als je de roddels tenminste mocht geloven.

'Je hebt me compleet voor gek gezet. Nou, dat gebeurt me niet meer, Freddie. Je kunt opsodemieteren en in je eentje gaan klooien en dat meen ik.'

Jimmy stak een sigaret op, nam een stevige trek en zei toen: 'Wat een rotzooi, hoe kunnen mensen dat kopen!' Hij drukte de sigaret uit en rommelde in zijn bureau tot hij een ander pakje vond. De eerste sigaret kwam van Chinese smokkelwaar. Ze leken op Benson & Hedges, zaten in net zo'n pakje, hadden dezelfde gezondheidswaarschuwingen. Maar ze waren geproduceerd in China en verkocht voor een fractie van de prijs van de echte sigaretten. Het was goedkope tabak, makkelijk te maken en het ging als broodjes over de toonbank dankzij Gordon Brown en zijn vastbeslotenheid om de elite aan de sigaret te krijgen. Jimmy proefde een namaakpeuk altijd meteen en hij haatte ze.

Hij stak er weer een op en was duidelijk woedend. 'Laat ik je dit zeggen, Freddie, ik heb met Amos en de anderen gepraat en ik begreep heel goed wat ze bedoelden. Waarom heb je ze gestript, hè? Met welk recht doe je ze dat aan? Hoe haal je het in je verdomde hoofd om ze hier te halen als ze alleen maar net als wij hun kostje bij elkaar willen scharrelen?'

Freddie had het niet meer. Jimmy probeerde altijd respect voor hem en zijn gevoelens op te brengen, en hij wist dat hij Jimmy niet altijd met datzelfde respect bejegende.

'Het is kleine Freddie, hij zit echt diep in de shit...'

Jimmy wuifde afwerend met zijn handen. 'O, rot toch op, Freddie. Zijn hele leven is één grote rotzooi, hij is de zoon van zijn vader. Jij liet me hier in mijn eentje staan als een of andere klootzak en ik had een stel belangrijke mensen op bezoek vanwege jóú. En nu heb ik er genoeg van. Hoor je me? Jij en ik zijn maar zover...' en hij hield zijn duim en wijsvinger van zijn rechterhand nog geen centimeter van elkaar '... of we vallen compleet uit elkaar. Je bent zo'n verdomd goedkope lulhannes. Ik moest goddomme hun kont likken vanwege een lullige twintigduizend! Ze waren twíntigduizend rottige pegels lichter gemaakt en het was niet de eerste keer, wel? Jezus christus, maar Ozzy had je vanaf het begin in de smiezen.'

Freddie had Jimmy nog nooit zo meegemaakt, hij had hem nog nooit zo kwaad en onbeheerst horen praten. Jimmy dacht altijd na voor hij iets zei, zelfs wanneer hij kwaad was en Freddie wist dat dit wel eens kon betekenen dat hij kon vertrekken.

Hij zag hoe Jimmy door het kantoor ijsbeerde. Zijn reusachtige schouders en zijn strakke lijf wezen op een man die zichzelf verzorgde en dat deed Jimmy dan ook. Hij zorgde vanbinnen en vanbuiten voor zichzelf. Hij zorgde ook voor iedereen om hem heen en dat was juist zijn schrikbeeld.

Freddie accepteerde nu eindelijk dat Jimmy de betere was, en het was te laat. Jimmy's geduld was op en Freddie had nog wel genoeg verstand om te weten dat hij zich nu gedeisd moest houden. Dat hij het allemaal moest zien te verwerken.

'Maak je niet druk, ik heb ze afgekocht, Fred, maak jíj je daar maar geen zorgen over. Ik heb ze afgekocht en ze een borrel aangeboden voor de moeite. Je kost me verdomme een fortuin, maar wat ik niet begrijp is waar al dat geld blijft! Je hebt niet eens een fatsoenlijk pak. Volgens mij verdampt het waar je bij staat. Je verdient echt verdomd veel geld, en dat laat je de wereld weten ook. Maar je berooft míjn medewerkers en zij komen nog niet in de buurt van wat jij binnensleept, dus ik wil nu weten waar het allemaal blijft!'

Freddie gaf hem geen antwoord, maar haalde nonchalant zijn schouders op.

Jimmy slaakte een zucht. Dit was zijn oudere neef van wie hij altijd had gehouden, die hij ooit had vereerd. Het enige wat hij nu zag was een grote man met een bierbuik en een slechte houding die snel aan het verouderen was. Hij kon er absoluut niet bij wat er in Freddies hoofd omging, wat hem bezielde, en het ergste van alles was dat het hem niets meer kon schelen.

Maggie had gelijk. Hij had Freddie uit schuldgevoel al die jaren in het zadel gehouden. Zoals ze hem al zo vaak op het hart had gedrukt, als Ozzy had gewild dat Freddie de zaken had gerund, dan had hij dat wel aan Freddie gevraagd. Maar dat had hij niet gedaan, hij had ze onder Jimmy's hoede gebracht en nu moest hij hem dat eindelijk en onherroepelijk aan zijn verstand brengen. Freddie leek te denken dat hij aan de kant was gezet, maar het was Ózzy's besluit geweest dat Jimmy de hoofdrolspeler werd dus, wat Freddie ook dacht, het was einde oefening.

Ze leefden in Ózzy's wereld. Ozzy had nog steeds de touwtjes in handen en was de baas, zoals hij dat steeds was geweest, en het was Ozzy geweest die Jimmy de belangrijkste instrumenten in handen had gegeven. Ozzy was nummer één en hoe eerder Freddie dat begreep, des te eerder konden ze doorgaan met hun leven.

Hij leek verdomme wel als een albatros om hun nek te hangen, zoals Maggie het ook had uitgedrukt. Zij was aangetrouwde familie en Freddie was Jimmy's bloedverwant, maar dat leverde hem bij Ozzy geen extra bonuspunten op.

Jimmy wist dat ze gelijk had, en de laatste paar dagen waren daar een voorbeeld van geweest. Hij wilde alleen maar dat hij hem dit jaren geleden al voor zijn voeten had gegooid.

'Je ligt eruit, Freddie, de echte arena is verboden terrein voor je. Vanaf nu ga je als een verdiener werken en ben je niets meer dan een geldophaler. Zeg maar dag met je handje tegen al het andere, totdat je hebt bewezen dat je verdomme te vertrouwen bent.'

Freddie was ervan overtuigd dat hij stemmen hoorde. 'Wat bedoel je? Een geldophaler, ik?'

Jimmy knikte en Freddie werd er nog eens aan herinnerd hoe ver zijn kleine neef het had geschopt. Jimmy was nu de baas. Hij stelde zich op als de leider en hij had ook nog eens Ozzy en al zijn tegenspelers achter zich. Freddie wist dat Jimmy alles verdiende wat hij had bereikt, maar die wetenschap maakte het er niet makkelijker op. En nu dacht die knul er werkelijk over om hem tot geldloper te degraderen, alsof hij een niemand was, een verdomde nietsnut.

Dit ging alle perken te buiten, het was ongelooflijk. Als het andersom was geweest, had hij al lang geleden met Jimmy afgerekend.

'Doe het niet, Jimmy. Ik meen het, als je me dit aandoet, me ten overstaan van iedereen vernedert, dat is het met ons tweeën gedaan.'

Jimmy keek in Freddies gezicht. Hij zag de zorg en de haat, en plotseling zag hij weer de man tegen wie hij jaren geleden had opgekeken.

Hij kon het hem niet aandoen.

Hij wist dat hij hem eruit moest gooien, want Freddies voorliefde voor rotzooi zou op een dag hun ondergang betekenen. Maar hij kon niet het enige van Freddie afnemen waar hij werkelijk lol in had. Zijn werk bij Ozzy, en als hij geloofde dat ze op gelijke voet stonden, was het leven draaglijk voor hem, maar hij werd er ook heel ongelukkig door. Hij wist dat hij niet echt een partner was, dat moest hij toch beseffen. Maar zelfs na dit alles kon hij zich er niet toe brengen zijn Freddie te vernietigen. Hij hield van hem, ook al had hij al jaren een hekel aan hem.

'Luister goed, Freddie, en ik bedoel echt goed. Ik geef je verdomme nog één kans en als je er ook maar aan denkt om iemand, mijzelf incluis, te pakken te nemen, dan lig je eruit. Hoor je me? Ik meen het, je hebt me door de jaren heen een ongelooflijk pak rotzooi bezorgd. Ik heb Ozzy moeten ompraten, tegen hem gelogen, en goddomme ruzie over je moeten maken. Ik weet dat je denkt dat ik je van je plaats heb verdrongen, maar Ozzy heeft míj als tussenpersoon aangewezen. Jij hebt jaren geleden je kans verspeeld om nummer één te worden.'

Freddie hield zich gedeisd, eindelijk luisterde hij een keer, en Jimmy wist dat hij het nu moest zeggen, nu Freddie bereid was om hem aan te horen.

'Ozzy krijgt alles wat hier gebeurt te horen. Ik zeg je dat hij verdomme een beter netwerk heeft dan Bill Gates en de paus samen, hij hoort álles. Hij wist het van die hoer die je omgelegd had. Hij wist zelfs dat ze een kind van je had, en daar heb ik het nooit met hem over gehad. Jij zegt dat ik je met opzet opzij heb gezet en alles van je heb afgepakt. Ik weet wat je over me zegt in de pubs en de clubs, Freddie. Mensen staan te popelen om het aan me door te brieven als je weer eens kwaad van me spreekt. Maar ik heb het geslikt omdat we een bloedband hebben en familie van elkaar zijn. Maar er moet een eind aan komen.'

Freddie slaakte een diepe zucht, blies als een kind zijn wangen leeg en maakte een hard geluid. 'Nou, dat is me dan nu verteld, niet?'

Jimmy moest de aandrang onderdrukken om de man voor zich op zijn bek te slaan. Hij schudde traag zijn hoofd en zei rustig maar wanhopig: 'Ik kan dit niet meer, Freddie. Ik heb je jaren overeind gehouden. Je denkt misschien van niet, maar ik kan je verzekeren dat het de waarheid is. Ik heb uit alle macht geprobeerd ons in evenwicht te houden, ons bij elkaar te houden, partners te blijven, maar dat is onmogelijk geworden. Ik kan je niet meer vertrouwen. Sinds Lenny ben je een risico geworden, Fred. Je driftbuien en je stennismakerij brengen ons als je niet oppast allemaal achter de tralies. Tot nu toe heb je geluk gehad en ik heb een paar keer ingegrepen om ervoor te zorgen dat het goed ging, maar dit laatste akkefietje heeft de deur dichtgedaan. Je liet me goddomme publiekelijk voor lul staan. Geen telefoontje, geen bericht, helemaal niets. Als je nog een cent steelt, Freddie, als er één klotepegel mist, dat vertel ik je nu alvast, Freddie, en ik zweer het op het leven van mijn jongen, dan vermoord ik je eigenhandig.'

Freddie stond Jimmy aan te kijken. Eén ding moest gezegd, hij wist wanneer hij verslagen was. Nou, hij zou wachten en observeren, en wanneer de tijd rijp was, zou hij toeslaan. Hij wist dat Jimmy het volste recht had om dit allemaal tegen hem te zeggen. Hij besefte terdege dat hij alleen maar versiering was, dat was hem nu wel door de strot geduwd. Hij was verdomme een zware jongen die dacht dat hij partner was, en nu wist hij hoe het in elkaar stak. Hij zou zijn hoofd buigen en zijn kont in de lucht steken, zoals die kerels in de havens dat plachten te zeggen, wat betekende dat ze gewoon hun werk deden en meer ook niet. Nou, zoals zijn oude moeder altijd zei: God hoeft zijn schulden niet met geld af te lossen.

Dianna zag er schitterend uit. Ze was klein, met fiere borsten en heel tenger gebouwd. Haar dikke bruine haar was haar trots. Het was prachtig en elke vrouw die ze tegenkwam was er jaloers op.

In haar korte, zwarte jurk zag ze er ouder en elegant uit, wat precies haar bedoeling was.

Dianna was ook heel knap en wist hoe ze zich van haar beste kant moest laten zien. Allemaal dankzij Maggie, die de meisjes zodra ze oud genoeg of van school gestuurd waren – net hoe het uitkwam – bij zich in de zaak had genomen. Ze vroeg zich soms af wat ze zonder hun Mags hadden moeten doen. Ze had altijd van alles, kleine dingen zoals tampax en deodorant, dingen waar hun moeder niet over zou piekeren om geld aan uit te geven. Maggie wist hoe belangrijk die dingen waren voor jonge meisjes, toen Jackie zelfs tandpasta van haar boodschappenlijst had geschrapt. Maggie bracht ze zelf in een boodschappentas bij hen langs, met nog allerlei andere dingen waardoor ze zich beter voelden.

Nu zat Dianna helemaal opgedirkt in een pub in Bow. Ze zat op een man te wachten op wie ze stapelverliefd was zodat ze niet kon eten, slapen of zich kon concentreren omdat hij in elke vezel van haar leven was doorgedrongen. Ze dacht de hele dag aan hem. Sinds hij in haar leven was, leek het wel of haar bestaan in de wacht was gezet, en plotseling wist ze waarom ze op de wereld was gezet.

Ze waren allemaal katholiek opgevoed. Haar moeder had erop toegezien dat ze gedoopt werden, dat ze ter communie gingen en dat hun het vormsel werd toegediend. Ze wist dat het meeste door haar grootouders was ingefluisterd maar ze ging nog steeds naar de mis en geloofde in God. Maar sinds ze Terry Baker had ontmoet, had ze eindelijk de heilige sacramenten begrepen en die sacramenten waren heel belangrijk voor haar.

En de liefde. Ook daarvan begreep ze waarom die zo belangrijk was. Haar hele leven had ze tegen het huwelijk van haar ouders aangekeken, haar moeder zei altijd, als ze ze niet meer allemaal op een rijtje had, hoeveel ze van haar man hield en dat ze voor God getrouwd waren. Maar zij was er altijd van overtuigd geweest dat God niet in hen geïnteresseerd was, dat ze helemaal niet in zijn boekje voorkwamen. Maar daar was ze nu niet meer zo zeker van. Ze wist dat als ze met Terry Baker in de katholieke kerk zou trouwen, ze er net zo over zou denken als haar moeder. Ze zou nooit meer bij hem weggaan.

Ze begon zich net af te vragen of hij haar liet zitten, toen Terry de pub binnen kwam zeilen, bulkend van de testosteron en dure aftershave. Eén glimp van zijn charmante glimlach en het was met haar gebeurd.

Jackie probeerde een beetje enthousiasme op te brengen voor de bruiloft van haar dochter, maar dat was moeilijk. Rox zeurde steeds maar over hetzelfde door en ze kon wel uitschreeuwen dat ze nu maar eens ter zake moest komen. Maar dat deed ze niet. In plaats daarvan keek ze toe hoe Maggie alles tot in het kleinste detail met haar doornam en ze vroeg zich verbaasd af hoe haar jongere zuster al die belangstelling kon opbrengen.

Rox had werkelijk geen idee hoe het leven in elkaar stak. Iedereen met een beetje verstand zou bij het zien van Jackies huwelijk met Freddie zich als een haas uit de voeten maken. Maar de meisjes niet. Zij dachten dat het allemaal rozengeur en maneschijn was, zoals bij Maggie en Jimmy.

Het kwaadst was ze nog dat ze dankzij Maggie zich helemaal moest opknappen en naar dat klotehuwelijk moest, of ze dat nu wilde of niet. Ze wilde er graag bij zijn, maar ze maakte zich zorgen over kleine Freddie. Rox had hem uitgebannen, gezegd dat er geen kinderen bij mochten zijn, zelfs haar broer niet. Ze bedoelde natuurlijk voorál haar broer niet.

Ze waren een stel verraderlijke trutten. Ze had een stel schoften op de wereld gezet, en daar schaarde ze zelfs Kimberley onder. Het wicht had nooit even het hoofd om de deur gestoken om te kijken hoe het met ze ging. Zonder Rox en Maggie had ze niet eens geweten hoe het met haar ging. Als ze belde, wauwelde ze alleen maar over áfkicken en haar níeuwe leven.

Waar had ze het in godsnaam over?

En nu verliet Rox het nest ook en Dianna maakte ook al aanstalten, dat wist ze zeker. Voor het eerst in jaren kreeg ze haar éigen leven weer terug.

Ze genoot van het vooruitzicht dat ze alleen met haar zoon zou zijn. Kleine Freddie was precies als zijn vader en als ze hem niet fulltime om zich heen kon hebben, nam ze wel genoegen met het op een na beste. Wat ze óok over hem zeiden, zij was zijn moeder en ze kende hem beter dan wie ook. Zodra de meisjes het huis uit waren zou ze al haar tijd aan hem wijden. Dat had hij nodig, iemand die zijn leven in zijn dienst stelde.

Freddie senior probeerde hem te helpen en dat zou zij ook doen. Samen konden ze een normale, gelukkige jongen van hem maken.

Freddie was dronken, ladderzat eigenlijk, en hij duizelde nog van de gebeurtenissen eerder op die dag. Jimmy was bij hem maar dat was alleen maar uit plichtsbesef, wist hij, niet omdat hij daar wílde zijn. Dit was hun publieksshow om hun kracht te tonen, dat ze de lucht geklaard hadden, niet alleen met elkaar maar ook met de mensen met wie ze dagelijks te maken hadden. Een oefening in schadebeperking, dat was het, en het was ook Jimmy's manier om te vertellen dat het hem vergeven was en dat hij er nog steeds bij hoorde.

Alsof hem dat verdomme iets kon schelen. Hij had alle klotekaarten in handen en hij kon Jimmy zo in de pan hakken.

Freddie was heel, heel dronken, maar hij was zich er ook van bewust dat hij niet, nooit, iets mocht zeggen waardoor hij zich de woede van deze jongeman op de hals zou halen. Na al die jaren moest hij eindelijk toegeven dat Jimmy het helemaal voor elkaar had. Maar Jimmy mocht dan de grote man zijn, hij wist iets wat Jimmy niet wist.

Hij moest glimlachen bij die gedachte. Als Jimmy het zou weten, zou Leiden in last zijn en dat zou nog jarenlang nagalmen. Freddie voelde zich een stuk beter toen hij zichzelf eraan herinnerde dat hij tot zoveel rotzooi in staat was als hij daar zin in had.

Het was heel verleidelijk, o, zo verleidelijk. Maar hij zou het niet doen. Vanavond niet. Dit zou hij tot een later tijdstip onder zijn pet houden. Hij had dit geheim nódig, want door de wetenschap dat hij iets in handen had waarmee hij Jimmy's wereld kon opblazen kon hij beter met de toestand overweg.

Het ergste van alles was nog dat hij er alle reden toe had gehad, dat hij Jimmy had laten zitten, ook al had Jimmy alle gelijk van de wereld. Hij was niet op komen dagen vanwege zijn zoon, niet omdat hij niet wilde of de moeite niet wilde nemen.

Maar hij wist dat dit geen geschikt moment was om Jimmy over zijn zoon te vertellen. Hij had er spijt van dat hij hem niet had laten oppakken, maar hij wist dat Jackie het zou besterven als hij van zoiets zou worden beschuldigd, en eerlijk gezegd, hij ook.

Toch was hij bezorgd, want tot op zekere hoogte had hij niet geloofd dat hij dit kon gladstrijken. Hij had het niet wíllen gladstrijken, maar het bloed kruipt waar het niet gaan kan, zoals Jimmy vandaag weer eens had bewezen.

'Kom op, Freddie, we nemen er nog een, ja?'

Jimmy was zo gelukkig, zo saai, en zo verdomde zelfvoldaan, hij wilde de eerste de beste pint bier wel in zijn knappe klotegezicht smijten. In plaats daarvan lachte hij terug en zei opgewekt: 'Deze is van mij, Jim. Mijn rondje, makker.'

'Ga naar huis, ja.'

Kleine Freddie glimlachte naar zijn nana met alle charme die zijn vader ook altijd tentoonspreidde, maar Maddie liet zich er niet door van de wijs brengen.

'Ik wil alleen maar met u praten, nana. Vertel me eens over grootpa en zo.'

Maddie keek naar de jongen die ze had aanbeden toen hij nog een baby was, maar van wie ze al snel in de gaten had gehad dat er een steekje aan loszat. Hij leek op haar Freddie, op zijn vader. Ooit had ze dat als de kers op de taart beschouwd, maar nu wist ze dat het helemaal mis was. Hij betekende rotzooi, daar kon je op wachten. Zijn vader was haar apengatje geweest, maar nu niet meer. Ze wist te veel van hem en op een dag zou ze hem dat vertellen.

Tot die tijd probeerde ze een draaglijk bestaan te leiden, voor zichzelf en de meeste mensen om haar heen. Maar deze jongen, deze grote, knappe knul, joeg haar angst aan. Hij leek precies op Freddie toen die net zo oud was en zij had hem net zo in de watten gelegd als Jackie deze vertroetelde. Ze had iets in Freddie gezien wat er nooit was geweest. Ze had haar zoon verzonnen, zich in haar hoofd een beeld van hem gevormd, hem veranderd in iemand zoals zij hem graag wilde. Nu moest ze daar de prijs voor betalen.

'Alstublieft, nana, laat me nog even blijven.'

Ze zag hoe hij naar haar keek. Op een dag zou hij daar een hoop mensen mee om de tuin leiden, en nu bespeelde hij haar, gebruikte zijn knappe gezicht om te krijgen wat hij wilde.

'Ga naar huis, zeg ik.'

'Alstublieft, nana. Ik wil alleen maar een tijdje bij u zijn, dat is alles.'

'Ik wil dat je ophoepelt.'

Ze zei het zo pertinent, dat het Freddie eindelijk begon te dagen dat hij hier niets te zoeken had. Hij zat in de knoei, hij werd als een havik in de gaten gehouden en deze kouwe kikker had daarin een uitweg kunnen bieden, en hij wílde graag meer over zijn grootvader weten. Hij wilde meer te weten komen over zijn zelfmoord, over zijn leven en zijn reputatie als vechtjas. Hij had er veel uit tweede hand, via andere mensen over gehoord, maar zij was de eerste bron. Zij kon hem alles vertellen wat hij wilde weten.

'Wil je nu weggaan, kind, en me met rust laten?'

Nu werd hij echt driftig en hij stompte haar op haar borst. 'Jij rotwijf, je bent een oud wijf, wie zou sowieso nog bij je willen zijn?'

Ze slaakte een zucht en zei zonder stemverheffing: 'Ga weg en laat me met rust, anders bel ik mijn zoon.'

Eindelijk ging hij weg. De dreiging met zijn vader was de laatste druppel en ze vergrendelde de deur achter hem.

Lena en Joe lachten om de capriolen van kleine Jimmy. Maggie had hem eerder bij hen gebracht omdat ze laat moest werken in haar salon in Leigh-on-Sea.

Lena was dol op dit kind, dat waren ze allemaal, want hij was zo'n schatje.

'O, Joe, ik heb me zo ongerust gemaakt over mijn meisje. En als ik nu naar haar kijk heb ik het gevoel alsof ik een lot uit de loterij heb gewonnen.'

'Ik weet het, liefje. Ik heb altijd al gezegd dat met de tijd alles vanzelf goed kwam.'

Lena knikte. 'Wil je een kop thee?'

Joe glimlachte. 'Waarom niet, en maak voor dit ventje maar een kop chocola, daar is hij dol op.'

Ze keek naar haar man met het kind op schoot en Lena slaakte een hartgrondige zucht van opluchting.

Ze zette een ketel water op, zette snel de mokken klaar en maakte Jimmy juniors chocola. Hij vond warme chocolademelk heerlijk, en zij kon het weten want zij had zijn halve leven voor hem gezorgd. Doordat Maggie een tijdlang zo afstandelijk was geweest en hem om de haverklap bij haar had gedumpt, kende ze haar kleinzoon beter dan wie ook.

Een poos lang had ze gedacht dat Maggies gedrag onnatuurlijk was. Jarenlang was ze verkeerd met de jongen omgegaan. O, ze deed alles wat er van haar werd verwacht, maar het leek wel alsof het niet echt haar kind was, dat hij van iemand anders was en dat ze voor hem moest zorgen. Het was alsof ze zijn stiefmoeder was. Anders kon Lena het niet verklaren.

Maar nu was Maggie weer zichzelf en ze dankte God daar elke dag voor. Ze was eindelijk een echte moeder geworden, des te beter voor het kind.

Er werd op de deur geklopt en toen ze die opende stond kleine Freddie daar.

'Hé, makker, wat doe jij hier?'

Hij schonk Lena die charmante, aantrekkelijke glimlach die hij te pas en te onpas uit zijn hoed kon toveren. 'Ik kom alleen maar even langs, nana. Mag ik binnenkomen?'

Ze opende de deur verder en hij glipte opgewekt langs haar heen.

Lena greep hem bij zijn jas en draaide zijn gezicht naar zich toe. 'Geen streken, anders sla ik verdomme je kop eraf, ja?'

Hij keek in haar ogen en zei ernstig: 'Best.'

Hier stonden twee mensen die elkaar perfect begrepen.

'Hoe nam Freddie het op, denk je?'

Jimmy haalde zijn schouders op. 'Ik weet het echt niet, Glen, maar wat ik wel weet is dat ik hem er met een klotewaarschuwing af heb laten komen. In elk geval zit hij nu in zijn proeftijd, zelfs hij zal dat wel begrijpen.'

Glenford knikte. 'Hij is een levensgevaarlijke gek, Jimmy.'

'Dat weet ik, makker, je preekt tegen een bekeerling, maar ik ben niet bang voor hem. Jaren geleden, als kind, was ik dat wel, maar nu niet meer en dat weet hij heel goed. Ik kan hem alleen maar niet aan zijn verstand peuteren dat hij iets heeft gedaan wat totaal niet door de beugel kan, en nog steeds ziet hij niet wat hij verkeerd heeft gedaan.'

Glenford keek bezorgd. 'Hier ga je spijt van krijgen. Je koestert een serpent aan je borst, jongen, en die klootzak zal bij de eerste gelegenheid toeslaan. Freddie is niet zoals andere mensen, Jimmy. Hij ziet de wereld alleen door zijn eigen ogen. Jij bent het doelwit van de volgende haat- en geweldsuitbarsting. Maar daar was je zelf ook al achter, hè?'

Jimmy zuchtte. 'Wat moest ik anders? Hij had het nooit over zijn kant laten gaan als ik hem de deur had gewezen. Ik kon het hem gewoon niet aandoen. Ik wílde het hem niet aandoen. Maar ik moest hem wel onder de neus wrijven wat er aan de hand is.'

Glenford greep Jimmy's hand en zei ernstig: 'Hij is je achilleshiel, Jimmy. Iedereen heeft er een, en jij hebt nog het geluk dat je weet waar hij woont.'

Ze lachten samen, maar geen van beiden vond het grappig.

Jackies droom kwam uit. Haar man kwam elke avond thuis, maar in plaats van dat ze het heerlijk vond, vond ze het verschrikkelijk. Hij kwam met zijn enorme ego binnen en wilde van alles van haar. En als kleine Freddie er niet was, ging hij hem zoeken.

Dit was veel erger dan huisarrest. Hij had bij elk glas dat ze dronk wel een opmerking en keek zijn eigen tv-programma's. Zij had altijd haar eigen kijkschema gehad, maar nu moest ze sandwiches voor hem maken, fish-and-chips halen of Chinees, en biertjes uit de koelkast.

Kleine Freddie gedroeg zich voorbeeldig terwijl zij moest op-zitten en smoezen verzinnen om weg te kunnen glippen naar de slijter en aan drank te komen. Iedereen moest wel denken dat ze hun leven hadden gebeterd, zo gedroeg Freddie zich althans. Hij was aan huis gekluisterd en nu wilde ze maar dat hij opso-demieterde naar een van zijn hoerenkasten. Alles was beter dan dit.

Hij hield haar in de gaten, ze voelde zijn ogen voortdurend.

Ze ging tegenwoordig elke dag in bad om maar van zijn ge-zeur af te zijn over hoe zij en het huis eruitzagen. Als er iemand zou luisteren, zou hij denken dat hij in Buckingham Palace was opgegroeid, maar zij wist wie de ware boosdoener was: Mag-gie. Maggie was veel te proper, ze werd er verdomme gestoord van. Wanneer zij er niet meer was, zou het huishouden er nog steeds zijn, dus waarom zou je daar je leven aan wijden?

'Zo, waar ben je vandaag geweest?'

Kleine Freddie keek zijn vader aan en zei rustig: 'Ik was bij oma Lena en opa Joe.'

Freddie dronk zijn blikje Tennents halfleeg voor hij kalm zei: 'Ik heb je geen toestemming gegeven om uit te gaan.'

Jackie zat op het puntje van haar stoel. 'Van mij mocht het. Ga je me soms vertellen dat hij het huis niet meer uit mag?'

Freddie keek naar zijn vrouw. Ze was een puinhoop, nog er-ger dan hij ooit voor mogelijk had kunnen houden. 'Hou je gro-te bek, Jackie, ik praat tegen de orgelman, niet tegen de aap.'

Kleine Freddie barstte in lachen uit, hij moest zijn hand voor zijn mond houden om het geluid te dempen.

Jackie was dronken. Ze had het gehad met haar man en dat hij voortdurend thuis rondhing. 'Laat me niet lachen, Freddie Jackson. Je komt hier binnen, denkt dat je heel wat bent en je verwacht van iedereen dat ze naar jouw pijpen dansen.'

Freddie slaakte een zucht. Dit was de vrouw die hij kende en van wie hij eens had gehouden.

'Wat is er eigenlijk gebeurd? Waarom zit je de hele tijd thuis?

Waarom ben je plotseling de modelvader? Zit je soms in de problemen?'

Onbedoeld had Jackie de spijker op de kop geslagen. Ze had haarfijn aangevoeld dat hij alleen maar zoveel thuis was omdat hij in moeilijkheden zat.

'Je hebt geen woord gehoord van wat ik heb gezegd, hè, Jackie? Dit klotekind van ons zit diep in de shit. Jij denkt dat hij een koorknaapje is, jij denkt dat hij door andere wijsneuzen wordt opgehitst. Nou, je hebt het mis. Hij heeft alles op eigen houtje gedaan. Deze lulhannes weet heel goed waar hij mee bezig is, maak je daar maar geen zorgen over. En dat ik in de problemen zou zitten... je hebt je hele getrouwde leven geprobeerd me thuis te houden, weet je nog? En nu ik iets van mijn zoon probeer te maken, hem probeer te helpen, maak je stampei. Het is toch één grote grap, verdomme, ik kan er alleen niet om lachen. Ik zou als ik jou was me maar gedeisd houden, vrouw. Hou verdomme je waffel en je kunt me maar beter wat meer respect tonen, want anders zal ik je het wel even inpeperen.'

Kleine Freddie sloeg hen beiden gade en concludeerde dat zijn moeder gelijk had; zijn vader zat er tot zijn nek in.

Waarom zou hij anders in dit shithol zitten?

22

Ozzy zag Jimmy de bezoekerskamer binnenlopen. Ozzy keek trots toe hoe hij zijn zakken binnenstebuiten keerde en wachtte tot hij werd gefouilleerd.

Hij was een knappe man en een indrukwekkende verschijning. Jimmy had die houding waarvan de meeste mannen alleen maar konden dromen. Hij bewoog zich als iemand die volledig op zijn gemak was met zichzelf en zijn omgeving, geen sinecure op een afdeling vol zware criminelen.

Ozzy was zich ervan bewust dat hij deze man zijn vertrouwen had geschonken en daar was hij trots op. Jimmy was de zoon die hij nooit had gehad, hij deed hem ook echt aan een zoon denken. Hij was een goeie vent, fatsoenlijk, maar bovenal honderd procent betrouwbaar.

Terwijl Ozzy Jimmy gadesloeg, keek hij ook naar de andere mensen om zich heen en merkte op dat ze hem onbewust als een van hen erkenden, ook al had hij nooit een seconde vastgezeten. Hij kwam daar al jaren en was vertrouwd geraakt met de gevangenis, hij was hier net zo op zijn gemak als in zijn eigen huis.

Ozzy's grootste hartenwens was dat deze jongen nooit anders dan als bezoeker de lik vanbinnen zou zien. Jimmy zou dat nooit aankunnen. Freddie daarentegen zou ervan genieten, zo stom was hij wel. Freddie had het alleen maar dankzij Jimmy's scherpe verstand zo lang buiten kunnen redden.

Freddie Jackson was een ondankbare klootzak en hij wist dat Jimmy problemen met hem had, maar Ozzy wist zeker dat Jimmy het wel zou regelen. Het had Ozzy wel pijn gedaan dat Freddie, eenmaal buiten, zijn oude gewoonten weer had opgepakt. In de lik was hij goed behandeld en, eerlijk gezegd, Freddie had zo zijn voordelen. Hij had initiatief en was voor niets en niemand bang.

Dus Ozzy kon niet begrijpen waarom hij het allemaal had laten liggen. Maar hij wist wel dat Freddie Jimmy te pas en te onpas bij Jan en alleman door het slijk haalde en hij was niet van plan dat nog langer toe te staan. Als hij Jimmy door het slijk haalde, haalde hij hém, Ozzy, door het slijk, want Jimmy was zijn visitekaartje. Hij was zich ook bewust van Freddies lange vingers en daar was hij allerminst van gecharmeerd. Hij beroofde zijn eigen volk en dat kon absoluut niet door de beugel.

Toen Jimmy naar hem toe liep, schonk Ozzy hem die ontspannen, vriendelijke glimlach van een man die een volkomen rein geweten heeft.

Ozzy stond op en ze omhelsden elkaar lang. Vóór Jimmy had Ozzy van zijn leven nog nooit iemand omhelsd en hij had het gevoel dat hij de jongen beter kende dan hijzelf.

'Alles goed, Oz?'

Ozzy grijnsde weer en ze gingen allebei zitten. 'Prima, Jim, met jou ook?'

Zo begon het bezoek altijd, het was afgezaagd en saai, maar het kwam recht uit hun hart.

'Fucking kicking, Oz, alles is helemaal fantastisch!'

Ze moesten allebei lachen.

Zoals altijd bracht een medegevangene hun thee en de Kit Kats. Toen dat achter de rug was, gingen ze serieuzere zaken bespreken.

'Wat is er verdomme met je kleine Freddie gebeurd, Jackie?'

Lena's stem klonk hees maar joviaal terwijl ze haar eeuwige kop thee ging zetten. Haar dochter dronk wat voor een cola door moest gaan, maar wat feitelijk wodka met cola was. Ze dronk tegenwoordig de hele dag door en dat begon zijn tol te eisen.

Jackie reageerde opgetogen op haar moeders woorden en ze dronk gulzig uit haar blikje toen ze luidkeels zei, en niet maar een beetje dronken: 'Hij is mijn baby, mam. Ik hou verdomme van hem.'

De woorden kwamen er brabbelend uit en Lena sloot verdrietig haar ogen. Als Jackie dronken werd, hield ze van iedereen, maar tegen de lunch waren het allemaal klootzakken en pooiers, met inbegrip van haar zoon.

'Sinds mijn Freddie hem aan de hand heeft, is hij helemaal veranderd!'

Lena probeerde te glimlachen en zei zo opgewekt als ze in die omstandigheden maar kon opbrengen: 'Daar zeg je wat! Hij komt de laatste tijd vaak langs en als Jimmy junior er is, speelt hij met hem en helpt hem bij allerlei dingen. Verdomme, Jack, ik denk bijna dat hij een gedaanteverwisseling heeft ondergaan.'

327

Jackie barstte bijna van dronken trots. 'Nu de meisjes min of meer het huis uit zijn, krijgt hij veel meer gerichte aandacht. Hij kan nu ook allerlei gevoelens verwerken, zijn gevoelens beter uiten...'

'O, dat is fijn.' Lena had er spijt van dat ze haar dochter iets had gevraagd. Met al die onzin die ze uitkraamde klonk ze net als zo'n rottige maatschappelijk werker. Uit ervaring wist ze dat dat gewauwel uren kon doorgaan en daarvoor was ze vandaag niet in de stemming. 'Hoe gaat het eigenlijk met je?'

Jackie merkte dat ze midden in haar zin werd onderbroken en slikte haar ergernis weg. Als Mággie hier een intelligent gesprek had gevoerd zouden ze allemaal aan haar lippen hebben gehangen. Freddie had helemaal gelijk, ze hadden haar aan de kant gezet.

'Hoe staat het met de trouwplannen?' vroeg Lena overstappend op een ander onderwerp.

'Wel goed. Het is volgend jaar pas, dus ik begrijp niet waarom er zo'n toestand van wordt gemaakt.'

Lena hield een sneer binnensmonds en veranderde weer van onderwerp. 'En hoe is het met grote Freddie?'

'Prima. Waarom vraag je naar hem?' Jackies stem droop nu van wantrouwen en die onderliggende woede die altijd onder de oppervlakte sudderde.

'O, in hemelsnaam, Jack, ik maak gewoon een praatje. Maar dat is met jou verdomme onmogelijk. Ontspan je een beetje, dan kunnen we wat babbelen, oké?'

Jackie was diep beledigd en dat was haar aan te zien, waardoor Lena zo kwaad werd dat ze uitbarstte: 'Je maakt alles altijd zo moeilijk, Jackie, weet je dat? Je moet altijd met handschoentjes worden aangepakt en je zoekt overal een belediging of kleinering achter. Ik snap verdomme niet waarom je hier eigenlijk nog komt.'

Jackie kon wel in janken uitbarsten. Het was eeuwig hetzelfde liedje, ze deed zo haar best om een babbeltje te maken, probéérde uit alle macht aardig te zijn, maar haar moeder begon altijd op haar te vitten. Maggie was het goudhaartje, zij was verdomme de koningin in huis en haar jongetje was het schatje, het prinsje door wie haar kinderen op het tweede plan kwamen. Dat deed pijn, soms was ze echt diep gekwetst.

Lena zag de tranen in haar dochters ogen en voelde zich vreselijk dat ze voor de zoveelste keer tegen haar dochter was uitgevaren. Maar als je met Jackie een gesprek wilde aanknopen, kon je

328

dat net zo goed met een Pakistaanse Hollander proberen. Bijna een verdomd onmogelijke opgave. Als haar dochter niet altijd aangeschoten was, kon ze misschien nog een zinnig woord uitbrengen en kon ze alles misschien lang genoeg loslaten om dat zelfmedelijden even te vergeten. Lena was ongerust over Jackies zuiplapperij en haar achterlijke manier van leven. Ze zag zo dat de drank zijn tol van haar oudste dochter begon te eisen en ze wist niet wat ze eraan kon doen, hoe ze het kon tegenhouden.

Patricia maakte zich werkelijk zorgen en Freddie maakte dat er niet beter op. Eigenlijk begon hij haar op de zenuwen te werken. Als hij niet ophield met steeds maar op Jimmy af te geven en hoe die hem aan de kant had gewerkt, ging ze gillen.

'Heb je één woord gehoord van wat ik heb gezegd, Freddie?'

Hij knikte. 'Natuurlijk wel.'

'Nou, wat vind jij dat ik moet doen?'

Freddie zat nu in de shit, want hij had al tijden niet naar haar geluisterd. In plaats daarvan had hij door de deuropening naar een van de nieuwe meisjes zitten loeren, helemaal zijn Rosie Lee-type.

'Wat vind jíj dat je moet doen?' Hij was blij dat hij kon terugvallen op jaren ervaring met Jackie, want naar haar had hij sinds hun wittebroodsweken niet meer geluisterd.

Patricia zei zachtjes, met een kwaadaardige ondertoon: 'Mijn broer heeft me gevraagd om de boekhouding bij te werken en die dan aan Jimmy te geven, en jij vraagt mij wat ik denk te moeten doen?'

Freddie zweeg.

'Grappig dat jij urenlang over Jimmy kunt doorzeuren en als ik zijn naam noem, komt het niet eens bij je aan. Maar nu wordt er van mij verwacht dat ik de boeken, die míjn levensonderhoud vertegenwoordigen, zonder blikken of blozen aan hem overdraag.'

Ze deed de deur dicht omdat zij het nieuwe meisje ook in het oog had gekregen. Als ze een serieus antwoord van Freddie wilde, kon ze niet hebben dat hij werd afgeleid. Ze kende hem maar al te goed en als hij niet zo goed in bed was, had ze hem allang aan de kant gezet.

'Heeft Jimmy iets tegen je gezegd? Waarom zou mijn broer me plotseling vragen om de boeken aan iemand te geven, feitelijk een vreemde, terwijl ik die bordelen al jaren in mijn eentje heb gerund?'

Freddie had het gevoel alsof zijn hoofd op barsten stond. 'Heeft hij er de laatste keer dat je bij hem was iets over gezegd, Pat?'

Ze schudde haar hoofd, blij dat ze eindelijk zijn volle aandacht had. 'Nog geen hint. Het was net als altijd. Ik heb hem verteld hoeveel geld we hadden verdiend en daar leek hij blij mee te zijn, en verder hebben we net als anders zitten kletsen.'

Ze liet zich er niet over uit dat ze alles over iedereen doorvertelde, ook over Freddie. Zij had aan Ozzy verteld dat Freddie hem meer dan een paar geldzakken lichter had gemaakt. Jimmy zat daar zo dicht bovenop, hij leek verdomme wel een standbeeld, en zij wist hoe ze haar bonuspunten moest verdienen.

Freddie keek haar in de ogen en zei omzichtig: 'Room jij wel eens wat af, Pat?'

'Hoe durf je? Hoe haal je het verdomme in je hoofd! Jij steekt je lange vingers in andermans zakken, niet ik.'

Freddie maakte een armgebaar om haar de mond te snoeren. Ze reageerde zo verontwaardigd op zijn woorden dat hij er bijna zeker van was dat hij het bij het rechte eind had. 'Het kan me geen bal schelen wat je doet, stomme koe. Ik probeer je alleen maar te helpen. Zuster of niet, als je Ozzy belazert, laat hij dat niet over zijn kant gaan. Hij haat iedereen die van hem steelt. Dat is waarom hij en Jimmy zo goed met elkaar kunnen opschieten, Jimmy zou voor een stuiver nog achter je aan jagen.'

Freddie keek naar Pat om zeker te zijn dat ze luisterde. 'Ik kan me nog een bajesklant herinneren, toen ik met Ozzy in de lik zat, die de hand had weten te leggen op wat LSD. Nu zijn die noordelingen dol op het bruine spul, of wat acid om hun zintuigen wat op te peppen. Ze rammen iedereen in elkaar die hun in de weg zit, daar hebben ze patent op, ze vinden dat iedereen zich met zijn eigen zaakjes moet kunnen bezighouden.

Deze kerel had heel wat meer dan hij liet zien... hij wilde alleen maar een extraatje verdienen. Voor Ozzy, ja, ging het om de pegels, niets anders. Maar hij kwam erachter en controleerde elk grammetje dat werd verkocht. Natuurlijk in het geniep. Nou, toen Ozzy merkte dat die vent dingen achterhield, ging hij volslagen door het lint. Ik was zelfs bang voor hem en ik was nota bene zijn bodyguard. Maar hij kreeg zijn geld. Het ging verdomme om veertig piek.'

Freddie schudde verbijsterd zijn hoofd. 'En ik weet nog dat ik zei: "En dat allemaal voor veertig piek." Toen draaide hij zich om en zei heel serieus: "Veertig piek is veertig piek, Freddie, en die veertig piek heb ik nooit gekregen." Hij was verdomme gek geworden. Al die andere bajesklanten begrepen hem, waren het met hem ééns. Die veertig piek konden me geen bal schelen, het was het gewoon niet waard. Hij heeft die kerel bijna vermoord en we kwamen allemaal in de isoleer terecht. Ik weet nog dat het hem ergerde dat ik maar niet begreep wat het principe was. Hij probeerde me dat steeds maar weer uit te leggen.'

Freddie stak verwonderd zijn armen naar voren. 'Veertig piek, verdomme, maar voor hem waren het er veertigduizend. Dus nu weet je waarom ik je vraag of je wel helemaal eerlijk tegen hem bent geweest over de uitbetalingen. Ik weet dat hij van je houdt, Pat, maar ik weet ook dat hij zich niet laat bestelen, niet door jou of wie dan ook. Ik weet dat Jimmy hem nooit zou vertellen dat ik wat te diep in de zak heb gegraaid, maar ik weet ook dat Ozzy me dat nooit zou vergeven.'

Pat luisterde met groeiende angst naar Freddie. Ze kende Ozzy het best van allemaal, maar de laatste paar jaar had ze wel steeds een greep in de kas gedaan. Waarom niet? Hij kwam toch nooit meer buiten, wilde dat ook niet, dus wat had hij verdomme aan al dat geld?

Het kwam in scheepsladingen binnen en hij kon godbetert er nooit een cent van uitgeven. Dus had ze zichzelf een loonsverhoging toebedeeld omdat ze vond dat ze die wel verdiende, en na een paar bonusjes had ze dat structureel gemaakt.

Maar nu was ze doodsbang. Ze wist dat Ozzy haar fysiek niets kon aandoen maar ze wist als geen ander dat hij zonder plichtplegingen de geldkraan dicht kon draaien. En geld of geen geld, ze hield van Oz, dat had ze altijd gedaan en zou ze altijd blijven doen.

Ze ging aan haar bureau zitten en voor het eerst vond Freddie dat ze er kwetsbaar uitzag. Het herinnerde hem eraan dat Ozzy weliswaar opgesloten zat, maar dat hij wel de zaken stevig in handen had. Dat was altijd zo geweest. Hij had zich meer dan eens in de nesten gewerkt en Jimmy moest dat allemaal met Ozzy in orde hebben gemaakt. Plotseling schoot het door hem heen hoeveel geluk hij eigenlijk had gehad. Net als Pat dacht hij niet verder dan dat Ozzy levenslang achter de tralies zat en het was niet bij hem opgekomen dat de man zijn tijd in de gevangenis doorbracht met geld verdienen.

'Mag ik Jimmy junior vanavond bij jou laten, mam?'

Lena lachte. 'Tuurlijk. Ga je uit, liefje?'

Maggie grijnsde. 'Jimmy wil me mee uit eten nemen, hij belde net. Hij is op de terugweg van Wight en in opperbeste stemming.'

'Laat jij m'n schatje maar hier en heb maar veel plezier vanavond. Hij kan ook blijven logeren, dat is in geen tijden meer gebeurd.'

'Okidoki. Dan breng ik hem later wel.'

'Wil je nog een sandwich of zo?'

'Nee, dank je. Is Jackie nog langs geweest?'

Lena slaakte een zucht. 'Begin in godsnaam niet over haar. Ze was vanochtend al ladderzat en ik moet je wel zeggen, Mags, ze mag dan mijn dochter zijn en ik hou van 'r, maar ik heb er wel een harde dobber aan.'

Ze ging aan de kleine keukentafel zitten en zei samenzweerderig op fluistertoon, ook al was er niemand binnen gehoorsafstand: 'Ze loopt nu met een blikje rond, een colablikje vol wodka en ze denkt werkelijk dat niemand het in de gaten heeft, dat niemand erachter komt, en dat wij denken dat ze verdomme cola zit te drinken. Ik maak me echt zorgen om haar, Mag, maar wat kan ik eraan doen?'

Maggie werd er altijd verdrietig van wanneer ze aan haar zuster en haar levensstijl dacht. 'We hebben het allemaal geprobeerd, mam, maar als ze zich niet wil laten helpen, is het alleen maar tijdverspilling, toch?'

'Freddie is tegenwoordig tenminste weer thuis. Hij verricht wonderen met dat kleine klootzakkie van hem. Hij is hier geweest en je herkent hem gewoon niet meer, meid. Maar ik geloof nog steeds dat er een steekje aan hem los is. Dat kind is absoluut niet te vertrouwen. Ik geloof dat in elk geval niet.'

Maggie bekeek haar moeder eens goed en zag hoe oud ze de laatste jaren was geworden. Het speet haar dat ze zo oud werd, ook al wist ze dat dat onontkoombaar was. Maar haar moeder had altijd zo sterk geleken, haar een veilig gevoel gegeven, van haar gehouden en voor haar gezorgd. Het maakte haar bang om Lena oud te zien worden, want zo zou zij ook ooit worden.

Ze was nu midden dertig en ook al zag ze er goed uit, tegen veroudering was geen kruid gewassen, niet echt. Je kon tien facelifts ondergaan en je hele lichaam laten behandelen, je zag er dan misschien wat jonger uit, maar je bleef toch vijftig, zestig, of wat dan ook. Er jonger uitzíén betekende niet dat je ook

jonger wás. De tijd verstreek en hoe ouder je werd, des te sneller leek het te gaan.

'Denk je dat het zin heeft om met Freddie over Jackie te gaan
praten?'

Maggie haalde haar schouders op. 'Ik praat nooit met hem
tenzij het moet. Hij is de reden waarom ze zich bijna dood
drinkt.'

'Dat is zo, maar ik ben als de dood dat ik op een dag een telefoontje krijg, of een berichtje, dat ze dood is. Ze wordt al
geel, Mags, dat is haar lever, ik weet het zeker.'

Maggie zag de angst en zorgen op haar moeders gezicht ge-
grift staan en ze voelde de tranen prikken.

'Ik hou van je, mam.'

Lena gaf haar dochter een klapje met haar hand en lachte.
Maar Maggie wist dat ze er blij mee was. Ze waren niet zo'n
soort gezin, ze knuffelden elkaar niet veel. Maar ze wilde haar
moeder vertellen dat ze van haar hield.

De hele dag, elke dag, hield ze van haar.

Freddie had besloten eindelijk te gaan doen waarvoor hij was
ingehuurd. Hij had tijd nodig om na te denken en het had hem
geraakt toen hij Pat zo had zien zitten. Hij had het gevoel dat
Jimmy binnenkort alles te weten zou komen. Hij had ook zo'n
idee dat Jimmy binnenkort de bordelen en de rest zou erven.

Hij was zo verdomde kwaad. Jimmy kaapte alles voor zijn
neus weg terwijl hij zonder hem niet eens van Ozzy's bestaan
had afgeweten. Dat betekende dat Jimmy hem een stuk van de
uitermate winstgevende taart die Ozzy hem zou nalaten verschuldigd was.

Freddie vond dat hij oneerlijk werd behandeld. Hij stroopte
heel Smoke af om geld op te halen en problemen op te lossen in
clubs, pubs en eethuizen, en waar zat Jimmy? Die zat op zijn
troon koninkje te spelen.

Hij stormde een nachtclub in Brixton binnen die hem een
weekopbrengst schuldig was en zag Glenford Prentiss aan de
bar staan. Glenford wenkte hem en Freddie zette een geforceer-
de glimlach op toen hij opgewekt zei: 'Alles goed, helemaal
oké, neem ik aan?'

Glenford grijnsde. 'Met mij is altijd alles goed, en met jou?'

Freddie haalde nonchalant zijn schouders op. 'Helemaal
goed, nu ik jou zie. Wil je wat drinken?'

Ze werden onmiddellijk bediend en Glenford keek toe hoe

Freddie de bestelde dubbele whisky in één slok achterover-sloeg. Er stond onmiddellijk een volgende voor hem klaar.

'Dat had je nodig, hè?' Glenford stond zelf smakelijk van zijn pint Draught Guinness te nippen.

'Zou jij dat niet hebben als je mij was?' Freddie keek kwaad.

Glenford gaf hem geen antwoord, hij was niet van plan zich in een gesprek te laten betrekken waarin Jimmy werd afge-kraakt, of over werk of wat dan ook, behalve dan de afgezaag-de en vervelende onderwerpen.

'Jimmy nog gezien?'

Glenford knikte. 'Natuurlijk, hij is een vriend van me.' Hij zag dat Freddie niet op dat antwoord stond te wachten.

Freddie zei niets terug. Hij nipte van zijn scotch en zijn fron-sende voorhoofd sprak boekdelen.

Freddie en Jimmy leken zo op elkaar en waren toch zo ver-schillend. Freddie, merkte hij op, zag er goed uit voor zijn leef-tijd, maar hij was altijd prikkelbaar. Dat vond hij zo merk-waardig bij blanke mensen. Raar eigenlijk, er liepen een hoop blanke mannen rond die er verongelijkt uitzagen. Gek, maar wel een feit.

Freddie zag er ook zo uit. Hij was een grote man, met een breed, krachtig lijf, de reden waarom hij ook zo vijandig over-kwam. Hij was nog steeds aantrekkelijk, vrouwen vielen bij bosjes voor zijn uiterlijk. Glenford had de man bezig gezien en zijn petje voor hem afgenomen. Maar wat Freddie ook bezat, gelukkig zou hij nooit zijn.

Jammer eigenlijk, want hij had meer kansen gehad dan waar de meeste mensen op mochten hopen.

Freddie zat nu naar een meisje aan het eind van de bar te kij-ken. Ze was een halfbloed, voor in de twintig en Glenford had er al over gedacht haar met die ouwe Prentiss-charme te besto-ken. Maar vol bewondering zag hij Freddie van chagrijnig en fronsend overgaan in opgewekt en zorgeloos. Een rok had die uitwerking op mannen en Freddie was alleen maar gelukkig als hij iemand of iets kon veroveren.

Als je hem nu zag, met zijn lachende gezicht en zijn vrolijke stem, zou niemand geloven dat dit dezelfde man was die tien minuten geleden was komen binnenlopen en helemaal klaar was voor een vechtpartij. Het leek wel een wonder en het meis-je was opgetogen over zichzelf.

Glenford speelde met de gedachte om het meisje te vertellen wat ze kon verwachten, dat Freddie haar zou versieren, met haar de koffer in zou duiken, bezit van haar zou nemen en haar zou weggooien wanneer hij genoeg van haar had. Maar ze liep al met een brede grijns en wiegende heupen op hem af en hij besloot dat ze het maar helemaal zelf moest ontdekken.

Dus dronk hij zijn bier en luisterde met een half oor totdat Freddie alles in de strijd wierp.

'O, Jimmy, het is schitterend.'

Maggie staarde vol ontzag naar het horloge dat haar man haar had gegeven. Het was een gouden Rolex en ze vond het prachtig. Ze wilde het al een tijdje en nu ze het kreeg was ze helemaal opgetogen.

Ze klikte haar Cartier los, gooide die op de kaptafel en liet Jimmy het uurwerkje om haar pols doen.

'O, mijn god, waar heb ik dat aan te danken?'

Hij schokschouderde, kuste haar teder en weer verbaasde hij zich erover dat ze zich niet probeerde terug te trekken. 'Omdat ik van je hou, Mags, en dat altijd zal doen.'

Hij zei het zo oprecht dat ze wel kon janken.

Jimmy junior kwam de kamer binnenrennen en hij lachte hardop. 'Ik zag jullie zoenen!' Hij was er helemaal verlegen van en ze moesten samen met hem lachen.

Jimmy tilde hem moeiteloos op en zette hem op zijn schouders. 'Kom op, kleine man, we gaan naar nana, oké?'

Ze liepen samen de trap af en hun gelach en gebabbel schalden door het huis. Jimmy werd zo gelukkig van dat geluid en dat het weer goed ging met zijn gezin dat hij wel kon huilen. In plaats daarvan greep hij zijn vrouw bij de hand en met zijn zoon op de schouders begon hij te zingen.

'Een man ging uit maaien...'

Het was het lievelingsliedje van zijn zoon en toen ze uit het huis liepen klonk het geluid in zijn oren na. Met name het geschater van Jimmy junior. Hij had zo'n lief giecheltje waar zoveel humor uit sprak.

Hij was gezegend. Zijn leven was volmaakt en zijn gezin was volmaakt. Wat wilde een man nog meer?

'Gaat het wel met die twee, Joe, als ik even bij Sylvie binnenwip?'

Hij knikte, zijn ogen waren net als die van zijn oudste kleinzoon aan de tv gekluisterd. Kleine Freddie was na de thee gekomen en had lief met zijn neefje gespeeld tot het zijn bedtijd was.

'Ga nou maar, Lena, en laat het aan mij over, meissie.'

Ze schoot in een vestje en liep de flat uit. Sylvie was altijd in voor een grap en ze had even genoeg van Joe en zijn klote-tv. Jimmy junior lag onder zeil en kleine Freddie zat als een engeltje bij zijn grootvader – niet bepaald een uitdrukking die ze ooit eerder met hem in verband had gebracht – en zij ging een lekkere kop thee en haar portie roddelpraat halen.

Bij het volgende reclameblok stond kleine Freddie op. 'Mag ik even naar de plee, grootpa?'

'Tuurlijk, gekke vent.' Joe glimlachte om de verandering die de jongen had ondergaan. Stel je voor, vragen of hij naar de plee mocht.

Hij zat nog steeds aan de tv geplakt toen Jackie een uur later haar zoon kwam ophalen. Ze was dronken en op oorlogspad.

Lena kwam een paar tellen na haar dochter binnen. Ze hoorde haar schrille stem al door de voordeur en hoopte dat ze met al dat lawaai het ventje niet wakker zou maken.

Jackie was straalbezopen en ergens wist ze dat ze niet alles in haar moeders huis bij elkaar moest schreeuwen, maar ze kon niet meer stoppen. Freddie had haar in niet mis te verstane bewoordingen meegedeeld dat Jimmy en Maggie zijn baan hadden ingepikt, dat haar zuster en haar familie allemaal tegen hem samenzwoeren en dat ze niets anders was dan een dronken slet. Ze moest maar afwachten wanneer hij weer eens thuis zou komen opdagen.

Ze wist dat hij kwaad was omdat ze zo dronken was en hij reageerde zijn woede op haar af, maar ze was vast van plan om ervoor te zorgen dat tenminste íémand naar haar luisterde.

'Wil je verdomme wat zachter praten, Jackie. Die kleine jongen ligt te slapen.'

Jackie keek haar moeder met wazige ogen aan en fluisterde hardop: 'O, loop naar de hel, we moeten vooral Maggies baby niet wakker maken, hè? Die van mij had je verdomme hier nooit, wel?'

Lena verzuchtte: 'De meisjes waren hier altijd, Jackie, weet je nog? Ze woonden hier op een bepaald moment zelfs zowat. Nou, bedaar of sodemieter op naar huis. Vanavond ben ik niet voor je in de stemming.'

Jackie zag er verschrikkelijk uit. Er zaten klitten in haar haar omdat ze er de hele middag op had geslapen en haar make-up zat in strepen op haar gezicht. Ze zag eruit als een zwerver en zocht alleen maar ruzie.

Nou, Lena en Joe waren vastbesloten dat ze die niet zou krijgen.

Joe maakte een gebaar met zijn hoofd en Lena knikte. Hij haalde zijn jas om Jackie naar huis te brengen. Het was een belachelijke vertoning. Morgen zou ze zich er geen spat meer van herinneren, maar nu moest Lena haar tot bedaren zien te krijgen.

Kleine Freddie stond naar haar te kijken en voor het eerst voelde Lena een greintje medelijden met hem. Geen wonder dat hij zo was, met zo'n lellebel van een moeder en die rukker Freddie als vader.

'Jullie zijn klootzakken, jij en pap. Niets anders dan een stelletje klootzakken.' Jackie wees nu naar haar moeder, prikte haar groezelige vingers in haar gezicht.

'Hou daarmee op, Jackie, hou op. Waarom doe je dit?' Ze probeerde haar naar de voordeur te begeleiden, maar Jackie zwaaide op haar benen en Lena was ervan overtuigd dat haar dochter zou vallen en zich zou bezeren.

Kleine Freddie probeerde mee te helpen om zijn moeder overeind te houden, maar ze duwde hem van zich af en schreeuwde: 'Je wilt me weer wegsturen, hè? Je wilt mij en mijn kinderen helemaal niet, je geeft geen spat om ons. Alles draait om Maggie, toch? Ik kan op één hand tellen hoe vaak je bij mij langskomt, maar ik kom elke dag naar jou, kom je elke dag opzoeken. Nou, dat kun je nu wel vergeten. Jullie kunnen allemaal naar de hel lopen. Mijn Freddie heeft altijd gelijk gehad, niemand van jullie geeft om me. Niemand.'

Ze was nu door het dolle heen, gebaarde als een krankzinnige met haar armen en Lena sloeg haar oudste kind diep ellendig gade. Geen wonder dat de meisjes nooit naar huis gingen, geen wonder dat ze haar meden als de pest. Op dit moment kon ze zelfs met Freddie meevoelen, want Jackie was niet bepaald de makkelijkste om mee te leven.

Jackies gezicht vertrok van haat, en terwijl ze haar naar buiten brachten, spuugde ze haar vitriool en woede uit. Joe stond bij de voordeur en had zijn jas aangetrokken. Toen Jackie hem zag staan lachte ze luidkeels.

'O, daar gaan we dan, hè, grof geschut, nietwaar? Breng je me naar huis, pap? Zeker weten dat ik niet bij jullie klotezooi blijf plakken?'

Kleine Freddie hielp zijn moeder de deur uit. Hij hield haar nu overeind en Lena zag ze de trap afgaan totdat ze eindelijk de voordeur kon dichtdoen. Ze wist dat haar buren Jackies geraas en getier hadden gehoord en ze was kwaad en van streek.

Ze ging aan haar kleine keukentafel zitten en legde haar hoofd uit pure wanhoop in haar handen. Dit kwam steeds vaker voor en er moest iets gebeuren, anders zou dat kind zichzelf vroegtijdig doodzuipen.

Geen wonder dat die jongen een razende schoft was. Hij had toch zeker geen enkele constante factor in zijn leven, iets goeds? Plotseling moest ze denken aan kleine Freddie als baby, hij was nog maar anderhalf jaar geweest. Jackie was zoals gewoonlijk half bezopen en ze had tegen de jongen gezegd: 'Hier Fred, telefoon, pappie.'

Het kind had de telefoon gepakt en steeds maar weer gezegd: 'Jootzak, jootzak.'

'Klootzak' kon hij nog niet zeggen, maar Jackie had het niet meer gehad.

Toen, al die jaren geleden, had Joe tegen haar gezegd: 'Moge God dat kind bijstaan, Lena. Met die twee heeft hij verdomme geen enkele kans.'

En hij had gelijk gehad.

23

'Ik ben nog nooit zo gelukkig geweest, Jimmy.'

Zijn vrouw lag ontspannen in zijn armen en hij kreeg het gevoel dat hij een tweede kans op geluk kreeg. In de laatste paar jaar was ze gaandeweg weer het meisje geworden dat hij kende, de vrouw die hij altijd nodig had gehad.

De avond tevoren had hij een van de meest fantastische momenten van zijn leven beleefd. Hij had perplex gestaan over de geestdrift waarmee Mags zich aan hem had overgegeven. Alle pijn, de afstand, ze waren verdwenen. Ze stonden aan een nieuw begin, een nieuwe start van een huwelijk dat zelfs in zijn zwartste dagen nog beter was dan wat hij zich maar kon voorstellen.

Hij kuste haar teder op de lippen en ze kroop dichter tegen hem aan.

Het was zo lang geleden dat Maggie zich zo kalm, zo gelukkig had gevoeld dat ze het moment zo lang mogelijk wilde vasthouden.

Jimmy hield zijn tengere vrouw in zijn armen en verwonderde zich over haar verandering. Wat haar ook na de geboorte van Jimmy junior had bezield, het leek eindelijk voorbij te zijn en het lachende, gelukkige meisje met wie hij was getrouwd was voorgoed terug. Alleen al haar vasthouden was heerlijk, haar zachte huid tegen de zijne te voelen, haar parfum te ruiken.

In tegenstelling tot Freddie, en zelfs Glenford, stonden vrouwen niet hoog op zijn lijstje en eigenlijk had hij nooit iemand anders gewild dan Maggie. Door de jaren heen had hij wel eens een vluggertje buiten de deur gemaakt, maar niet vaak en hij had er onmiddellijk spijt van gehad. Geen vrouw kon hem dat gevoel geven dat Maggie hem gaf. Kleine Jimmy was de kers op de taart. Hij was hun wereld, en hij zou alles krijgen wat zij nooit hadden gehad.

'Dus Ozzy draagt al zijn zaken aan jou over?'

Jimmy kuste haar weer. 'Daar lijkt het wel op, maar ik krijg het niet op een presenteerblaadje, ook al zal Freddie dat niet willen geloven. Ik ga ze gewoon allemaal runnen, zoals ik dat nu al met zijn andere zaken doe.'

'Hij vertrouwt je wel helemaal, hè, Jim.'

Hij moest lachen. 'Ik hoop het, babe, hij heeft nooit reden gehad om dat niet te doen.'

Hij was zo betrouwbaar, haar Jim. Niemand kon een kwaad woord over hem zeggen, want hij was zo veilig als de bank van Engeland, zoals haar moeder placht te zeggen.

'Wat is het voor man?'

'Wie, Ozzy?'

'Ja, wie anders, sukkel!'

Hij schokschouderde, trok haar nog dichter tegen zich aan en lachte naar haar.

'Ik zei je al, hij is... anders. Hij is heel erg zichzelf en als je in zijn gezelschap bent, weet je dat hij een reputatie heeft, dat hij belangrijk is.'

Maggie hoorde de trots in de stem van haar man doorklinken en ze bedacht dat zijn bescheidenheid er waarschijnlijk voor had gezorgd dat Ozzy hem zo waardeerde.

'Hij ziet je net zoals ik, Jimmy, een knappe, intelligente en lieve man.'

Jimmy moest lachen. 'Ik denk eigenlijk dat hij een andere kant van me ziet, maar ik geloof je op je woord.'

Ze moesten samen lachen. De zakelijke Jimmy zag ze zelden, en daar was ze blij om. Maar ze wist dat die kant bestond en had van zijn escapades gehoord, en ook dat hij als het moest tot geweld in staat was. Toch zou hij zijn aanzienlijke lichaamskracht pas in de strijd werpen als alle andere mogelijkheden uitgeput waren. Hij was geen haatdragende man en in dat opzicht mocht ze van geluk spreken. Maar in hun gemeenschap was hij een belangrijke figuur en ze koesterde zich in de roem die van hem afstraalde, of ze dat nu wilde of niet. Jimmy had meer dan eens vijanden uitgeschakeld, dat accepteerde ze wel. Maar dat was noodzakelijk geweest, dat verwachtte Ozzy van hem, daar werd hij voor betaald.

Hij was net als zij onder de rook van die wereld opgegroeid. Ze begreep dat het niets anders was dan een manier om je geld te verdienen. Ze leefden ervan, het zorgde ervoor dat kun kost-je gekocht was. Dat waren de voordelen van je keus.

Maar als hij thuiskwam, was hij alleen maar Jimmy, haar Jimmy, echtgenoot en vader. Ze hield zo zielsveel van die man en niets kon haar gevoelens voor hem veranderen, wat hij ook deed.

Hij was geliefd, niet alleen bij hun naaste vrienden, maar bij iedereen met wie hij omging, uiteraard op Freddie na. Ze zette Freddie met geweld uit haar hoofd. Daar was geen plaats voor hem, niet meer. Hij had al te lang als een spook tussen hen rondgewaard. Ze zou niet toestaan dat hij haar of haar gezin ooit nog kwaad zou doen.

Het had veel te lang geduurd voordat ze begreep wat haar moeder bedoelde met die terechte uitdrukking: 'Mensen kunnen je alleen maar iets aandoen als je dat toestaat.' Hoe vaak had ze dat de afgelopen jaren niet gehoord?

Zolang ze Freddie macht gaf over haar geluk, zou ze dat geluk nooit bereiken. Nu was ze tegen hem opgestaan, had ze hém bang gemaakt dat de waarheid aan het licht zou komen, en ze voelde zich bijna euforisch van geluk.

Jimmy junior was tenslotte háár kind. Van haar en Jimmy. Ze aanbad hem, wat ze ook zeiden of deden, dan kon niemand van haar afnemen.

Ze keek op de wekker en zag dat het halfnegen was. Voor het eerst in jaren had ze uitgeslapen en er ook nog van genoten. Maar ze miste haar baby. Hij kwam 's ochtends vroeg altijd even bij hen knuffelen voordat ze allemaal opstonden om samen te gaan ontbijten.

Het was raar zonder hem, maar ze geeuwde gelukkig. Ze moest zich snel aankleden en hem op gaan halen. Maar Jimmy's hand op haar borst zei haar dat ze misschien nog wat langer werd opgehouden dat ze had gedacht.

'Wat?'

Rox zuchtte en zei nogmaals: 'Ik ben zwanger, mam.'

Jackie zat zoals gewoonlijk met vertroebelde blik voor zich uit te kijken en Rox vroeg zich af waarom ze op weg naar haar werk langs huis was gegaan. Voor drie uur 's middags functioneerde de vrouw, die ze moeder noemde, niet eens.

'De bruiloft wordt vervroegd, dat probeer ik je te vertellen.'

Jackie gaapte en zocht net zo lang in de stapel lege pakjes op het aanrecht tot ze een sigaret te pakken had. Ze stak er een aan en zei sarcastisch: 'O, nou ja. Nu slaap ik een stuk beter, Rox.'

Roxanna sloot geërgerd haar ogen. Geen felicitatie, niks.

Freddie kwam de trap af gelopen en Roxanna lachte naar hem. Het was als altijd een geforceerd glimlachje en hij zei vermoeid: 'Zo, dus Dicky boy heeft mijn baby geneukt, hè?'

Haar vaders woorden kwetsten Rox. Haar eigen moeder interesseerde zich geen zier voor haar leven. Maar ja, wanneer was ze ooit wel ergens in geïnteresseerd geweest, behalve dan de fles en die grote lulhannes die voor haar vader moest doorgaan?

'Nou, en?'

Freddie pakte de sigaret van zijn vrouw, nam een diepe trek en zei: 'Je hebt verdomme altijd overal een antwoord op, hè? Stel dat ik er een toestand van maak? Hem op zijn lazer geef, wat wou je dan doen?'

Rox schudde verdrietig haar hoofd en het trof hem weer hoe mooi zijn dochter was. Godzijdank leek ze op Maggie en niet op die vette hoer die nu een stuk pizza van een dag oud zat te verorberen. In zekere zin was hij trots op zijn Rox. Als je naging hoe ze was opgegroeid, was ze verdomme werkelijk een juweeltje.

'Hé, Fred, ik realiseer me opeens dat je goddomme opa wordt!'

Jackies gelach ging over in een droge hoest en ze spuugde in de gootsteen. Rox, die 's ochtends misselijk was, kon bij het zien van dat tafereel wel kotsen.

Ze gaf haar moeder een klap. 'Je lijkt allejezus wel een beest, mam.'

'Ja, kijk maar eens om je heen, Rox, in dit shithol van haar ben jij opgegroeid!' Freddie moest nu lachen, maar ze waren stomverbaasd toen hij zijn dochter kort knuffelde, blij als hij was dat ze een kind kreeg, blij als hij was dat ze zo goed terechtgekomen was. Plotseling was dat belangrijk voor hem.

Hij was trots op haar. Mensen hemelden haar op en hij was onder de indruk dat ze zo'n succes van haar jonge leventje had weten te maken. Gezien haar opvoeding was het een wonder dat ze nog niet aan haar tweede of derde kind toe was. Hij wist dat veel van haar vriendinnen al zover waren. Hij kon het weten, hij had de helft van ze geneukt.

En ze had het wel slechter kunnen treffen dan met Dicky. De jongen bejegende hem altijd met respect en was beleefd. Maar als hij haar in de steek liet, zou hij dat klootzakkie zijn plaats wel eens wijzen, geen punt.

Freddie liep de woonkamer in, haalde uit zijn jas een bundel bankbiljetten en haalde er vijf briefjes van honderd af. Hij liep terug naar de keuken en zei bijna verlegen: 'Open een rekening voor het kind, babe, dan heeft hij een beginnetje. Dat hebben Mags en Jimmy ook gedaan en dat kind is nu verdomme een fortuin waard.'

Jackie en Roxanna keken naar de man die zo lang een doorn in ieders oog was geweest dat ze waren vergeten hoe ze hem aardig moesten vinden, hun mond viel open en hun ogen werden schoteltjes.

Rox zag de weerspiegeling van haar eigen verwarring in zijn ogen. Ze was vanochtend op alles voorbereid geweest, maar niet op dit.

'Jezus, bedankt, pap.'

Ze kon haar tranen bijna niet inhouden en voor het eerst in jaren begreep Freddie wat je met een klein vriendelijk gebaar kon bereiken.

Rox omhelsde hem en hij voelde de liefde van een kind aan wie hij eigenlijk nooit aandacht had besteed.

Ze was een goeie meid, zijn Roxanna. Hij wist plotseling dat ze eigenlijk allemáál goeie meiden waren. Zelfs zijn Kimberley, maar vooral zijn Dianna.

Waarom had hij dat nooit eerder gezien?

'Hij moet ongeveer bewusteloos zijn, het is bijna negen uur!'

Joe's stem sloeg over en Lena grijnsde. Joe was dol op het ventje en ze wist dat dat gevoel wederzijds was, want Jimmy junior kon uren luisteren naar de onzin die hij uitkraamde.

'Ga hem dan maar wakker maken, ouwe gek. Je weet dat hij het heerlijk vindt in bed.'

'Heb je gekookte eieren en soldaatjes voor hem gemaakt?'

Ze wendde zich af van het aanrecht waar ze dunne sneden beboterd brood in stukjes sneed.

'Tuurlijk. Hij doet me wat als die niet op hem liggen te wachten!'

Samen moesten ze lachen. Ze waren gelukkig tegenwoordig en dat kwam vooral door dat kleine kind. Door Maggies postnatale depressie hadden ze het voorrecht gehad om een belangrijke rol te mogen spelen in zijn kleine leventje en daar waren ze dankbaar voor.

'Ga hem halen, Joe, dan zet ik een kop thee voor hem klaar. Hij is 's ochtends dol op zijn thee, ons mannetje.'

Lena zag hoe haar man zich haastte om hun kleinkind wakker te maken. Zij had hem laten slapen, hij was dol op zijn Sooty en Sweep, godzijdank.

Kleine Freddie zat bij zijn vader en at zijn cornflakes. Freddie keek toe hoe zijn zoon de chocopops ongemanierd in zijn mond schoof. Hij had het te druk met kijken naar *Mighty Morphin Power Rangers* op Sky. Jackie deed of ze zwarte thee zat te drinken, maar hij wist dat het sherry was, de lucht was niet te harden, en het huis deed hem aan een verdomde vuilnisbelt denken. Overal stonden overvolle asbakken, de gordijnen waren halfdicht, wat ze meestal waren, en het verval was onmiskenbaar. Hij had een fortuin aan dit huis gespendeerd en het zag er nog uit als een klotekrot.

Er was reclame op tv die een schattig gezinnetje met schattige kindertjes tevoorschijn toverde. Ze werden verleid om geld te lenen, en zoals ze daar hun toast met jam zaten te eten en aardig voor elkaar waren, bedacht hij dat Maggie en Jimmy waarschijnlijk 's ochtends ook zo aan het ontbijt zaten. Die hoefden niet krom te liggen om schulden af te betalen.

Jimmy junior kreeg natuurlijk eieren en toast, of vers fruit, ze dronken thee uit een theepot en Jimmy zat waarschijnlijk de krant te lezen die door een lachende krantenjongen was bezorgd.

Toen hij zijn eigen huis rondkeek, was hij plotseling blij dat Rox de dans ontsprongen was. Hij had haar huis gezien, het was schoon en opgeruimd, en tot het kleinste detail opgeknapt.

Ze zou urenlang catalogi doorspitten om het best passende kussentje te vinden of het mooiste gordijn. En hij wist dat als Maggie niet in haar leven was geweest, ze daar allemaal niets van af had geweten. Ze zou zich nooit hebben gerealiseerd dat mensen als zij net zoveel recht hadden als ieder ander om in een leuk huis te wonen, recht hadden op een mooi leven.

Jackie gaf nergens om, behalve misschien om de drank, om hem en dan kleine Freddie, in die volgorde. Maar Maggie en haar gedoe maakten hem ook kwaad, en het ergerde hem dat zijn dochters haar zo vereerden. Hij had het gevoel dat zij en Jimmy zíjn leven leidden en dat maakte hem zo bitter.

'Eet eens een keer fatsoenlijk en met je mond dicht!'

Kleine Freddie staarde zijn vader een poos aan en deed toen wat hem was gezegd.

Jackie zat nog steeds in haar groezelige ochtendjas op de bank. Ze rookte een sigaret en dronk haar sherry uit een gebarsten wit kopje.

Het kostte al zijn wilskracht om niet acuut overeind te vliegen en haar gezicht tot moes te slaan.

Joe staarde naar zijn kleinkind en de tranen stroomden over zijn wangen. Dit was niet gebeurd, dit kon niet waar zijn, dit moest een nachtmerrie zijn. Zijn hart bonsde in zijn borst en hij wist zeker dat het er elk moment mee kon ophouden. Wilde dat het er helemaal mee op zou houden, zodat hij ter plekke dood neerviel en hij dit tafereel uit zijn geheugen kon wissen.

Hij hijgde. Hij had zich kort afgevraagd of het kind zo zwaar ademde, zich afgevraagd of het kind dit afschuwelijke piepende geluid maakte, maar hij wist dat het al heel lang geen adem meer had gehaald.

Toen hij het dekbed terug had geslagen en zijn gezichtje zag, was dat het allerverschrikkelijkste wat hij ooit had meegemaakt.

Hij was zo klein, klein en helemaal stijf, alles was verkeerd. Hij lag helemaal verkeerd en ze hadden de hele nacht in de kamer ernaast geslapen terwijl dit kind hier dood lag. Ze waren hem niet gaan onderstoppen omdat hij zo licht sliep, en omdat Jackie zo'n stampei had gemaakt, hadden ze hem laten slapen. Hem alleen gelaten, en hij was dood.

Hij was op zijn tenen naar binnen geslopen en had de kleine bobbel in bed zien liggen, toen had hij de deur weer dichtgedaan, zijn kleinzoontje, de ster van zijn leven en de reden waarom Lena 's ochtends opstond.

Waarom was hij niet even naar hem toe gegaan? Had hij niet goed naar hem gekeken om er zeker van te zijn dat het kind in orde was?

Hij wrong zijn handen tegen zijn borst en voelde de pijn in zijn vingers.

'Schiet op, je eieren worden koud! Wat ben je aan het doen?'

Door Lena's stem kwam hij ten slotte in beweging. Lena's gelukkige stem, Lena die hij door de jaren heen zo had gekwetst en zonder wie hij niet kon, dat wist hij wel. Zij was het, en de gedachte dat ze dit moest aanzien, waardoor hij eindelijk opstond.

Joe ging de kamer uit en sloot de deur achter zich.

Ze stond in de gang toen hij naar buiten liep en ze zag de tranen op zijn wangen. 'Wat is er aan de hand, waar is mijn knul?' Haar stem klonk hees, sloeg over en ze keek bezorgd, angstig.

Hij schudde zijn hoofd.

'Wat is er aan de hand, ouwe rukker, waar is mijn mannetje, mijn knulletje?'

Hij voelde de angst in golven van haar af komen, hoorde die in haar stem.

'Ik wil naar hem toe, uit de weg...'

Hij hield haar nu vast, worstelde met haar, zorgde dat ze niet naar binnen kon, wilde niet dat ze zag wat hij had gezien. Hij wist dat ze dood neer zou vallen bij dat schouwspel.

Nu staarde ze hem in de ogen en hij hield haar bij haar onderarmen vast, bang om haar los te laten voor het geval ze de kamer binnen zou gaan, dat mausoleum waar nu het lichaampje van hun dode kleinzoon lag.

'Je maakt me bang, Joe, hou ermee óp. Laat me bij de jongen, alsjeblieft, Joe... Alsjeblíéft...'

Ze huilde, was bijna hysterisch en nog steeds kon hij geen woord uitbrengen. Ze smeekte hem, bad hem dat hij zei dat alles oké was, en hij kon het niet.

Hoe moest je zoiets aan iemand vertellen die je lief was?

Waar moest je verdomme beginnen?

Freddie zat naast Jimmy en zag het verdriet van zijn neef. Het was verschrikkelijk om getuige te zijn van het volslagen verdriet bij een andere man. En hij voelde hetzelfde. Hij voelde het verlies van Jimmy net zo scherp, maar dat kon hij hem niet vertellen.

Ze hadden samen in de auto gezeten, hij had de draak zitten steken met het feit dat hij opa werd en ze hadden er samen om gelachen, net als vroeger. Toen was het telefoontje gekomen en tot zijn verbijstering had Jimmy over de weg geslingerd, zijn mobieltje laten vallen, de auto aan de kant gezet en was in huilen uitgebarsten.

'Wat is er in hemelsnaam gebeurd?'

Even had hij gehoopt dat Ozzy dood was. Dat Ozzy de pijp uit was gegaan maar hij wist ook dat Jimmy daar niet zo kapot van zou zijn geweest. Dan moest het Maggie zijn, hij dacht dat ze misschien een auto-ongeluk had gehad, in die verdomde flitsende Merc van haar waarin ze altijd rondscheurde. Of dat ze betrokken was geweest bij een ander ongeluk.

Freddie was bijna in zwijm gevallen toen na wat wel een eeuwigheid scheen, Jimmy zich naar hem had toegewend en met gebroken stem had gezegd: 'Het is Jimmy, mijn kleine Jimmy. Hij is dóód, Freddie, hij is gisteravond gestorven.'

Toen had hij gehuild, met lange gieren en vol pijn. Hij had op het stuurwiel gebeukt en was weer in huilen uitgebarsten. Freddie had in shock naast hem gezeten en zich afgevraagd waaraan in hemelsnaam zo'n lief klein jongetje dood kon gaan.

En hij was een klein jongetje, en hij had dat knulletje gebruikt om zijn moeder te vernietigen en nu was hij dood. Kleine, lieve Jimmy, met die stralende glimlach en zijn gekke capriolen, was dood.

De wereld was godverdomme krankzinnig geworden.

Lena en Joe voelden zich zo schuldig en toen de kamer in het ziekenhuis volliep met familieleden werd dat nog erger. Hij was gestorven terwijl zij voor hem hadden moeten zorgen. Hij was doodgegaan terwijl zij in de kamer ernaast sliepen. Hoe kwamen ze daar ooit overheen, hoe konden ze ooit nog een oog dichtdoen? Hoe kon er ooit nog een gelukkige dag zijn zonder dat kleine joch in hun leven?

Misschien hadden ze hem kunnen helpen, misschien hadden ze het kunnen voorkomen. Waren ze nou maar even bij hem gaan kijken.

Maggie zat er, ze had nog geen woord gezegd. Rox hield haar hand vast en probeerde haar zo goed mogelijk te troosten.

Dianna zat met Kimberley te huilen en ze schudden voortdurend ongelovig hun hoofd.

Jackie stond buiten te roken. In het ziekenhuis mocht je nergens roken en zoals altijd gingen haar eigen behoeften voor. Ze zag de wereld aan zich voorbijgaan en zelfs nu nam ze zo nu en dan een slok uit de fles wodka die ze in haar handtas had zitten.

Een verpleegkundige liep de bezoekerskamer binnen en zei zachtjes: 'Wil iemand nog wat thee?'

Lena knikte. Met thee had je tenminste wat te doen, gebeurde er wat, moest je reageren. Ze wist dat Jimmy onderweg was en ze wilde hem niet onder ogen komen, of zijn ouders.

Jimmy's óúders. Zoals gewoonlijk was ze die totaal vergeten. Jimmy hoorde meer bij hun gezin dan bij zijn eigen familie. Sinds de dood van Freddie senior zag niemand ze eigenlijk meer, Jimmy zeker niet.

'Heeft iemand Jimmy's familie gebeld?'

Niemand gaf antwoord.

Ze slaakte een zucht. Ze zouden het gauw genoeg te horen krijgen, waarom nu al hun hart breken?

Freddie en Jimmy liepen naar het ziekenhuis en Jackie riep haar man. Hij kneep in Jimmy's arm en liep naar zijn vrouw.

Ze liep met hem bij de drukke ingang van de eerste hulp vandaan en stak een sigaret op. Hij zag dat ze dronken was, maar deze keer maakte het hem niet uit. Hij was nog steeds in shock vanwege het dode kind.

Dit was zíjn kind, zijn jongen, niet die van Jimmy, van hem, en hij was dood. Die gedachte raasde door zijn hoofd, het leken wel jaren terwijl het slechts om een paar minuten ging.

Jackie stond werkelijk te huilen, te snikken en hij kon niet kwaad op haar worden. 'Is het niet vreselijk, Fred? Wat hebben wij geluk, hè? Onze kleine Freddie mag dan een klootzakkie zijn, maar stel je voor dat hij dood was gegaan.'

Ze huilde luidop en had verdriet, hij wist hoe ze zich voelde dus hield hij haar instinctief tegen zich aan. Zelfs Freddie wist dat ze deze keer terecht huilde. Voor het eerst in jaren hielden ze zich aan elkaar vast.

'Die arme Maggie, ze lijkt verdomme zelf wel een lijk. Wat zij niet allemaal moet doormaken! Wat verschrikkelijk om met zoiets te moeten léven!'

'Wat is er gebeurd, Jack, weten ze dat al?'

Jackie keek haar man aan en zei met krakende stem: 'Weet je het dan nog niet, Freddie?'

Hij schudde zijn hoofd. 'Nee, wat is er gebeurd?'

'Hij heeft een plastic zak over zijn hoofd gedaan en is gestikt.'

Glenford arriveerde bij het ziekenhuis en liep rechtstreeks naar Jimmy. Hij trok hem in zijn armen en Jimmy barstte in huilen uit. Het was een vreemd gezicht zoals de kleine man Jimmy vasthield. Jimmy was reusachtig en door zijn schokkende schouders zag het er des te afschuwelijker uit.

Glenford huilde met hem mee en toen Maggie dat zag, benijdde ze hen om die intimiteit, want Jimmy verdiende die troost. Jimmy had niets op zijn geweten als het om de kleine jongen ging, in tegenstelling tot haar.

Niemand in de kamer trouwens. Maar zij werd opgevreten door schuldgevoel toen ze hem zo zag, zo kleintjes, zo kwetsbaar en ze wist dat hij nooit meer zijn ogen open zou doen, nooit meer zou glimlachen en lachen, haar nooit meer zou knuffelen. Ze kon de schuld nauwelijks dragen.

Ze had hem al die tijd gedoogd, omdat ze een geheim met zich meedroeg dat als een loden last op haar borst had gedrukt. En nu het achter de rug was, voelde ze in plaats van opluchting, waar ze al die jaren zo naar had verlangd, alleen maar een diepe en folterende haat jegens zichzelf.

Haar arme vader en moeder waren in een paar uur stokoud geworden. Ze zag hoe haar moeder aan haar doorweekte zakdoekjes zat te plukken, hoe haar ogen de kamer rondschoten alsof ze erop zat te wachten dat iemand haar de schuld van het gebeurde zou geven. Ze wist dat de arme vrouw het vooral zichzelf kwalijk nam.

Dezelfde vrouw die van Jimmy junior had gehouden toen zijn eigen moeder daar niet toe in staat was geweest, die tegen haar had geschreeuwd en ruzie met haar had gemaakt. Ze had haar onnatuurlijk genoemd en geprobeerd dit korte leven zo draaglijk te maken als ze maar kon, in de wetenschap dat zijn moeder onmogelijk liefde voor hem kon opbrengen.

En Jackie, Jackie ratelde maar door over dat haar Rox een baby kreeg en hoe God de ene deur sloot en weer een andere opende. Die stompzinnige dronken drel had vier kinderen en ze zorgde voor geen van allen, niet echt. Ze was net als alle zuiplappen, zij dacht alleen aan zichzelf, aan hoe zij zich voelde en wat zij wilde. Haar leven draaide om haar en Freddie, en ze had jaren verspild aan pogingen om de liefde te winnen van een man die haar verafschuwde.

Freddie had haar en haar zuster vernietigd en ze wist dat hij van elke seconde had genoten.

Ze vroeg zich toen af of hij de dood van de kleine jongen, die hij als wapen tegen haar had gebruikt, als een verlies zou ervaren, of hij berouw voelde over al die jaren dat hij haar zoveel hartzeer had bezorgd. Ze hoopte dat de klootzak geen dag van geluk meer zou meemaken, ze hoopte dat al zijn kinderen zouden sterven en dat hij in een ziekenhuis zou zitten terwijl hun levenloze lichaam een paar meter van hem vandaan lag en hij dat nooit meer kon aanraken of van ze zou kunnen houden.

Waar was Freddie trouwens? Hij was niet in het ziekenhuis geweest, maar wat kon ze anders verwachten? Ze wilde hem vermoorden, hem de ogen uitkrabben, het hem betaald zetten dat ze door hem zulke gevoelens had gehad voor een kind dat ze zelf had gebaard.

Een kind dat nu dood was. Nu kon ze de eerste jaren van zijn leven nooit meer goedmaken, toen ze het zelfs afschuwelijk had gevonden om hem te voeden. Maar ze had van hem gehouden, was slechts bang voor hem geweest en wat hij kon veroor-

349

zaken wanneer de waarheid ooit naar buiten zou komen over hoe hij was verwekt.

Nu zou ze het van de daken schreeuwen en met een licht hart de gevolgen dragen, als ze hem daarmee kon terugbrengen.

Jimmy knielde voor haar neer en ze legde haar hoofd op zijn schouder, en huilde eindelijk, huilde echt. Toen ze eenmaal begon, kon ze niet meer ophouden. Ze hoorde zichzelf schreeuwen maar het klonk alsof het iemand anders was, alsof iemand haar lichaam had overgenomen, want dit gegil kon zij toch zeker niet voortbrengen?

En toen de dokter ten slotte een naald in haar arm liet glijden, was ze dankbaar voor de vergetelheid waar ze in kon wegglijden en hoopte dat God haar nooit meer zou wekken.

Waarom zou haar zoontje een plastic zak over zijn hoofd hebben getrokken? Waarom zou hij zoiets doen, wat heeft hem in hemelsnaam bezield om zoiets te doen?

Dat waren haar laatste gedachten.

Jimmy en Glenford zaten in de schemerende kamer en sloegen het zachte op- en neergaan van Maggies borst gade. Ze zag er zo vredig uit dat hij er bijna jaloers op was.

Hij had zijn kleine jongen een lange poos in zijn armen gehouden en een kus gedrukt op het kleine voorhoofd. Glenford had met hem gehuild, ze waren beiden in volslagen shock over wat hem en zijn gezin was overkomen.

Glenford had niet geprobeerd iets te zeggen, hij had naast Jimmy gezeten en was er gewoon geweest. Voorlopig was dat het enige wat hij kon doen, er zijn voor de man van wie hij in de afgelopen vijftien jaar was gaan houden en die hij respecteerde als vriend en broeder. Maar hij vroeg zich keer op keer af waarom Freddie er niet was, waarom Freddie het ziekenhuis had verlaten en niet was teruggekomen.

Voor één keer in zijn leven had hij er een eed op durven doen dat Freddie Jackson nu eens het juiste zou doen, en hij had het mis gehad.

Jimmy had hem nu nodig, meer dan hij ooit iemand in zijn leven nodig had gehad. Zelfs een egoïstisch stuk stront als Freddie zou dat toch tenminste moeten begrijpen. Jimmy had niet eens naar hem gevraagd, alsof hij wist dat Freddie niet zou komen opdagen. Het was raar, alsof hij had verwácht dat Freddie zich niet zou laten zien.

Dit was een verdrietige en uiterst merkwaardige dag en Glenford bad tot God dat hij nooit meer van zijn leven iets hoefde mee te maken wat er zelfs in de verste verte maar op leek.

Kleine Freddie zat met zijn spelcomputer te spelen toen de voordeur werd geopend. Hij hoorde het niet, hij had het veel te druk met het vermoorden van de figuren op het tv-scherm.

Hij genoot ervan dat hij het huis voor zich alleen had. Hij was zoals gewoonlijk niet naar school gegaan. Hij was trouwens toch weer geschorst, dus had hij wat met zijn eveneens geschorste kompanen rondgehangen en met smaak zijn nieuwtje verteld. Toen was hij naar huis gegaan en aan zijn nieuwe spel begonnen.

Hij haatte die stank van het tapijt, maar hij was eraan gewend, hoewel hij zo nu en dan bij de sigarettenwalm van de in de buurt staande, uitpuilende asbak zijn neus optrok. Er stond een schaal snoep naast hem en een groot glas jus d'orange dat hij royaal had aangelengd met zijn moeders voorraad wodka. Tegenwoordig kocht ze die per doos van een vent uit de buurt, die elke maand de oversteek naar Calais maakte om drank en sigaretten te halen.

Hij was gelukkig, ontspannen en erg met zichzelf ingenomen.

Op weg naar huis vanaf zijn vrienden had hij snoep gehaald bij de Indiase buurtwinkel. De man was er nog maar pas en kleine Freddie deed altijd aardig en beleefd tegen hem. Hij had geen idee dat de jongen zich suf glimlachte en ondertussen de halve tent leegroofde.

Mensen waren zulke stomme súkkels. Zijn pa had dat altijd gezegd en hij had gelijk. Mensen gingen nooit van het slechte uit, ze verwachtten dat je net zo was als zij. Aardig, vriendelijk en altijd in voor een babbeltje. Ze wilden dat je om ze gáf, om hun gevoelens en hun vervelende rotlevens.

Maar wie wilde nou zijn zoals zij?

Wie wilde verdomme zijn hele leven een stuk onbenul blijven?

Angst was een probaat middel, dat had hij keer op keer in zijn jonge leven meegemaakt. Zijn vader hield iedereen om hem heen met angst onder de duim en het was een gevaarlijk wapen. Op school hadden de kinderen al heel vroeg geleerd wat angst was, daar had hij wel voor gezorgd, en hij had het er al een eind mee geschopt.

Hij pakte alles van ze af wat hij wilde en ze gaven het graag af.

351

Hij was de zoon van zijn vader en daar was hij trots op, omdat hij zijn vader bewonderde door de manier waarop hij iedereen in zijn omgeving gebruikte. Doordat zijn naam een gegarandeerd paspoort was bij bijna alles wat hij ooit had gedaan.

Toen keek hij op en zag zijn vader in de deuropening staan. Ze keken elkaar in de ogen en Freddie junior wist dat hij diep in de shit zat.

24

Jimmy had tegen Glenford gezegd dat hij naar huis moest gaan, maar Glenford ging helemaal nergens naartoe. Hij bleef buiten de kamer staan waar Jimmy bij zijn vrouw zat en probeerde wijs te worden uit de gebeurtenissen van die dag.

Hij had het gevoel alsof hij op wacht stond, op Jimmy moest passen, maar hij wist niet of dat wel klopte, het kon ook zijn dat hij op de uitkijk stond.

Er was iets wat hij aan niemand vertelde, Glenford voelde dat diep vanbinnen. Glenford was ervan overtuigd dat wat Jimmy ook achterhield, dat zo explosief was, dat wanneer hij het zou laten ontsnappen, het door hun hele omgeving zou ricocheren. Maar als hij daar behoefte aan had, dan zou hij hier op zijn vriend staan wachten.

Dat was uit respect, uit vriendschap en op dit verschrikkelijke ogenblik kon hij niets anders bedenken. Als Jimmy iemand nodig had, zou hij er voor hem zijn. Dat wilde hij graag.

Hij voelde zijn pijn en wilde dat hij die van hem kon overnemen, ook al was het maar voor even.

Hij was in zijn auto geglipt en had een paar telefoontjes gepleegd, had iedereen op de hoogte gesteld van dit tragische verlies dat Jimmy en zijn gezin was overkomen, en was toen na een snelle trek aan zijn pijpje onmiddellijk weer naar binnen gegaan.

Hij hield van Jimmy maar tot dit gebeurde had hij zich nooit gerealiseerd hoeveel. Het was alsof hij een soort openbaring had gekregen. Hij wist nu dat hij meer van Jimmy Jackson hield dan van zijn eigen bloedverwanten, meer dan van zijn eigen gezin. Na alles wat er gezegd en gebeurd was, betekende hij meer voor hem dan wie ook in de wereld.

Hij híéld van die man, en waarom ook niet? Jimmy was er altijd voor hem geweest. Ze waren er eigenlijk altijd voor elkaar geweest.

En Glenford kon hem nu niet in de steek laten. Hij wist niet waarom, maar hij kon hem deze avond niet alleen laten. Dat zou veel te kíl, bijna rédeloos zijn en als Jimmy op een bepaald moment zou vertrekken, dan zou hij in de buurt blijven wachten om hem ervan te weerhouden overboord te springen. Hij wist dat Jimmy zijn hoofd zou kunnen verliezen en als dat gebeurde, moest hij er voor hem zijn.

Het was donker toen Freddie eindelijk het hospitaal binnenliep en Glenford, die nooit zijn grootste fan was geweest, was geschokt toen hij hem zag. Hij zag er verfomfaaid uit, zijn gezicht zag grijs en was van pijn vertrokken, niet zozeer fysiek als wel emotioneel.

Hij had gehuild, dat was zonneklaar. Eigenlijk zag hij er verwilderd uit en dat had Glenford niet van hem verwacht.

Dus stond hij op en zei vriendelijk: 'Gaat het wel, kerel?'

Freddie ging naast hem zitten, legde zijn hoofd in zijn handen en zei: 'Nee, nee, het gaat niet, Glenford. Hoe is het met hem?'

Glenford wreef met een hand over zijn gezicht. 'Hoe zou het met jou zijn als je in zijn schoenen stond? De man is compleet en volslagen verscheurd. Zijn leven is opgehouden. Ik heb hem nog nooit zo slecht gezien. Hij zit op het randje.'

Freddie wist dat hij de waarheid sprak, wist dat hij precies vertelde hoe het ervoor stond.

'Heeft hij iets gezegd?'

'Over de jongen? Eigenlijk niets. Ik denk dat hij in shock is...' Hij slaakte een zucht. 'Ik heb het gevoel dat hij iets achterhoudt. Het is raar, maar ik kan er geen touw aan vastknopen. Weet je wat ik bedoel?'

'Ik weet precies wat je bedoelt, Glenford.'

Dat was een merkwaardig antwoord. Er was iets helemaal mis en Glenford Prentiss kon niet het gevoel van zich afschudden dat Freddie en Jimmy er een compleet gescheiden verborgen agenda op nahielden.

'Hoe gaat het met Maggie?'

Glenford glimlachte bedroefd. 'Ze heeft een kalmeringsmiddel gekregen, vannacht is ze onder zeil en ik benijd haar, Fred, want de dood van dat kind is als een bom bij hen ingeslagen. En weet je wat? Ik zou voor geen goud in hun schoenen willen staan. Maggies vader en moeder kunnen niet geloven dat hij zoiets zou doen, weet je. Ze hebben natuurlijk de politie erbij gehaald, maar ik denk dat ze het als een tragisch ongeluk zien. Wat kan het anders zijn?'

Glenford slaakte nogmaals een diepe zucht. 'Waarom zou een kind zichzelf zoiets wíllen aandoen? Hij was waarschijnlijk aan het spelen, kinderen kunnen zo gevaarlijk doen. Ze doen de gekste dingen, het zijn nog maar kinderen.' Zijn stem klonk helemaal van streek, hij hoorde dat zelf, en hij kuchte krassend. 'De zak zat op zijn gezichtje geplakt. Zoiets verschrikkelijks om mee te moeten leven, die aanblik, zo verdomde verschrikkelijk voor welke ouders ook.'

'Wat heeft de kit gedaan?' Freddie hield zijn stem zo neutraal mogelijk.

Glenford haalde zijn schouders op. 'Wie weet wat ze denken, eikels die ze zijn? Maar ze hebben iedereen gesproken en je zag dat ze het net zo erg vonden als ieder ander. Het was een ongeluk, een tragisch ongeluk.'

Freddie gaf geen antwoord. Hij wist niet wat hij moest zeggen.

In plaats daarvan liep hij de kamer in waar Jimmy naast zijn stille, ontredderde vrouw zat en sloot de deur achter zich.

Jackie was dronken, zo dronken was ze in jaren niet geweest. Maar ze wilde niet nuchter zijn, en toen ze zag dat haar dochters met haar mee dronken, dat afschuwelijke besef verdronken van dat kind en de manier waarop het gestorven was, wist ze dat ze eindelijk begrepen hoe ze in het leven stond.

Paul en Liselle brachten de drankjes. Deze mensen kwamen zelden naar hun pub, maar vanavond was dan ook geen gewone avond, dat wisten ze wel. Freddie liet zelden toe dat Jackie daar kwam. Het was zijn mannenbastion en als ze er wel mocht zijn, duurde het bezoek nooit lang. Maar vanavond zou het een lange zit worden, zij gingen helemaal nergens naartoe.

Die arme Jimmy en Mags, dat hun zoiets verschrikkelijks moest overkomen. Liselle en Paul waren allebei verbijsterd toen ze het nieuws hoorden en daarom waren vanavond de drankjes van het huis.

Liselle moest denken aan alle keren dat Jimmy de jongen een paar minuten bij zich had gehad. Hij had eigenlijk met hem lopen pronken, en Liselle begreep dat wel. Hij was zo'n trotse vader geweest en nam de jongen zo veel mogelijk overal mee naartoe.

Hij aanbad hem en iedereen wist het van die arme Maggie. Ze had het na de geboorte zo moeilijk gehad en het had haar zoveel tijd gekost om weer de oude te worden. Jimmy had zonder zich een ogenblik te bedenken de zorg voor het kind op zich genomen. Uiteindelijk was alles weer goed gekomen, waren ze een gelukkig gezinnetje geworden en toen moest dit gebeuren. Zoiets gunde je niemand. Ze voelde zo met hen mee, het was zo'n prachtig stel.

De gedachte dat dit arme kind dood was, was meer dan ze konden verdragen. De hele pub was in stilzwijgende rouw gedompeld, behalve dan wanneer Jackie Jackson haar grote bek opentrok, uiteraard.

Liselle en Jackie hadden nooit met elkaar overweg gekund. Liselle verafschuwde haar terwijl ze dol op Maggie was. En Jackie was er al jaren van overtuigd dat Liselle iets met Freddie had. Die arme Jackie dacht dat van ongeveer elke vrouw, maar ondanks dat bleef Jackie op Liselles zenuwen werken.

Paul vond het allemaal wel grappig. Nou, dat moest hij zelf weten, maar zij stond op het punt om Jackie Jackson een fikse oplawaai te geven. Dat kind zou binnenkort worden begraven en zij gebruikte hem als excuus om rotzooi te trappen.

Deze keer zou ze het niet over haar kant laten gaan.

Maar de meiden waren fantastisch. Ze deden zo hun best om hun moeder in het gareel te houden, maar nog één opmerking en de Derde Wereldoorlog zou uitbreken.

Dit was een besloten dranklokaal, alleen toegankelijk voor leden. Er kwam speciaal volk, dat was zijn kracht. Liselle keek naar Jackie en hoorde haar verdomde kolerestem, en ze vond nu dat Freddie ondanks al zijn fouten wel de huid van een olifant moest hebben met dit verdomde dronken varken, dat na twintig jaar nog ruzie met haar probeerde te trappen. Ze zou Freddie Jackson nog niet met een baggerstok aanraken!

Jackie en haar gezelschap betaalden hun drankjes niet en dat vond ze prima, waarom ook niet? Maar Jackie deed alsof dit allemaal van haar was, alsof dit haar domein en haar stamkroeg was. Nou, Liselle had ook wat op, tegen haar gewoonte in trouwens, en vanavond had ze wel zin in een robbertje vechten. Ze moest het een en ander kwijt, ze moest stoom afblazen.

Paul zag Liselle naar Jackie kijken en hij voelde de spanning in de ruimte stijgen. Toen kwam Patricia O'Malley binnenwandelen en hij slaakte een zucht van opluchting.

Als er een uitbarsting kwam, dan hoopte hij dat dat tussen Pat en Jackie zou zijn, en dat zijn vrouw er niet bij betrokken raakte. Want Jackie zou echt op de vúíst gaan. En het ging niet om wannéér of zelfs áls, maar meer om met wíé.

Roxanna zag Pat de pub binnenkomen en ze hoopte dat haar moeder zich gedeisd zou houden. Ze wist het van haar vader en Pat, dat wist iedereen. En eerlijk gezegd was Pat een aardige vrouw die altijd vriendelijk tegen haar en haar zusters deed.

Rox begreep wel waarom haar vader zich tot haar aangetrokken voelde, ze begreep ook waarom zij haar vader aantrekkelijk vond. Pat was zo recht voor zijn raap, had zo'n sterke persoonlijkheid en was zo onafhankelijk dat ze wist dat ze haar vaders hoofd op hol zou brengen.

Rox was leep genoeg om te weten dat hij haar om die reden wilde. Pat was in sommige opzichten net een man, ze gebruikte mannen zoals de meeste mannen dat met vrouwen deden.

Nou, ze wenste haar veel succes en stond helemaal achter haar.

Rox bewonderde Pat en haar levensstijl. Ze wist dat haar moeder haar bij de gedachte alleen al zou wurgen, maar als ze naar Pat keek, wat tegenwoordig vaak het geval was omdat ze in het weekend hier met Dicky kwam, vond ze dat ze er fantastisch uitzag. En wanneer ze met haar praatte, waarvoor ze in het begin echt bang was geweest, had ze gemerkt dat Pat naar haar luisterde, erop lette wat ze zei. Bovendien was ze zo grappig dat ze haar moeder met haar hartgrondige wrokgevoelens helemaal vergat. Ze wist ook dat Pat haar vader iets kon geven wat haar moeder nooit zou kunnen of willen. Heel helder en eenvoudig. Bij haar vond hij een normale omgeving.

Zij was de enige vrouw die hem behandelde zoals hij elke vrouw in zijn leven had behandeld, en waar hij ook mee weg kon komen. Om die reden had hij respect voor haar. Ze liet zich niet in de luren leggen, door niemand niet en ze zag er fantastisch uit voor haar leeftijd.

Roxanna keek echt tegen haar op.

Nu was ze er benieuwd naar hoe haar moeder dit ging aanpakken, nu ze met haar grootste rivale in dezelfde ruimte was. Maar ja, haar moeder was er zoals gebruikelijk niet bij, ze was volslagen buiten zinnen. Rox sloeg haar gade en voor het eerst begreep ze waarom haar vader aan de ene kant in de buurt bleef, maar meer nog, waarom hij zijn huis meed als de pest.

Ze nipte van haar tonic en keek toe hoe die kleine taferelen zich voor haar ogen ontvouwden. Jackie was de kleine Jimmy nog niet vergeten. Ze was nu aan de drank vanwege dát, en ze had ook een lijntje coke gesnoven, omdat dát er was. Haar moeder had het totaal niet meer, was volkomen hysterisch. Als kind had ze haar zo vaak zo gezien, en nu werd ze er niet eens meer kwaad om.

Haar kind zou zoveel meer van zijn moeder meekrijgen, daar was ze zeker van. Ze zou er voor hem zijn, net zoals Mags en Jimmy er voor hun mannetje waren geweest. Ze wreef over haar buik en stelde zich voor dat ze een kind baarde en het dan zou verliezen. Zoals haar grootmoeder in het ziekenhuis al tegen haar had gezegd, de volgorde was verkeerd. Je hoort je kind niet ten grave te dragen. Zij horen jou ten grave te dragen.

Pat had iedereen gedag gezegd. Ze had gehoopt dat Freddie er zou zijn, maar hij was er niet en zijn vrouw staarde haar lang aan, zoals altijd wanneer ze elkaar toevallig tegenkwamen.

Het kon haar geen donder schelen.

Maar de meisjes mocht ze graag. Dat waren goeie kinderen, ondanks dat ze waren uitgebroed door die smerige drel met die groezelige voeten en dat opgeblazen lijf. Maar ze kende haar plaats, dus zei ze zo vriendelijk als ze maar kon opbrengen: 'Hé, Jackie. Wat verschrikkelijk allemaal, hè? Ik leef met ze mee.' Pat meende het oprecht. 'Die arme Maggie, ze moet wel in puin liggen.'

Jackie sloeg haar rivale gade, zag haar meisjes glimlachen, en zei haar gedag. Ze merkte nu dat Paul en Liselle haar nauwlettend in de gaten hielden. Toen herinnerde ze zich dat dit Ozzy's zuster was en eerlijk gezegd was Pat altijd aardig tegen haar, had haar nooit het vel over de neus getrokken zoals een paar van zijn hoeren dat in de afgelopen jaren wel hadden geprobeerd. Eigenlijk had ze wel zin in een lekkere ruzie, maar ze wist dat wanneer ze het met Pat aan de stok kreeg, ze de deur uit zou worden gezet. Ze genoot er eindelijk weer eens van om met de meiden samen te zijn en Rox had haar net een grote wodka gebracht, dus zei ze droevig: 'Haar hart is gebroken, Pat, dat kun je je wel voorstellen.'

Deze keer zou Jackie het op de vriendelijke toer gooien. Wat had ze er tenslotte aan om vanavond herrie te trappen? Freddie was er toch niet en in haar hart mocht ze die ouwe Pat wel.

Pat en de hele pub slaakten een zucht van opluchting.

'Weten ze ook hoe het is gebeurd?'

Rox haalde haar schouders op. 'Ze denken dat alles een spelletje is, toch? Op die leeftijd zien ze de gevaren niet. Maar zoiets verschrikkelijks is voor geen enkel gezin te verteren.'

Ze knikten allemaal ernstig en de meisjes keken elkaar aan,

dankbaar dat Jackie niet in een van haar krankzinnige buien was. Nog niet.

'Alles goed, Jim?' Freddie wist dat niets ooit meer goed kon komen, hij zei maar wat. Zomaar, om een gesprek te beginnen.

Jimmy knikte. In de laatste paar uur was hij jaren ouder geworden en Freddie durfde er een eed op te doen dat zijn haar grijzer was dan het die ochtend was geweest. Met hun donkere, dikke haar werden ze allebei al jong grijs, maar het stond hen goed. Ze konden er trots op zijn en op een of andere manier werden ze er mannelijker door.

Op dit moment leken ze meer dan ooit op elkaar, maar dat kwam vooral omdat ze beiden zoveel verdriet hadden, zo verbijsterd waren. Ze deelden een geheim en dit was het moment om te beslissen wat ze daarmee aan moesten.

'Het spijt me zo, Jimmy. Ik zweer het, jongen.'

Jimmy gaf hem geen antwoord.

'Alsjeblieft, Jimmy, zeg wat. Zeg alsjeblieft iets.' Freddie smeekte erom, dat was nieuw voor hem aangezien Jimmy hem beter kende dan wie ook.

Jimmy slaakte een zucht en keek hem aan. Toen hij eindelijk sprak, klonk zijn stem effen. 'Ik kan niet zeggen wat je wilt horen, Fred. Het spijt me, maar dat kan ik niet. Je hebt lang geleden je hart over hem uitgestort en dat speet me toen voor je, echt waar. Maar dit is geen verdomd konijn of de hond van de buurman, hoe erg dat ook was. Dit was mijn baby en dit laat ik niet over mijn kant gaan. Het spijt me, makker, maar dat gaat echt niet.'

'Ik regel het, Jim. Ik zweer het.'

Het woord 'regelen' deed de deur dicht. Ze regelden altijd van alles. Dat was hun werk, daar verdienden ze hun geld mee. Maar er viel niets te regelen als het ene kind door het andere was vermoord.

Alleen was kleine Freddie geen kind, dat was hij nooit geweest. Hij was een beest, een krankzinnige schoft. Tot nu toe had het Jimmy niet echt kunnen schelen, waarom ook? Hij was de zoon van Freddie. Hoe kon Jimmy bedenken dat hij zo diep zou ingrijpen in het leven van hem en zijn gezin?

De jongen was een wandelende tijdbom geweest en nu was het te laat.

'Wat wou je dan doen, Freddie?'

Freddie zweeg. Hij hield zich zo stil dat hij wel iemand anders leek, alsof hij zijn hele leven naar dit moment had toegewerkt. En wie weet, dacht Jimmy, was dat ook wel zo.

'Hij is binnenkort uit de weg, dat beloof ik je. Dan is hij vertrokken.'

Jimmy lachte halfhartig. 'Uit de weg, Freddie? Hoe dan? Dood uit de weg? Wat?'

Freddie zweeg weer. Hij probeerde uit alle macht zijn gedachten bij elkaar te rapen, maar dat was zo moeilijk. Hij wilde dat hij niet zoveel dope had gesnoven. Het was punt negen, het beste wat er te krijgen was en hij had het als een stofzuiger opgesnoven, alsof zijn leven ervan afhing.

'Hij kan er niets aan doen, Jimmy. Dat heb ik je al eerder gezegd. Hij kan er niets aan doen.'

Jimmy liet de hand van zijn vrouw met een zachte plof op het bed vallen. Toen greep hij Freddie bij zijn nekvel en trok hem ruw naar zich toe zodat ze elkaar recht in de ogen keken. Hij zei knarsetandend: 'Je hebt een beest voortgebracht. Iemand zou uiteindelijk voor die krankzinnigheid moeten opdraaien, en dat wist je maar al te goed. Ik zat hier en moest eraan denken hoe je hem hebt leren vloeken, leren vechten, ongelooflijk wat je met hem hebt gedaan. Die jongen heeft nooit een kans gehad, Freddie, daar hebben jij en Jackie wel voor gezorgd. Jij dacht dat het grappig was als hij zijn zusters aanviel, dat hij 's nachts niet in zijn bed lag maar de hele tijd naar die bloeddorstige films zat te kijken. Jij hebt hem zo gemaakt, en plotseling was het een gróót kind en toen was het allemaal niet meer zo grappig, hè? Hij had problemen op school, met het gerecht, en nog stééds ben je geen hulp gaan zoeken. Jij hebt hem aan zijn lot overgelaten en nu heeft hij mijn baby vermoord, je weet dat dat zo is.'

Hij gooide Freddie van zich af, alsof hij bang was om hem nog met een vinger aan te raken. Alsof hij besmet was.

'Dat weten we niet zeker...'

Freddie probeerde er wanhopig wijs uit te worden, er een andere verklaring voor te geven.

Jimmy schudde zijn hoofd toen Freddie ontkende. 'Het zou niet eens bij Jimmy junior zijn opgekomen om een zak over zijn hoofd te trekken. Waarom zou hij dat doen? Bovendien zat hij vástgebonden om hem op zijn plaats te houden. De politie komt terug, Freddie, dat weet je best, want het was onder zijn kinnetje vastgebonden. Joe heeft me dat verteld, omdat hij het er uiteindelijk heeft afgehaald zodat Lena hem kon zien. De zak zat vastgebonden om zijn gezicht. Dat kost tíjd, Freddie. Het was met voorbedachten rade. Mijn kleine Jimmy kon nog niet eens zijn schoenveters strikken, dus hoe kon hij die zak onder zijn eigen kin vastknopen? Dat stuk schorem, waarom heeft hij het gedaan, Freddie? Waarom?'

Hij stond bijna weer te huilen. Hij was zo boos en zo verdrietig, maar probeerde uit alle macht zijn emoties onder controle te houden.

Freddie schudde zijn hoofd. 'Ik weet het niet, Jimmy, ik weet het echt niet.'

'Je hebt heel wat uit te leggen, je hebt zóveel uit te leggen, Freddie. Stephanie. Lenny. Elke keer heb ik het door de vingers gezien, maar dit is de druppel. Jij en hij zijn precies hetzelfde, jullie geven om niets en niemand. Alleen mijn Maggie hier weerhoudt me ervan om de waarheid van de daken te schreeuwen, omdat ze er absoluut niet mee om zou kunnen gaan als ze weet hoe het is gegaan. Het zou haar dóód betekenen. Ík kan er al niet mee overweg, Freddie. Ik zie dat beeld steeds weer voor me. Mijn kleine Jimmy had hem vertrouwd, wilde het hem naar de zin maken, was báng voor hem. Maar ik waarschuw je, jongen. Als ik ook maar een glimp van je zoon in het oog krijg, dan zal hij erachter komen wat angst betekent, want dan sta ik niet voor mezelf in.'

Freddie huilde in stilte en Jimmy zag dat hij de tranen uit zijn ogen wegveegde, maar hij voelde niets, voor hem noch zijn verdriet.

'Ik heb het geregeld, Jimmy. Ik zweer je dat ik het heb geregeld.'

Jimmy wilde weer lachen, maar er zat geen lach meer in hem en hij betwijfelde het of die er ooit weer zou komen. Dit kon nooit geregeld worden.

'Ga weg, Freddie, wil je? Ik wil je niet meer in mijn buurt hebben.'

Freddie sputterde niet tegen, hij stond op en liep stilletjes de kamer uit. Jimmy keek hem niet eens na.

Dit was het einde van zijn leven, en dat van zijn vrouw. O, ze zouden hun leven wel weer oppakken, ze moesten wel. Dat ging nu eenmaal zo na zo'n gebeurtenis, maar dat was het dan ook. De routine van alledag zou weer terugkomen, meer ook niet.

Dianna was bang. Ze ging nog steeds met Danger Man uit en hij speelde nog altijd een spelletje met haar. Ze was weggeglipt om hem te ontmoeten en hij was niet komen opdagen.

Nu zat ze in het donker aan de kant van de weg en ze wist zeker dat hij niet zou komen. Dit had hij haar al eerder geflikt en ze zou eigenlijk met haar familie in de pub moeten zitten, daar hoorde ze te zijn. Ze zaten midden in een verschrikkelijke tragedie en ze zou nu bij hen moeten zijn, niet hier zitten wachten op een vent die haar als een stuk vuil behandelde. Terry Baker was verslavend. Ze had hem nodig, wilde hem en zonder hem had ze het gevoel dat ze niets was.

Ze had meer dan een uur op hem gewacht en eindelijk had ze er genoeg van. Ze stond op het punt om naar haar familie terug te gaan, naar de warmte van de pub en het rouwen samen. Stom dat ze sowieso was weggegaan.

Ze begon langzaam terug te lopen. Ze had hoge hakken aan en haar voeten deden akelig pijn. Ze was bijna bij de pub toen hij naast haar stopte.

Ze besloot hem te negeren. Deze ene keer vond ze dat ze er recht op had dat hij achter haar aankwam. Ze liep met opgeheven hoofd, maar met pijnlijke voeten, naar binnen.

Terry Baker ging achter haar aan en dat was de grootste vergissing van zijn leven.

Roxanna zat met Kimberley over haar zwangerschap te praten en Kimberley was een beetje jaloers. Ze benijdde haar zuster om haar leven. Dicky was een juweel en iedereen met ogen in zijn hoofd kon zien dat hij haar zuster aanbad. Kim had geen vriendje. Ze probeerde nog steeds van de dope af te blijven, een leven op te bouwen en dat deed ze goed genoeg om iedereen tevreden te houden.

Door de dood van kleine Jimmy hadden ze allemaal op hun eigen manier hun leven in ogenschouw genomen en de meisjes praatten over Roxanna's baby omdat ze niet meer over het drama konden praten. Ze raakten er te zeer door van streek. De gedachte dat die arme Mags wakker zou worden en merken dat het allemaal echt waar was, speelde door hun beider hoofd. Dianna kwam weer binnen en ze stootten elkaar aan. Ze wisten dat Dianna een vriendje had, maar ze wilde aan niemand iets over hem kwijt.

Jackie was helemaal van de kaart en schreeuwde lallend: 'Hé, Di, waar ben jij geweest?'

Dianna glimlachte en liep naar haar moeder toe. Ze zag dat Patricia er ook bepaald niet op vooruit was gegaan.

'Alleen een frisse neus gehaald, mam, dat is alles.'

Jackie lachte die vette, insinuerende lach van haar, waar de meisjes zo'n hekel aan hadden. 'Noemen ze dat tegenwoordig zo, Pat? Ik heb ook een paar keer een frisse neus gehaald. Ik wed jij ook en Freddie doet er soms een hele nacht over!'

Ze gilde het nu uit van de lach en Dianna kon haar wel wurgen. Om zoiets tegen Pat te zeggen, alsof ze allemaal meisjes onder elkaar waren. Terry moest de insinuaties over haar eigen dochter ook hebben gehoord en dat maakte haar van streek.

Pat lachte met Jackie mee, zoals van haar werd verwacht, maar echt leuk vond ze het niet. Ze had al genoeg aan haar hoofd zonder naar al dat gewauwel te moeten luisteren, maar ze moest blijven. Ze wilde Freddie zien, van hem horen wat er gebeurd was. Voor de verandering had ze hem nu eens nodig en dat was compleet nieuw voor haar.

'Hallo, Terry!' riep Jackie luidkeels maar vriendelijk.

Terry Baker liep naar de bar en zei joviaal: 'Is dat die ouwe Jackie Summers niet?'

Het was lang geleden dat iemand haar bij haar meisjesnaam had aangesproken en vanavond was Jackie er blij mee. *Jackie Summers.*

Het leek wel een leven geleden dat iemand haar zo had genoemd.

'Als dat niet Terry Baker in eigen persoon is!' Ze keek pronkend naar haar dochters. Nu ze niet meer voor hen hoefde te zorgen, genoot ze ervan dat de mensen konden zien wat voor mooie meiden ze had. Ze wist dat zij daar eigenlijk niets aan had gedaan, maar dat maakte haar niet uit.

'Hé, meiden, dit was mijn eerste vriendje. We zaten nog op school en ik ging met hem uit om je vader jaloers te maken.'

Ze moesten erom lachen en Dianna wilde dat ze ter plekke doodvielen, ze wilde ze van de aardbodem wegvagen. Ze zag zo dat Jackie, haar moeder, onder de dope zat, net als Terry trouwens. Net als haar moeder ging hij na een paar lijntjes helemaal uit zijn dak, wist hij niet meer wat hij zei en, belangrijker nog, tegen wie hij het zei.

'Leuke meiden, Jackie, maar in jouw tijd was je ook een stuk, hè?'

Jackie negeerde de conclusie dat ze wat deuken had opgelopen en bestelde nog wat te drinken. Ze mocht Terry graag, hij had een tijd gezeten vanwege een gewapende roofoverval, dus liet ze hem praten. Vijftien jaar met alleen een stelletje kerels en je rechterarm deed dat met een lichaam, dat wist ze maar al te goed.

Dianna bloosde en ze was ervan overtuigd dat iedereen in de pub van haar geheim wist. Het enige was ze nu nog wilde was dat ze door de grond kon zakken.

'Zo, wat doe jij hier?'

Terry haalde zijn schouders op. 'Hetzelfde als jij, neem ik aan. Een borrel, Jackie.'

Jackie glimlachte. 'O, we zijn hier al een tijdje...'

Hij onderbrak haar nogal ruw en zei: 'Dat had ik al begrepen, liefje, je bent behoorlijk ver heen.' Hij lachte om zijn eigen grap. Maar niemand lachte mee.

Jackie was zich nog steeds niet bewust van de spanning om haar heen, maar Paul en Liselle keken elkaar aan. Dit kon wel eens herrie betekenen, wisten ze.

'Heb je het al gehoord, Tel?'

'Wat gehoord, meid?' Hij was nu een en al oor, deed alsof hij geïnteresseerd was in wat Jackie te zeggen had en stak met een theatraal gebaar zijn handen omhoog.

Pat en de meisjes hadden hem onmiddellijk in de smiezen. Hij was knettergek en was op zoek naar mot, op zoek naar een zondebok. Hij had geen enkel respect voor Jackie Jackson en dat alleen al betekende dat hij dood wilde.

Jackie had echter totaal niet in de gaten dat hij haar in de maling nam. Dat kwam niet eens in haar op.

'Die arme Jimmy Jackson heeft vandaag zijn zoon verloren.'

Terry fronste zijn wenkbrauwen alsof het gewicht van de wereld op zijn schouders rustte en zei toen sarcastisch: 'Waar heeft hij hem precies verloren, Jackie, in de moerassen? In het Amazonegebied? Ergens om de hoek? Waar?'

Hij staarde haar met een gemeen, sarcastisch scheef glimlachje aan en daagde haar uit hem antwoord te geven.

Eindelijk drong het tot Jackies hersens door dat hij haar belachelijk stond te maken. Ze was gekwetst, in de war. Hij zette haar voor gek en ze had er niets van gemerkt, maar ze wist dat de anderen het wel in de gaten hadden gehad.

Dicky sloeg haar nauwlettend gade en ze wist dat hij op het punt stond om in te grijpen. Maar Terry was een ouwe vriend, waarom zou hij haar ten overstaan van iedereen zo te kakken willen zetten? Hij wist met wie ze getrouwd was, en dat hij zo de spot dreef met de dood van een kind, zou niemand die het had gehoord hem kunnen vergeven, laat staan wanneer Freddie en Jimmy ervan te horen zouden krijgen. En die zóúden het te horen krijgen.

Ze voelde dat ze met zachte hand bij Terry vandaan werd geleid.

'Neem een borrel en sodemieter op, makker. Heb je dan geen enkel respect?' Dicky kookte van woede. Dit liet hij niet gebeuren, zeker niet door zo'n zak als Terry.

Terry draaide zich naar hem toe en zei dreigend: 'Zo, en jij gaat daar zeker voor zorgen?'

Dianna bestierf het. Waarom deed hij dit? Waarom schopte hij zoveel rotzooi? Ze stond op het punt om van angst flauw te vallen.

'Met plezier, makker. Als je op de vuist wilt, dan kun je het krijgen ook.' Dicky was er helemaal klaar voor, wat er ook zou gebeuren.

Jackie draaide zich om.

'Hou ermee op, Terry. Wat is er met jou aan de hand? Wat is je probleem, verdomme?'

Toen keek hij Jackie aan en ze zag pure en complete walging in zijn ogen toen hij hardop zei: 'Wie denk je wel dat je bent, Jackie? Wat denk je verdomme wel om me te vragen wat er aan de hand is?'

Hij prikte haar nu met zijn vinger en Jackie zou Jackie niet zijn als ze liet gebeuren dat hij haar zo voor schut zette, laat staan haar op deze manier kleineerde.

Ze wilde met haar arm uithalen, maar Patricia greep haar beet en trok haar weg. Toen dook Dicky er als een buldog op.

Paul had de glazen al van de bar gehaald en sprong zwaaiend met een honkbalknuppel naar voren. Daarmee sloeg hij uit alle macht op Terry's hoofd. Dicky griste de knuppel uit zijn handen en toen brak de hel los.

Een paaldanseres en vriendin van Jackie, Pat de Pole geheten of Pole Fletcher, had ook de gemene taal van Terry gehoord en ze was het soort vrouw dat vastbesloten mee wilde knokken. Per ongeluk gaf ze helaas Dicky een schop waardoor hij werd gevloerd. Haar welgevormde benen waren haar kostbaarste bezit en menig man kon zijn ogen er niet van afhouden.

Pats echtgenoot, Harry Fletcher, een marktkoopman uit Fromford, wist voor zichzelf op te komen. Hij ging er prat op dat hij voor niemand bang was. De enige die hem enigszins angst kon aanjagen was Pats moeder, die bij Jan en alleman bekendstond als Nanny Donna. Toen Harry ertussenin sprong en zijn vrouw uit het strijdgewoel probeerde weg te halen, riep een omvangrijke jongeman die Richie Smith heette, uit: 'Laat haar toch, Harry, zij zal de klus beter klaren dan jij.'

Zelfs Dicky moest lachen toen Richie met Harrie zijn vrouw tot bedaren bracht. Toen draaiden ze zich om naar Terry Baker. Terry stond op het punt de afranseling van zijn leven te krijgen en niemand die toekeek, zelfs niet de kleine Dianna, was bereid hem te helpen.

25

Terry lag bloedend en bont en blauw op de grond, Dianna ging tegen beter weten in naar hem toe. Toen ze naast hem op haar knieën wilde gaan zitten om hem te troosten, trok Roxanna haar ruw weg.

'Laat hem, Di, in hemelsnaam. Hij is verdomme een lachertje.' Ze zei het op een toon waarin doorklonk dat ze dacht dat haar zuster gek was geworden.

'Maar kijk nou toch, Rox, hij ziet er niet uit.'

'Inderdaad niet, verdomme, en dat is zijn verdiende loon.'

Rox zei het keihard en zonder enige emotie. Het schoot door Dianna heen dat, ook al deed ze alsof ze hun zogenaamde vader minachtte, Rox meer op hem leek dan ze dacht.

Feitelijk kwam hier nu de loyaliteitsfactor om de hoek kijken, niets meer en niets minder.

Dianna hoorde Terry kreunen. Ze wist dat hij verschrikkelijke pijn leed en ze wist niet wat ze daaraan kon doen. Zíj had dit allemaal veroorzaakt. Hij had haar uitgelegd dat haar vader hem haatte, en hoe Freddie hem in het verleden had gebruikt. Als ze nu maar buiten op hem had gewacht, als ze niet naar binnen was gegaan, dan was dit nooit gebeurd. Moest je hem nu zien. Hij zou het haar nooit vergeven, dat wist ze zeker, en wie kon hem dat kwalijk nemen?

Zijn onderarm was gebroken, die bungelde aan de elleboog. Hij was zo degelijk afgerost dat hij nooit meer zou kunnen werken. Hij zat onder zijn eigen bloed en ook al wisten ze dat hij het wel zou overleven, dat was geen garantie wanneer Freddie Jackson het hele verhaal te horen zou krijgen.

Terry moest volkomen gestoord zijn geweest om er zelfs maar aan te denken Freddies familie te kakken te zetten. Jackie Jackson stond algemeen bekend als een dronkenlap, een pillenslikker en een trut. Maar dat zeiden haar vríénden in de vertrouwde, veilige omgeving van hun eigen huis. Niettemin wás ze de vrouw van Freddie, ook al bleef hij alleen nog in de buurt vanwege de jongen. Jackie was voor iedereen wiens leven, dat van zijn gezin of zijn geloofwaardigheid hem lief was, verboden terrein.

Bij Terry Baker moest een steekje los hebben gezeten, maar aan de andere kant hadden ze de verhalen over hem gehoord. Roddel was tenslotte het belangrijkste onderwerp van hun gesprekken. Het werd natuurlijk niet als roddel betíteld, ze gaven elkaar zogenaamd geheime informatie door, of gaven een tip. Zij handelden in féíten, niet in vrouwenpraat.

Dicky stond te trillen van woede en de opwinding die een zware knokpartij in een lijf teweegbrengt, vooral omdat hij er als onbetwiste winnaar uit tevoorschijn was gekomen. Hij sloeg de brandy achterover die hem door Paul in de hand werd geduwd en hij voelde de vriendelijke en respectvolle hand die hem zacht in de schouder kneep. Paul liet hem zo weten dat hij het goed had gedaan.

Hij keek naar Rox en hij wist dat hij deze prachtige vrouw een enorm plezier had gedaan. Ze barstte van trots en straalde naar hem terwijl hij zichzelf tot bedaren probeerde te brengen.

Hij had de reputatie van haar moeder gered, wat ervan over was in elk geval, en haar eer verdedigd. Wat zíj bij zichzelf van haar moeder vond, daar zou niemand buiten de hechte familiekring iets van te horen krijgen. Jackie was tenslotte haar moeder. In hun wereld betekende dat alles.

Dicky begreep die manier van denken en hij wilde Jackie het voordeel van de twijfel geven. Zijn eigen moeder had bijna haar hele leven op de baan gestaan en hij respecteerde haar daarom. Hij vond het niet léúk, maar hij begréép het wel. Het verdriet dat hij als kind had moeten doormaken omdat zijn moeder had gekozen voor zo'n uitermate lucratieve broodwinning, was voor hen beiden de moeite waard geweest. De vechtpartijen die automatisch volgden wanneer hij werd uitgescholden, of werd uitgelachen door de kinderen met wie hij omging, hadden hem goed op dit leven voorbereid. Hij kon wel een stootje hebben en hij was blij met het feit dat hij kerels die veel groter waren dan hijzelf aankon, dat had hij zijn hele leven al moeten doen.

Vechten of sterven was toen zijn enige optie geweest, en hij had eerst voor zijn moeder en later voor zichzelf en het respect van zijn familie gevochten. Zijn vader was het grootste deel van zijn leven voortvluchtig geweest of had achter de tralies gezeten. Ze had gedaan wat ze kon om voor hem te zorgen en niemand kon ook maar een kwaad woord over haar spreken, in de verste verte niet.

Nu het gevecht achter de rug was, zaten de deuren op slot en was de plek in alle opzichten verboden terrein, met name voor de juten. Het was natuurlijk vanzelfsprekend dat niemand iets had gezien of gehoord van wat er was gebeurd.

Terry zou op een bepaald moment voor de deur van een ziekenhuis worden gedumpt maar nu mocht hij nog even blijven liggen nadenken over wat voor klootzak hij was, en daar was iedereen het in het pand roerend over eens.

Rox duwde Dianna naar de kant en zei fluisterend: 'Wat is er verdomme met jou aan de hand? Hij heeft onze moeder te kakken gezet en jij gaat hem een beetje lopen helpen?'

Ze probeerde deze zuster van haar te begrijpen, die wat haar betrof zelf wel een pak slaag verdiende. Ze wisten allemaal hoe het spelletje gespeeld moest worden, daar waren ze mee opgegroeid, dus waarom zou Dianna, Diánna godbetert, hem willen helpen? Ze begreep er niets van, maar ze was een slimme tante en plotseling trof de reden haar als een biljartbal in een sok.

'Is hij die mysterieuze gozer? Is hij die klootzak die je voor ons hebt verstopt? Geen wonder dat je niet wilde dat je vader er iets van wist. Dat is Terry Baker.'

Dianna knikte. Ze was er gloeiend bij.

'Pap haat hem, Di.'

Dianna was bijna in tranen. 'Pap haat iedereen.' Ze klonk als een nukkig kind, zelfs in haar eigen oren.

'Daar heeft hij alle reden toe en dat weet je best. Ondanks al zijn fouten past pap op zijn eigen manier op ons. Terry Baker zat in de lik vanwege een gewapende roofoverval en het verhaal gaat dat hij bonje met pa heeft gehad voordat hij de bak indraaide. Knoop dat voortaan maar in je oren.'

Terry Baker was de geschiedenis ingegaan als de enige die Freddie Jackson ooit te pakken had genomen en ermee weg was gekomen, maar alleen omdat hij tot zijn geluk in de kraag werd gevat toen hij de NatWest bank in Silvertown had beroofd. Niemand wist hoe de ruzie was ontstaan, alleen dat Freddie dagenlang naar hem had gezocht voor de fatale overval. Dat Terry tegen de lamp was gelopen had hem feitelijk het leven gered.

Hij was een knappe, opschepperige man en bovendien een hufter. In de plaatselijke folklore stond hij bekend als een man die in het wilde weg berovingen pleegde, zonder enige reden, behalve dan voor een jachtgeweer en twee makkers die net zo stom en naïef waren als hij. Hij had zijn hele leven al een persoonlijkheidsstoornis gehad, wat eigenlijk betekende dat hij géén persoonlijkheid had.

Hij kon stampei maken om een pond, en als hij drank of drugs op had werd hij chagrijnig en agressief, en was hij bovendien in de onterechte veronderstelling dat hij iedereen aankon. Je kon veel van Terry Baker zeggen, maar hij was geen straatvechter. Hij was een man van wapens, een machetekoning, niet een man van de vuist, ook al dacht hij daar zelf soms anders over.

Maar vrouwen waren dól op hem. Hij wist op de juiste knopjes te drukken en met zijn knappe gezicht verborg hij vakkundig zijn diepe minachting voor het vrouwelijk geslacht. Hij had Dianna als niets meer beschouwd dan een lekker stuk, om pret mee te maken. Hij neukte de dochter van zijn grootste vijand. Wat wilde een man in zijn positie nog meer?

'Pa, alsjeblieft, pa...'

Freddie slaakte een zucht toen hij de auto stilzette. Hij keek zijn zoon aan, zijn jongen, en het verbaasde hem niet dat hij helemaal niets voor hem voelde. Door de jaren heen was hij door een reeks emoties voor dit kind gegaan, woede, liefde, verdriet. Zelfs hij was er gevoelig voor wanneer een kind wilde dat je van hem hield, hem beschermde, maar ook Freddie Jackson had zijn grenzen.

Wat hij ook in zijn eigen leven had gedaan, hoe slecht hij in de afgelopen jaren kleine Freddie en zelfs Maggie ook had behandeld, hij kon op geen enkele manier zijn zoons daden goedpraten.

Kleine Freddie joeg hem angst aan. Dit kind had zonder dat hij het wist de zoon van hem weggenomen van wie hij heimelijk had gehouden.

Jimmy junior was alles geweest wat hij van een kind had gewild. Hij was bovendien een troefkaart in een oorlog die hijzelf was begonnen en die hij zelf uitvocht. Elke keer dat Jimmy een nieuwe deal had gesloten, zijn macht weer een stukje had weten op te krikken, had Freddie zichzelf kunnen troosten met het feit dat hij de touwtjes in handen had, dat hij iets wist wat Jimmy boy niet wist. Hij had die macht nodig gehad.

En toen was er iets gebeurd wat hij nooit voor mogelijk had gehouden, en nadat hij er lange tijd tegen had gevochten, had hij het uiteindelijk geaccepteerd.

Jimmy junior kreeg vát op hem, had hem kwétsbaar gemaakt. En dit kind van hem, kleine Freddie, had dat op een of andere manier gevoeld, was daar kwáád over geweest. En net als zijn vader zou hebben gedaan, had hij maatregelen genomen om daar een einde aan te maken.

In zeker opzicht kon een apart deel van hem het gezichtspunt van de jongen wel begrijpen, maar het was verkeerd. Kleine Freddie was veel te jong om iemand uit zijn omgeving op te ruimen. Veel te jong om toe te laten dat zoiets zelfs maar in hem op zou komen.

Hij zag keer op keer voor zich hoe dat kleine joch naar adem had gesnakt, en de wetenschap dat een ander kind willens en wetens dat lijden had veroorzaakt, kon hij niet verkroppen. Hij probeerde er wanhopig wijs uit te worden. Hij hield op zijn eigen merkwaardige manier van kleine Freddie, en hij wist dat dit kind van hem hield, écht van hem hield.

Dat had hij door zijn daden bewezen.

Hij wist ook dat die jongen van hem een tijdbom was. Op een dag zou zijn zoon zelfs voor hem een gevaar kunnen vormen, of Rox' kind kon in zijn ogen plotseling de volgende bedreiging van zijn veiligheid worden.

Tijdens de rit had hij kleine Freddie verteld dat hij wist wat hij had gedaan en dat hij hem ging aangeven. Niet bij de kit, dat ging zelfs Freddie Jackson te ver, maar hij zou hem onder toezicht plaatsen. Dan kon hij daar zijn leven wegrotten.

Maar nu had hij echt de auto stilgezet, had in de ogen van kleine Freddie gekeken en vroeg zich in alle eerlijkheid af of hij zover kon gaan. Deze jongen had hem aan een huis gekluisterd dat hij haatte, aan een vrouw die hij al niet meer wilde voordat hij al die jaren de bak in was gedraaid. Het kind was bij zijn eigen moeder voor galg en rad opgegroeid, degene die hem veiligheid had moeten bieden en die voor hem had moeten zorgen. Jackie had heel wat op haar geweten en hij had een heleboel goed te maken, op te lappen.

Door dit simpele feit had hij de auto aan de kant gezet. Hij wist wat het betekende wanneer niemand je wilde. Zijn vader had nooit om hem gegeven, niet echt, en hij begreep de angst van zijn zoon dat iemand anders misschien belangrijker voor hem zou worden. Dat dat kleine beetje liefde en affectie die hij naar willekeur van de ouder in kwestie kreeg, hem werd afgepakt.

Freddie was zich terdege bewust van zijn falen, en hij wilde deze avond, en deze zoon, zo ver mogelijk van zich af gooien, maar hij was verantwoordelijk voor kleine Freddie.

Hij wist dat hij moest doen wat hij had beloofd, maar dat

was makkelijker gezegd dan gedaan. Dit was zijn wettige vlees en bloed en hij was er niet zo zeker van dat hij hem nu al kon dumpen.

Het ging niet alleen om gezichtsverlies en de angst dat alles uit zou komen. Hij voelde de oprechte doodsangst in golven van zijn zoon af komen. En omdat kleine Freddie zijn enige zoon was, wist hij hoe het was om genegeerd te worden, hoe het voelde als je ongewenst was, alleen maar als een handenbinder werd beschouwd. Freddies moeder had hem ook gebruikt en tijdens haar hele huwelijksleven gemaakt tot wat hij was geworden. Net als Jackie had Maddie geweten dat zijn vader de benen zou nemen. Hij had het aan Freddie overgelaten om uiteindelijk het goede te doen, en dat had hij gedaan. Freddie was er voor zijn vader geweest vanaf het begin tot het einde van zijn veelbewogen en zinloze leven.

Dus nu was hij niet meer zo zeker of hij dit kind kon wegstoppen, nu de drift was gezakt en de woedende reflex van eerder die dag was overgedreven.

Hij had een plicht ten opzichte van zijn enige zoon. Hij zou achter hem moeten staan, moeten proberen wijs te worden uit wat er was gebeurd en ervoor te zorgen dat dit nooit meer zou voorkomen.

Hij wilde zijn handen van kleine Freddie aftrekken en hem voor zijn daden straffen, en tot nu toe was hij ook vastbesloten geweest om dat te doen. Maar nu, nu hij naar hem keek en zag hoe diep ongelukkig dit kind werkelijk was, wist hij niet meer zo zeker of hij hem kon opgeven. Jimmy junior was er niet meer, maar deze jongen nog wel.

Zijn mobieltje ging af en binnensmonds vloekend nam hij op.

Lena en Joe waren weer teruggegaan naar het ziekenhuis omdat ze niet precies wisten wat ze moesten doen. Ze voelden zich zo schuldig, zo verantwoordelijk. Hun dochter was uitzinnig van verdriet en ze hadden besloten dat ze er voor haar moesten zijn, wat er ook gebeurde.

Vooral Joe voelde het volle gewicht van wat er was gebeurd. Hij voelde het zo scherp dat hij zich afvroeg of hij dat gevoel zou overleven, dat als een loden last op zijn borst drukte. Niet alleen omdat de jongen was gestorven, maar vooral omdat hij wist dat het geen ongeluk was geweest, zoals iedereen dacht.

Zodra hij zich had gerealiseerd wat er werkelijk aan de hand was, had hij zijn mond moeten opendoen. Die krankzinnige schoft van een Freddie had eindelijk iemand vermoord, en hij had de liefste, belangrijkste persoon uit hun leven omgebracht.

Maar desondanks, en wat voor een klootzak dat kind ook was, Joe's natuurlijke loyaliteit zorgde ervoor dat hij dit niet zo makkelijk naar buiten kon brengen. Kleine Freddie was zijn vlees en bloed, en Joe was bovendien niet gerust op Jackies reactie.

In zijn hart was hij bezorgd of Freddie wist hoe het in elkaar stak, maar het joeg hem nog meer schrik aan dat Maggie erachter zou komen. De hele familie zou in een oogwenk ineenstorten.

Hij wist ook, of liever gezegd, ráádde dat Jimmy er veel meer van wist dan hij liet merken. Dus zat hij met zijn vrouw en schoonzoon aan het bed van deze prachtige dochter, die nooit over dit drama heen zou komen. Dat was zo klaar als een klontje.

Jackie snoof haar lijntje coke op, snoof luidruchtig toen het witte poeder haar neus in werd gezogen en achter in haar keel terechtkwam. Door de bittere smaak moest ze kokhalzen maar ze boog haar hoofd naar voren en snoof nogmaals luid op om er zeker van te zijn dat ze de volle mep binnenkreeg. Toen keek ze in de smerige spiegel, die aan de muur van het toilet in de pub prijkte, en voor het eerst in jaren zag ze zichzelf zoals anderen haar zagen.

Ze zag geel, het was nog geen geelzucht, maar ze was goed op weg. 'Een vergeelde huid', zo zou haar moeder het beschrijven.

Haar haar hing slap neer en was vettig, haar ogen lagen verzonken en waren bloeddoorlopen, haar lichaam deed pijn en was opgezet. Ze had op haar Freddie gewacht, naar haar Freddie verlangd en toen hij eindelijk uit zijn gevangeniscel bevrijd was, had hij er jonger en fitter uitgezien dan ooit.

Wat had ze toen een borrel nodig gehad.

Heel diep weggestopt was ze er doodsbang voor, hoe ze eraantoe was, maar net als de vele alcoholisten die haar waren voorgegaan, zou ze de symptomen negeren totdat ze uit elke porie naar buiten zouden barsten. Wat kon ze anders doen? Door de drank waren de dagen draaglijk en gingen de nachten voorbij.

Freddie wilde haar niet, hij wilde de Pats van deze wereld en de jonge meisjes, en tegen hen kon ze niet op. Sinds de geboorte van Kimberley was ze een puinhoop geweest. Haar buik was uitgezakt en ze was bezaaid met littekens. Zelfs op haar knieholtes en ellebogen zaten strepen. Het kleine beetje zelfvertrouwen dat ze nog had gehad, had haar net als haar man verlaten.

Jackie had niet het advies gekregen dat tegenwoordig heel gewoon was... gebruik een lotion, zorg dat je niet te zwaar wordt. Haar was verteld dat ze voor twee moest eten! Als je zwanger was kon toch zeker niemand van je verwachten dat je eruitzag als een verdomde schoonheidskoningin! Niemand vertelde je hoe je de aftakeling van je lijf kon tegengaan. Dat soort bladen werd in hun wereld niet gelezen. Ze had ooit een *True Crime* gekocht en soms een *Woman's Own*. Je moest het zelf uitzoeken en ze leerde pas iets over gezond eten toen het al te laat was.

De eerste geboorte had haar al geruïneerd en wanneer je iemand als Freddie had, was je je terdege bewust van de sletten die aan zijn arm hingen, de arm van een schurk. Freddie had net als de meesten van zijn kompanen de bevestiging van die meisjes nodig, hij moest met die jonge meiden gezien worden. Haar vader was net zo geweest, maar op veel kleinere schaal, dat wel.

Freddie had haar hart gebroken en daar zou ze nooit overheen komen.

Het was géén optie dat ze zou stoppen met drinken. Met een paar borrels kon ze doen alsof haar leven fantastisch was, zichzelf ervan overtuigen dat haar man heus wel van haar hield. Als ze 's ochtends een paar slokken nam, trilden haar handen niet, lang genoeg om een sigaret op te kunnen steken.

Het was zo makkelijk om haar te veroordelen, het te hebben over haar dránkprobleem. Vooral haar dochters, die als het om mannen ging nog nagenoeg maagd waren en nog steeds in 'ze leefden nog lang en gelukkig' geloofden. Maar ze zouden er wel achter komen, zoals elke vrouw er uiteindelijk achter kwam. Het leven eiste zijn tol veel eerder van vrouwen dan van mannen.

Jackie dronk omdat ze zonder haar steunpilaar alcohol doodsbang was voor haar leven en alles wat daarmee te maken had. Toen Freddie in de lik zat, had ze erdoor kunnen slapen wanneer de eenzaamheid haar veel te veel werd. Een paar glazen hadden haar dag opgeklaard, wanneer de druk van het alleen zijn met drie kinderen te groot werd en ze haar man zó acuut nodig had gehad dat ze het gevoel had gehad dat ze doodging van verlangen naar hem.

Wanneer een man de gevangenis indraaide, realiseerden de bij het proces betrokken rechter, de advocaten en juristen zich nooit dat daarmee ook een héél gezin werd veroordeeld. De schúrk werd opgeborgen, en dat hoorde ook zo, zo was de wet. De maatschappij kon daardoor weer wat rustiger slapen, maar hoe zat het met de moeders, vrouwen en kinderen die achterbleven, rouwden om een dierbare die levenslang had gekregen maar niet dood was? Hoe zat het met de liefde die ze voor hen voelden? Degene in het beklaagdenbankje was vaak een vreemde voor hun familieleden, en werd vaak door overijverige politiemensen en de openbaar aanklager veel slechter voorgesteld dan hij werkelijk was. Dus vond de familie eigenlijk niet dat het recht zijn loop had gehad, omdat ze degene moesten missen die zij wel kenden, degene die van hen had gehouden en van wie zij op hun beurt hielden, degene die er altijd voor hen was geweest, of met wie ze als kind hadden gespeeld, die hen had verzorgd wanneer ze ziek waren. Hoe dan ook van hen hield.

Niemand dacht aan mensen zoals zij, wier hele leven voorbij was vanwege een juryuitspraak en die, toen haar man zover van hen werd opgesloten, met twee kleine meisjes en een buik vol armen en benen achterbleef. Die volkomen aan haar lot werd overgelaten. Die de bevalling alleen had moeten doormaken, met tranen op de wangen, omdat de baby haar vader in geen maanden zou zien, alleen maar een vader op afstand had, of tijdens het bezoekuur, een vader van wie het kind geen idee had wie hij was. Dus uiteindelijk was de drank haar verlossing geweest, het enige wat de pijn vanbinnen kon tegenhouden en haar nachtrust bezorgde.

Tegen de tijd dat Freddie vrijkwam, was ze verslaafd en zelfs het feit dat hij weer in de buurt was, was niet genoeg om ermee op te kunnen houden.

Nu keek ze in die gore en versleten spiegel, en zag ze wat Freddie zag. Terry Baker had haar de waarheid over haar leven laten inzien, dat ze een nul was, een niemand en dat ze in andermans ogen een lachertje was.

Hij had haar ten overstaan van iedereen die ze kende vernietigd en het maakte niet uit dat Dicky boy haar had verdedigd. Het kwaad was al geschied.

Snel en vakkundig sneed ze nog een lijntje. Vanavond had ze totale vergetelheid nodig en ze was vast van plan zover te komen. Als ze hier uit zou lopen en iedereen weer onder ogen moest komen, had ze alle jenevermoed nodig die ze kon krijgen. Ze mocht dan een dronken drel zijn, een drugkoningin, maar het fantastische was dat ze er met een paar borrels op om kon lachen, en dat kreeg ze nooit voor elkaar als ze nuchter was.

Deze gemoedstoestand wilde ze nooit meer meemaken want door de drank sprong ze tenminste niet van de eerste de beste brug. Een dránkprobleem, joepie, verdomme. Ondanks al hun gefluister raakte ze pas echt in de war als iemand iets om haar zou geven.

'Gaan we naar huis, pa, alsjeblieft?'

Freddie schudde zijn hoofd. Ze waren op weg naar Paul en Liselle. Hij had net via de telefoon gehoord dat ze wat problemen hadden met een zware jongen uit de buurt. Zijn Roxanna had hem gebeld voordat alles uit de hand zou lopen. Ze zei dat het gebruikelijke volk er zat, maar ze had het gevoel dat het beter was als hij even kwam kijken. Freddie was boos. Paul en Liselle waren prima mensen en hij wilde niet hebben dat ze lastiggevallen werden door een of andere relschopper. Een paar van de plaatselijke klootzakken hadden naar binnen gewild, en ze waren jammerlijk teleurgesteld. Dit gebeurde wel vaker hoewel hij zich er normaal gesproken niet persoonlijk mee bemoeide. Bij elke andere gelegenheid zou hij een telefoontje hebben gepleegd en de klus aan iemand hebben gedelegeerd die lager op de loonlijst stond.

Daar was hij goed in, delegeren, maar hij had besloten dit zelf te regelen, om zijn goede wil te tonen. De pub was van Ozzy dus wilde hij er zeker van zijn dat de klanten een ongestoorde avond hadden. Ze verwachtten dat ze ergens een borrel konden drinken zonder dat er rotzooi kwam. Hij ging er ook persoonlijk heen omdat hij een smoes nodig had om de beslissing over zijn jongen uit te kunnen stellen.

Zonder naar zijn zoon te kijken, zei hij: 'Ik moet wat zaken regelen. Wees stil zodat ik me op het autorijden kan concentreren, ja?'

Kleine Freddie was voor het eerst in zijn leven onzeker over wat hij zou gaan doen. Hij had geen berouw, daar was hij niet toe in staat, maar hij was bang dat zijn vader hem deze keer wel eens echt zou opbergen. De maatschappelijk werker had er al tijden op gehamerd en hij wist dat één woord van zijn vader genoeg was om hem ergens op te sluiten, en denk maar niet dat hij op grond van zijn leeftijd voorwaardelijk zou worden vrijgelaten. Zijn moeder hield hem de hand nog boven het hoofd, en hij deed er alles aan om haar stroop om de mond te smeren.

Maar deze man, zijn vader, die net naar het hem uitkwam in en uit zijn leven wandelde, had hem eindelijk helemaal door. Een ogenblik lang was kleine Freddie ervan overtuigd geweest dat hij op weg was naar het land der psychologen. Maar nu zag hij een streepje licht en hij was van plan dat tot op het bot uit te buiten.

Hij had door schade en schande geleerd dat hij de juiste kant moest kiezen, vooral bij zijn vader, en de tijd waarin hij alles kon zeggen en doen wat hij wilde was allang voorbij. Hij had geleerd zich gedeisd te houden, te doen wat er van hem werd verwacht en af te wachten tot hij veilig en wel kon doen wat hij wilde en wanneer hij dat wilde. En hij was leep genoeg om te beseffen dat hij zelfs dan de bescherming van zijn familie nodig had.

Sinds hij zich voor het eerst van zijn omgeving bewust werd, had hij tot op zekere hoogte geweten dat hij anders was. Hij had geen enkel gevoel, voor niks en niemand. Hij had gedacht dat zijn vader net zo was, maar nu wist hij dat niet meer zo zeker.

Jimmy junior irriteerde hem al heel lang mateloos, en hij was vastbesloten geweest om zich van die jongen te ontdoen. Hij was teleurgesteld in zijn vader, hij wilde hem immers alleen maar naar de kroon steken? Het was helemaal niet de bedoeling geweest dat hij erachter zou komen wat hij had gedaan, maar hij had niet verwacht dat uitgerekend zijn pa er zo'n heisa van maakte.

Nu moest hij de schade zien te beperken, zoals regeringen altijd zeiden wanneer ze het weer eens ergens hadden verknald. En hij was zich er terdege van bewust dat hij een relaxed en beschermd leventje wel vaarwel kon zeggen.

Schadebeperking was absoluut prioriteit nummer één.

Freddie liep de bar binnen en het eerste wat hij zag waren zijn meisjes die als een beschermende cocon om hun moeder heen stonden. Nu hij de waarheid had ontdekt over zijn jongen, was hij blij dat het zulke prima meiden waren. Zelfs de arme Kimberley was een juweeltje, problemen of niet. Hij zag hoe ze voor Jackie opkwamen en dat deed hem goed. Ze zou hen in de toekomst nog nodig hebben, daar durfde hij een eed op te doen.

Zodra hij de pub binnenliep, voelde hij dat er iets grondig mis was, en dat was ook zo. Paul maakte een hoofdbeweging en hij volgde de richting van zijn ogen. Wat hij toen zag was het toppunt van wat hij in de afgelopen merkwaardige dagen had gezien.

Terry Baker, eens zijn vriend en aartsvijand, lag in een plas bloed bij de achterdeur.

Paul en Dicky hadden hem daarheen gesleurd totdat iemand besloot te vertrekken en hem op weg naar huis bij een ziekenhuis zou afleveren. Een paar hadden het erover om hem gewoon bij het station te dumpen, altijd een goede plek om van mensen af te komen, maar toen ze Freddie Jackson in de deuropening zagen staan, was verder gedelibereer overbodig geworden. Hij zou er wel mee afrekenen, dus konden ze zich weer gaan bezighouden met serieuzere zaken, zoals drinken en praten.

Straatroof was aan de orde van de dag, coke werd tegenwoordig vrijgegeven en dan nog de tragedie die Jimmy was overkomen. Gespreksonderwerpen genoeg.

Freddie pakte een drankje aan van Liselle, liep naar zijn gezin en voor het eerst in jaren keek hij niet eerst of er vreemden in de bar zaten. Hij zag dat zijn vrouw er ontmoedigd bij zat en vermoedde dat zij iets te maken had gehad met wat Terry Baker was overkomen.

Hij keek naar de meisjes en werd er weer aan herinnerd hoe aantrekkelijk ze eigenlijk waren. Zelfs zijn Kimberley, die als jong meisje groot voor haar leeftijd was geweest, had nu een strak figuurtje en net als de andere twee een lief, hartvormig gezichtje.

Ze hadden hem kort en bondig verteld wat er was gebeurd en hij verbaasde iedereen toen hij Dicky de hand schudde, hem bedankte en niet de moeite nam om de klus af te maken waarmee Dicky was begonnen. Hij had Pat slechts kort toegeknikt en iedereen wist dat ze zich daaraan ergerde. Freddie keek daarna niet eens meer naar haar om. Hij had wel andere dingen aan zijn hoofd.

Terry was nu bewusteloos, en dat zou hij blijven totdat hij weer in de buitenwereld zou worden afgeleverd.

'Wat een klootzak, hè? Alles goed, Jackie? Alles oké?'

Jackie keek haar echtgenoot met stomheid geslagen aan. Hij was werkelijk bezorgd. De jonge Dicky stond ook perplex en hij zag dat Rox opgetogen was dat hij zo door haar vader was begroet.

Freddie had net zijn borrel op toen jonge Freddie op de deur klopte om binnengelaten te worden, en zijn vader kon dat niet voorkomen. Jackie, vol zelfmedelijden en nog steeds in de war vanwege de beledigingen die ze te incasseren had gekregen, omhelsde haar zoon stevig. Deze keer liet hij haar graag begaan.

De meiden schonken hem overdreven veel aandacht, blij dat hij zich zo goed gedroeg en hij strooide met glimlachjes en zette grote ogen op om hen te charmeren.

Freddie sloeg nauwlettend gade hoe hij met zijn familie omging en was zich ervan bewust dat zijn zoon genoeg verstand in zijn kop had om te weten dat hij alle vrienden nodig zou hebben die hij kon krijgen.

26

Maggie had bijna geen woord gezegd sinds ze in het ziekenhuis wakker was geworden. Haar hoofd was zwaar van de kalmerende medicijnen en haar ziel was verdoofd door de schok. De volgende ochtend had ze met haar man het ziekenhuis verlaten met een recept voor tabletten die haar gevoelens wat afstompten. En sindsdien voer ze op de automatische piloot.

Ze was bleek en zag er fragiel uit. Verder was ze zoals altijd zichzelf, maar alle glans was van haar gezicht verdwenen. Ze zag er uitgeput uit met droevige ogen, maar ze gedroeg zich nagenoeg normaal hoewel ze nauwelijks een woord zei.

Haar haar zat perfect en haar kleding was als altijd onberispelijk. Ze had zelfs voor Jimmy gekookt, net als anders.

Jimmy keek toe hoe zijn vrouw koffie voor hem zette en sloeg haar gade toen ze een dienblad neerzette met een schaal koekjes, een servet en een kleine koffiepot. Om haar heen waren de cateraars aan het werk. Ze liet niet merken dat ze er waren, maar hij wist dat ze zich van hen bewust was. Hij was opgelucht geweest toen hij had gezien dat ze in het zwart gekleed was. Hij was doodsbang geweest dat hij haar had moeten dwingen naar de begrafenis van het kind te gaan.

Ze vulde de kleine porseleinen pot met koffie en veegde de zijkant zorgvuldig af voordat ze hem weer op het blad zette. Het leek wel een kunstwerkje maar hij was er niet voor in de stemming.

Ze kon de dingen er altijd zo mooi uit laten zien, gestileerd, daar was ze altijd al goed in geweest. Hun huizen, zelfs het kleine konijnenhok waar ze in het begin hadden gewoond, hadden zo uit een tijdschrift kunnen komen. En dit huis, dat eindelijk het huis was geworden waar hij altijd van had gedroomd, het huis dat eindelijk had geschald van kindergelach, was plotseling in een mausoleum veranderd.

Hij kon zich er niet toe brengen naar de slaapkamer van de jongen te gaan. Hij wist dat Maggie dat wel deed, hij had haar daar 's nachts horen snikken, het enige moment dat hij een natuurlijke reactie van haar had gezien. Toen hij toch naar binnen was gegaan, had ze hem weggeduwd. Ze wilde alleen zijn met haar verdriet en pijn.

Maar hij kon het niet verdragen. Hij was er niet aan toe om al die voorwerpen te zien die onderdeel waren van een jongens-leven, het speelgoed, de slippertjes, de treinen die zo zorgvuldig op de muur waren geschilderd.

De dag tevoren had hij een schaal uit de keuken willen halen en had hij Jimmy's lievelingskom opgepakt. Hij had daar in dat enorme vertrek gestaan met zijn Aga-fornuis en Amerikaanse koelkast, en had zijn ogen uit zijn hoofd gehuild.

Wanneer kwam er een eind aan die pijn?

Misschien kon hij er vandaag, wanneer de begrafenis achter de rug was, enigszins wijs uit worden.

Jimmy hoorde dat de tafels in zijn voorkamer werden opge-steld. Ze zouden met damasten tafelkleden worden gedekt en op het eten zou niets aan te merken zijn. Dat was het minste wat ze konden doen bij het afscheid van de jongen.

Het zou overvol worden en hij wilde dat alles maar vast voorbij was, zodat hij in alle rust kon rouwen.

Freddie had zijn kleren voor de begrafenis al aan en zat wat bij Paul in de pub te drinken. Zelfs Paul merkte dat Jimmy hem negeerde, en het meegevoel dat Freddie nog had gehad, was nu nagenoeg verdwenen. Hij wist dat Jimmy hem als een nul be-handelde, een niemand, een verdomde zak.

Jimmy had zijn telefoontjes niet beantwoord en hij had geen contact met hem opgenomen over het werk. Hij kreeg min of meer zijn orders van Paul hier, die nu een fucking tussenper-soon was geworden en hij wist dat Paul dat ook zo voelde. Die vroeg zich duidelijk af welk spelletje er werd gespeeld.

Freddie kookte nu van woede. Hij was weer helemaal zich-zelf. Hij had geprobeerd de aardige jongen uit te hangen en wat had hem dat opgeleverd? Een godverdommese zeperd, een af-rammeling, dat kon-ie krijgen, en dat liet-ie niet over zijn kant gaan. De dood van Jimmy junior was verschrikkelijk, maar zijn jongen zou daar goddomme niet voor opdraaien. Hij had kleine Freddie weer op zijn pillen gezet en zag er deze keer ook op toe dat de klootzak ze innam. Maar wat er ook in die kamer was gebeurd, uiteindelijk vond Freddie dat Jimmy hem hoe dan ook moest respecteren en alles waar hij in de afgelopen jaar voor had gestaan.

De oude verbittering was terug. Freddie was kwaad op zichzelf dat hij zo zwak was geweest en dat Jimmy daar misbruik van had gemaakt. Nou, hij had zijn lesje hier wel geleerd. Bijna had hij zijn zoon de rug toegekeerd, en waarvoor? Voor wie? Een man die hij godbetert uit de goot had opgeraapt, die als een slang naar binnen was geglipt en alles van hem had afgepakt waar hij recht op had.

Hij had de verandering bij zijn jongen gezien. Het was gláshelder dat hij er niets mee te maken had gehad, en Joe had tegenover Freddie toegegeven dat hij kleine Freddie niet met eigen ogen de kamer van de jongen had zien binnengaan die avond. Dus hadden ze geen poot om op te staan. Ze gingen er alleen maar van úít dat het zijn Freddie moest zijn geweest. Feitelijk had hij door Jimmy zijn eigen oordeel laten vertroebelen.

Jimmy junior kon best zelf die zak over zijn hoofd hebben getrokken. Hij was een slim klein joch en Jimmy probeerde zijn jongen de schuld in de schoenen te schuiven om zijn eigen falen te maskeren. Ze hadden hem nooit bij Lena en Joe moeten laten. Het waren oude mensen, ze waren niet genoeg in staat om zo'n levendig kind als hij te hanteren.

Hij had zijn kleine Freddie onder zijn hoede genomen en was nu van mening dat de jongen verschrikkelijk tekort werd gedaan. Hij was nog maar een kind en gelukkig slikte hij nu zijn pillen weer. Hij was een ander mens.

Ook al hield je rekening met Jimmy's verdriet, hij maakte het er met zijn klotehouding niet makkelijker op. Hij gedroeg zich alsof hij speciaal was, beter was dan hij. Hij deelde goddomme bevelen uit aan Freddie, alsof hij nog maar net kwam kijken.

Die belediging ging alle perken te buiten. En Freddie Jackson, met zijn talent om de feiten te verdraaien en zichzelf te overtuigen dat zijn beeld van de gebeurtenissen het enige ware en juiste was, zinde voor de zoveelste keer op wraak.

Jackie droeg een zwarte rok en jumper die ze van Roxanna had gekregen; die was die ochtend ook het haar van haar moeder komen föhnen. Jackie was haar gezicht aan het opmaken en verwonderde zich erover dat ze op zo'n bewolkte en kille dag een klein kind gingen begraven. Het was ongelooflijk dat zo'n tragische gebeurtenis zich in hun familie had voorgedaan. Het moest voor Maggie dubbel hard zijn aangekomen. Ze had immers drie jaar lang geen belangstelling voor het kind getoond. Het schuldgevoel moest wel als een kankergezwel aan haar vreten.

Freddie had pertinent geweigerd kleine Freddie mee te nemen naar de begrafenis. Het kind zat ongeveer in huis vastgebonden. Ze was zich ervan bewust dat de dood van zijn neefje hard was aangekomen en sinds die tijd was hij een andere jongen. Beleefd, vriendelijk en soms bijna ergerlijk behulpzaam en nuttig. Alsof hij een gedaanteverwisseling had ondergaan.

Freddie had de verandering bij zijn knul aangevoeld en dat was dan dat. Ze duimde inwendig.

Na die verschrikkelijke gebeurtenissen leek Freddie ermee ingenomen dat zijn zoon niet alleen springlevend was maar ook zijn gedrag uit het verleden probeerde goed te maken. Hij was nu een modelzoon, en zelfs het maatschappelijk werk stond verbaasd over zijn transformatie. Freddie zorgde ervoor dat hij elke dag zijn pillen nam, precies volgens voorschrift. Zíj had het nooit voor elkaar gekregen dat het kind ze innam, maar voor Freddie deed hij alles.

Freddie was nauwelijks in de buurt geweest van Jimmy en Maggie, en dat begreep ze niet. Ook al wilde Maggie niemand ontvangen en had Jimmy gezegd dat ze het beste met rust kon worden gelaten, Jackie had tenminste verwacht dat Freddie een steun zou zijn voor Jimmy. Maar wat zij eruit begreep, had hij hem aan zijn lot overgelaten.

Ze had geprobeerd het er met hem over te hebben, maar hij had haar de huid volgescholden waaruit ze alleen maar kon concluderen dat hij ook om de kleine jongen rouwde. Freddie had altijd zo'n heisa om dat kind gemaakt en daar was ze kwaad om geweest, want dat had hij met zijn eigen kinderen nooit gedaan. Ze wist dat het Maggie ook van streek had gemaakt en had haar bijna ineen zien krimpen toen Freddie het kind had opgepakt en in de lucht had gegooid. Jimmy junior had het uitgeschaterd van plezier en was opgetogen door al die aandacht. Haar zoon had toen zoals gebruikelijk stoïcijns naar zijn kleine beeldscherm zitten kijken. Ze had het gevoel gehad dat kleine Freddie waarschijnlijk wel had gewild dat zijn vader hem ook met zoveel liefde en aandacht zou overladen.

Ze moest toegeven dat Jimmy junior een schattig ventje was geweest. Voor het gemak vergat ze de momenten waarop ze haar zuster ervan had beschuldigd dat ze de jongen de vernieling in hielp, dat in haar ogen haar vader en moeder meer van hem hielden dan van haar zoon. Ze had hen in haar dronkenschap voor de voeten gegooid dat ze hem voortrokken en had elk excuus aangegrepen om te bewijzen dat er niets van dat kind deugde.

Nu was ze de volmaakte zuster, tenminste, dat probeerde ze te zijn, maar zelfs in deze vreselijke tijd wilde Maggie haar niet zien en dat deed pijn.

Het officiële verhaal ging dat niemand daar een voet over de drempel zette, maar in haar hart wist ze dat de meisjes wel welkom waren. Vooral haar Rox, die dikker met Maggie was dan ze ooit met haar eigen moeder was geweest. Jackie slikte haar woede weg, sloeg een glas wodka achterover om kalm te worden en gooide nog een paar valiums naar binnen, voordat ze zichzelf onderspoot met Giorgio-parfum en in haar oude zwartsuède pumps glipte. Haar voeten blubberden over de randen, maar als ze ze een paar minuten aanhad, vormden ze zich naar haar voeten en zaten ze prettig.

Zoals haar oude oma altijd zei, zorg dat je een goed bed en een goed paar schoenen te pakken krijgt, want lig je niet in het ene, dan loop je wel met het andere. Wijze woorden.

Ze had ook vele keren de uitdrukking gebezigd: drink nooit om te vergeten, want niemand vergeet ooit de wartaal van een dronken drel. Een waarheid als een koe, als het om Jackie ging.

Maggie staarde naar de kleine witte kist en vroeg zich af waarom God haar onder zulke akelige omstandigheden een kind had geschonken om het vervolgens weer van haar af te nemen. Het was koud in de kerk en ze was zich ervan bewust dat iedereen naar haar keek, alsof ze wachtten tot ze iets deed.

Ze wilde alleen maar sterven. Hoe moest haar kleine Jimmy het in zijn eentje zien te redden? Aan de andere kant, hij was vaak genoeg alleen geweest, dus hij had kunnen oefenen. Ze had hem vaak genoeg aan zijn lot overgelaten.

De pijn sloeg weer toe. Hij kwam in golven over haar heen, striemde haar als een ijzige wind van verdriet. Ze was bijna verstijfd bij de kille wetenschap dat haar zoon dood was en ze had het akelige vermoeden dat dit nooit meer wegging, dat het nooit meer beter zou worden, dat het alleen nog maar slechter kon worden.

Jimmy greep haar hand en kneep er stevig in. Ze moest met geweld de aandrang wegduwen om hem terug te trekken, hem te laten ophouden met deze schijnvertoning. Ze wilde de zwarte, etterende haat die zich in haar opbouwde eruit schreeuwen.

Ze zag dat Freddie niet huilde. Jackie wel, een luidkeels, diep, langgerekt geluid waardoor ze bijna moest kokhalzen. Ze zaten in de kerkbank tegenover hen. Glenford zat bij hen en ze wist dat sommige mensen daar vraagtekens bij zetten.

Roxanna zat naast haar vader in een mooi zwart mantelpakje dat een klein fortuin moest hebben gekost en huilde ook. Maar haar tranen kon Maggie waarderen. Rox' tranen waren puur en zoutig, zelfs huilen deed ze keurig, met stijl. Met haar sneeuwwitte zakdoek depte ze voorzichtig haar ogen, er onbewust voor zorgend dat haar make-up geen smeerboel werd.

Dicky, Rox' grote liefde, zat rechts van haar. Hij had een knap profiel. Hij was een aantrekkelijke man, en ze zouden een prachtkind krijgen. Ze benijdde hen, niet op een nare, jaloerse manier, meer weemoedig. Ze benijdde hen om hun liefde en omdat alles nog nieuw was. Zo was het ook ooit met haar en Jimmy geweest en, net als zij waarschijnlijk, had ze geloofd dat hun leven op een of andere manier betoverd was. Dat hun geen nare dingen konden overkomen, dat zij ánders waren dan de anderen, dat hun liefde hen gelúkkig zou maken.

Natuurlijk had het leven de neiging om je vierkant in je gezicht uit te lachen, en ze bad dat die twee jonge geliefden dat nog heel lang bespaard zou blijven.

Jimmy worstelde ook met zijn verdriet. Met gebogen hoofd en afhangende schouders zat hij naast haar. Ze kon bijna zijn pijn voelen, die was zo scherp.

Toch voelde zij niets, ze wilde dat het voorbij was.

Achter haar hoorde ze haar moeder snikken en hoe haar vader in de stilte van de kerk zinloze woorden tegen haar fluisterde. Het was niet genoeg, te laat.

Ze kon het wel weer uitschreeuwen, maar ze dwong zichzelf te zwijgen, dwong zichzelf naar de mensen te kijken, de problemen uit haar geest te bannen.

Jackie was in de kerkbank neergestreken. Ze had haar dikke benen over elkaar geslagen en haar zwarte jurk was tot haar knieën opgekropen, zodat de spataderen op haar melkwitte kuiten tevoorschijn kwamen.

Maggie kreeg de neiging om in lachen uit te barsten, maar dat deed ze niet. Ze wilde opstaan en de mensen in de overvolle kerk vragen waarom ze waren gekomen. De meesten van hen hadden ooit slechts een glimp van kleine Jimmy opgevangen. Velen waren gekomen om hun vriendschap te betuigen, of uit respect voor haar echtgenoot en werkgever, maar ze wist ook dat er mensen op haar zoons begrafenis waren die erover zouden opscheppen. Die het als een gebeurtenis beschouwden die ze níét mochten missen.

Maar Jimmy wist wel raad met die parasieten, dat was altijd zo geweest. Freddie was degene die hen niet, zoals een normaal mens, op afstand kon houden. Hij omármde ze, had hen en hun bevestiging nódig, en hun gemene maniertjes om zijn leven te kunnen leiden.

De priester las het evangelie voor. Ze mocht nu snel weg, ze mocht nu gauw ontsnappen aan het soort mensen dat dacht dat ze door een handje te schudden en haar wang te kussen alles weer in orde maakten.

Ze waren thuis en de meeste mensen waren eindelijk weg. Het was vroeg in de avond en de enige mensen die er nog waren, waren naaste familie en een paar vrienden.

Jimmy was er blij mee geweest. Hij vond het geruststellend te weten dat zoveel mensen om Jimmy junior hadden gegeven, hem kenden, hun medeleven hadden willen tonen. Zelfs zijn vriendjes uit het peuterklasje waren door de leiding vertegenwoordigd geweest, evenals de meisjes die er hadden gewerkt.

Maggie had de hele toestand zonder een woord of een traan uitgezeten.

Ze had geen condoleances in ontvangst genomen en zelfs haar oudste vriendinnen kregen nul op het rekest. Maar dan ook helemaal. Ze had zelfs hun telefoontjes niet beantwoord of hun zwartgerande kaarten bekeken, kaarten waarvan ze zei dat die hun eigen angst voor de dood uitspuugden terwijl ze deden alsof ze met haar verlies meeleefden.

Het was een prachtige mis geweest en de tranen van de aanwezige vrouwen waren recht uit het hart gekomen. De begrafenis zelf was moeilijk geweest, die had niemand gewild, maar liever het kind van een ander dan dat van hun.

Freddie zat zwaar te drinken, maar dat deden de meeste mensen daar. Zelfs Jimmy had hem om, wat moest je anders op zo'n dag? Hij wilde alleen maar de pijn vanbinnen verdoven, dat was alles.

Zijn ouders waren allebei de weg kwijt en hij had als zo vaak het gevoel dat hij volkomen van hen en hun leven was afgesneden. Lena en Joe kon je ongeveer opvegen. Joe goot de whisky naar binnen en als hem dat de dag door hielp, dan was hij daar alleen maar blij om. Lena was in korte tijd zo oud geworden dat hij werkelijk met haar te doen had.

Die middag had ze iets heel belangrijks tegen hem gezegd. Ze had gezegd dat wanneer je hart zo werd gebroken, je dan pas ging beseffen wat er in het leven werkelijk toe deed. En wanneer zoiets je overkomt, denk dan terug aan wat je voor die gebeurtenis zo belangrijk hebt gevonden, dan begrijp je pas werkelijk dat je op het grote palet des levens maar heel nietig bent.

Het liet je zien dat het leven slechts een aaneenschakeling van gebeurtenissen was, meer niet, en dat je daar totaal geen macht over had. Dat dacht je alleen maar.

Jimmy had instemmend geknikt en het was door hem heen geschoten dat hij van Lena Summers hield. Ze was een prachtvrouw en hij prees zich gelukkig dat ze zijn schoonmoeder was.

Bij die gedachte keek hij naar die arme Dicky, die binnenkort met Jackie opgezadeld zou zitten. Wat een angstaanjagende gedachte was dat.

Hij keek naar Jackie. Ze dronk voortdurend en in enorme hoeveelheden, merkte hij op. Eigenlijk zou ze al gevloerd moeten zijn, niet in staat nog een zinnig woord uit te brengen en wankelend op haar benen. Maar Jackie niet, Jackie het beest. In vergelijking met ieder ander was zij nog nuchter.

Hij wist dat kleine Freddie nog rondhing, nog steeds rondliep alsof er niets was gebeurd. De doodsoorzaak van zijn zoon werd een ongelukkig toeval genoemd. 'Een tragisch ongeluk en mijn hart gaat uit naar ouders en familie.' Precies zo was het door die achterlijke ouwe lijkschouwer geformuleerd.

Tot op zekere hoogte begreep Jimmy wel dat Freddie zijn vlees en bloed wilde beschermen. Hij wist dat Freddie de jongen ervoor had willen laten boeten, maar ook hier leek het hemd nader dan de rok.

Maar dat gold niet voor Jimmy. Hij had geen enkel gevoel meer voor de man die hij eens had aanbeden, de man die hij jarenlang aan het werk had gehouden. Hij had toegekeken hoe hij een beest van zijn zoon had gemaakt, en iedereen had zich gedeisd gehouden want Freddie was Freddie. Hij was een halvegare en gebruikte zijn woede en haat om iedereen in zijn buurt eronder te houden.

Freddie werd gevreesd door de zwaarste jongens in hun wereld, gevreesd omdat hij knettergek was, een mafkees, volkomen geschift. Freddie had er een punt van gemaakt dat hij gegarandeerd respect genoot vanwege zijn reputatie, maar Jimmy was niet bang voor hem. Dat was hij allang niet meer. Hij keek dwars door hem heen.

Freddie was achterlijk, hij rolde door het leven, en alleen omdat hij nuttig was voor Ozzy, had hij vrij baan gekregen. Maar Jimmy genoot Ozzy's respect, hij vertrouwde hém, James Jackson, die hij had verkozen om zijn zaken te runnen en die nu deelgenoot was geworden van Ozzy's diepste en donkerste geheimen.

Jimmy had Freddie te vriend gehouden omdat ze familie waren, hun vrouwen waren zusters van elkaar. Eens had hij tegen Freddie opgekeken, was Freddie zijn grote voorbeeld geweest. Maar hij had hem nu lang genoeg op sleeptouw genomen, Freddie lag eruit en wel voorgoed. Na vandaag zou Freddie zonder enige waarschuwing de zak krijgen.

Freddie stond op het punt te ontdekken hoeveel macht zijn jongere tegenhanger eigenlijk had. Jimmy was vastbesloten hem aan de schandpaal te nagelen vanwege de moord op zijn zoon. Hier kwam hij niet mee weg. Tegen de tijd dat hij klaar met hem was, zou Freddie niet eens meer als uitsmijter aan de bak komen, laat staan als iets anders.

Jimmy wilde hem en zijn zoon van de aardbodem wegvagen. Tot nu toe had hij nooit zo'n volslagen behoefte aan wraak gehad. Die was begonnen met de dood van kleine Jimmy en had het van hem overgenomen toen de lijkschouwer had bepaald dat het een ongeluk was geweest.

Het feit dat Joe de zaak verdacht vond, maakte het iets draaglijker. Het was geen toeval dat zijn kind van hem had weggerukt, en hij wist dat wanneer dit alles achter de rug was en de pijn voldoende was teruggeweken om weer te kunnen functioneren, hij ervoor zou zorgen dat Freddie Jackson junior nooit meer iemand kwaad kon doen.

Kimberley zag haar zusters samen babbelen en voelde zich buitengesloten. Ze pakte haar jus d'orange op en liep naar de tuin. Het was koud vandaag, maar ze had zich warm aangekleed.

Ze was dol op deze plek en ze voelde het gat dat Jimmy junior had achtergelaten. Ze kon niet geloven dat hij niet meer over het grasveld zou rennen of in het zwembad zou spartelen.

Ze stond alweer op het punt om in tranen uit te barsten. Het was zo'n schat van een joch geweest en Maggie en Jimmy hadden hem aanbeden. Hij had alles gehad wat een kind maar kon wensen en nu was hij dood. Het ging alle begrip te boven.

Zonder het kind was de drukkende stilte overweldigend. Die dreef haar nu de tuin in en ze liep naar het zomerhuis. Dat was opgetrokken uit oude, gele, opnieuw gebruikte bakstenen van een van de bijgebouwen, de ramen waren met de hand gemaakt zodat alles bij de rest van het huis paste.

Ze wilde door de deur glippen toen ze Maggies stem hoorde. Ze ging niet naar binnen maar bleef in plaats daarvan aan het raam staan luisteren.

'Ik ga helemaal nergens naartoe, Maggie.'

De bullebak was weer in zijn element en Maggie wist dat hij haar nooit met rust zou laten, ervoor zou zorgen dat ze nooit kon vergeten. Ze deed haar ogen stijf dicht en hoopte tegen beter weten in dat wanneer ze die weer opendeed, Freddie verdwenen zou zijn.

'Sodemieter op.'

Ze sprak op zachte toon en hij hoorde de onderliggende angst die onder de oppervlakte borrelde.

'Waarom geef je me niet gewoon antwoord, Maggie?'

Maggie sloot nogmaals haar ogen en ze hoorde de man aan die jaren van haar leven had gestolen, de eerste jaren met haar zoon van haar had weggenomen met zijn dreigementen, haat en jaloezie. Zelfs nu probeerde hij haar nog te manipuleren. Hij gebruikte nog steeds zijn haat zodat ze zich ellendig zou voelen, probeerde haar zijn wil op te leggen, zelfs na wat er vandaag was gebeurd. Als het niet alle perken te buiten was gegaan, zou het lachwekkend zijn geweest.

Maggie was niet van plan hem antwoord te geven, ze wilde alleen maar dat hij wegging. Ze had alleen willen zijn en haar gedachten op een rij willen krijgen, maar hij was haar gevolgd.

'Hij was mijn zoon. Geef het maar toe. Kom op, geef het nu maar toe.'

Nu was hij kwetsend. Hij wilde dat ze uiteindelijk zou toegeven dat het zijn kind was geweest, dat ze het hardop tegen hem zou zeggen en Maggies minachting voor hem verdreef al zijn meegevoel.

'Wil je nu oprotten?'

Haar stem klonk nu krachtiger en veel harder dan haar bedoeling was geweest.

'Maggie, zeg het.'

Ze onderbrak hem. 'O, schiet toch op, Freddie. Je hebt me verkrácht, en nu, zelfs op de dag dat ik mijn kind ten grave heb gedragen probeer je nog me het leven zuur te maken. Wil je me, nu hij dood is, alsjeblieft met rust laten? Kun je me nu rustig laten ademen? Wat je me jaren als een zwaard van Damocles boven mijn hoofd hebt gehouden, is nu begraven en je hebt geen macht meer over me. Is dit je laatste poging om me te breken?'

Nu schudde hij zijn hoofd.

'Ga weg, Freddie, voordat ik mijn echtgenoot roep en hem precies vertel wat je me hebt aangedaan.'

Kimberley hoorde een schuifelend geluid en verschool zich snel achter het zomerhuis. Na een paar seconden stak ze haar hoofd om de hoek en zag Maggie over het grasveld naar het huis strompelen. Haar vader bleef in het zomerhuis achter en toen hij uiteindelijk een kwartier later tevoorschijn kwam, zag ze tot haar verbazing dat hij huilde.

Jackie luisterde naar haar vader en moeder die over vroeger aan het praten waren. Zo ging het altijd op bruiloften en begrafenissen. Elke familiebijeenkomst eindigde ermee dat haar ouders allerlei oude herinneringen ophaalden over familieleden die allang dood waren.

Ze slurpte het op. Het was zo behaaglijk in Maggies prachtige voorkamer met de diepe, zachte banken en crèmekleurige muren. De meisjes hadden zich met haar op de grootste van de drie banken genesteld en ze genoot zo van de avond dat ze werkelijk vergeten was dat ze daar voor een begrafenis waren.

Lena vertelde de meisjes over haar eigen grootmoeder, dat ze pijp rookte en geen mis oversloeg. Dat haar grootvader haar bijna elke dag had mishandeld, en dat zij hem al na een paar weken in de dood was gevolgd.

'Stom mens, hoe kun je nou van iemand houden die je dagelijks een pak ransel geeft? Toen hij eindelijk de pijp uitging, had ze verdomme feest moeten vieren!' Rox' stem klonk boos en iedereen glimlachte naar haar.

Freddie die op de grond in de voorkamer bij de open haard zat, lachte luidkeels.

Jimmy zat tegenover hem en staarde Freddie aan, toen hij die ergerlijke, sarcastisch lach van hem uitbraakte.

Freddie zag dat Jimmy hem aankeek en zei vriendelijk: 'Tussen twee haakjes, Jimmy, maak je maar geen zorgen, hoor, morgen regel ik de weekopbrengsten.'

Jimmy wist dat hij de olijftak probeerde aan te reiken, dat hij hun ruzie wilde bijleggen.

Hij maakte een grapje zeker.

Op deze dag had hij zijn jochie begraven en hij liet Freddie en zijn naasten alleen maar in zijn huis toe omwille van Maggie, omdat Maggie rustig werd wanneer de meisjes in de buurt waren. Ze zat nu bij haar moeder, hield haar hand stevig vast en ze wist dat ze troost zocht maar dat ze die net als hij niet zou vinden.

'Doe geen moeite, dat is al geregeld.'

Joe hoorde ze praten en zag de uitdrukking op Jimmy's gezicht. De woede die plotseling van hem afstraalde deed bijna duivels aan.

Hij keek met zo'n minachting naar Freddie dat Joe verwachtte dat zijn potige schoonzoon daar wel aanstoot aan zou nemen, dat hij van de grond op zou springen en Jimmy tot de orde zou roepen.

In plaats daarvan bleef hij zitten en liet hij het over zijn kant gaan. Maar Joe vermoedde dat deze twee mannen binnen niet al te lange tijd met elkaar in botsing zouden komen, en hij wist op wie van de twee hij zijn geld zou zetten.

27

'Ik wil hem uit de weg, Oz, hoe eerder hoe beter.'

Ozzy knikte, vergetend dat Jimmy hem niet kon zien omdat ze met elkaar telefoneerden. Als altijd hield Ozzy ervan dat zijn jonge protégé precies zei waar het op stond en hij was blij dat Freddie eindelijk de deur werd gewezen. Persoonlijk had hij hem jaren geleden de laan al uitgestuurd.

Sinds de dood van de jongen had hij een opmerkelijke verandering in Jimmy bespeurd. Hij was harder geworden, en ook sneller kwaad. Maar zoiets kon je verwachten, vermoedde hij.

Toen op de afdeling het nieuws bekend werd dat Jimmy Jackson onder zulke tragische omstandigheden zijn zoon had verloren, had Ozzy de reacties van de mannen om zich heen gezien, vooral van degenen die zelf kinderen hadden. Toen had hij Jimmy's verdriet veel beter kunnen begrijpen. Hij had zelf nooit een kind gehad, hij kon zich er alleen maar een voorstelling van maken hoe het was als je er een verloor.

Zoals zoveel mannen concentreerde Jimmy zich op zijn werk om die verschrikkelijke tijd door te kunnen komen. Alles in zijn leven was daarop gefocust. Het deed Jimmy goed, in elk geval hielp het hem aan het verdriet te ontsnappen. In de gevangenis had Ozzy heel wat mannen ineen zien storten na zo'n gebeurtenis.

Hij begreep dat Maggie er totaal niet mee overweg kon, en hij vermoedde ook dat Jimmy met nog geen krasje door de buitenkant van haar verdriet kon doordringen. Hoe kon hij ook? Vrouwen waren een andere soort, zij hadden de kinderen binnen in zich voelen groeien, dus ging hij ervan uit dat voor hen het verlies scherper was dan voor de vaders. Uit de kranten en het nieuws op de tv had hij begrepen dat sommige vrouwen helemaal niets voor hun kroost voelden en hij wist dat Maggie in het begin weinig om het kind had gegeven.

Ozzy slaakte inwendig een zucht. Hij had verdriet om Jimmy, voelde met hem mee, maar Ozzy zag nog steeds hoe hij persoonlijk zijn voordeel kon doen met dit verdriet. Hij zou zijn zaken aan een grondige revisie onderwerpen en als eerste zou hij het dode hout wegkappen.

'Ga je gang, Jimmy, veeg de bezem er maar eens doorheen, jongen. Het heeft trouwens toch al lang genoeg geduurd.'

'Alles goed, knul?' Freddie ging tot ergernis van de auto's die achter hem reden langzamer rijden en wuifde door het open raam naar zijn zoon.

Kleine Freddie lachte en zwaaide terug, zijn vader toeterde terwijl hij langs hem en zijn twee vrienden reed met wie hij naar school liep.

Freddie grijnsde. Hij was prima in orde, er was niets met die jongen aan de hand. Hij was gewoon wat overgevoelig, net als zijn vader, dat was alles. Hij was driftig, nou, híj was ook driftig, zoals degenen die zijn pad kruisten aan den lijve hadden ondervonden. Deze knul had dat gewoon van hem geërfd, dus zo erg kon het allemaal niet zijn.

Zijn verdriet en shock waren compleet verdwenen en hij richtte nu al zijn aandacht op Jimmy. Jimmy was de klootzak en kon maar beter op zijn tellen passen.

Freddie slingerde door het vroege ochtendverkeer en vloekte en schold naar alle andere, minder goede chauffeurs die de euvele moed hadden zich op de weg te wagen. Hij reed naar Jimmy's nieuwe, speciaal ontworpen kantorencomplex in Barking. Jimmy werkte nu uitsluitend van daaruit.

Freddie had er een bloedhekel aan, beschouwde het als onderdeel van een smerig spelletje en hij vertelde iedereen die het maar horen wilde dat Jimmy het niet lang meer zou maken. De kit zou een inval doen... bij hen thuis en de schuilplekken. Waarom zou je de schijnwerpers op jezelf richten door reclame voor jezelf te maken?

Maar Jimmy runde daar een legitiem bedrijf, de andere zaken werden elders besproken. Niemand van het personeel kon in de verste verte concreet in verband worden gebracht met belastende feiten. Jimmy ging met zijn tijd mee terwijl Freddie nog in een gat in de tijd vastzat.

Freddie kookte van woede omdat hij al een week niets van Jimmy had gehoord, en had toen de opdracht gekregen naar kantoor te komen. Nou, hij was onderweg en zou dit voor eens en voor altijd uit de wereld helpen. Deze krachtmeting zat er allang aan te komen. Hij was er meer dan klaar voor en bereid tot het uiterste te gaan om te zien wat er zou gebeuren.

'Het gaat slecht met Maggie, mam. Ik maak me echt zorgen om haar.'

Rox zat op haar moeders bed en probeerde er wat thee en een stuk toast in te krijgen. Om de beurt gingen de meisjes naar hun moeder om Jackie uit bed te werken en wat te laten eten. Ze maakten zich ongerust vanwege haar drankprobleem dat nu echt de spuigaten uitliep.

'Met haar komt het heus wel goed. Nou sodemieter op, Rox, en laat me slapen!'

Rox slaakte een zucht. 'Stel dat het een van ons was geweest, mam, die dood was gegaan. Hou zou jij je dan voelen?'

'Op dit moment, Rox, zou ik in de wolken zijn. Wil je nou ophoepelen en me met rust laten!'

Kimberley stond op de overloop naar haar moeder te luisteren en verbaasde zich over deze vrouw die het niets kon schelen dat haar zuster zo'n verdriet had.

Rox deed een nieuwe poging. 'Kom overeind, mam, alsjeblieft, en eet dit. We hebben toast voor je klaargemaakt.'

Jackie werd nu werkelijk kwaad. Dit was eerder regel dan uitzondering en in het begin had ze ervan genoten. De aandacht en het idee dat de meisjes voor haar zorgden vond ze geweldig. Maar nu begonnen ze haar op de zenuwen te werken. Ze waren er elke dag, net een stel snaterende ouwe wijven. Het enige wat zij wilde was haar bed.

Kimberley liep de slaapkamer binnen, duwde Rox opzij, greep het dekbed beet en trok het van haar halfnaakte moeder weg.

Jackie ging door het lint. Ze ging rechtop in bed zitten en schreeuwde woedend: 'Wat is er godverdomme met jullie aan de hand? Kunnen jullie me niet gewoon met rust laten?'

Rox probeerde niet te lachen, maar toen ze haar moeder goed bekeek en zag hoe ze de laatste paar maanden opnieuw was uitgedijd, verging haar het lachen wel.

Jackies benen zaten onder de blauwe plekken en schrammen omdat haar nieren het gaandeweg aan het begeven waren, waardoor ze een jeukende uitslag kreeg. Rox en haar zusters hadden dat op het internet opgezocht. Ze wisten wat er met Jackie aan de hand was en ze wilden dat ze zichzelf probeerde te helpen, voor het te laat was. Hun moeder was een schoolvoorbeeld van een alcoholiste en ze wilden niet dat ze zich dood zou drinken.

Rox keek de slaapkamer rond. Het was er smerig. Het beddengoed was versleten, het tapijt zat onder de schroeiplekken en koffievlekken, de hele kamer stonk naar zweet en verschaald parfum. Maar het verdrietigste was wel dat het er nog niet half zo verrot uitzag als de vrouw die te midden van al die vunzigheid op bed zat.

Jackie had het dekbed weer over zich heen getrokken maar er was geen sprake van dat ze de slaap nog kon vatten en ze uitte haar woede met wraakzuchtige, persoonlijke beledigingen.

Ze stak een sigaret op en zei hard en sarcastisch: 'Nou, wat moeten jullie?'

Ze zei het met een hoge, dreunende stem, de ultieme minachting voor de goedbedoelde acties van haar dochters. 'Rox gaat een baby krijgen, dus nu is ze verdomme een bron van wijsheid. Nou, had je gedroomd, Rox, je hebt nooit wat geweten.'

'Ze weet meer dan jij ooit te weten zult komen, moeder.'

Jackie keek Kimberley grijnzend aan. 'O, nou gaat mijn junkdochter haar ervaringen met me delen, is het niet? Nou, vergeet het maar. Ga je shot maar halen, Kim, jij was er tenminste gelukkig mee.'

Rox liep naar de deur. Ze had genoeg gehoord.

Kimberley zei rustig: 'Kijk naar jezelf, mam, en je leven. Het stinkt, jíj stinkt en je drinkt jezelf lam zodat je dat niet onder ogen hoeft te zien. Maar zo is het wel. Je moet ophouden jezelf en iedereen om je heen te vernielen.'

Jackie lachte gemeen, duwde haar haren uit haar gezicht en blèrde: 'Ik heb tenminste een leven, en wat heb jij? Geen man, helemaal níéts. Wie wil jou nou, Kim, met je miezerige verdommese leventje. Nou?'

'Moet je jezelf horen, mam, ik heb geen man nodig om zelfvertrouwen te krijgen...'

Jackie lachte nogmaals. 'Kimberley, schiet op en ga scoren, word dronken, spuit, snuif, maakt me niet uit. Verdwijn alleen verdomme uit mijn ogen!'

Rox en Kimberley keken naar haar, en de uitdrukking op hun gezicht zei alles wat Jackie over zichzelf moest weten.

Kim sprak, de walging in haar stem sprak boekdelen: 'Jij hebt geen man, mam, zelfs pap niet. Weet je dat? Hij verafschuwt je. Hij is voortdurend buiten de deur...'

Rox probeerde haar zuster de kamer uit te werken, probeerde te voorkomen dat er een uitbarsting zou komen, want ze wist dat die eraan zat te komen.

'Laat haar maar, Kim, zonde van onze tijd...'

Jackie lachte weer.

'Laat haar maar, Kim,' bauwde ze haar dochters stem na. 'Ga maar naar Maggie, die is dol op die shit. Ga het maar bij haar halen, jullie allemaal... weer zo'n rottige dramakoningin. Het arme joch, ze heeft hem jaren genegeerd, verwaarloosd...'

Kimberley lachte verachtelijk. 'Jíj hebt het over verwaarlozing! Je durft wel, mam. Kleine Freddies kont was helemaal rood en rauw omdat je de moeite niet nam om hem te verschonen. Hij heeft nog nooit een fatsoenlijke maaltijd gehad, tenzij wij daarvoor zorgden, en jíj hebt het over verwaarlozing!'

Jackie wist dat het waar was, maar ze werd er alleen nog maar kwader van.

'Ik ben er altijd voor hem geweest, en wat ik ook wel of niet mag zijn, ik heb altijd van hem gehouden! Maggie had alles, het huis, de auto, zelfs zo'n klotehond! Maar geen baby, en toen ze er een kreeg, wist ze niet eens wat ze ermee aan moest! Ze heeft ze nu niet meer allemaal op een rijtje omdat ze verdomme heel goed weet dat ze geen tijd had voor dat knulletje. Ze voelt zich schúldig, en dat is maar goed ook na al die jaren dat ze hem in de kou heeft laten staan.'

Jackie schreeuwde nu: 'Zelfs je vader had meer tijd voor hem dan zij. Zij kon het kind nauwelijks aanraken! Ik keek wel eens naar haar wanneer hij met die arme jongen aan het spelen was, haar gezicht helemaal vertrokken alsof we helemaal niets waard waren. Ze haatte het als hij in de buurt van de jongen kwam, maar ze raakte hem zelf bijna met geen vinger aan. Tenzij het niet anders kon, ja? Dat arme kind werd verwaarloosd, dat heeft zelfs mijn moeder gezegd. Mijn Freddie was dol op de jongen en zij liet hem niet eens genieten, lekker met dat kind ravotten, het arme jochie, laat staan dat iemand anders dat mocht!'

'En hoe denk je dat dat komt, mam, hè? Je weet het allemaal zo goed, hè? Waarom denk je dan dat ze er zo'n hekel aan had om hem aan te raken?'

Rox hoorde aan de stembuiging van haar zuster dat ze iets ging zeggen wat problemen zou veroorzaken, grote problemen, diepe shitproblemen.

'Hou je kop, Kim. Kom op, we gaan.'

Jackie sprong uit bed, dit wilde ze horen. 'Hou je erbuiten, Rox. Nou, waar heb je het over, Kim? Spuug het er godverdomme maar uit. Hij hield van dat joch, hij aanbad hem en dankzij hem heeft dat kind tenminste nog een paar goede herinneringen kunnen meenemen...'

'Het was zíjn kind, stom, achterlijk varken!'

Jackie was verbijsterd en vroeg zich even af of ze stemmen hoorde. 'Wat zei je?'

'Hij heeft haar verkrácht. Pap heeft Maggie verkracht!'

Maggie voelde zich doodziek en de pijn ging niet weg met de eeuwige pillen die haar moeder haar altijd wilde opdringen.

'Alsjeblieft, mam, ga naar huis, ik wil gewoon alleen zijn.'

Het merkwaardige was dat ze het fíjn vond om alleen te zijn, maar niemand geloofde haar. Als ze alleen was kon ze haar gedachten op een rij krijgen, doen alsof alles in orde was, oké was. Dan kon ze zich ontspannen, proberen tot rust te komen, vergeten wat er was gebeurd.

Vergeten hoe haar kind was verwekt, hem in herinnering houden zoals het jongetje was geweest, de zoon van wie ze zoveel had gehouden. Freddie Jackson mocht haar elke dag verkrachten als ze daarmee haar zoon terug zou krijgen. Hij was het resultaat van een verkrachting, hij was ter wereld gekomen vanwege zo'n gruwelijke, duivelse daad en toch had ze geleerd van hem te houden. Hij had er niets aan kunnen doen, hij was de katalysator geweest waardoor haar leven was verwoest, maar ook de katalysator waardoor haar leven weer betekenis had gekregen, en haar huwelijk weer een nieuwe kans. Jimmy had van hem gehouden en daardoor had zij ook van hem kunnen houden.

Nou, ze was liever op zichzelf. In haar eentje kon ze tenminste doen alsof hij nog leefde, dat haar zoon nog bij haar was. Dan was het leven zoals zij wilde dat het was, in plaats van hoe het werkelijk was.

Alleen zijn was prima.

Lena was ten einde raad. Wat ze ook deed, het leek geen enkel verschil te maken. Maggie wilde per se alleen zijn en ze kon niet tot haar doordringen, ze wist dat ze haar tijd aan het verdoen was.

Maar ze ging gebukt onder zo'n verschrikkelijk schuldgevoel en wilde zo graag dat haar dochter beter werd, dat ze haar nodig had.

Als ze die avond nou maar even bij hem waren gaan kijken, of hij in orde was, hem hadden beschermd, dan zou hij nu nog leven.

Lena zou geen gelukkige dag in haar leven meer meemaken, dus hoe kon ze verwachten dat haar dochter dat wel kon? Haar

Maggie was vanbinnen aan het doodgaan. Aan de buitenkant was dat niet duidelijk te zien, het ging subtieler. In Maggies ogen lag met de dag meer verdriet. Als ze naar je keek schrok je van de droefgeestigheid omdat je stilletjes wel wist dat ze gelijk had. Ze moest haar verdriet en pijn wel voelen, haar dochter had geen andere optie.

Als ze die niet had, zou ze helemaal niets meer voelen.

'Weet je het zeker, Jimmy?' Glenfords stem klonk sceptisch. Hij wist dat er een strijd gaande was tussen de Jacksons, maar Jimmy was normaal nooit zo kwaad, dat was heel ongebruikelijk.

'Zo zeker als maar kan, Glen. Hij ligt eruit en daarmee basta.'

Glenford stond een paar tellen perplex. 'Daar komt moord en doodslag van, dat weet je toch, hè? Je kunt Freddie niet aan de kant zetten. Hij zou zich diep beledigd voelen. Hij gaat je vermoorden, hij wordt krankzinnig.'

Glenford zei het allemaal met zijn dikke Jamaïcaanse accent, maar hij meende elk woord.

Jimmy grinnikte. 'Hij doet zijn best maar, laat-ie maar net zoveel rotzooi trappen als-ie wil. Het kan me geen reet schelen.'

Glenford was verbaasd, maar zo verbaasd nou ook weer niet. Dit had er al een hele tijd aan zitten te komen, maar hij had het nu nog niet verwacht, en ook niet zo heftig. Freddie moest het deze keer wel heel bont hebben gemaakt en een hoop puin hebben veroorzaakt, waar niemand van wist. Eerlijk gezegd moest Freddie het wel heel bont hebben gemaakt om Jimmy zo furieus te krijgen.

Jimmy was een goeie vent, Jimmy zocht altijd naar het beste in mensen, keek hoe hij de zaken zo eenvoudig mogelijk kon oplossen, probeerde de vrede te bewaren, het beter te maken.

Maar zo te zien was die tijd voorbij.

Glenford moest het toch vragen, de reden waarom hij nu de laan uit werd gestuurd. Freddie incasseerde immers snel, zonder plichtplegingen. Hij gaf mensen tien uur de tijd en ze leverden altijd, betaalden altijd op tijd. Hij klaarde de klus, hij wist wat hij moest zeggen en hij bracht geld in het laatje. Hij was misschien niet de allerslimste op de loonlijst maar hij wist uit de grootste klootzakken die er rondliepen geld te kloppen.

Freddie was een halvegare en alleen al daarom was het de moeite waard om iemand zoals Freddie in je buurt te hebben.

'Je kúnt hem niet aan de dijk zetten, Jimmy, denk na. Hij zal je geen moment met rust laten wanneer het zover komt. Hij gaat verdomme compleet door het lint. Bij wie krijgt hij ooit nog werk, behalve bij jou? Jij bent de énige die hij heeft.' Glenford probeerde op zijn manier Jimmy te behoeden voor al te roekeloos handelen. 'Je hebt veel meer aan Freddie Jackson als je hem aan jouw kant hebt. Gebruik hem als een zware jongen, gun hem zijn momenten, gun hem zijn geloofwaardigheid, maar zet hem niet helemaal aan de kant. Dat overleeft hij niet, daar komt hij nóóit meer overheen.'

Eigenlijk maakte hij zich zorgen als zoiets zou gebeuren. Hij wist immers dat Freddie zijn leven lang op het randje had gebalanceerd. Freddie had talent om rotzooi te trappen, al was het maar om de kick. Freddie zou het geweldig vinden als hij een stok had om te slaan en haat kon blijven zaaien.

'Maar dat wil ik juist, Glenford. Ik wíl niet dat hij eroverheen komt. Ik wíl dat hij weet hoe ik erover denk. Ik ga voor eens en voor altijd met hem afrekenen, ik veeg zijn verdomde naam van de pensioenlijst, hij is geschiedenis. Er blijft níets meer over van wat hij ooit wilde, van alles waarop hij volgens hém recht had. Freddie is uitgerangeerd en hoe eerder hij zich dat realiseert, des te beter. Ik heb die lulhannes vanaf dag één meegezeuld, en nu gaat hij zijn geld maar zelf verdienen. Gaat hij maar fatsoenlijk werken zoals wij allemaal.'

Glenford snoof spottend en geërgerd. 'Dit zit dieper, Jimmy, dit is veel te persoonlijk. Wat heeft die klootzak verdomme gedaan. Je vrouw soms geneukt?'

Jimmy gaf geen antwoord en Glenford vroeg zich af waar deze dag op uit zou draaien. Het leven was een aaneenschakeling van onvermijdelijke gebeurtenissen... tot nu toe had hij niet begrepen wat zijn vader daarmee had bedoeld. Maar zijn hele leven had hij geweten hoe het spel gespeeld moest worden.

Zijn vader was een knappe Jamaïcaan geweest die naar de naam Wendell Prentiss luisterde. In de jaren 1950 was hij met niets anders dan een rastapet en een groot gevoel voor humor naar Groot-Brittannië gereisd. Hij had een sliert buitenechtelijke kinderen bij allemaal verschillende blanke vrouwen, maar zijn wettige vrouw had helaas slechts één zoon gekregen, Glenford. Wendell had altijd ruzie met hem gemaakt, had gezegd dat je maar één keer leefde en dat het aan jezelf lag wat je ermee deed.

Natuurlijk, had Wendell met zijn vette Jamaïcaanse accent

grijnzend gezegd, kwam je ook allerlei onverwachte dingen tegen. Daar kon je nu eenmaal niet omheen, en dat kostte je een hoop, zowel geestelijk als financieel. Sterfgevallen, geboortes, vaker niet dan wel, en lange gevangenisstraffen voor de meeste Jamaïcaanse jongens, want de Britse politie houdt niet zo van ons ras, we zijn nu met te veel. Maar onthoud altijd, zoon, had hij met alle waardigheid die hij kon opbrengen gezegd, terwijl hij zijn witte rum dronk en zijn dominostenen over de keukentafel gooide, dat de dingen tijd en geld kosten, en dat je je grijze cellen intensief moet gebruiken. Maar verder, zei hij dan lachend, ging je over je eigen leven, je kon het verspillen of het beste ervan maken.

Jebb Avenue in Brixton, zei Wendell dan, en zijn donkere stem gaf een hoog gehalte aan drama aan zijn woorden mee, kon een marktplaats zijn waar je hartje winter een schaapsleren jas kon halen, of waar je in de rij ging staan om je vrienden of familie te bezoeken. Funky Brixton, zoals de gevangenis werd genoemd, was de plek waar blanke kerels uiteindelijk in negers veranderden.

Glenford had samen met zijn vader gelachen als hij over die dingen had gefilosofeerd, maar nu wist hij dat hij feitelijk de waarheid had verteld.

Wendell was tien jaar geleden gestorven, geloofde toen nog steeds dat hij een prins was, een wandelende vlag voor Ethiopië, hij rookte nog steeds dezelfde wiet waardoor hij nooit zijn dromen had kunnen waarmaken. Omdat hij altijd te stoned was, was er nooit iets constructiefs uit zijn handen gekomen.

Elke dag had hij luidkeels en ernstig gezegd: 'Je moet zélf wat van je leven maken. Je krijgt een onbeschreven blad, Glenford, en jij bent uiteindelijk degene die het vol schrijft, helemaal zelf. Goed of slecht, dat mag je zelf beslissen.'

Glenford had zich zijn hele leven aan zijn vaders lessen gehouden en dat was hem goed van pas gekomen. Zijn vader had hem geleerd dat je soms mensen wel móést kwetsen, dat je wreed moest zijn om aardig te kunnen worden. Maar Jimmy Jackson was van een heel ander kaliber. Hij had altijd geprobeerd om voor andere mensen het leven makkelijker te maken en die verantwoordelijkheid had vanaf de eerste dag zwaar op hem gedrukt.

Glenford had maar een paar echte vrienden. Net als zijn vader was hij daar heel precies in, niet iedereen was zijn vriend. Vrienden kon je net zo goed vertrouwen als je familie. In dit geval nog meer dan je familie. Jimmy was een échte vriend. Freddie werd daarentegen alleen maar zo bejégend. Het was een subtiel verschil, maar toch.

Maar Freddie Jackson was familie van Jimmy en in hun wereld hield je familie, wat voor klootzakken het ook waren, altijd de hand boven het hoofd. Dat sprak vanzelf, maar verwacht werd wel dat ze dankbaar waren. Ze moesten wel goed begrijpen dat ze verdomde geluk hadden gehad dat iemand die hen na stond zo slim was om de kost te verdienen en die best wilde delen.

Nu dreigde Jimmy die inkomsten af te knijpen, Freddie als een baksteen te laten vallen. Jimmy was nu aan zet en Freddie was tenslotte een gevaarlijke gek. En toch begreep Glenford Freddie in zekere zin ook, dat hij vond dat hij recht had op een baan.

Door Jimmy's woorden was hem inmiddels wel duidelijk geworden dat Freddie hun relatie onherroepelijk had verknald en wat Freddie er ook van mocht denken, Jimmy was de betere, en in meer dan één opzicht.

De Jacksons hadden wel vaker ruzie gehad en toen was er niet echt iets gebeurd. Ze waren het gesprek van de dag geweest, vooral na de dood van Stephanie. Dat was het best bewaarde geheim van Londen. Maar Jimmy had Freddie altijd weer in de arena toegelaten. En dat kon hij nog steeds. Glenford hoopte het maar.

Hij haatte Freddie maar hij wist dat ze beter af waren als ze hem vóór zich hielden, hem te vriend hielden, dan als hij uit het zicht verdween, uit hun buurt was. Freddie kennende, zou hij hen in dat geval vermoorden.

Glenford wist dat Jimmy goede redenen moest hebben voor zijn besluit, maar voor Freddie kon hij niet instaan Die zou zijn verstand verliezen.

Roxanna was misselijk en ze wist niet zeker of het door de baby kwam of door wat haar zuster net had onthuld. Zelfs haar vader kon toch niet tot zóiets in staat zijn, Maggie verkrachten. Dat kon niet waar zijn.

Maggie was stérk, ze zou absoluut van zich afgebeten hebben, hem hebben tegengehouden, en ze zou het van de daken hebben geschreeuwd.

Toch?

Maar ergens wist Rox dat het door Jackie voor Maggie onmogelijk zou zijn hem van zoiets te beschuldigen. Ze was er zeker van dat Maggie het voor zich had gehouden om zowel haar moeder als Jimmy te ontzien. Je kon Jimmy zoiets niet vertellen. Maggie was verstandig genoeg om te weten dat haar Jimmy tot moord in staat was als hij er ook maar een vermoeden van had gehad.

Kimberley móét zich hebben vergist, moet het verkeerd hebben begrepen. En als haar vader Maggie inderdaad had verkracht, betekende dat dan dat Jimmy junior zijn kind was, zoals Kim had gesuggereerd? Was hij haar bróértje geweest? Eén keer seks en er was gelijk een kind van gekomen... het ging haar pet te boven. Ze wist wel dat ze meer halfbroers en -zusters had. Door de jaren heen had ze de roddels daarover wel gehoord maar ze had nooit de behoefte gevoeld om ze op te zoeken. Waarom zou ze ook?

Jimmy junior kon niet van haar vader zijn. Het was niet waar, dat ging alle perken te buiten. Maggie had dat niet laten gebeuren, ze zou hem niet in haar buurt toestaan, absoluut niet. Ze kon het niet geloven.

Niet haar tante Maggie, die hun hele leven hun tweede moeder was geweest, die er altijd voor ze was geweest en hun nog steeds een veilige haven bood als het leven hun te veel werd. Wanneer hun eigen moeder weer eens ladderzat was en met kerst en oudjaar stampei maakte, waren ze naar Maggie gegaan, want bij haar was het goed.

Had hij haar verkracht? Was haar vader echt zo slecht, echt in staat om zoiets te doen?

Het ergste van alles was dat ze diep vanbinnen wíst dat het waar was.

Kimberley had de waarheid gesproken en zelfs haar moeder, de grootste bewonderaar van haar vader, zijn enige alibi en ook de enige persoon op deze planeet die wérkelijk om hem gaf, wist het. Het was bijna alsof Jackie het op een bepaald moment had verwacht, of iets vergelijkbaars. Ze had gekeken alsof ze het altijd had geweten, bijna zelfvoldaan omdat ze eindelijk achter de waarheid was gekomen, eindelijk was het kwartje gevallen van iets wat haar al die tijd had dwarsgezeten.

Maar Rox kon het zelf niet geloven, wilde het niet geloven. Ze wilde er niet aan. Kon haar dierbare tante Maggie niet in de ogen kijken in de wetenschap dat haar vader zich zo gewelddadig in haar leven had gedrongen.

Jackie Jackson had eindelijk het laatste stukje gevonden van de puzzel die ze al zoveel jaren had geprobeerd op te lossen. Toen Freddie zo'n toestand van Jimmy junior had gemaakt, had ze in haar hart geweten dat er iets aan de hand was, er zat iets onder die glimlachende houding van hem, en ze was altijd jaloers geweest dat hij zo met het joch omging.

'Jimmy junior', wat een lachwekkende vertoning. Maar de twee mannen leken zo op elkaar en de kinderen leken allemaal op elkaar. Haar Rox was bijna een kloon van Maggie. Jackie wist dat Freddie altijd een voorliefde had gehad voor haar kleine zuster, maar hoe zat het met Jimmy? Wat zou Jimmy ervan denken, helemaal nu de jongen dood was? Ze moest iets met Freddie hebben gehad, dat was de enige mogelijkheid. Maggie wilde altijd alles hebben, kreeg altijd wat ze wilde, met inbegrip van Freddie. Maar verkracht? Kimberley zei dat het verkrachting was, dat had Maggie in niet mis te verstane bewoordingen tegen Freddie gezegd, toen hij haar op de begrafenis wilde laten toegeven dat kleine Jimmy zijn kind was geweest. En Jackie wist dat Freddie daartoe in staat was. Was Maggie werkelijk verkracht?

Freddie wist hoe hij met vrouwen om moest gaan, misschien had zij hém wel versierd. Als hij er zin in had kon hij zo charmant zijn. Ze moest eraan denken dat hij het altijd over haar had, Maggie dit en Maggie dat, Jackie ging bijna door het lint van jaloezie. En wat was Freddie blij geweest toen ze een zoon had gekregen.

Maggie was na al die tijd eindelijk zwanger en ze was dolblij voor haar geweest. Een zwangere Maggie zou geen bedréiging meer kunnen vormen, ze zou buiten beeld moeten raken en nu vertelde Kimberley dat Maggies jongen, dat arme kleine joch, het kind was van haar echtgenoot.

Nou, godzijdank was hij dood en begraven. Dat had ze net nodig, zeg, een levend bewijs van Freddies ontrouw. En nog wel in haar eigen familie.

De schoft.

Maar verkrácht, onmogelijk, wat een ónzin. Freddie had altijd vrouwen achter zich aan, hij hoefde niemand te dwingen. Als dit verhaal waar was, dan was het een gore leugen.

Natuurlijk jammerde ze dat ze verkracht was, want als Jimmy het te horen zou krijgen, zou hij niet tot rede te brengen zijn. Net als iedereen dacht hij dat Maggie een prachtmens was, een goeie meid. Nou, ze had nu haar ware aard laten zien. Ze was niet de eerste lellebel die door Freddie was geneukt en ze zou ook de laatste niet zijn, en Jackie had wel betere vrouwen dan Maggie weten te verjagen. Maar deze keer zou ze het voorzichtig aanpakken. Zij zou haar mond houden, totdat Jimmy erachter kwam.

Eigenlijk wilde ze helemaal niet dat dit uitkwam. Maggie stond zó dicht bij haar en ze was zo mooi dat Jackie Jackson zich nooit met haar zou kunnen meten. Ze wist best dat de meeste mensen het Freddie niet kwalijk zouden nemen als hij een avontuurtje zou hebben met haar jongere, veel mooiere zuster.

Ze hoorde hem weer snoeven dat hij de verkeerde zuster had getrouwd, dat hij beter een paar jaar had kunnen wachten totdat Maggie oud genoeg was geweest. Die woorden had hij daar in die kamer vaak genoeg herhaald.

Kimberley hoorde haar moeder aan terwijl die maar doorratelde over Maggie die altijd alles wilde wat zij had. Maggie wilde altijd alles afpakken wat zij had, zij was het lievelingetje en in plaats van woede voelde ze eeuwig medelijden met de vrouw die haar ter wereld had gebracht.

Jackie gaf die arme Mags alweer de schuld van wat er was gebeurd, en haar vader was altijd de vermoorde onschuld. Maggie had hem in haar bed gelokt om wraak op haar te nemen. Jackie begon nu werkelijk in haar eigen leugens te geloven.

Kimberley wist wel dat ze zodra ze haar grote mond had opengetrokken, iets op gang had gebracht wat hen nog jaren zou achtervolgen.

Haar vader was de onschuldige partij, haar moeder had Maggie al berecht en veroordeeld en het enige wat ze met haar stompzinnige onthulling had bereikt, was nog meer pijn en nog meer ongeluk voor haar tante. Alsof die niet al genoeg op haar bordje had.

28

Jimmy was nerveus, niet bang, maar hij was nervéús, omdat hij wist dat Freddie het niet zonder slag of stoot over zijn kant zou laten gaan dat hij uit de zaak werd gezet.

Hij had Freddie laten weten dat hij hem wilde spreken en hij bereidde zich daar mentaal op voor. Freddie was een ongeleid projectiel. In de afgelopen jaren had hij wat stunts gezien die hij had uitgehaald bij mensen van wie hij dacht dat ze hem wilden neerhalen, of, wat vaker het geval was, wanneer hij ze niet meer kon gebruiken.

Vanwege de familiebanden zou hij dit persoonlijk opvatten en ook omdat hij vond dat Jimmy iets van hem wegnam waar hij in zijn ogen recht op had. Jimmy zou hem letterlijk verbannen uit de wereld die hij altijd als de zijne had beschouwd, en hij zou niet aarzelen hem dat mede te delen. Integendeel, hij vond het heerlijk dat hij het hem kon vertellen.

Jimmy had hem kans na kans gegeven om zichzelf te rehabiliteren en Freddie, typisch Freddie, had ze allemaal in zijn gezicht teruggesmeten. Nu zou hij erachter komen dat hij op de laagste sport stond van de ladder die symbool stond voor hun uitzonderlijke voedselketen. En híj stond aan het roer, niet Freddie.

Jimmy had door de jaren heen een hoop geslikt, maar die geschifte schoft die Freddie had verwekt had de deur dichtgedaan. Hij kon Maggie niet vertellen wat er was gebeurd, hij kon het aan niemand vertellen, maar Freddie had geweten wat er van hem werd verwacht en hij had zich niet aan zijn deel van de afspraak gehouden, dus kon hij vertrékken.

Niet alleen uit de business, maar uit zijn wereld. Hij wilde hem nooit meer zien. Als hij hem daarvoor van de aardbodem moest wegvagen, dan moest dat maar. Jimmy wilde alleen maar dat hij hem eerder eruit had getrapt.

Freddie moest zelf maar zien hoe hij ermee omging, maar wanneer iemand hem in dienst nam, dan kon hij samenwerking met Jimmy voor de rest van zijn leven wel vergeten. Dat zou hij iedereen duidelijk te verstaan geven.

Freddie zou een paria zijn, niemand behalve zij beiden zou

weten waarom, en Freddie zou begrijpen dat hij niet meer voor zijn problemen kon weglopen.

Hij had dit al moeten doen nadat hij Lenny had omgelegd, maar hij had hem nog een kans gegeven. Nou, het was gedaan met de familietrouw, dus hij kon naar de hel lopen en dat pokkenschoffie van hem ook. Freddie junior was inderdaad een zoon van zijn vader, nog zo'n geschifte klootzak die op de wereld was losgelaten. Freddie Jackson kon de jongen maar beter zo ver mogelijk bij hem en zijn gezin vandaan houden, want als hij hem ooit zou tegenkomen, zou hij hem zonder plichtplegingen de nek omdraaien.

Alleen vanwege Maggie nagelde hij Freddie en die gestoorde gek niet aan de schandpaal. Maggie had al genoeg aan haar hoofd zonder dat ze wist wat er werkelijk met haar knul was gebeurd en zolang er lucht door zijn longen stroomde zou hij haar beschermen.

Ze mocht het nooit, nooit te weten komen.

Freddie kon het in hun wereld wel vergeten en die straf zou al erg genoeg zijn, want hij bestond en ademde dankzij zijn reputatie. Nou, hij deed zijn best maar bij Jimmy. Als het slechte nieuws was aangekomen, dan zou Freddie Jackson ontdekken met wie hij precies te maken had.

Hij stond te popelen. Hij trilde van opwinding en de adrenaline schoot door hem heen. Freddie ging de schok van zijn leven krijgen en Jimmy begon genoeg te krijgen van dat vertragingsspelletje dat hij zo lang had gespeeld om maar niemand te hoeven kwetsen.

Familietrouw was pure lariekoek. Niemand met een beetje verstand wilde toch sowieso familie zijn van zulke verraderlijke, leugenachtige lulhannesen? Hij had ze jaren op sleeptouw genomen, ze geld geleend, hun problemen opgelost. Hij leek verdomme wel de Bank van Jimmy.

Dat was nu voorbij. Ze konden in hun eigen sop gaarkoken en ze mochten voortaan bij hun eigen zogenaamde vrienden aankloppen.

Ze namen alleen maar, daar waren ze uitermate gewiekst in, en hadden zijn dierbaarste bezit van hem afgenomen. Alleen daarom al kon hij het ze nóóit vergeven, belangrijker nog, het vergéten.

Dit was voor zijn Jimmy en voor zijn eigen gemoedsrust. Net als Freddie Jackson was hij uit op wraak en die wraak zou hem door de komende zwarte periode heen loodsen.

Jackie keek naar haar oudste dochter maar zag haar niet. Ze zag wat ze al die jaren niet had willen zien. Zelfs als jong meisje had Freddie naar haar zuster verlangd. Hij had haar gadegeslagen, haar begeerd, aan haar gedacht, naar haar gesmacht.

Deze gedachten waren niet van haar gezicht af te lezen. Toen Kimberley naar haar moeder keek, wist ze dat die in shock was.

Roxanna was ook geschokt. Eigenlijk stond ze op het punt om flauw te vallen, omdat Jackie hardnekkig bleef beweren dat Maggie haar vader moest hebben verleid. 'Je gelooft toch zeker zelf niet wat je zegt, mam. Alsof Maggie hem maar in haar buurt wilde hebben.' Waarmee ze concludeerde dat geen enkele vrouw met een beetje verstand haar man wilde, de vader van dit meisje.

Jackie draaide zich met een ruk naar haar mooie dochter om die ze op dit moment wel kon wurgen. De waarheid schreeuwde het in haar hersenpan uit maar met haar persoonlijkheid kon ze nooit hardop toegeven dat Freddie haar zuster wilde, ook al wist ze dat het wel zo was. Freddie wilde iedereen die bij hem in de buurt kwam en die ook maar een greintje te neuken viel.

Jackie had er door de jaren heen om gelachen, ze moest wel. Zo had ze haar gezicht kunnen redden. Helemaal toen ze erachter kwam dat hij het met haar vriendinnen deed, haar buren, toen ze jonge meisjes in de pub naar haar had zien kijken die hadden gemerkt dat ze er eigenlijk niet was. Ze had het moeten verdragen dat ze intiem waren met haar man en dat sommigen van hen een kind van hem hadden.

Ze had het min of meer geaccepteerd omdat ze zich geen leven kon voorstellen zonder hem ergens op de achtergrond, wat hij ook deed en hoe hij haar ook behandelde. En hij hád achter haar gestaan, in zekere zin. Ze was de énige vrouw achter wie hij ooit had gestaan, ook al was dat op een harteloze en vernederende manier.

Jackie zou tot haar dood toe Freddie Jacksons echtgenote blijven. Het verschafte haar het enige prestige dat ze ooit in haar leven had gehad, het garandeerde haar bovendien bescherming en een leven waarin ze ongestraft kon drinken en drugs kon gebruiken.

Sinds de confrontatie met Terry Baker was haar zelfvertrouwen, dat toch al nooit denderend was geweest, tot het absolute dieptepunt gedaald. Meer vernederingen kon ze er niet meer bij hebben. Freddie was haar alles, door hem was ze een waardevol iemand. Vanaf het eerste moment dat ze met hem was, had ze het gevoel dat ze iemand was, en zij was Freddie Jacksons meisje, zijn vrouw, uiteindelijk zijn echtgenote.

Het geld deed er eigenlijk niet zoveel toe. Ze hield van hem met elke vezel van haar bestaan, en als Maggie dacht dat ze daarin verandering kon brengen, dan kwam ze bedrogen uit.

Zijn hele leven was hij vreemdgegaan en ze had alles geslikt, maar dit kon ze naar alle eer en geweten niet over haar kant laten gaan.

Ze wist dat ze hierover haar mond moest houden, ze wilde het ook stilhouden, want bij de gedachte dat iemand hierover te horen zou krijgen kreeg ze bijna zelfmoordneigingen. Maar ze wist ook dat ze het niet voor zich kón houden. Een paar borrels en ze zou het er in een driftbui uitflappen, of erger nog, ze zou het Freddie naar zijn hoofd slingeren. Dan zou hij zich tegen haar keren waardoor de situatie alleen nog maar erger zou worden.

Zij moest de eerste klap uitdelen, dit moest algemeen bekend worden, problemen maken voor Maggie. Jackie wist als geen ander hoe ze het slachtoffer moest spelen... ze had in al die jaren tenslotte meer dan genoeg kunnen oefenen.

Maggie, dood kind of geen dood kind, had haar verraden. Verkrachting was klinkklare onzin. Ze zou de waarheid binnen een paar seconden uit haar hebben.

Ze had haar besluit genomen.

Op weg naar Jimmy's kantoor besloot Freddie een kleine omweg te maken. Hij parkeerde voor de pub en bleef daar een paar tellen staan. Hij overzag zijn domein en besloot dat Jimmy Jackson maar naar hem toe moest komen, dus hij kuierde naar binnen en bestelde een dubbele scotch.

Paul en Liselle waren blij hem te zien, voor zover iemand die hem kende blij kon zijn, althans. Paul vulde zijn glas bij zodra dat leeg was en de twee mannen lachten naar elkaar. Hij voelde de verbittering van Freddie afslaan, maar vandaag was er een nieuw gevoel bij gekomen, een dreigende onderstroom die normaal nooit zo aan de oppervlakte lag.

'Iets van Ozzy gehoord?'

Paul haalde zijn schouders op, dat deed hij altijd als hij die vraag kreeg. 'Niet veel. Mij vertelt-ie niks, Freddie, dat weet je wel.'

Hij zei het op een effen toon die niet meer vragen duldde en die de vragensteller te verstaan gaf dat hij zich met zijn eigen zaken moest bemoeien. Maar tegelijk sprak eruit dat hij veel meer wist dan hij losliet.

Dat ergerde Freddie, dat wist hij wel, ook al had die geen ander antwoord verwacht. Maar vandaag zat er meer woede achter, waardoor Paul dicht in de buurt van zijn vuurwapen bleef dat hij altijd onder de bar klaar had liggen. Het wapen lag er vooral om af te schrikken, maar als het nodig was zou hij het gebruiken.

'Heb je dan geen boodschappen van Jimmy voor me? Jij weet tegenwoordig tenslotte veel beter dan ik wat er gaande is, hè, Paul? Die klootzak Jimmy vertelt jou heel wat meer dan mij.'

Hij zei het op ruzieachtige toon, maar Paul glimlachte behoedzaam voordat hij kalm zei: 'Niemand heeft iets over jou tegen me gezegd, of boodschappen voor je doorgegeven, maar als ik iets hoor, weet jij het als eerste, oké?'

Hij hield Freddie scherp in de gaten terwijl zijn hand boven het vuurwapen hing.

Freddie had zich al een tijdje zitten opdraaien en Paul vermoedde terecht dat dat uit onvrede was. Freddie zou de aframmeling van zijn leven krijgen, dat had iedereen in de gaten, maar dat was niet Pauls probleem, dat was Freddie Jacksons probleem. Freddie was net een grote, natte kloteballon die elk moment uit elkaar kon spatten.

Zelfs de dood van dat knulletje had de scherpe kantjes er niet af kunnen slijpen. Integendeel, sinds die tijd leek Freddie nog erger te zijn geworden, voor zover dat mogelijk was.

Die arme Jimmy was er kapot van geweest, maar dat was te verwachten. Hij had een kind verloren, zijn enige kind, een geliefd en gewild kind, maar Freddie leek er jaren ouder door te zijn geworden. Toen Paul naar hem keek en hem zag drinken – zo vroeg op de dag en al zoveel, en ook al wist hij dat hij per se nog in de auto zou willen stappen – vroeg hij zich af waardoor hij nu weer zo kwaad was.

Voor zover Paul wist, was hij kwaad omdat hij nog steeds als geldophaler fungeerde. Maar Freddie was Freddie, dus dat zou hij altijd blijven doen. Hij hield nooit iets lang vol. Soms had hij goede ideeën waar ze dagen over konden praten maar waar nooit iets van terechtkwam.

Hij had Freddie wel vaker op oorlogspad gezien en hij was plotseling blij dat hij niet het doelwit was van Freddies kennelijke woede en verontwaardiging. Maar dat kon zomaar omslaan, dat wist hij. Freddie Jackson kon als een blad aan een boom omdraaien, wat betekende dat niemand ooit veilig was totdat hij het pand verlaten had.

Glenford en Jimmy hadden bij de Ship and Shovel geluncht met een paar sandwiches en biertjes, standaard voor mensen in hun branche.

Beide mannen waren zich bewust van een stilzwijgende overeenkomst tussen hen. Glenford ging nergens heen, hij zou zolang het nodig was in de buurt blijven. Jimmy realiseerde zich terdege wat hij op zijn hals haalde, maar Glenford wist dat hij een beter overzicht over de situatie had. Hij zat niet zo dicht met zijn neus op de vijand als Jimmy.

Ondanks dat hij een harde jongen was, kon Jimmy zich laten vermurwen en zoals altijd Freddie het voordeel van de twijfel geven. Freddie zou daarentegen deze confrontatie nooit over zijn kant laten gaan zonder op de vuist te willen, en dat kon Freddie goed, dat was het enige waar hij ooit goed in was geweest. Glenford was bang dat zijn vriend wellicht de vergissing maakte waar alle grote mannen uiteindelijk intrapten... dat ze hun vijand onderschatten, of erger nog, dat ze ervan uitgingen dat de vijand dezelfde kwaliteiten bezat als zijzelf. Dat ze veel fatsoenlijker waren dan ze in werkelijkheid waren.

Jimmy Jackson speelde altijd de blanke man, terwijl Freddie altijd praatte als de een en handelde als de ander. Dat zat nu eenmaal in de aard van het beest dat hij was. Freddie Jackson had geen fatsoenlijk bot in zijn grote en veel te sterke lichaam. Daar was Glenford in elk geval van overtuigd. Hij wist ook dat Jimmy Jackson niet van plan was op zijn besluit terug te komen. Als hij eerlijk was, was zijn grootste zorg dat Jimmy zich op het laatste moment toch weer liet vermurwen en zich kwetsbaar zou opstellen.

'Mam, in hemelsnaam...' Kimberley realiseerde zich opeens wat ze teweeg had gebracht en dat beangstigde haar.

Jackie was zich aan het aankleden want er kon geen sprake meer zijn van slapen. Ze was nu een vrouw met een missie, een gevaarlijke missie waarop ze als het moest haar zuster in koelen bloede zou vermoorden.

'Hou op, mam, en luister naar me. Ik hoorde ze op Jimmy juniors begrafenis praten, pa viel haar daar zelfs lastig, hij deed hátelijk tegen haar ook al had ze net haar kind begraven...'

'O, mijn hart bloedt voor haar, de trut. Maar bedoel je niet eigenlijk hún kind?'

'Mam, Maggie zou je nooit kwetsen, niet met opzet. Waarom denk je dat ze het al die jaren voor zich heeft gehouden?'

'Als jij met m'n man zou neuken, zou jij dat dan ook niet voor je houden? Jimmy zal er ook niet erg enthousiast over zijn als hij het hoort, schatje. Is dat al bij je opgekomen? Al mijn hele leven wil ze alles van me afpakken. Ze is vanaf het begin jaloers op me geweest! Ik had wat zij wilde!'

Kim moest nu lachen. 'Je meent toch niet echt dat we het hier over mijn vader hebben, wel? Maggie hem willen? Zit er verdomme een steekje bij je los, mam? En ook al zou het zo zijn, dan zou Maggie jóu dat nooit aandoen. Ze houdt van je, ook al behandel je haar als een stuk vuil.'

Jackie slaakte een zucht en zei toen vriendelijk, maar met een boosaardige ondertoon: 'Ze is dood, Kimmy. Pomp dat maar in je dikke klotekop. Ze heeft mijn man genéúkt, ze heeft een baby van míjn man gekregen – jouw woorden, niet de mijne, Kim – en als je denkt dat ik luister naar een fabeltje dat het verkrachting zou zijn geweest, dan kun je dat in je reet stoppen. Ik trek haar verdomde kop van haar schouders en de jouwe ook als je me een strobreed in de weg legt.'

Kimberley was nu doodsbang geworden. 'Hou ermee op, mam, en denk erover na. Waarom zegt ze altijd dat hij haar met rust moet laten, hè? Waarom zou ze hem dan voortdurend vertellen dat hij moet opsodemieteren?'

Jackie zuchtte diep. Dat was net wat ze nodig had, haar dochter aan het begin van haar haatcampagne. Niemand beschuldigde háár man van verkrachting. Hij was verdomme van háár en zij was jaloers. In Jackies ogen was iedereen tegen wie ze uitvoer of tegen wie ze wrok koesterde jaloers op haar. Iedereen was jaloers op haar huis, haar man, haar levensstijl. Het kwam nooit bij Jackie op dat haar eigen rancuneuze jaloezie haar de grootste problemen opleverde.

In haar beleving was Freddie het slachtoffer, er was hem iets wijsgemaakt door een femme fatale die tot Jimmy nog maagd was geweest, en die Freddie Jackson heus niet had binnengelaten toen de bel voor de laatste vier minuten had geklonken. En ze hadden een kind gemaakt... nou, nu werd Maggie eens een keer gekwetst zoals zij gekwetst was toen ze moest toekijken hoe haar jongere zuster een succes van haar leven maakte, moest toekijken hoe ze steeds verder de ladder beklom!

Jackie was de oudste. Zij had de salons en die grote huizen moeten hebben, niet Maggie, niet kleine Maggie die ze altijd had gebruikt zoals het haar uitkwam en die plotseling, zomaar, de rijke trut van de familie was geworden.

Hoe dúrfde ze te denken dat ze haar te pakken kon nemen?

Freddie had wel eens voor de gein gezegd dat Jimmy geen kinderen kon maken, en misschien had hij wel gelijk gehad. Er waren geen andere kinderen gekomen en ze wist dat ze dat heel graag wilden. Maggie wilde wanhopig nog een kind, al sinds de geboorte van kleine Jimmy junior. Ze had het er vaak genoeg over gehad.

Het leek er dus op dat Jackie had gehuild om de bastaard van haar echtgenoot en dat liet ze niet zomaar over haar kant gaan. Ze durfde er een eed op te doen: kleine Jimmy wás het kind van haar man. Hij had meer aandacht aan die jongen geschonken dan aan zijn eigen zoon, en dat zou ze die trut van een Maggie nooit vergeven. Wat haar betrof was dit het ultieme verraad. Geen wonder dat ze dat klootzakkie niet wilde, ze werd natuurlijk verteerd door schuldgevoelens. Zelfs haar eigen moeder had het abnormaal gevonden zoals ze met hem omging.

'Alsjeblieft, mam, denk na bij wat je doet. Hij heeft Maggie verkracht, haar verkrácht. Jimmy zal hem vermoorden, Jimmy zal haar geloven... Net zoals ik en andere mensen.'

Dat deze woorden terecht waren, ontging Jackie niet maar zoals altijd schoof ze die opzij. 'O, Kimmy, wat is er nou met je? Zal ik een paar pillen voor je scoren om je te kalmeren, wil je dat? Of zal ik met mijn vuist uithalen en voor eens en voor altijd die pathetische blik van je smoelwerk vegen? Ze is goddomme een hoer die mijn man van me heeft afgepakt en ze is nog wel mijn eigen zuster, mijn eigen klotezuster. Nou, ze is zo goed als dood, net als jij als je niet uit de weg gaat.'

Ze sjorde grijnzend haar kleren over haar omvangrijke lichaam.

Roxanna sloeg het tafereel voor haar gade. Ze had nog steeds dat gevoel dat hun een verschrikkelijk noodlot wachtte. Het was als de eerste paar dagen voordat ze ongesteld moest worden, wanneer alles een vreemde nasmaak kreeg, en als ze 'goedemorgen' zei, dat als een oorlogsverklaring klonk.

Als het waar was wat Kimberley had gezegd, dan was Maggie door haar vader verkracht. Maggie zou nog eerder met een zwerver uit de buurt het bed induiken dan met Freddie Jackson, en ze kon het haar niet kwalijk nemen. In haar plaats zou ze er precies zo over denken. Maar wat betekende dat voor haar? Haar en Dicky? Wat zou er gebeuren wanneer al die shit aan de grote klok werd gehangen, die net in de grote bek van haar moeder een complete metamorfose had ondergaan?

Ze wilde niet dat Dicky's moeder en de rest van zijn familie hier lucht van kregen, dit ging veel te ver, zelfs voor de Jacksons. Ze begon zich nu zorgen te maken over haar eigen reputatie, maar als ze het daarover met Jackie zou hebben, had dat waarschijnlijk net zoveel effect als een handrem op een klotekano.

Kim had een beerput geopend en er zaten duivelse wormen in, kwaadaardige wormen en die zaten ook nog eens in de mond van haar moeder. Die zou ze nog liever uitspuwen dan een van hen geloven.

Jackie stond zich nog steeds aan te kleden en ondertussen probeerde Kimberley haar ervan te overtuigen dat Maggie, die arme Maggie, het slachtoffer was. Rox wist dat haar zuster het niet erger kon maken. Als haar vader een bijl ter hand zou nemen en alle buren voor het oog van een filmploeg van Channel Four zou vermoorden, zou haar moeder zichzelf er nog van weten te overtuigen dat het niet waar was, of dat zij iets verschrikkelijks hadden gedaan zodat moord nog de enige optie was.

Roxanna kon met alle plezier Kims nek wel omdraaien.

Ze moest Maggie waarschuwen en ze vroeg zich af hoe Maggie zou reageren als dit nieuws bekend werd. En het schoot door haar heen dat Jimmy, haar dierbare oom Jimmy, net zo groot en sterk was als haar vader. Eigenlijk realiseerde ze zich dat zijn kracht sterker en beter gericht was. Dicky was zo dol op haar oom Jimmy dat het bijna aan verering grensde.

Dit was zo verschrikkelijk. Ze wist dat hierdoor de familie uiteen zou spatten, en ze wilde maar dat Kimberley zich met haar grote smoel erbuiten had gehouden. Rox hield ervan wanneer alles in evenwicht was en wanneer dat betekende dat er sommige dingen onder het kleed moesten worden geveegd. Als ze moesten doen alsof alles oké was, dan was ze daar van harte toe bereid.

Ze kon wel janken. Alles zou worden verwoest en ze wist dat het leven voor geen van allen ooit meer hetzelfde zou worden.

Maar ze maakte zich er nog het meest ongerust over dat ze wist aan wie ze loyaal moest zijn, want als ze gedwongen zou worden een keus te maken, dan hadden haar vader en moeder geen schijn van kans.

De telefoon was al drie keer overgegaan. Elke keer was het Glenford geweest die aan Paul had gevraagd of Freddie er nog was en in welke staat hij verkeerde.

Elke keer had hij gezegd: 'Ja en niet goed.'

Hij wist dat er wat gaande was en hij was doodsbenauwd dat dit in het bijzijn van hem en zijn vrouw zou plaatsvinden. Hij had Liselle naar hun flat gestuurd met de waarschuwing dat ze zich hoe dan ook gedeisd moest houden.

Freddie begon nu op dreef te komen en zijn knappe gezicht verloochende het kwaad dat zo vlak onder de oppervlakte op de loer lag. Een uur geleden had Freddie eindelijk aanstalten gemaakt om te vertrekken toen er een meisje binnen was gekomen. Ze was in de twintig, had lang haar, een scheve glimlach en een rok die de zwaartekracht tartte. Om de zaak nog erger te maken, was ze ook nog de nicht van Liselle. Ze had maar één blik op Freddie geworpen en was tot over haar oren.

Wat had Freddie Jackson toch met vrouwen? Hoe slechter hij ze behandelde, des te aantrekkelijker leek hij voor ze te worden. Ze was een en al parfum en mintkauwgum, haar kleren waren in New Look-stijl gecombineerd met Dot Perkens en haar buik was niet zo'n wasbord als ze graag zou willen geloven.

Ze was helemaal Freddies type, had er zin in, liep lang genoeg rond om te weten hoe het eraantoe ging, maar was nog zo jong dat ze niet die verbitterde uitdrukking had die Jackie en haar maatjes hadden. Jimmy bestond niet meer voor hem. Freddie ging opzichtig en opgewekt op de versiertoer en Melanie Connors was opgetogen.

Melanie was grappig, ze had die manier van praten, het uiterlijk en de ervaren houding van jonge meisjes die er te vroeg bij waren geweest, maar nog steeds niet hadden ontdekt dat voor de meeste vrouwen seks geen onderhandelingspositie bood.

Haar gevatte antwoorden waren erg humoristisch en Freddie genoot van die jeugdige arrogantie en het blinde vertrouwen dat ze in haar eigen knappe uiterlijk had. Maar dat kon binnen een paar tellen omslaan als ze iets zou zeggen wat in zijn ogen oneerbiedig of regelrecht uitdagend was.

Wat Melanie aanging, Freddie Jackson was oud genoeg om haar vader te kunnen zijn, maar daar maakte ze zich niet druk om. In haar ogen was hij met zijn donkere haar en blauwe ogen adembenemend. Ze merkte tot haar vreugde ook op dat hij een leuter had die haar moeders voordeur tijdens een wervelstorm nog open kon houden en ze wist instinctief dat die van hem zo groot was als van een paard. Al met al was ze blij met de wending die de dag had genomen.

Paul, daarentegen, zat in de puree. Hij wist dat Freddie op de wip zat en die arme kleine Melanie had nog geen beurt meegemaakt van Freddie. Ze was familie van zijn vrouw en eigenlijk zou hij op een bepaald moment moeten ingrijpen, maar daar keek hij bepaald niet naar uit.

Op dat moment leek Freddie echter wel een hasjhond in een crackhuis, dolgelukkig en genietend van de gebeurtenissen van die middag. Hij joeg op vrouwen zoals andere mannen op herten jaagden. Hij hield zich rustig, observeerde elke beweging van haar en als de tijd rijp was sloeg hij toe. Als ze goed was in bed kreeg ze misschien een tweede kans, als hij haar tenminste niet vergat voordat hij een prooi met grotere tieten wist te vinden en de pure aantrekkingskracht van onbekend terrein.

Hij hield van de jacht, de verovering van de meisjes. Als hij dat eenmaal had bereikt, waren ze geschiedenis.

Dianna zat in zak en as en haar beide zusters riepen tegelijk met dezelfde woede en ergernis: 'O, hou toch je mond, Di!'

Maggie staarde naar de drie meisjes van wie ze met heel haar hart hield. Ze draaide zich toen om naar haar zuster en zei kalm: 'Doe niet zo mal, Jackie. Kimberley heeft het gewoon verkeerd verstaan.'

Kimberley greep de strohalm die haar werd geboden met beide handen aan en hoopte dat ze hiermee zou worden gered van de verdrinkingsdood in haar eigen schuldgevoelens. 'Ja, ik wist niet precies waar ik het over had, mam. We hadden ruzie en ik wilde je kwetsen, dat is alles.'

'Leugenachtige trut dat je d'r bent, sletjunkie! Je weet wat er is gebeurd. Ik ben verdomme niet achterlijk!'

Maggie had geen enkele illusie over hoe dit nieuws door haar grootste vijanden zou worden ontvangen, maar het kon haar niet meer schelen. Niets kon haar meer raken, ze wist niet eens zeker of ze de vrede met haar zuster wel wilde bewaren.

Als puntje bij paaltje kwam, was ze bereid om haar te vernietigen. Als dat er voor nodig was om die slons de mond te snoeren, dan vond ze dat prima.

Maar ze dwong zichzelf nogmaals op kalme en beschaafde toon te spreken. 'Kom op, Jackie, neem een slokje, koffie of wodka, je mag zelf kiezen.'

Jackie wist dat ze hiermee haar gezicht kon redden, een kans kreeg aangeboden om deze krankzinnige toestand een halt toe te roepen voordat de zaak uit de hand zou lopen, maar door Maggies kalmte werd ze nog kwader.

Ook al wist ze zonder enige twijfel dat dit kind, want Maggie zag er nog steeds uit als een kind, verkracht was, dan nog kon ze dit voor geen prijs naar de buitenwereld laten uitlekken.

'Ga je míj een wodka aanbieden? Weet je zeker dat jíj er niet een nodig hebt, nu je geheim boven tafel is gekomen?'

Maggie keek in het blotebillengezicht van haar zuster en moest eraan denken dat die ooit alles voor haar had betekend, dat ze de steunpilaar in haar leven was geweest. En dat was ze ook geweest, in een tijd waarin Jackie haar hele wereld had uitgemaakt, toen ze haar kleine zuster bij alles betrok.

Maggie was zich er goed van bewust dat dit vooral kwam doordat Jackie zo eenzaam was, maar ook omdat Maggie de zorg voor de meisjes op zich had genomen.

Ze had de meiden praktisch opgevoed en ze moest toegeven dat ze er elke seconde van had genoten, in tegenstelling tot dat zielige geval dat voor haar zat. Die beschouwde haar kinderen alleen maar als een garantie voor haar wekelijkse uitkering, had hen gebruikt om hun vader aan huis te kluisteren en ervoor te zorgen dat hij met geld over de brug kwam.

Maggie had met ze gespeeld, ze in bad gestopt, het huis opgeruimd voor Jackie en naar haar geluisterd wanneer ze iedereen binnen een omtrek van tien kilometer weer eens had neergesabeld... vooral haar familie, vriendinnen en iedereen op wie ze jaloers was. Aangezien dat ongeveer de hele wereld was, kon ze woedend worden. Jackie slachtte iedereen af en dat deed ze op zo'n manier dat het eeuwen duurde voordat je je realiseerde wat ze eigenlijk aan het doen was.

Toen Maggie veertien werd, wilde ze niet meer zijn zoals zij. Integendeel, het was haar toen glashelder dat haar leven precies het tegenovergestelde zou moeten worden van dat van Jackie. Ze wilde haar eigen rekeningen kunnen betalen, als het moest helemaal voor zichzelf kunnen zorgen, en was vastbesloten dat ze nooit zo afhankelijk van een man zou worden zoals Jackie.

Jackies grootste angst was dat ze zonder man, haar man, achter zou blijven. Maar de man van wie ze zoveel hield had haar vernederd en gemaakt tot het vette, groezelige wrak dat ze nu was. Ze was het levende bewijs dat liefde niet dat prachtige gevoel vertegenwoordigde dat jonge meisjes voor ogen hebben. Haar dierbare man had haar kleine zuster verkracht en nog was ze in staat om zichzelf een rad voor ogen te draaien. Álles draaide immers om Jackie, nooit om iemand anders.

'Was kleine Jimmy de zoon van Freddie? Ik moet het weten.'

Jackie klonk tegelijkertijd zo vol eigendunk en zo verdomde banaal dat Maggie vond dat dit nog beter was dan een toneelspel. Deze vrouw was van huis uit altijd een lafaard geweest en dat bewees ze nu weer. Jackie ging alleen maar in de aanval wanneer ze wist dat de strijd die ze was aangegaan door iemand zou worden gestopt.

Maggie lachte, maar het klonk geforceerd en het was ook duidelijk dat ze er genoeg van had, genoeg van het leven, genoeg van de wereld en genoeg van de vrouw die voor haar zat.

'Als je werkelijk denkt dat die bewering ook maar in de verste verte waar kan zijn, dan zouden jij en ik nu vechtend over de vloer rollen, Jack, en dat weet je best.'

'Verdomd als het niet waar is.'

'Maar dat doen we niet, hè, Jackie?'

Het sarcasme droop ervan af en Jackie Jackson moest toegeven dat haar kleine zuster inmiddels groot was geworden.

'Daar is nog tijd genoeg voor, dame.' Ze wees met een vuile vinger naar haar zuster en zei luidkeels en vol zelfmedelijden: 'Je hebt altijd een oogje op mijn Freddie gehad. Jij kreeg altijd wat je wilde in het leven. Voor pap en mam was ik nooit goed genoeg, jij stond altijd op de eerste plaats! Nou heb ik eens iets en dat pik je me ook nog eens af!'

'Waar heb je het over, mam? Maggie is het beste wat je ooit is overkomen, ons is overkomen!' Dianna realiseerde zich onmiddellijk dat ze die wijsheid beter voor zich had kunnen houden. Kimberley duwde Roxanna opzij, liep naar haar moeder toe en zei kwaad: 'Ik zat je op te stoken, mam, luister alsjeblieft naar me.'

Jackie wilde er een eind aan maken en uit die krankzinnig wereld stappen, maar dat kon ze niet. Dit zou haar vanbinnen opvreten en ze wist dat ze dit hoe dan ook voor eens en voor altijd moest oplossen.

'Ga naar huis en slaap je roes uit, Jackie, of praat normaal met me, oké?'

Haar zuster zei het met een stalen stem die Jackie nog nooit eerder had gehoord. Het klonk zelfs enigszins neerbuigend.

'Ik breek verdomme je nek, trut!'

Maggie slaakte nogmaals een zucht. 'Is dat het enige wat je kunt bedenken, Jack? Me uitschelden, míj voor trut uitmaken, het woord dat ik meer haat dan wat ook? Ik besef opeens, zus, dat het beter bij jou past, vind je ook niet? Ik heb mijn kind verloren en jij denkt me hier een beetje te kunnen uitfoeteren, omdat jij denkt dat ik dat stuk stront met wie je bent getrouwd zou willen. Ik zou mezelf maar eens goed onderhanden nemen, wijfie. Hoor toch eens wat je zegt, egoïstische, vette dronkenlap die je d'r bent!'

Maggie maakte een gebaar naar Jackie alsof ze een nul was en draaide zich om naar de meisjes. Die zaten dicht tegen elkaar aan in verschillende shockstadia.

'Neem haar mee naar huis, godverdomme. Ik wil haar niet meer zien!'

'Ik zal je verdomme vermoorden, Maggie Jackson. Je zult er verdomme spijt van krijgen dat je me te kakken hebt gezet, dame.'

Maggie draaide zich weer naar haar zuster om. Ze sprak heel kalm en heel dreigend, articuleerde elk woord langzaam en duidelijk terwijl ze met haar gemanicuurde vinger in het gezicht van haar zuster prikte.

'Als je me met één vinger aanraakt, Jack, dan vóúw ik je om dit huis heen. En daar ben ik toe in staat, wijfie. Mij maak je niet meer bang, dat kon je al niet sinds ik op school zat. Jij bent een grote, vette, opgeblazen, snoeverige nietsnut, en dat is jouw probleem. Je weet dat beter dan wie ook en dat vreet je totaal op.'

Maggie schudde in teleurgestelde woede haar hoofd. 'Ik heb mijn baby begraven en jij komt met deze shit aan? En denk eraan, als je dit soireetje aan Jimmy doorbrieft, dan is het met Freddie en jou gedaan, daar zal ik persoonlijk voor zorgen. Je bent hier niet meer welkom, Jackie. Ik heb je jaren op sleeptouw genomen en ik kan verdomme deze rotzooi er niet meer bij hebben. Sodemieter nu mijn huis uit, voor ik je te grazen neem.'

29

'Vertel me alsjeblieft wat er werkelijk aan de hand is, Jimmy. Dit begint echt op mijn zenuwen te werken.' Glenford zei het lachend, maar Jimmy wist dat hij het serieus meende.

'Ik heb het je al gezegd, ik wil hem er niet meer bij hebben. Ik heb genoeg van 'm. Niets te vroeg, toch? Iedereen wilde hem er jaren geleden al uitschoppen. Maar hij is familie van me, en om die reden heb ik het allemaal geslikt. Einde verhaal.'

'Volgens mij meer het begin.'

Jimmy haalde zijn schouders op en Glenford wist dat hij niets meer uit hem zou krijgen. In plaats daarvan vroeg hij: 'Is hij nog steeds op de versiertoer?'

'Wat ik ervan heb gehoord wel, ja.' Jimmy moest grijnzen. 'Freddie en de vrouwtjes, hè? Toen hij uit de gevangenis kwam, heeft hij alles wat een gat had te pakken genomen, dat weet ik nog.'

Glenford lachte nu hardop, zijn nieuwe gouden tand schitterde in het zwakke middagzonnetje. 'Het is zijn hobby. Merkwaardig wat een man allemaal in leven kan houden.' Toen ging hij op de comfortabele leren bank in Jimmy's kantoor zitten en zei ernstig: 'Waar gaat dit over, man? Ik voel je woede, je lichaamsvibraties uit al je poriën trillen. Ik wil je alleen maar helpen, man. Je bent m'n beste vriend, dat weet je toch. En ik denk dat er een grote kans is dat ik ook de jouwe ben.'

Glenford schudde nu ontsteld zijn zware haardos, pakte een halve joint van de zware, witte speksteen asbak voor zich en stak hem aan. Hij trok er zwaar aan en zei: 'Sinds Jimmy junior gaat het niet goed met je, met name als het om Freddie gaat. Het lijkt wel alsof je hem de schuld geeft.'

Jimmy hield als een broer van deze man en hij was niet verbaasd dat hij zo eenvoudig de oorzaak van zijn problemen had uitgevogeld, maar hij kon niet hardop uitspreken wat nog steeds elke seconde van de dag door zijn hoofd spookte.

Freddies zoon had zijn baby vermoord, zijn vlees en bloed.

Freddie was op de lachtoer. Het meisje had een hoeveelheid co-ke tevoorschijn getoverd en in combinatie met de whisky ging hij nu uit zijn dak.

Melanie dacht dat zij het toppunt van perfectie was. Ze snoof zo luidruchtig mogelijk waarbij ze theatraal met haar handen gebaarde zodat iedereen om haar heen zou zien dat ze cocaïne had genomen.

Freddie had het hart niet om te zeggen dat het heel slecht was versneden. Tijdens lunchtijd had hij van een maat fatsoen-lijk spul gekocht en dat had hij aan Melanie gegeven die nu ho-ger vloog dan een spaceshuttle.

Haar ogen begonnen al te schitteren en hij moest toegeven dat hij wijven onder invloed van coke heel aantrekkelijk vond, totdat ze tegen de vlakte gingen. Dit mokkeltje geloofde echt dat ze wist hoever ze kon gaan en alles wist van snuiven en ro-ken.

Ze was eigenlijk een zielig geval. Voor hem was ze nog maar een kind en zo had hij ze het liefst.

Over een paar minuten zou ze haar hart uitstorten. Dan zou hij alles van haar te weten komen en Freddie keek daar al naar uit. Ze was een lammetje en zo'n lammetje vroeg erom om naar de slachtbank te worden geleid. Voor haar werd dit de les van haar leven. Hij hoopte alleen maar dat ze besefte hoeveel geluk ze had dat hij zoveel belangstelling voor haar toonde, ook al was dat voornamelijk om de tijd te doden en te kijken of Jimmy voor de verandering eens naar hem toe zou komen.

Hij voerde haar nog een borrel en ze dronk er gulzig van, want hij wist wel dat haar mond nog droger was dan de tieten van een non. Het onderste deel van haar gezicht was nu hele-maal verdoofd. Ze wilde zich naar voren buigen en hij zag dat ze zou gaan struikelen. Hij greep haar met zijn armen in een stevige omhelzing zodat ze het gevoel kreeg dat hij voor haar zorgde, dat ze veilig was.

'Rustig aan, meid, weet je zeker dat het wel gaat?'

Hij zei het joviaal, gedroeg zich op zijn best en voelde zo ook haar uitermate avontuurlijk ogende bos hout voor de deur. Aan haar glimlach te zien vermoedde hij dat die vaker waren betast dan de lul van een voetballer, maar daar maalde hij niet om. Hij hield ervan als ze zacht waren, en grote wiegende bor-sten waren altijd zacht.

Te oordelen naar haar buik, die ze nu vergat in te houden, dronk ze doorgaans pils.

Nou, ze wilde er wel wat bij leren en hij was helemaal in de stemming om haar wat lesjes bij te brengen.

Paul maakte zich ongerust over hoe het nichtje van zijn vrouw eraantoe was. Hij zou zonder meer de schuld krijgen, dat wist hij zeker. 'Laat haar met rust, Freddie. Kom op, Mel, schatje. Ga naar Liselle.'

Melanie duwde haar lange verwarde haar uit haar gezicht en zei opstandig: 'Rot op, Paul, ik ben boven de achttien, hoor.'

Haar vijandigheid ging nu ook op Freddie over, die het tafereel voor zijn ogen zag gebeuren. 'Wat heb jij er eigenlijk mee te maken, Paul?'

Paul haalde zijn schouders op. 'Het is Liselles nichtje.'

Freddie bulderde naar het arme meisjes: 'Is dat zo? Echt waar?'

Ze knikte en toen barstten ze allebei in lachen uit.

Paul wist wanneer hij was verslagen maar hij probeerde het nog een keer, in de wetenschap dat Liselle een aangedikt verhaal van de vaste klanten te horen zou krijgen. 'Kom op, je hebt het allemaal niet meer op een rijtje. Laat me je naar Liselle brengen, ja?'

Freddie duwde Pauls armen bij het meisje weg en gooide hem daarmee bijna op de grond.

'Sodemieter op, lulhannes, ze heeft het prima bij me.'

Paul zuchtte. 'Kom op, Freddie, hoe zou jij het vinden als het een van jouw meiden was? Liselle wordt woedend, dat weet je.'

Hij zei het op zo'n redelijk mogelijke toon, speelde de aardige jongen. Niet dat dat bij Freddie Jackson zoden aan de dijk zette, die alleen maar zijn middagwip in rook zag opgaan. 'Rot op, Paul, en ik meen het.'

De dreiging was onmiskenbaar evenals de manier waarop hij plotseling zijn rug rechtte, zijn schouders naar achteren trok en zijn tanden liet zien waardoor hij er bijna beestachtig uitzag.

'Waarom bel je Ozzy niet even, of Jimmy, zijn chef-kontlikker, en verlink je me niet? Vertel ze maar wat ik de hele dag heb gedaan, hè? Jij klotesnotneus... Ga het ze maar vertellen, ja, dat ik vind dat het een stelletje klootzakken zijn. Toe maar...' hij moest nu om zijn eigen woorden lachen, '... ga het ze maar vertellen. Schiet op, ik daag je uit.'

Tijdens zijn scheldkanonnade tegen Paul was iedereen in de pub stilgevallen en Paul wist dat zijn geraaskal binnen een paar uur als een lopend vuurtje door de buurt zou zijn gegaan. Freddie moest beter weten dan zich zo te laten gaan. Maar het was niet de eerste keer dat het gebeurde, de laatste tijd kwam het zelfs steeds vaker voor. Hij was des te kwader omdat Freddie zo tekeerging om indruk te maken op het meisje, dat was voorbestemd voor alles wat hun wereld te bieden had, behalve een groots bestaan, natuurlijk.

Melanie was een dochter van haar moeder en hij gaf haar nog drie jaar voordat ze er echt oud uit zou zien voor haar leeftijd. Paul had de nicht van zijn vrouw de deur uit kunnen werken richting Barking Park. In plaats daarvan schudde hij triest zijn hoofd en sloeg het meisje gade toen haar gillende lach overging in een diepe, gemene rokershoest.

Ze was achttien jaar en drie maanden. Ze luisterde naar Freddie Jackson alsof hij een orakel was en keek naar hem alsof hij net door de kat speciaal voor haar naar binnen was gesleept.

Nou, ze kon de pot op. Ze mocht haar eigen fouten maken. Hij had er genoeg van. Als Liselle boven bleef, was hij veilig. En als ze dat niet deed, moest ze het zelf maar weten.

Jackie was alleen thuis en zoals gewoonlijk dronk ze wodka met wijn. Ze was er zo van overtuigd geweest dat ze Maggie voor eens en voor altijd had kunnen uitschakelen, maar uiteindelijk was ze met haar dochters vertrokken. Haar schaamte over haar hachelijke situatie groeide met de seconde.

Haar dochters hadden moeten meemaken hoe ze de vrouw, die hun vader van verkrachting had beschuldigd, confronteerde en overwon, maar ze wist dat ze geloofden dat hij tot zoiets in staat was. Haar eigen kinderen hadden bar weinig op met hun vader en ze wist dat ze nog slechter over haar dachten.

Dat zat haar juist zo dwars. In een paar uur tijd was haar hele wereld ingestort en ze wist dat er nu geen weg terug meer was. Haar vader en moeder zouden er kapot van zijn, helemaal nu het kind was gestorven. Hij was nu het kind, omdat ze in haar hart wel wist dat Freddie de vader was. Freddie had dat joch verwekt.

Wanneer Maggie aan Jimmy zou vertellen wat ze had gezegd, zouden er slachtoffers vallen. Maggie had het allemaal ontkend, maar ze wist dat haar zuster loog dat het gedrukt stond. Maggie probeerde haar te redden, probeerde de hele familie te redden en dat begreep ze tot op zekere hoogte wel. Maar toen ze Maggie daar zo zag zitten, met haar perfecte haar en volmaakte huis, kreeg zoals gewoonlijk de jaloerse vijandigheid weer de overhand.

Ook al had haar zuster nog zoveel verdriet te verstouwen gehad, ze kon het nauwelijks opbrengen om medelijden voor haar te voelen. Eigenlijk vond ze dat Maggie alle geluk van de wereld had, dat rotkind van haar was dood, dus nu was ze weer zo vrij als een vogeltje in de lucht.

Ze had er alles aan gedaan om die van haar de deur uit te werken. Vooral de meiden, die haar met hun achterklap tot waanzin hadden gedreven en omdat ze haar voortdurend afsnauwden.

Ze pakte de fles wodka en zag dat ze die al voor tweederde leeg had, maar ze merkte er nog vrijwel niets van. Het duurde tegenwoordig steeds langer en ze schonk nog maar eens bij. Ze was de hele dag door halfdronken. Maar in plaats van dat het haar gelukkig maakte, zoals anders, voelde ze alleen maar een diepgewortelde woede. Die woekerde door haar heen en hoe meer ze erover dacht hoe ze zich bij Maggie had vernederd, des te sterker vormde zich een gedachte dat ze iets moest doen, iets spectaculairs, om daar iets aan te veranderen.

Verkracht! Belachelijk als ze dacht dat ze zich daarmee eruit zou kunnen redden. En weer greep de haat in haar om zich heen. Ze kon nooit geloven dat haar man tot zoiets monsterlijks in staat was. Ze kwam tot de conclusie dat ze nog nooit zoiets belachelijks had gehoord en ze zou die klotetrut die beschuldiging wel eens inpeperen.

Ze dronk de rest van haar glas leeg en schonk zich nog eens in, een groot glas ditmaal. Ze was helemaal in de stemming om eens lekker wraak te nemen en ze had een goed idee hoe ze dat voor elkaar kon krijgen.

Het werd tijd dat Jimmy een bom in zijn reet kreeg en zij zou er wel even voor zorgen dat dat gebeurde. Dan zou Maggie zich wel twee keer bedenken voordat ze dit soort aantijgingen zou rondbazuinen.

Alle remmen waren nu nagenoeg los, ze herkende de signalen, en ze wist dat het niet veel meer scheelde of ze zou het kleine beetje gezonde verstand dat ze nog had verliezen.

Iedereen was nu de vijand, met inbegrip van die lulhannes van een man van haar, maar vooral die magere trut die het bestond om zichzelf haar zuster te noemen.

Paul was met Jimmy aan de telefoon. 'Hij zit je hier te beledigen. Iedereen negeert hem zo veel mogelijk, maar je moet hiernaartoe komen en de boel overnemen, Jim. Hij gaat helemaal door het lint.'

'Ontruim de pub, Paul, zo discreet mogelijk, oké?'

Paul zuchtte en fluisterde boos: 'Ik heb het helemaal gehad met hem. Liselle lijkt de verdomde antichrist wel. Ze loopt rond met het smoelwerk van een rottweiler die op een wespennest zit te kauwen en geeft mij er de schuld van dat haar niet haar hoofd heeft verloren. En om de zaak nog erger te maken, beschuldigt hij mij en jou ervan dat we Oz' kont likken. Die daar overigens totaal niet van onder de indruk zal zijn als hij ervan hoort.'

Paul klonk bezorgd. Freddie was geen man tegen wie je het zomaar opnam, en Paul, ook al had hij zijn vuurwapen, liet het veel liever aan Jimmy Jackson over om van de man af te komen.

Jimmy slaakte een zucht. 'Je klinkt als een oud wijf, Paul. Neem de zaak in de hand, kuttenkop. Doe wat ik je zeg en ontruim de pub. Laat de rest maar aan mij over. Ik wil een auto en ik wil geen pottenkijkers, begrepen?'

Paul gaf geen antwoord, maar Jimmy wist dat hij eindelijk de ernst van de situatie inzag.

'Als ik er ben, moet je opsodemieteren en ik wil dat je tot morgen wegblijft, oké?'

Paul knikte volkomen verbijsterd. 'Oké.' Nog diezelfde ochtend had hij het erover gehad dat er doden zouden vallen. Maar zo letterlijk had hij dat nou ook weer niet bedoeld.

Freddie riep hem vanaf de bar toe. 'Bel je met je vriendje? Zeg hem maar dat ik er klaar voor ben.'

Melanie had het niet meer van het lachen en dat alleen al maakte Paul woedend. Hij wist dat Jimmy het ook kon horen. Hij voelde zich als een kind dat voor klikspaan speelde en dat was precies wat Freddie probeerde te bereiken.

'Negeer hem, Paul. Zorg dat je verdwijnt, oké?'

De verbinding werd verbroken en Paul staarde naar de telefoon alsof hij er nog nooit een had gezien. Toen hij de hoorn op de haak legde, zag hij zijn vrouw boven aan de trap staan. Van haar gezicht straalde de angst af toen hij zachtjes zei: 'Pak een tas in, we vertrekken.'

'Hoe moet het met Melanie?'

Paul haalde vermoeid en verveeld zijn schouders op. 'Wat is er met Melanie?'

Maggie was alleen en liet zich door de stilte insluiten, zoals ze altijd deed sinds de dood van haar baby. Ze hield ervan om alleen te zijn. Dat stelde haar gerust, want dan kon ze doen alsof hij nog leefde, dat hij lachend met zijn vader door de deur zou komen wandelen. Maar de arme Jimmy kwam alleen binnen, de bel spatte uiteen en ze trok zich nog verder in zichzelf terug dan ooit.

Al die verspilde tijd, al die jaren dat ze het kind niet zonder gevoelens van afkeer had kunnen aanraken. Freddie, die haar met zijn ogen en zijn glimlachjes had bespot. Hoe had ze dat overleefd?

Ze vroeg zich soms af hoe ze het allemaal had kunnen doorstaan. Nu had ze er alles voor over om hem terug te krijgen, ook al zou het haar nog zoveel pijn doen.

En Jackie... die ballon zou gauw genoeg barsten. Ze kende haar zuster veel te goed. Nu kende ze dit grote, duistere geheim en had dus een dikke stok om mee te slaan, en Jackie zou haar met heel haar hart ermee te lijf willen gaan.

Maggie haatte haar soms, en ze wilde haar nooit meer zien, maar het was nog steeds haar tweede natuur om de vrouw te beschermen die maar al te graag haar en haar leven zou willen verwoesten.

Ze wachtte geduldig tot haar man terugkwam.

'Dit is iets tussen mij en Freddie.'

Glenford zuchtte, net als Paul een paar minuten geleden. 'Laat me dan met je meegaan, ja?'

Jimmy schudde zijn hoofd. 'Nah, ik heb nogal wat te verhapstukken. Scheer je weg naar huis, makker. Je hebt al de hele dag aan me vastgeplakt gezeten.'

'Is dit echt zo serieus als het voelt, Jimmy?' Glenfords stem klonk zachtjes. Hij had een diepe, donkere stem, een vriendelijke stem, tenzij de persoon tegen wie hij het had hem van streek maakte. Dan klonk hij dodelijk en de luisteraar was zich ervan bewust dat zijn dagen geteld waren, tenzij hij precíes deed wat hem werd gevraagd.

Die gedecideerdheid, waar ook Jimmy in ruime mate over beschikte, had ervoor gezorgd dat ze zulke goede vrienden waren geworden.

'Weet je nog, Jimmy, toen Freddie me jaren geleden een oor probeerde aan te naaien met die waardeloze dope?'

Jimmy knikte.

'Ik wist toen al dat jij te vertrouwen was en Freddie niets meer was dan een stuk stront. Een fortuinlijk stuk stront, want hij had het geluk dat hij met Ozzy in de lik had gezeten, en dat die hem kon gebruiken en hem heeft ingezet. Maar zonder jou had hij het geen maand uitgehouden. En weet je wat het ergste van alles is?'

Jimmy schudde zijn hoofd.

'Freddie weet dat ook, mijn vriend, en daarom zat deze dag er onvermijdelijk aan te komen.'

Jimmy grinnikte. 'Ik heb hem nog nooit iets misgund, we hebben alles altijd eerlijk gedeeld, en nog moest ik regelmatig bijspringen. Weet je hoeveel geld we door de jaren heen hebben gemaakt? Klappen en klappen geld, verdomme, en ik moest toezien hoe hij dat met dertigduizend tegelijk vergokte, en die klote-auto's van hem die hij in barrels reed en ze dan goddomme dumpte. De helft van de tijd was hij verdomme niet eens verzekerd. Een auto van zestigduizend en hij had hem niet eens verzekerd. Al die poen en hij heeft nog geen nagel om zijn reet te krabben. De helft krijg hij niet meer, al jaren niet, en hij heeft er nooit naar gevraagd. Hij krijgt nu twintig procent omdat ik het niet kan aanzien dat al dat geld over de balk wordt gesmeten. Hij verdient het trouwens toch niet. Ík verdien het. Ik gebruik m'n hersens, godbetert, hij bedreigt alleen maar mensen. Zo zie je maar weer hoe weinig hij van de zaak afweet, dat hij me er nooit op heeft aangesproken. Het is nooit in hem opgekomen hoeveel geld er omgaat. Hij heeft geen flauw idee van de echte wereld.'

Glenford luisterde nauwlettend en zei toen: 'In al die jaren vertel je me dit nu pas. Het is echt heel erg, hè?'

Jimmy glimlachte. 'Nee, het heeft gewoon te lang geduurd, dat is alles.'

Hij sprong in zijn auto. Glenford keek hem na toen hij wegstoof en hij verbaasde zich over een man die zo ontspannen was maar feitelijk naar het hol van de leeuw ging. Freddie was een halvegare, Freddie had ze niet allemaal op een rijtje en daarom wist je nooit wat zijn volgende zet zou zijn.

Hij hoopte alleen maar dat Jimmy dat in zijn achterhoofd zou houden op het moment dat hij hem ter verantwoording riep.

Hij bedacht dat hij eens wat bij zijn makkers moest rondvragen, misschien konden zij opheldering geven over wat er gaande was tussen die twee mannen. Veel hoop had hij er niet op.

Hij wist dat Freddie elke gelegenheid aangreep om Jimmy de grond in te trappen, maar Jimmy wist dat, dus dat kon niet de reden zijn waarom het nu zo hoog opliep.

Nee, wat het ook was, het ging dieper dan iemand zich maar kon voorstellen.

'O, Jackie, je bent werkelijk stomdronken!' Lena was woedend en Jackie genoot van de sfeer die ze teweegbracht.

Joseph schudde zijn hoofd naar Maddie, die haar wekelijkse babbeltje en winkeldagje met Lena had. Je kon bijna niet geloven dat die twee zo'n ruzie hadden gemaakt over het huwelijk van hun kinderen, nu waren ze boezemvriendinnen.

Joseph trok zijn wenkbrauwen op en Maddie tuitte haar lippen. Als Jackie nuchter was, was ze al erg genoeg, maar dronken was ze een nachtmerrie. Het leek wel of ze met elke slok meer opzwol. Ze was altijd al fors geweest, maar met drank op leek ze reusachtig. Maddie wist ook wel dat dat een malle gedachte was en dat het alleen maar kwam omdat Jackie toevallig een fikse bos hout voor de deur had.

Toen ze door de kleine flat naar de keuken waggelde, kreeg ze haar schoonmoeder in het oog en zei luidkeels: 'Hebben jullie het gehoord?'

Joseph slaakte een geërgerde zucht en zelfs in haar dronkenschap zag Jackie welke tol de dood van de jongen van haar ouders had geëist. Ze zagen er een stuk ouder oud en in het huis van haar moeder, dat normaal gesproken smetteloos was, was het vies, rommelig en onverzorgd.

'Wat gehoord?' Joe klonk geïrriteerd en dat ergerde zijn dochter weer op haar beurt.

'Over je lieftallige dochter Maggie.'

Niemand zei iets en Jackie had het wel uit kunnen schreeuwen. Zoals gewoonlijk kwam het in niemands hoofd op dat Maggie iets verkeerds kon doen.

'Je laat die arme Maggie met rust, hoor je. Ze heeft al genoeg aan haar hoofd.'

Door de toon waarop haar moeder het zei, de eerbied waarmee ze over Maggie sprak, barstte Jackie uit en ze blèrde zo hard ze kon terwijl ze ineenkromp van haar eigen dronkemansgewauwel: 'Ze beweert dat mijn Freddie haar heeft verkracht. Heb je ooit zoiets gehoord?'

Ze had eindelijk wat ze altijd al had gewild, de aandacht van iedereen in de kamer, en toen drie paar ogen haar met volslagen minachting aankeken, bulderde ze: 'En ze beweert ook, dat heeft ze mijn Kimberley tenminste verteld, dat Jimmy junior zijn baby was, Freddies zoon en niet van jullie dierbare Jimmy.'

'Sodemieter op, Jackie.' Haar vaders stem klonk ruwer dan ze in jaren had gehoord. Hij greep haar bij de haren en hij sleurde haar letterlijk naar de voordeur. Hij deed die open en smeet haar uit alle macht het halletje in.

'Rot op en kom hier nooit meer terug, hoor je?'

Jackie had niet goed door wat er gebeurde, totdat de deur achter haar dichtsloeg en ze overeind krabbelde. Haar vader had zo definitief geklonken, met zo'n afkeer, dat ze begreep dat als ze al een laatste kans had gehad, die nu voorgoed was verkeken. Ze knielde op de grond neer en huilde zoals ze in jaren niet had gehuild.

Melanie werd zich ervan bewust dat ze alleen in de pub waren. Haar oom Paul had een fles scotch op de bar gezet en Freddie schonk die in grote hoeveelheden voor hen beiden in. Door de coke was ze higher dan ze ooit was geweest en door het vertrek van de vaste klanten voelde ze zich niet erg op haar gemak.

Ze schreef het toe aan cokeparanoia. Dat had ze wel vaker meegemaakt, maar dat spul van Freddie was van een andere planeet. Bij elke snuif had ze zich avontuurlijker gevoeld, sterker nog, ze was bijna zover dat ze uit de kleren ging en ervoor zou gaan, waar Freddie steeds al op had aangestuurd. Als haar tante niet boven was geweest, wist ze dat ze voor de verleiding zou bezwijken.

Van zo'n leven had ze gedroomd, bij iemand te zijn zoals Freddie, bij wie het elke dag vakantie was, je elke avond van pub naar club ging en uit je dak kon gaan, en je je mooi maakte voor je vent.

Geen werk, geen echt inkomen, alleen maar eindeloos pret maken.

Als ze haar troeven goed uitspeelde, wist ze dat ze het met Freddie Jackson helemaal kon maken. Ze was niet achterlijk, ze wist dat hij getrouwd was en ze wist dat zijn vrouw totaal gestoord was. Maar die horde zou ze wel nemen wanneer het eenmaal zover was.

Ze wilde alleen maar zijn meisje zijn. Hij was veel te oud om ook maar aan trouwen te denken, hij moest wel uit de steentijd komen, goddank.

Ze was zichzelf nog aan het feliciteren met haar vangst van

de dag toen een jongere, veel knappere versie van Freddie de pub kwam binnenwandelen.

Freddie, die haar had getrakteerd op sterke verhalen uit de gevangenis, werd zich er plotseling van bewust dat de tent leeg was, stil.

Zelfs de jukebox zweeg.

'Kijk wie we daar hebben, als dat die verdomde Livingstone niet is.'

Jimmy zette een glimlach op. 'Dronken zeker, hè? Wat is er vanochtend met je gebeurd? Ik heb op je zitten wachten.'

Jimmy zei het op vriendelijke toon, bijna nonchalant. Maar Melanie pikte de nuances van de conversatie op en de angst kreeg haar in zijn greep. De twee mannen leken zo op elkaar, maar de jongere had het voorkomen van een belangrijk persoon, van iemand naar wie werd geluisterd.

Naast hem leek Freddie Jackson op het arme familielid en ze vermoedde dat Freddie dat net zo voelde.

De jongere man droeg een mooie pantalon met prachtig shirt, zijn gouden horloge met smalle band zag er duur uit. Zijn haar was zorgvuldig geknipt en zijn handen waren gemanicuurd, zelfs zijn stem was gemoduleerd. Hij klonk als iemand die had doorgeleerd, als iemand naar wie, zoals haar meteen al was opgevallen, werd geluisterd.

Naast hem werd Freddie precies degene die hij was, een slonzige en opgeblazen meeloper. Hij had die gluipogen van een zwendelaar en het achterbakse uiterlijk van een bajesklant. In haar bewustzijnsverruimde geest begon het te dagen dat Freddie Jackson misschien toch niet zo'n mooie prijs was. Maar die man was een lot uit de loterij, iemand voor wie je wel wilde gaan.

Ze glimlachte naar hem toen hij voor haar kwam staan.

'Rot op.' Zijn stem klonk kil, berekenend kil en dat joeg haar doodsangst aan.

Ze keek onmiddellijk naar Freddie om te zien hoe die op het onbeschofte gedrag van de man zou reageren. Freddie grinnikte en nu zag ze die gemene gloed in zijn ogen, de vaalgele huid en de rode vlekken op zijn wangen waaruit haar duidelijk werd dat hij een innemer was.

Ze trok haar wenkbrauwen naar hem op om te kijken of hij deed wat hij moest doen. Hij hield de jongere man in het oog en zei toen achteloos: 'Je hebt hem gehoord, Mel, rot op.'

Ze schrok ervan dat hij het op zo'n harteloze toon zei. Een

paar minuten eerder had ze er nog over gedacht om een striptease weg te geven en alles te doen wat hij maar wilde. Ze had zelfs overwogen om een soort relatie met hem aan te gaan.

Nu zette hij haar aan de kant, keurde haar geen blik meer waardig. Ze was zich er ook van bewust dat hij toestond dat de man haar als een stuk vuil behandelde, dat hij zijn neus voor haar optrok.

'Kom op, meid, in de benen. De grote man heeft gesproken en iedereen doet wat hij zegt, toch Jimmy?' Hij zei het heel zacht, als een schooljongen tegen een leraar.

Toen drukte hij haar een glas in de hand en leidde Mel bij de arm naar een tafel bij het glas-in-loodraam. Toen ze was gaan zitten, glimlachte Freddie naar haar en zei: 'Wacht hier, ik denk niet dat het lang duurt.'

Jimmy sloeg de man gade die hij al die jaren geleden had bewonderd en vroeg zich af wat er met hem was gebeurd. Hij had geen greintje respect meer over. Freddie sleurde dit stomme kind in hun ruzie, in hun zaken, omdat hij niet buiten publiek kon.

Jimmy liep naar haar toe, pakte haar ruw bij de arm en leidde haar naar de woonvertrekken achter de pub.

'Sodemieter op, schatje.'

Toen hij terugliep zag hij dat Freddie zich nog eens inschonk en hij slaakte een zucht. Freddie was dronken en zoals gewoonlijk had hij een slechte dronk.

'Zo, je bent dus gekomen?' Freddie leek zich erom te verkneukelen en weer realiseerde Jimmy zich wat een lage dunk hij nu van de man had.

'Ik wist dat je uiteindelijk zou komen opdagen.' Hij zei het zelfvoldaan, alsof hij gewonnen had.

Jimmy gaf niet meteen antwoord en zei toen ernstig: 'Je ligt eruit, Fred.' Hij genoot van Freddies volslagen verbijsterde blik.

'Wat bedoel je, ik lig eruit?'

Jimmy grijnsde. 'Precies zoals ik het zeg, je ligt eruit.' De laatste woorden formuleerde hij heel precies, alsof hij het tegen een kind of een dove had. Hij legde nadruk op elk woord.

Freddie was een paar tellen met stomheid geslagen. Toen zei hij: 'Waaruit, Jimmy?'

Freddie klonk alsof hij in een gecapitonneerde kamer zat, platgespoten met kalmeringsmiddelen. Hij klonk verbaasd en ook alsof hij zijn oren niet kon geloven. Wat natuurlijk ook zo was.

Nu lachte Jimmy en hij zei op heldere toon: 'Je kunt het in je reet stoppen. Je bent er gewéést, Freddie, laat dat nou maar voor eens en voor altijd tot je dikke kop doordringen.'

30

Kleine Freddie was op school en de nieuwigheid van het perfecte kind spelen begon er een beetje af te gaan, maar hij wist
dat als hij in een goed blaadje bij zijn vader wilde blijven,
hij de plichtsgetrouwe zoon moest blijven spelen. Hij keek
om zich heen in het klaslokaal en naar zijn klasgenootjes, en
vroeg zich af waarom mensen niet van absolute verveling
stierven.

Hij was zich er echter van bewust dat wanneer hij de schijn
niet ophield, hij in een gesticht zou eindigen. Zijn vader was
bijna zover geweest, dat wist hij, en kleine Freddie had hem een
hoop onzin moeten verkopen over een spel dat uit de hand was
gelopen. Geen van beiden geloofde dat, maar het was er wel,
open en bloot, en zijn vader kon ermee doen wat hij wilde, net
zoals het hem uitkwam.

Het vervelende was alleen dat hij er nu genoeg van kreeg.
Het was vermoeiend om de hele tijd aardig te doen.

Hij stelde zich voor dat hij iedereen om zich heen in zijn
macht had, verbeeldde zich dat hij ze compleet onder de duim
had. Voor hem waren het kruisjes, niets meer, met hun alsjeblieft en dankjewel, en hun verdomde goeie gedrag. Hij was gewelddadig genoeg om ze precies te krijgen waar hij ze wilde
hebben, hij hield ervan om mensen te manipuleren, wilde dolgraag de reputatie van slechterik opbouwen.

De afschrikking van echt geweld werkte ook goed, dat had
zijn vader hem wel geleerd. Hij hield ervan om aan die dingen
te denken als hij alleen was, en hij hield ervan om over de mensen om zich heen te fantaseren.

Elke dag keek hij in de spiegel en wanneer hij zichzelf bekeek, wist hij dat hij een knappe jongen was. Lang voor zijn
leeftijd en zowel qua uiterlijk als lichaamsbouw leek hij op zijn
vader, hoewel zijn vader nu dik begon te worden. Freddie ver-
geleek zichzelf met niemand, hij was een klasse apart. Hij had
vrienden, maar dat waren geen vrienden, hij was niet hun
vriend. Hij had ze in zijn zak, ze waren bang voor hem en zijn
vaders reputatie ging hem dagelijks voor.

Hij voelde niets en toen een paar weken eerder de moeder

van zijn vriend aan kanker overleed, had hij totaal niet begrepen waarom de jongen zo verdrietig was.

Ze was dood. Met huilen haalde je haar heus niet terug. Wat was in hemelsnaam het probleem? Ze was trouwens toch een zielig stuk vreten geweest, zat altijd te muggenziften, de stomme koe.

Maar zo jong als hij was, was hij er wel achter dat hij tenminste de gevoelens van andere mensen moest nastreven, en gelukkig voor hem vulden soaps dat opvoedingsgat aan. Eigenlijk waren ze voor hem een schat aan informatie.

Hij wist nu hoe hij emoties moest veinzen en dankzij *East-Enders* was hij heel blij met de wetenschap dat je in Oost-Londen vocht en ruzie zocht wanneer je wat wilde hebben.

Kleine Freddie wist ook dat hij bij moord de dans zou ontspringen, door zijn uiterlijk. In deze wereld werden mensen die er goed uitzagen nu eenmaal beter behandeld dan die lelijke klootzakken. Zijn vader had dat altijd gezegd en het was waar.

'Ga naar huis, Jackie, en laat je hier nooit meer zien.'

Jackie was compleet hysterisch en de moeder in Lena wilde naar haar toe, haar troosten, maar voor het eerst zette haar man haar de voet dwars.

'Als je haar binnenlaat, loop ik dit huis uit en ik zweer op het graf van dat arme kind dat ik nooit meer terugkom, en die eed zou ik maar ter harte nemen. Ik heb het helemaal gehad met Jackie en haar kloteproblemen.'

Lena wist dat hij het meende omdat hij nu door de flat liep te vloeken en te tieren. Lena en Maddie kropen samenzweerderig bij elkaar.

'Ik ben doodziek van haar en dat schofterige joch van haar, die gestoorde klootzak die ze heeft uitgebroed. Tijdens de zwangerschap was ze of stomdronken of zat ze tot haar wenkbrauwen onder de drugs. Ze heeft er een verloren vanwege die klotedrank en drugs en ik wilde wel dat met hem hetzelfde was gebeurd, want hij heeft ze niet allemaal op een rij. Ik wil hem niet meer in de buurt van mij of mijn gezin en dat geldt ook voor die schofterige muppet met wie ze zich heeft ingelaten. Freddie Jackson is ook zo'n gestoorde halvegare. Jimmy zet hem er trouwen toch uit. Hij krijgt het slechte nieuws vandaag te horen en als je het mij vraagt goddomme niets te vroeg.'

Hij keek naar zijn vrouw en zei tandenknarsend: 'Dit is echt heel erg, Lena. Zo erg is het niet geweest sinds die schoften van

Krays op straat losliepen. Freddie wordt een godverdommese *outcast*, een lepralijder en dus is hij nérgens meer welkom. Iedereen die met hem te maken heeft moet hem negeren of ze zijn hun eigen leven niet zeker. Het is gedaan met die lul en dat werd verdomme tijd ook.'

Lena had hem nog nooit zo kwaad gezien en in zijn tijd had ze haar portie van zijn woede, zwarte ogen en dikke lippen wel gehad. Maar dat waren ruzies uit passie geweest, althans zo herinnerde ze zich die nu. Niet als de gemene strijd die ze werkelijk hadden gevoerd, van een man die zijn eigen schuld op haar had afgereageerd omdat hij elke cent die ze hadden aan een of andere del in de pub had besteed. Dat waren nog eens tijden, toen hij de vrouwtjes van zich af had moeten slaan, vooral wanneer ze begonnen te treiteren, en Lena was de eerste om toe te geven dat ze volmaakt kon treiteren, en dat uren kon volhouden als ze er zin in had.

Tegenwoordig zou ze dat niemand meer aandoen, laat staan een man, hoewel ze in het verleden wel op een of twee juweeltjes had gehoopt, net als haar moeder. Ze waren stom genoeg geweest om te denken dat een jaloerse man van je hield, dat een dronken kerel niet verantwoordelijk was voor zijn daden. En dat zij, de vrouwen, dachten dat ze op een of andere manier faalden, of dat de mannen toch zo nu en dan naar huis kwamen.

Maar deze haatcampagne was nieuw voor haar, zo had ze Joe nog nooit eerder meegemaakt. En als Freddie er werkelijk uitlag, dan betekende dat dat haar dochter haar boeltje moest pakken en moest vertrekken. Er was geen andere keus, ze zouden uit de gemeenschap worden verstoten, zelfs de familie zag hen liever gaan dan komen. Sinds de jaren zestig was er niemand meer verstoten, maar die regel werd nog steeds toegepast. In het criminele circuit was dat hetzelfde als opgeborgen worden, behalve dan dat je in de lik nog bezoek kreeg. Haar dochter zou bij haar weggaan en ze vond het verschrikkelijk dat ze zich opgelucht voelde. Dat hoorde niet. Maar ze was zo doodziek van alle problemen die Jackie meezeulde, ze werd er gewoon te oud voor.

Joseph ging weer als een razende tekeer en Lena las de intense haat jegens zijn schoonzoon van zijn doorgroefde gezicht af.

'Die gore, smerige rukker van een Freddie Jackson, denkt dat-ie goddomme maar kan doen wat-ie wil, en dat vette varken daarbuiten was achterlijk genoeg om met hem te trouwen en moord en brand te gillen over verkrachting. Die vuilspuiterij wordt nu voor eens en voor altijd stopgezet. Wat mij betreft zijn ze al verstoten. Ze komen niet meer over deze fucking drempel en hij mag hier met een godverdommese vlammenwerper komen, dan nog zal ik hem vertellen dat hij naar de hel kan lopen!'

Hij spuugde zijn woede uit en Lena wist dat er iets verschrikkelijks door zijn hoofd spookte. Ze was ervan uitgegaan dat het iets te maken had met de dood van het knulletje, maar nu vroeg ze zich af wat hij wíst. Als Jimmy boy hem in vertrouwen had genomen, wat zouden ze dan nog meer voor moeilijkheden te verstouwen krijgen? Ze begon zich nu zorgen te maken en besloot een kop thee te zetten, niet dat ze daar zin in had, maar om iets te doen te hebben.

Jackies gehuil galmde nog door in haar hoofd en ze bedacht terecht dat dat ook het geval moest zijn bij de buren. Wat zij met die meid en haar man had moeten doormaken was verdomme geen pretje. Ze kon niet wachten tot ze eruit werden gezet, hoewel ze dat natuurlijk nooit zou toegeven.

Ze sloot beschaamd haar ogen toen ze mevrouw Faraday, een heel vroom levende, protestantse vrouw met een blauwspoeling en spataderen, die op de begane grond woonde, haar dochter hoorde uitjouwen.

'Ik bel de politie, dit is schandelijk. Je bent dronken, vrouw, ga naar huis en laat die arme moeder van je met rust.'

Lena had een bloedhekel aan mevrouw Faraday en haar achterlijke vestjes, en die ergerlijke manier van haar neus optrekken naar mensen omdat ze katholiek, Iers, een halfbloed of Schots waren. Mensen uit Wales mocht ze daarentegen wel, kennelijk omdat die waarschijnlijk, zoals Lena vermoedde, wel naar de juiste kerk gingen. Maar het moest gezegd, een Jehova's getuige had in dat blok nooit meer op een deur geklopt wanneer die mevrouw Faraday eenmaal had meegemaakt. In dat opzicht kwam ze wel heel handig van pas.

Lena had bijna dertig jaar lang tenminste gedaan alsof ze mevrouw Faraday en nog twee andere huurders respecteerde, die deden alsof ze in Kensington Palace woonden. In die tijd had ze een verloren strijd gestreden tussen haar man en Jackie. Maar nu vrat het verdriet binnen in haar en de stem van mevrouw Faraday bracht herinneringen van lang geleden terug, toen zijzelf door haar was vernederd. Lena verloor plotseling al haar moedergevoelens en ging als een banshee in de flat tekeer.

Ze greep eigenhandig haar dochter bij de kleren, sleurde haar de trap af en gooide haar op straat.

'Ga naar huis en slaap je roes uit, dronken tor, en kom hier nooit meer. We hebben het nu helemaal met je gehad.'

Ze was trots op zichzelf dat ze nu eens niet had gevloekt, wat ze anders wel deed.

Mevrouw Faraday, die vanuit haar deuropening had staan toekijken, zei stijfjes: 'Het werd tijd ook.'

Waarop Lena geagiteerd antwoordde: 'O, sodemieter op, bemoeizieke ouwe taart.'

'Denk je dat het goed komt met mam?'

Dianna haalde haar schouders op. 'Wat kan het schelen? Ik heb genoeg van haar, eerlijk gezegd. Zet me even bij het ziekenhuis af, wil je?'

Kim zuchtte. 'Je gaat toch niet naar die Terry, hè?'

'Bemoei je met je eigen zaken en vraag Rox of ik bij haar kan slapen, ik denk verdomme dat er thuis doden gaan vallen.'

'Dat is niets nieuws.'

De beide meisjes hadden er niet veel zin in om het te veel over Maggie te hebben en waar hun vader van werd beschuldigd. Het was te rauw op hun dak gevallen, viel te ver buiten hun belevingswereld, dus besloten ze het aan de volwassenen over te laten en zich te beperken tot het bijeenvegen van de brokken na afloop. Zo ging het altijd in het huishouden van de Jacksons.

Maar ze waren allebei doodsbang voor de uitkomst.

Jimmy en hun vader waren allebei keiharde kerels, beiden in staat om voor zichzelf op te komen. De zaak stond op springen want iedereen wist dat Jimmy zijn mentor al jaren geleden voorbij was gestreefd.

Maddie liet Joseph stilzwijgend zijn gal spuwen en ze vond het meer dan goed dat hij zijn woede en verdriet eruit gooide. Hij zag er verschrikkelijk uit.

Ze stond op en schonk het kokende water in de theepot. Plotseling leek hij op te merken dat Freddies moeder aan tafel zat en in één klap was alle drift verdwenen. Hij zei verdrietig: 'Neem me niet kwalijk, Maddie, met jou heeft het niks te maken, lieverd, maar ik haat die klootzak. Waar hij ook komt veroorzaakt hij moeilijkheden.'

Ze slaakte een zucht en streek over haar immer onberispelijk gekapte donkere haar en zei spijtig: 'Breek me de bek niet open.'

Lena dacht dat ze van schrik ter plekke zou doodvallen. Maddie had het over hém, haar stem was doortrokken van haat geweest en ze wist dat ze op haar zoon doelde. Haar Freddie, haar apengatje.

Lena deed alle deuren en ramen van de flat dicht. Jackie stond nu op straat te janken, maar deze keer zou het niets uithalen. Ze zou niet naar haar toegaan. Het eindigde er altijd mee dat ze naar haar huis ging om de zaak weer recht te zetten. Of ze moest haar ergens bij een pub ophalen omdat ze zich in haar dronkenschap alleen nog maar het telefoonnummer van haar scheen te herinneren, of van straat sleuren na de zoveelste uit de hand gelopen ruzie. Al dat verdomde dramatische gedoe zat haar tot híér.

Maddie schonk thee in en toen ze weer op haar stoel zat, zei ze zachtjes: 'Freddie heeft zijn vader vermoord, moet je weten.'

Lena en Joseph staarden de keurige vrouw tegenover hen aan, ze vroegen zich allebei af of ze soms stemmen hoorden.

Ze knikte alsof ze wilde benadrukken dat ze de waarheid sprak.

'Hij was nooit meer dezelfde nadat Freddie hem had neergeslagen. Want dat doet hij met je, zie je, mijn Freddie slaat je neer. Hij zuigt alle zelfvertrouwen en leven uit je en voor je het weet ben je net zover als dat arme kind dat daarbuiten heel Engeland bij elkaar staat te schreeuwen.'

Ze stak een Kensita-sigaret op en nipte aan haar thee, damesachtig, zoals heel magere mensen van nature lijken te hebben, en ze zei zacht: 'Eerlijk gezegd zie ik mijn zoon ertoe in staat dat hij zelf de polsen van zijn vader heeft doorgesneden. Mijn man had vijf keer zoveel alcohol in zijn bloed dan waarmee je achter het stuur mag, dat heeft de lijkschouwer me verteld zodat ik me er beter door zou voelen. Maar ik weet dat Freddie er verantwoordelijk voor was, en hij weet dat ik het weet. Freddie wílde dat het zou gebeuren, want Freddie hééft het laten gebeuren.'

Ze glimlachte zwakjes naar haar beide vrienden en Lena vroeg zich af hoe lang deze vrouw haar piepende borst al had willen bevrijden van dat familiegeheim.

'Je kunt me er zomaar niet uítgooien! Wat vindt Ozzy daarvan?' Freddie was nog steeds volkomen overdonderd. Een robbertje vechten had hij wel verwacht, hij had zichzelf ervan overtuigd dat hij die klootzak wel eens even mores zou leren.

Maar hij was er ook diep van doordrongen dat, als hij om wat voor reden dan ook Jimmy iets zou aandoen, zijn dagen op deze wereld geteld zouden zijn. Jimmy had veel te veel vrienden in hun wereld, echte vrienden, en hij zorgde ervoor dat ze allemaal een goed leven hadden, met inbegrip van hemzelf.

Het enige wat hij vandaag niet had verwacht, was dat hem te verstaan werd gegeven dat hij zonder werk zat, uit de zaak werd gegooid en uit alles wat dat met zich meebracht, van mokkels, geld, tot aan een lekkere knokpartij als hij daar zin in had. Maar als Jimmy het in zijn hoofd had gehaald om zover te gaan, dat hij er echt úít moest, nou, dat zou hij niet laten gebeuren, dat bestond gewoon niet.

Jimmy haalde nonchalant zijn schouders op. 'Oz heeft alles aan mij overgedragen. Als hij doodgaat, en ik hoop dat dat nog lang niet gebeurt, is het van mij, Freddie. Feitelijk ben ik nu Ozzy en iedereen luistert naar mij. En daar hoorde jij helaas ooit ook bij, Freddie, maar dat is nu geschiedenis. Trouwens, als je het weten wilt, Ozzy staat pal achter me.'

Hij zag de pupillen van Freddies ogen zich wijd opensperren toen hij dit zei en Jimmy keek bewonderend toe hoe snel hij zich herstelde.

'In deze buurt is het met je gedaan, makker, dat kun je maar beter accepteren. Als iemand je in dienst neemt, doe ik geen zaken meer met hem en, ergo, niemand anders. Zo simpel ligt het. Niemand doet hier iets zonder mijn toestemming, weet je nog. Ik heb hier van alles en iedereen de touwtjes in handen, de overvallen, de clubs, de pubs, de dealers, zelfs die lullige nachthamburgerkarren worden indirect door mij gerund of zijn van mij. Ik had je er goddomme al jaren geleden uit moeten gooien, Fred, en nu doe ik het echt, naar buiten in de kou-waar-je-lul-eraf-vriest. Jij, dat beest dat je hebt uitgebroed en die dronken drel van een vrouw van je zijn dood voor me. Het enige wat er nog voor je overblijft, Freddie, is jezelf oprapen en ergens ander opnieuw beginnen, want hier ben je niet meer welkom.'

Hij pakte zijn mobieltje en autosleutels en maakte aanstalten om te vertrekken.

Freddie greep hem bij zijn mouw. 'Dit kun je me niet aandoen, Jimmy.'

Jimmy schudde hem driftig van zich af. 'Dat heb ik net gedaan, Freddie. Je hebt je kansen gehad en je hebt ze verknald.

Je hebt in je hele leven alles verknald.' Hij haalde nogmaals zijn schouders op en grijnsde opgewekt. 'Doei.'

Freddie had zich van alles voorgesteld vandaag, maar niet dat hij eruit zou worden gegooid. Als je eruit lag, was je helemaal niemand meer, dat betekende dat hij alles kwijt was wat hij ooit had gekend. Hij zou moeten verhuizen, van de aardbodem moeten verdwijnen omdat hij anders van schaamte zou sterven. Niemand zou meer met hem omgaan omdat Jimmy hem had verbannen. Hij was bijna misselijk van bange voorgevoelens en doodsangst.

Hij moest zijn hersens bij elkaar zien te houden, hij moest Jimmy zien om te praten, Jimmy had immers ooit van hem gehouden. De reusachtige omvang van wat er was gebeurd, sloeg als een bom bij hem in en voor het eerst in jaren was hij bang, echt bang.

'Hij is mijn zoon, Jimmy, vergeet dat niet. Ik moet hem helpen, hij krijgt medicijnen... Het was een spelletje, dat is alles, een volkomen uit de hand gelopen spelletje.'

Jimmy keek naar het gezicht dat zo op het zijne leek en zei vol ongeloof: 'Hij moet opgeborgen worden en ik zal je eens wat zeggen. Als dit achter de rug is, als je niet als de sodemieter oprot, sein ik een paar mensen in over hoe het met hem gesteld is. Joseph weet het, hij heeft altijd al gezegd dat er een paar steken aan kleine Freddie loszitten. Als ik hem in het oog krijg, vermoord ik hem, verdomme. Hij mag dan een kind zijn, hij is een grote klootzak en een gevaarlijke ook. Hij is ook verstoten, samen met dat stuk schurft met wie je getrouwd bent. Ik wil jou, die achterlijke idioot die je hebt verwekt en die imbeciel die je je vrouw noemt nooit meer zien.'

Freddie gooide het op de sympathieke toer. Hij kon niet verstoten worden en hij kon ook zijn jongen niet laten opsluiten. Hij had opgesloten gezeten en hij wist hoe dat was.

'Ik laat me niet vertellen wat ik verdomme met mijn kind moet doen. Hij is nog maar een kind. Hij is een etterbak, dat geef ik toe, maar van zijn verstand is ook niet veel overgebleven. Jackie was altijd dronken toen ze zwanger van hem was, dat weet je ook wel. Dat is hem overkomen, Jimmy, daarom is hij zo... Hij krijgt nu pillen en hij is helemaal veranderd.'

Voor het eerst in jaren hoorde Jimmy iets van écht gevoel in Freddies stem. Hij grinnikte. 'Je gaat me toch niet vertellen dat ik al die lariekoek voor de zoveelste keer moet slikken, wel? Dat je er weer afkomt met een waarschuwing zoals met Stephanie en joodse Lenny? Je bent goddomme een beest en je hebt een beest op de wereld gezet. Jullie leven als beesten in dat smerige kot van een huis van je. Je bent aangevreten aas, makker. Niemand zou jullie nog met een klotehandschoen willen aanpakken. Het bericht ligt op straat. Het is met je gedáán en als je zo stompzinnig bent dat je denkt dat je onder mijn ogen weer je gebruikelijke geïntrigeer kunt oppakken, dan ben je nog stommer dan ik al dacht.'

Hij schonk zich een scotch in, nipte eraan en zei toen zacht, zonder emotie of zelfs eigendunk: 'Weet je wat zo gek is, Freddie? Niemand heeft het voor je opgenomen, niémand heeft gevraagd wat je dan had gedaan, waarvoor je zo wordt gestraft. Er is al jaren niemand meer verbannen, maar geen mens was er nieuwsgierig naar waarom het jou nu wel overkomt. Ze waren zo opgelucht als je je maar kunt voorstellen, en dat kan ik best begrijpen want ik ben zélf opgelucht dat ik je niet meer als een verdomde gietijzeren albatros om mijn nek heb hangen. En ik heb iedereen klip en klaar uit de doeken gedaan dat je behandeld moet worden als een verdomde paria en iedereen, van Glenford tot de Blacks, was in de wolken.'

De doodsangst greep Freddie weer bij de keel toen hij dit zei en het schoot door Jimmy heen dat hij geweld had verwacht, extreem geweld zelfs. Hij had zelfs een kleine bijl achter in zijn broeksband gestopt. Maar Freddie had het te druk om een uitweg te bedenken uit deze complete uitstoting, mocht dit inderdaad werkelijk gaan gebeuren.

Jimmy had zijn bestaansrecht van hem afgenomen, een zware maatregel in hun wereld, waar het rijkelijk werd gecompenseerd wanneer iemand per ongeluk op andermans tenen stond. Dat kon gebeuren, wanneer ze elkaar bij zwendel in de wielen reden of bij iets triviaals als dealen in dezelfde clubs. In deze wereld was je reputatie gekoppeld aan degene voor wie je werkte, met wie je een borrel dronk of wie jij in dienst had. Freddie dacht er niet meer aan hem te vermoorden, want als Jimmy dood was, zou elke kans verkeken zijn dat hij er weer bij kon komen, wínst kon maken, en hun winst was kolossaal geweest. En toch wist hij dat die bij Freddie weer als sneeuw voor de zon was verdwenen, zoals gebruikelijk. Zodra hij het had strooide hij het om zich heen.

Op een avond had hij uitgerekend dat Freddie in de afgelopen vijftien jaar zo'n half miljoen pond aan zijn huis had vertimmerd en toch was het de smerigste woning van de straat. Ze hadden het niet eens gekocht via het recht-op-koopplan. Ze huurden nog steeds van de gemeente en hij wist dat ze een huurachterstand hadden. Als het niet zo intriest was, zou het lachwekkend zijn.

De man bij wie hij als jongetje al die jaren op bezoek was geweest, was slechts een hersenspinsel. Zijn jeugdheld was nu verworden tot minder dan niets en hij voelde geen greintje medelijden met hem.

Freddie keek hem nu woedend aan en Jimmy wist dat langzaam de betekenis van wat er met hem in de toekomst ging gebeuren in volle omvang tot hem door begon te dringen.

'Dit ga je me echt aandoen, hè.' Hij zei het zonder dreiging, zelfs niet vragend, het was een constatering van een feit.

Jimmy knikte stilzwijgend.

Freddie begreep eindelijk dat Jimmy dat zou doen, sterker nog, het al hád gedaan. Hij had het donkerbruine vermoeden dat het nieuws op dit moment al rondging. Hij keek naar hen beiden in de barspiegel en zag dat ze twee identieke hoofdrolspelers waren, behalve dan, als hij goed keek, dat Jimmy een jonger exemplaar was en steviger gebouwd, en de allure van een overwinnaar had.

Toen zag Freddie voor het eerst wat hij had kunnen zijn, had moeten zijn.

Jimmy had die rol, speelde die rol, wás die rol.

'Heb je mijn jongen aangegeven, verlinkt?' Hij zei het beschuldigend, onbeschoft, zoals je alleen maar tegen een verlinker praatte, tegen een superverlinker zelfs.

Jimmy gaf hem geen antwoord. Zijn gezicht sprak boekdelen van wat hij van de beschuldiging dacht. Hij vond de vraag de moeite niet waard om er antwoord op te geven.

Maar híj kon zijn mond wel voorbijpraten. Freddie wist dat hij de hele zaak in het verderf kon storten en de kit zou hem er nog voor belonen ook, dat wist hij zeker. Het idee schoot wortel en hij borg die gedachte weg voor een later moment.

Hij bleef een hele poos met gebalde vuisten staan, het was bijna alsof er een elektrische siddering door hem heen ging toen hij gaandeweg zijn netelige toestand tot zich liet doordringen.

'Nou, ik ga niet zonder slag of stoot, Jimmy. Ik vermoord je nog liever dan dat je me dat aandoet. Je hebt me godverdomme vernéderd, tuig van de richel. Terwijl ík ervoor heb gezorgd dat je dit allemaal hebt bereikt!'

Hij prikte zichzelf nu op de borst en begon weer eens zijn zelfbeheersing te verliezen. 'Ik was degene die het vuile werk heeft opgeknapt en het hele zaakje heeft opgezet. Ik was degene die steeds maar weer die smeerlapperij moest aanhoren over die goeie ouwe tijd, die de ontmoetingen heeft geregeld. Ik heb je erbij betrokken omdat ik van je hield, en nu pak je dat van me af. Maar onthoud goed, Jimmy, dat ik degene was die de basis heb gelegd van alles wat we nu hebben, en dat weet je. Ik wil verdomme compensatie, want zonder mij zou je nog steeds klote-auto's lopen te stelen en aan de zijlijn dope staan te verkopen.

Jimmy schonk zijn whiskyglas bij en nipte er weer aan. Hij begon er bijna plezier in te krijgen. 'Zonder jóú, Freddie, kan ik in alle rust om mijn jongen rouwen zonder dat ik me hoef af te vragen of die gekke idioot van je in de buurt is. Nu kan ik rustig aan het werk zonder me zorgen te hoeven maken in welk wespennest je je nu weer gaat steken met die grote bek van je. Zonder jou hoef ik niet naar die onzin te luisteren hoe goed je wel niet voor je oerlelijke wijf zorgt. Ik weet wat je door de jaren heen over me hebt rondgebazuind, Freddie, verraderlijke klootzak. Ik hoor álles en zal ik je eens wat vertellen? Van jou had ik beter verwacht, maar diep vanbinnen wist ik wel dat je alleen maar een verraderlijke, jaloerse en fucking incompetente rukker bent. Zonder mij, Freddie, ben je een nul. Jij, niet ik.'

Freddie wist dat hij was verslagen en toch wilden zijn hersens daar niet aan. Het leven dat hij tot dan toe had gekend, was voorbij. Jimmy zou hem links laten liggen en omdat niemand precies wist waarom – en hij durfde er wat om te verwedden dat dat zo was – zouden ze het ergste van hem denken. Dat hij een verrader was, of een smerige verkrachter, een vuile vieze kinderfiedelaar, of erger nog, dat hij van zijn eigen mensen had gestolen.

Plotseling werd het hem verbijsterend duidelijk dat hij Jimmy moest vermoorden, ook al was het maar om zichzelf beter te voelen en ook om ervoor te zorgen dat zijn zoon voor de toekomst werd veiliggesteld. Kleine Freddie was dan niet het kind van zijn dromen, maar hij was wel zíjn kind en dus zou hij erop toezien dat het goed met hem kwam.

Hij probeerde nog één keer op Jimmy's gemoed te werken. Als dat goed ging, zou hij er weer bij zijn en dan zou hij zich een poosje gedeisd houden tot alles weer gesust was. Als hij er toch uit lag, dan zou hij alles in het werk stellen om die lamlul die hij ooit zijn bloedverwant had genoemd, te vernietigen.

'Het is allemaal heel verschrikkelijk, Jim, maar hij is wel mijn zoon. Begrijp je dat dan niet?'

Het klonk alsof zijn stem brak en Jimmy moest hem nageven dat hij zijn roeping was misgelopen. Als er ooit een geboren acteur in de wereld had rondgelopen, dan was het Freddie Jackson wel.

'Hij is mijn jongen, hij heeft zijn hele leven nog voor zich. Hij is mijn zoon.'

Jimmy greep Freddie zo stevig bij zijn jas dat Freddie eraan werd herinnerd hoe groot de man eigenlijk was. Hij duwde hem met zijn rug tegen de bar en zei woedend: 'En Jimmy junior was míjn zoon, weet je nog, en die is verdomme dood. En jij bent ook dood, nietwaar? Dood en begraven! Je had net zo goed al onder de groene zoden kunnen liggen want ik heb het nieuws al verspreid dat je voor eens en voor altijd verstoten bent, en geloof me, Freddie, dat ben je.'

Freddie wist dat hij het meende en hij pijnigde nog altijd zijn hersens af hoe hij zonder een schrammetje uit deze puinhoop kon wegkomen. Hij grijnsde, richtte zich in volle lengte op en liep bij Jimmy vandaan. Hij streek zijn kleren glad alsof hij de meest kritische persoon op aarde was en zei vals: 'Weet je dat wel zo zeker? Dat het jóuw zoon was, bedoel ik? We weten tenslotte dat hij dood is, toch?'

Hij lachte en Jimmy voelde de lucht uit zijn maag trekken toen de woorden tot hem doordrongen.

Freddie pakte zijn glas op en proostte naar Jimmy. Hij zei: 'Ik hoop tenminste dat hij dood is, we hebben hem tenslotte begraven...'

Hij lachte luidkeels en het klonk oprecht. Freddie dacht werkelijk dat hij leuk was, dat hij een grap maakte. Jimmy staarde naar de man van wie hij had gehouden en die hij vervolgens had geminacht. Hij realiseerde zich plotseling dat dit de echte Freddie was, dat hij altijd zo was geweest, dat nu zijn ware aard naar boven kwam. En hij had er net zo eentje voortgebracht, een egoïstische, gewelddadige schoft. Hij beefde plotseling van opwinding bij de gedachte dat hij Freddies wraakgodin was, opgetogen dat hij het leven van deze rotzooitrapper kon ontmantelen en ervan mocht genieten dat hij werd uitgesloten van de veiligheid en geruststelling van zijn eigen grote, door hekken afgeschermde omgeving. Hoe minder kansen Freddie kreeg, hoe verder hij hem zou neerhalen, des te beter

Jimmy zich zou voelen. Het zou hem niet bevredigen, maar zijn verdriet was tenminste gewroken.

Freddie bulderde nu van het lachen en begon toen te schreeuwen: 'Laat me eruit, pap, het is zo donker hier!'

Hij imiteerde de stem van Jimmy junior en Jimmy dacht dat hij gek werd van verdriet toen hij dit hoorde. 'Je bent ongelooflijk. Niets is je te min, hè, Freddie?'

'Als je dat maar weet en dat kun je maar beter voortaan onthouden. Maar páp, dat is een mooi woord, nietwaar, Jim. Páp, help me, pap, het is donker en nat hier, en de kist zit vol wurmen.'

Hij bleef het woord 'pap' maar binnensmonds herhalen en zei toen opgewekt: 'Maar wie van ons bedoelt hij eigenlijk, vraag ik me af? Vrouwen zijn loslippig, weet je, en jij hebt niet meer jonkies verwekt, wel, Jimmy? Beetje verdácht, vind je ook niet? Ik heb er alleen al bij Jackie vier. En dan heb ik het nog niet over mijn "buitenkinderen", zoals je vriend Glenford ze noemt. Weet je zeker dat je niet onvruchtbaar bent, makker?'

Er ging een intense, demonische vrolijkheid van hem uit en Jimmy wist dat Freddie hiervan genoot, dat hij het werkelijk heerlijk vond. 'Weet je nog, toen je de wereld verkondigde dat Maggie zwanger was, dat ik, als ik me het goed herinner, toen heb gezegd: "Weet je zeker dat je niet een beetje hulp hebt gehad?"'

Hij stond te grinniken. Hij had kreeg eindelijk zijn wraak en dat voelde goed. 'Waarom denk je dat Maggie, dat huishoudstertje van je, hem afwees, Jimmy? Zou dat iets te maken hebben gehad met wie zijn vader was? De hele tijd dat jij mij naaide, naaide ik jouw vrouw, makker.'

Hij lachte weer, nog harder deze keer. Het was alsof hij van zijn leven nog nooit zoiets grappigs had gezien of gehoord.

'Klootzak dat je d'r bent, Freddie, verdomde smerige klootzak! Droom maar lekker verder, hoor. Mijn Maggie zou je nog niet met een baggerstok aanraken.'

Freddie hield op met lachen want hij wist dat hij hem in de tang had en hij zei ernstig en ingetogen, maar met die duivelse glimlach die hij door de jaren heen geperfectioneerd had: 'Vráág het haar maar, Jimmy, vraag haar maar eens naar ons onderonsje. Het was op je trouwdag. Terwijl jij in Schotland de kont van de Blacks aan het likken was, was ik je vrouw aan het likken. Heerlijke tieten, jouw Maggie, mooi, stevig en vol, precies zoals ik ze graag heb.'

In een flits kwam de zware glazen whiskyfles op Freddies hoofd neer. De klap kwam zo hard aan dat Freddie op zijn knieën viel, en hij kwam zo onverwacht dat hij geen tijd had om zich te verdedigen. Dit, wist hij, was Jimmy op de toppen van zijn woede.

Jimmy bleef maar met de gebroken fles naar Freddie uithalen. Hij voelde het warme bloed sproeien toen hij de halsslagader raakte en stak hem toen in blinde woede waar hij maar kon.

Hij zwom in een rode mist van bloed, de stank was overweldigend.

De woede was zo plotseling in hem opgekomen dat hij wist dat Freddie al dood was, ook sloeg hij hem nog steeds in het gezicht en op het hoofd, totdat hij onherkenbaar was. De drang om deze man te folteren was zo allesoverheersend dat hij het werkelijk jammer vond dat Freddie Jackson echt dood was. Hij had een te snelle dood gekregen, maar wel een gruwelijke en dat bood hem enige troost.

Freddies bloed zat overal, de bar zat onder. Het plafond zat vol spatten, evenals de vloer. Het smerige oude pubkleed, dat daar al sinds het einde van de jaren zestig lag en waarop nog steeds een vaag blauw met gouden patroon te onderscheiden was, was doordrenkt van donkerrood, kleverig bloed.

Jimmy voelde zich lichter dan hij zich in jaren had gevoeld.

Hij stopte net zo abrupt als hij was begonnen. Door de schrille kreten van Melanie realiseerde hij zich uiteindelijk wat hij had gedaan. Ze had het allemaal gezien.

Nu stond hij daar, onder het bloed van Freddie, en Jimmy Jackson begreep eindelijk de immense kracht van woede en haat. Een paar ogenblikken lang, bedacht hij, was hij Freddie Jackson geweest.

31

Maggie zat al uren op het politiebureau, maar ze waren heel aardig voor haar, ze kreeg van tijd tot tijd thee en koffie aangeboden.

Na vijf uur mocht ze eindelijk haar man zien.

Toen ze naar de bezoekerskamer liep, voelde ze vanbinnen een doordringende kilte. De politieman glimlachte haar toe toen hij de deur voor haar opende en ze maakte een sprongetje toen de deur met een zware klap achter haar dichtsloeg. Ze was op van de zenuwen.

Haar man stond bij een tafel met een paar stoelen eromheen. Overal stonden videocamera's en ze stond zo op scherp dat ze letterlijk de kop koffie kon ruiken die hij een paar minuten geleden had gekregen.

Hij zag er tot haar verbazing goed uit, maar leek op een of andere manier ouder, waardoor hij nog aantrekkelijker werd.

Deze omgeving was zo buitenaards voor haar, dat ze doodsbenauwd was hem daar zo aan te treffen, te midden van die elektronische apparatuur, en voor het eerst vond ze dat hij kwetsbaar leek.

Jimmy keek haar een hele poos aan voordat hij zei: 'Sorry, babe.'

Ze glimlachte zo opgewekt mogelijk voordat ze in zijn armen liep en opnieuw van zijn aanraking genoot. 'Ben je in staat van beschuldiging gesteld?'

Ze voelde dat hij zijn hoofd schudde en haar hart begon te bonzen in haar borst, een paar tellen voelde ze zich zwak, maar het ging weer voorbij.

'Ze hebben geen poot om op te staan. Maak je geen zorgen, liefje, na achtenveertig uur moeten ze me in staat van beschuldiging stellen of me laten gaan.'

Hij staarde haar in de ogen en ze was bang dat ze zijn blik niet kon weerstaan. Haar schuldgevoelens over alles wat er was gebeurd, drukten benauwend op haar en bezorgden haar bijna fysieke pijn. Al die jaren was ze hier zo bang voor geweest, dat Jimmy zou ontdekken wat haar was overkomen.

In één oogopslag wist ze zeker dat hij eindelijk te weten was gekomen wat Freddie haar had aangedaan. Niets anders kon zoveel verwoesting hebben aangericht. Als hij Freddie om iets anders had willen vermoorden, dan had hij dat met plezier in alle stilte en zonder veel poeha gedaan.

Het feit dat hij haar stevig vasthield, zei haar dat hij nog steeds bij haar was, van haar hield en dus zei ze zacht: 'Wat is er gebeurd, Jimmy?'

Jimmy keek haar opnieuw in de ogen en kuste haar toen zachtjes op de lippen. Door de zachte aanraking van zijn mond bezwijmde ze bijna.

'Onthoud goed, Mags, dat kleine Jimmy míjn zoon was. Ik weet dat en jíj weet dat.'

Ze glimlachte droevig. 'Ik weet dat beter dan wíé ook, Jimmy.'

'Hij heeft geprobeerd ons te breken, maar dat zal niet gebeuren, meid. Hij stelde niets voor, ook niet wat hij ooit heeft beweerd.'

Ze drukte hem tegen zich aan, ze wist dat hij degene vermoord had van wie hij ooit het allermeest in de hele wereld had gehouden.

Ze wilde nu maar dat ze het jaren geleden al had verteld. Haar stilzwijgen had uiteindelijk het leven van iedereen geruïneerd, en toch had ze alleen maar de vrede willen bewaren, al haar dierbaren willen beschermen tegen een man van wie ze hoopte dat hij eindelijk in de hel zou wegbranden.

Jackie keek op het lichaam van haar man neer en de tranen kwamen niet. Ze had erop gestaan om hem te zien, ook al was ze ervoor gewaarschuwd dat hij verminkt was, dat hij veel hoofd- en nekwonden had en dat ze beter haar vader het lichaam kon laten identificeren, zodat ze zich hem kon herinneren zoals hij wás.

Ze had op het punt gestaan in lachen uit te barsten, toen de enige gedachte in haar opkwam die ze tegen deze lieve mensen kon zeggen: 'Wat bedoel je, smerig, sjofel, dronken en onder de drugs en met zo'n bungelend klotewijf aan zijn arm?'

Maar ze had het niet gezegd. Ze was zich ervan bewust dat ze meegevoel zou krijgen en ze was niet van plan dat voor zichzelf te bederven. Haar vader was lief voor haar geweest en als het erop aankwam zou ze niets doen wat hem of iemand anders van streek zou kunnen maken.

Maar bij haar eerste blik op Freddies lichaam kwam er geen

tranenuitbarsting, wat ze wel had verwacht. Het was eerder ontnuchterend. Nu ze zo naar hem keek, met al die weerzinwekkende wonden op zijn lijf, had ze niets anders dan een merkwaardige kalmte gevoeld.

Ze keek op hem neer en wíst, zag met éígen ogen, dat hij echt dood was en ze werd overspoeld door een vreemd soort verrukking. Het alsof alles in haar leven op volle snelheid op dit moment was afgestevend.

Ze had zich nog nooit zo vreemd gevoeld, alsof ze iets had gewónnen.

Instinctief had ze vanaf het moment dat ze hem voor het eerst had gekust, beseft dat ze op een dag naar zijn dode lichaam zou staan kijken. Zijn drift zou zijn ondergang worden, en zijn geluk zou hem uiteindelijk in de steek laten.

Ze had altijd wel geweten dat hij op een dag de verkeerde tegen het lijf zou lopen. Iemand die een sterke wil had en nog veel driftiger kon worden dan hij, of iemand die zo bang voor hem was dat hij hem met een geweer met afgezaagde loop te grazen zou nemen.

Ze had in haar wildste fantasieën niet gedroomd dat die persoon Jimmy zou zijn.

Ze was er ook van overtuigd geweest dat, toen het eindelijk was gebeurd en Freddie van haar was afgenomen, ze in de vernieling zou liggen. Maar dat was niet zo. Eigenlijk stond ze verbaasd van zichzelf want nu ze naar zijn levenloze lichaam keek, was het enige wat ze voelde een eindeloos gevoel van euforie.

Ze voelde zich bevrijd.

Tegen haar vriendinnen had ze altijd gezegd dat ze nog liever had dat Freddie doodging dan dat hij haar voor iemand anders zou verlaten. Ze had er altijd grappen over gemaakt dat ze er wel mee om kon gaan dat hij niet bij haar was, zolang hij maar niet bij iemand anders was.

Toen hij nog leefde, ademde, had ze de gedachte niet kunnen verdragen dat hij niet bij haar was. Nu hij dood was en hij niet meer kon rondneuken, was ze vanbinnen bijna gelukkig, omdat hij als háár echtgenoot was gestorven en dat betekende dat ze nu zijn weduwe was. De vrouwen op wie hij door de jaren heen jacht had gemaakt en al die meiden die een kind van hem hadden, betekenden nu niets meer voor haar, want Freddie was weg, en zij was nog steeds zijn wettige echtgenote, zijn vrouw. Nu hoefde ze zich nooit meer zorgen om hem te maken, over waar hij uithing of zich zelfs af te vragen wat hij aan het doen was.

448

Die hele kwestie met Maggie kon nu met gemak in het vergeetboek worden bijgeschreven, en haar vader en moeder zouden haar weer terugnemen. Ze zou op haar tellen passen en zorgen dat de mensen haar weer aardig gingen vinden. Ze kon het niet in haar eentje en ze zou haar familie nodig hebben, vooral Maggie, want die had een hoop centen en zou het haar wel vergeven.

Dat waren prachtige gedachten en ze genoot ervan.

Freddie zou haar uiteindelijk toch in de steek hebben gelaten, dat had ze altijd geweten. Haar leven zou dan vervloekt zijn geweest omdat ze zich altijd zou hebben afgevraagd of hij op die dag zijn grote liefde soms was tegengekomen.

En dat zou ten langen leste toch zijn gebeurd. Hij zou op een leeftijd zijn gekomen waarop hij zichzelf zou moeten bewijzen, een jonge del aan zijn arm nodig zou hebben om zich weer jong te kunnen voelen. Hij zou er zeker een zijn tegengekomen – het gebruikelijke misdaadliefje, zo'n nul met een nepteint en een gemeenteflat – die maar al te graag met hem zou willen spelen, omdat hij haar jeugdige bewondering nodig had en zij een moordlijf zou hebben en een wanhopige behoefte aan de criminele schijnwerpers. Freddie zou ten slotte voor zo eentje zijn gevallen. Alle vrouwen in haar situatie wisten dat.

Eens was zij zijn meisje geweest, heel wat jaren geleden, maar vier kinderen en Freddie Jackson als echtgenoot hadden haar veel te vroeg oud gemaakt. Zelfs als ze wel goed voor zichzelf had gezorgd, alle schoonheidsbehandelingen had ondergaan, de veroudering met een strijdbijl te lijf was gegaan, dan zou de jeugd het in hun wereld altijd winnen.

Daar was ze banger voor geweest dan voor wat ook. Zonder Freddie was ze niets, maar als zijn weduwe zou ze nog altijd met trots zijn naam dragen en zou ze vanwege zijn reputatie worden gerespecteerd.

In de afgelopen jaren was ze omgegaan met mannen van zestig met kinderen die nog jonger waren dan hun kleinkinderen en vrouwen jonger dan hun dochters. Ze had ook de eerste vrouwen geobserveerd, die als een lege chipszak waren weggegooid. Dat waren de vrouwen die hun mannen kinderen hadden geschonken, hen door het hele land in de gevangenis hadden opgezocht, die voor hun mannen loyaal tegen de politie hadden gelogen, soms zelfs onder ede, en dat met liefde hadden gedaan. Maar dan kwam er plotseling zo'n meissie in beeld, dún, met zo'n nepteint, geen zwangerschapsstrepen, een Gossard-bh en de conversatie van een achterlijke orang-oetan, die nu de belangrijkste ander in zijn leven was geworden.

In één klap werd de eerste vrouw zonder plichtplegingen gedumpt alsof ze nooit had bestaan. De vrouw die ermee had geworsteld om in moeilijke tijden de zaken draaiende te houden, ook toen de kinderen nog klein waren. Ze had geld van haar familie geleend wanneer het echt zwaar werd en haar jeugd besteed aan de verdediging van haar man, van wie iedereen zei dat hij een uitbuiter was. Die vrouw zou de vruchten moeten plukken van het harde gezwoeg van haar man.

De andere kinderen accepteerden het nieuwe vrouwtje omdat ze nu een voortdurend terugkerende verschijning was, niet een vluggertje (die meiden kenden hun plaats en waren wel zo gevoelig om de man te negeren wanneer die met zijn gezin uitging), of ze spraken uiteindelijk niet meer met hun vader. En doordat ze hun moeders kant hadden gekozen, waren ze voor hun leven getekend door pijn en verraad.

Het was afschuwelijk als je die vrouwen in de ogen keek wanneer je ze bij het boodschappen doen tegenkwam, of op de bruiloft van hun kinderen. Je zag de verbijstering en pijn en, wat nog het ergste was, je zag hoe mensen ze behandelden nu ze aan de kant waren gezet. Ze werden nauwelijks getolereerd. Ze had met eigen ogen de vernedering op hun gezicht gelezen wanneer hun man daar met zijn nieuwe vrouw was, van wie Jackie wel had gezien dat ze bijna altijd dronken was en een scène trapte omdat ze zelfs de vrouw die hij had verlaten als een bedreiging beschouwde.

Ze vond het prachtig om te zien dat wanneer het meisje de man eenmaal van zijn vrouw had afgetroggeld, ze met de wetenschap moest leven dat haar dat ook makkelijk kon overkomen, en zij had niet die eerste jonge jaren met hem meegemaakt, die zijn eerste vrouw wel had beleefd.

De smart op het gezicht van de vrouwen wanneer ze naar de mannen, van wie ze nog steeds hielden, met hun nieuwe en betere modelletjes keken, was voor Jackie altijd pijnlijk duidelijk geweest, hoe dapper ze dat ook droegen. Deze vrouwen realiseerden zich net als zij uiteindelijk dat ze hun leven hadden gewijd en hun liefde verspild aan een man die geen idee had van wat ze in al die jaren hadden doorgemaakt, en die zich niet echt schuldig voelde over het feit dat ze zo achteloos hun leven in puin gooiden.

Daar was ze jarenlang bang voor geweest, het vooruitzicht

dat Freddie haar aan de kant zou zetten, en ze had het gevoel alsof ze zojuist alle lasten van de wereld van zich had afgegooid.

Ze was blij dat hij dood was, want nu hij dood was kon ze eindelijk in alle rust van die verrotte schoft houden.

Kimberley en haar beide zusters stonden buiten het politiebureau een sigaret te roken met een uitermate ingetogen Dicky.

Ze hadden hun tante iets te eten gebracht. Ze had het dankbaar in ontvangst genomen en ze waren blij om te zien dat ze hen niet anders behandelde dan voor deze afschuwelijke dag.

Het feit dat hun vader dood was, was nog niet tot hen doorgedrongen. Ze probeerden het nog steeds te bevatten dat het Jimmy was geweest die hem had omgelegd.

Ze waren allemaal ondervraagd en ze hadden allemaal hetzelfde gezegd, dat ze geen idee hadden wat er gebeurd kon zijn. Pas toen ze toestemming hadden gekregen, waren ze bereid geweest iets over het onderwerp te zeggen.

'Arme pap.'

Dianna klonk zo verdrietig en Kimberley drukte haar jongere zusje dicht tegen zich aan. 'Ja, wat je zegt, arme pap.'

Ze keek naar Rox en uit de blik die ze met elkaar wisselden maakte Dicky op dat ze niet van plan waren om te rouwen om de man die ze zo lang vader hadden genoemd.

'Laten we maar naar mam gaan, hè? Kijk, Glenford komt er net aan in een zwarte taxi.'

Dicky liep naar hem toe en de twee mannen schudden elkaar de hand.

'Alles wordt al geregeld. Wil jij de meisjes thuisbrengen?'

Dicky knikte. 'De advocaat is er eindelijk en ze laat het niet op zich zitten. We hoorden haar hier helemaal tekeergaan.'

Glenford grijnsde. 'Ze is goed. Ze zijn overal naar me op zoek geweest, dus nu ben ik maar zelf gekomen, dan is het maar achter de rug. Wat ik van een vriend bij de politie heb gehoord, trekken ze al zijn bekende contacten uit de kast.'

Glenford gooide achteloos zijn joint weg en zei lachend onder het weglopen: 'Die kan ik maar beter niet mee naar binnen nemen, hè?'

Dicky lachte met hem mee. Hij was ongelooflijk opgewonden dat hij betrokken was bij zoiets groots, hij wist dat het belangrijk was voor zijn toekomstige positie. Hij zou door hen bekeken en beoordeeld worden op hoe hij zich in deze situatie weerde.

Nou, niet veel mensen waren een grote fan van Freddie Jackson. Hij had met hem te maken gehad omdat hij verliefd was op zijn dochter, en ze was een spetter.

Ze was geschrokken maar niet verbaasd geweest toen het nieuws kwam dat haar vader in Epping Forest was gevonden, naakt, kapotgeslagen en gedeeltelijk verbrand. Hij smeulde nog na toen een man, die zijn hond aan het uitlaten was, over hem was gestruikeld nadat hij naar zijn auto was teruggelopen na een aangename tijd koekeloeren naar stelletjes die seks hadden op hun achterbank. Een passend einde voor Freddie Jackson, als je erover nadacht.

Melanie zat nog steeds te huilen en Liselle, die dol was op haar nichtje, kreeg de neiging haar een klap te verkopen.

Het was haar eigen schuld en Liselle was boos dat haar nicht midden in deze rotzooi had gezeten. Als Mel niet uit geweest was op de glamour van die klotecriminelen en alles wat daarmee te maken had, zou ze nu niet in deze hachelijke positie zitten. Ze was een lieve meid en had een goed karakter, maar ze was het eeuwige 'meisje van'. Ze had gewoon te veel smoel en te veel vlees van voren om ooit iets anders te worden.

Ze hoopte alleen maar dat dit Mel de les van haar leven had geleerd en dat ze nu de wereld waarin ze zich bewoog helemaal doorhad, zowel de goede als de slechte kanten ervan. Je moest als vrouw van een bepaald kaliber zijn wilde je het in hun wereld kunnen redden, dat wist ze uit eigen ervaring. Je moest die kerels begrijpen, en snappen wat ze aan het doen waren en waarom. Als je niet in hun wereld was opgegroeid, of met de ongeschreven wetten, dan kon je het wel vergeten. Je moest hun manier van leven volledig accepteren, wat ze ook deden, waar ze ook van beschuldigd werden. Je kon alleen maar om ze geven wanneer ze daarmee weg konden komen. Dat was het enige wat telde.

Je moest ook je mond dicht kunnen houden, en niet, nooit, vrijwillig informatie over het leven van je echtgenoot naar buiten brengen, tegen niemand, wie ze ook waren.

Je kreeg een goed leven als je wist hoe je het spel moest meespelen. Ze deed dat al vele gelukkige jaren met Paul en daar wilde ze geen spat aan veranderen.

Nu had Melanie een glimp kunnen opvangen van wat er kon gebeuren wanneer je op het verkeerde moment op de verkeerde plek was en misschien zou ze eindelijk eens zorgvuldig nadenken over wat ze met haar leven aan moest.

Paul zuchtte en zei zo kalm mogelijk tegen het angstige kind: 'Hou op en luister naar me.'

Liselle liep naar het meisje toe en gaf haar uit alle macht een klap recht in het gezicht. 'Jezus, wil je goddomme ophouden met dat gejank en naar ons luisteren? Begrijp je dan niet dat je ongelooflijk in de shit zit, meid?'

Melanie staarde haar tante met doodsbange ogen aan en hield ten slotte op met huilen. Paul draaide haar gezicht naar zich toe. 'Jimmy Jackson is een slechte man. Ik durf er mijn geld op te verwedden dat hij de slechtste man van Londen is. En je mag dan Liselles nicht zijn, dat maakt geen donder uit als je ooit één woord loslaat van wat je in de pub hebt gehoord. Ik meen het heel serieus, Melanie. Je moet alles wat hier is gebeurd vergeten, begrepen? Het is nooit gebeurd. Je gaat vanavond nog met Liselle op een lange vakantie naar Spanje en de tijd daar gebruik je om dat klotehoofd van je leeg te laten lopen. Maar ik waarschuw je, als je ook maar een hint geeft over wat je hebt gezien of gehoord...'

Hij maakte zijn zin niet af, want hij zag in haar grote blauwe ogen het toppunt van afgrijzen en hij wist dat ze er tegen niemand een woord over zou loslaten. Hij hoopte alleen wel dat ze van de allesoverheersende angst zou afkomen, want ze zat in een ongelooflijk gevaarlijk parket. Alleen maar omdat ze een bloedverwante was van zijn vrouw, mocht ze langs af en tweehonderd pop incasseren.

Jimmy had hem niet gevraagd er iets aan te doen, dat was niet nodig. Paul was de schoonmaker van de onvermijdelijke smeerboel. Daar werd hij dik voor betaald en normaal gesproken had hij iemand ingehuurd die zou garanderen dat het kind de mond werd gesnoerd.

Liselle, god zij gedankt, was heel tolerant als het om zijn werk ging, maar hij wist dat ze een grens trok wanneer haar nicht op de lijst van vermiste personen terecht zou komen.

Dus had het meisje een waardevolle les geleerd. Dat hoopte hij althans. Liselle zou de komende paar weken op haar inpraten en voortdurend herhalen dat ze zichzelf door een stomme opmerking of een dronken uitspraak in groot gevaar kon manoeuvreren.

Het was laat en hij was moe. Het was weer een ouderwets lange dag geweest.

Lena en Jackie zaten samen in Jackies huis, en deze keer was Jackie in een redelijke stemming. De meisjes waren in de keuken thee en sandwiches aan het klaarmaken en probeerden de gebeurtenissen van de afgelopen dagen te verwerken. Ze wisten allemaal dat ze hun gedachten voor zichzelf moesten houden. Dat was voor iedereen het beste.

De dag brak bijna aan. Het licht kroop langs de hemel en Jackie was dronken, maar gelukkig dronken. Lena zei zacht tegen haar: 'Vertel me de waarheid, heb je iets tegen Jimmy gezegd over jeweetwel?'

Jackie keek naar de vrouw van wie ze zoveel hield en van wie ze altijd het gevoel had gehad dat ze haar als tweederangs behandelde. Ze zei smalend: 'Jeweetwel?'

Lena sloot verdrietig haar ogen. 'Luister goed naar me, Jackie. Jij en de meisjes moeten vergeten wat er vandaag is gezegd, hoor je me?'

Jackie slaakte een diepe zucht en liet zich in de stoel vallen, haar omvangrijke borsten lagen opeens op haar buik.

Lena zag dat ze er ouder uitzag dan ze was. Dat was op zichzelf niets nieuws, maar ze leek wel opeens een stuk relaxter.

'Maak je geen zorgen, mam. Ik trap geen moeilijkheden, ik beloof het je.'

Lena was verbaasd over het antwoord van haar dochter en dat was haar aan te zien.

'Ik weet dat hij het heeft gedaan, mam. Ik ken hem beter dan wie ook. Maar het maakte me niet uit. Ik hield van hem, zie je.'

Lena greep haar dochter bij de hand en kneep er stevig in. 'Dat weet ik, schatje.' Ze voegde er nog net niet aan toe: god mag weten waarom, maar het kwam toch even in haar op.

'En nu hij dood is, voel ik me helemaal licht, alsof er een gewicht van me af is gevallen. Begrijp je dat, mam? Ik ben niet echt blij dat hij dood is, maar ik vind het ook niet erg.'

Lena begreep haar dochter veel beter dan die zich realiseerde.

'De nieuwslezer op de tv zei dat het een gangstermoord is geweest. Hij zag er verschrikkelijk uit, mam. Wie het ook heeft gedaan, hij heeft er goed werk van gemaakt, dat kan ik je verzekeren.'

Lena zuchtte weer bij de woorden van haar dochter, maar ze bleef haar hand vasthouden.

'Ik zal hem missen, ik voel me echt heel raar, mam. Bijna gelukkig en dat is verkeerd, maar ik kan er niks aan doen. Ik heb het gevoel dat ik me eindelijk kan ontspannen. Ik realiseerde me vandaag dat ik me nooit een moment heb kunnen ontspannen, mam, niet echt, en nu ben ik gewoon relaxed. Begrijp jij er iets van?'

Lena knikte en gaf haar dochter een knuffel. 'Omdat je zo stapelgek op hem was. Je liefde voor hem grensde bijna aan waanzin, en weet je wat, Jackie? Ik heb soms naar je zitten kijken, en mijn hart brak voor je omdat ik wist dat je iedereen kwetste, je deed iedereen pijn vanwege je liefde. Liefde zou je gelukkig moeten maken, kind, en dat is bij Freddie nooit zo geweest. Nu hij weg is, is het logisch dat je je lekker kunt ontspannen, want voor het eerst sinds hij uit de lik is weet je precies waar hij vierentwintig uur per dag is.'

Ze liefkoosde haar nogmaals teder. 'Ik zal niet de schijnheilige uithangen, ik heb hem nooit gemogen, dat weet je wel, maar ik leef wel heel erg met je mee dat je hem hebt verloren. Ik zal er altijd voor je zijn, en je vader ook. We vechten dan wel en maken ruzie, maar uiteindelijk zijn we toch één gezin, nietwaar?'

Jackie glimlachte droevig. 'Ik vraag me af of ze Jimmy al hebben vrijgelaten.'

'We horen het heus wel als er iets gebeurt, maak je maar geen zorgen.'

Kleine Freddie sloeg zijn moeder en zijn nana gade en verwonderde zich erover dat iedereen in dit huis leek te grossieren in emotionele uitbarstingen. De moord op zijn vader had hem helemaal niets gedaan, maar hij zou er uithalen wat erin zat. En bij zijn grootvader zou hij zich gedeisd houden. Hij had het gevoel dat die recht door hem heen keek en daar werd kleine Freddie heel behoedzaam en nerveus van. Twee emoties die hij nooit eerder had beleefd.

Hij wist dat zijn grootpa hem doorhad en hij had precies in de gaten dat hij in deze nieuwe ontwikkelingen heel voorzichtig moest manoeuvreren. Voorzichtigheid was nu zijn nieuwe motto.

De meisjes kwamen binnen en maakten er een hele heisa van om hem baconsandwiches en dieetcola te voeren. Hij keek gepast ontsteld en kreeg het toen voor elkaar om in betrekkelijke rust naar zijn favoriete video's te kijken.

Jimmy kwam de douche uit en liep de reusachtige slaapkamer door. Deze kamer was ooit vol plezier geweest en dit huis was de voltooiing van alles wat hij ooit in zijn leven had gewild. Nu was het gewoon een huis, net als elk ander.

Huizen bestonden niet alleen uit stenen en cement, ze bestonden uit de mensen die erin woonden.

Maggie zat op het reusachtige bed. Ze zag er heel kleintjes en kwetsbaar uit. Hij hield van elk bot in haar lichaam, nu meer dan ooit.

Ze gaf hem een glas brandy en hij nipte eraan voor hij zei: 'Ben ik even blij dat ik die walm van dat politiebureau kwijt ben. Het stonk daar.'

Ze gaf geen antwoord en hij ging naast haar op het bed zitten. Joviaal greep hij haar been vast en zei met stemverheffing: 'Hebben we onze tong verloren?'

Maggie ging op haar knieën zitten, woelde met haar handen door haar haar en zei rustig: 'Houd ermee op, Jimmy, we moeten praten over wat er is gebeurd. Ik weet dat je Freddie hebt vermoord, ik wist het zodra ik het nieuws hoorde. Je doet nu alsof er geen vuiltje aan de lucht is maar dat is niet zo. Je kunt niet de rest van je leven doen alsof er helemaal níéts is gebeurd. Jij denkt dat als je maar doet alsof het niet is gebeurd, dat je het dan niet onder ogen hoeft te zien, of de gevolgen ervan. Maar zo zit ik niet in elkaar. Ik wil nu voor eens en voor altijd open kaart spelen.'

Jimmy stond op en liep naar het raam. Het beloofde een mooie dag te worden, hij had de ochtenden altijd het mooiste moment van de dag gevonden.

'Hij heeft me verkrácht, Jimmy, en kijk me nu aan en zeg tegen me dat je het me niet kwalijk neemt dat ik het je niet heb verteld.'

Hij draaide zich niet naar haar om en ze voelde weer die misselijkheid opkomen. Maar ze kon zo niet verder. Ze had liever dat hij bij haar wegging dan dat ze zouden doen alsof alles oké was. Geheimen hadden haar en haar gezin bijna verwoest en daar wilde ze niet langer mee leven.

'Wie heeft het je verteld, Jimmy? Jackie?'

Toen draaide hij zich om. 'Wist Jackie er wel van en ik verdomme niet?'

Hij was kwaad en ze schudde ontkennend haar hoofd. 'Ze heeft het pasgeleden per ongeluk gehoord. Kimberley heeft het haar verteld. Ze had gehoord dat hij me zat te jennen op de begrafenis van kleine Jimmy. Kim heeft in een vlaag van woede haar mond voorbijgepraat, het is nooit haar bedoeling geweest zoveel problemen te veroorzaken. Heeft Jackie het je verteld, Jimmy? Ik moet het weten.'

Hij schudde zijn hoofd en de waterdruppels sloegen koud tegen zijn blote armen. Hij was alles wat ze ooit had gewild en nu was hij alles wat ze nog had.

'Heeft hij je lopen jennen op de begrafenis van de jongen?'

Ze knikte geknakt. 'Ik was als de dood voor wat jij zou doen als je het te weten zou komen, en voor Jackies reactie. Je weet hoe jaloers ze was vanwege hem, Jimmy. Ze zou haar verstand hebben verloren en een hoop rotzooi hebben getrapt. Ik probeerde alleen maar de vrede te bewaren. Ik deed wat ik vond dat het beste was voor iedereen...'

Hij knoopte de handdoek die hij om zijn middel had weer dicht en liep zonder een woord de kamer uit.

Ze hoorde hem de trap aflopen. Ze ging op bed liggen, het bed dat ze zo lang met hem had gedeeld, en ze was zo in de war dat ze niet eens kon huilen.

In de keuken pakte Jimmy een biertje uit de koelkast. Hij was weer kwaad. De gedachte dat Freddie zijn Mags had aangeraakt was al moeilijk genoeg, maar dat hij haar ook nog zo had bespot, was te veel voor hem. Al die jaren dat ze samen waren, de tijd in Freddies gezelschap, hij had hem gered, borrels met hem gedronken, hij was in zijn huis geweest, en hij had hem uitgelachen. Hij had zich rotgelachen omdat die stomme trut boven had geprobeerd de vrede te bewaren!

Zij en open kaart spelen... als ze eens wist wat er met haar kleine jongen was gebeurd. Daar zou zij niet mee kunnen leven, dus hij zou de wetenschap niet met haar delen, in tegenstelling tot haar. Ze werd al ongelukkig wanneer ze niet overal het naadje van de kous van wist, als ze niet elke zin analyseerde die tegen haar werd uitgesproken.

Hij wilde er niet met haar over praten. Waarom begreep ze niet dat het hem allemaal te veel werd? Hij was beter af als hij er niet over hoefde te praten, hij wilde helemaal niet van alle bijzonderheden op de hoogte te zijn.

Als de dingen eenmaal waren uitgesproken, waren ze er voor altijd, en sommige dingen konden maar het beste niet gezegd worden. Dat betekende niet dat hij er niet om gaf, of dat hij het niet begreep. Het betekende dat hij beter met de dingen kon omgaan wanneer hij ze in zijn eigen tijd kon verwerken, en in zijn eigen tempo.

Hij kon haar nu niet meer in de ogen kijken, niet zoals vroeger. Ze had zichzelf voor hem bedorven en dat had ze moeten weten. Ze was zijn vrouw, ze had beter moeten weten en hem met rust moeten laten. Hij had met haar te doen, hij had zo met haar te doen, maar nu kon hij alleen maar woede en wrok voor haar koesteren.

Hij had het gelijk geweten, toen Freddie hem vertelde over zijn zogenaamde onderonsje, dat hij Maggie met geweld had genomen, hij had het op geen enkele andere manier kunnen doen. Maar door die insinuaties, dat Jimmy junior zijn kind was, was hij nu dood, want hij had hem geloofd. Het deed er niet toe, hij hield van de knul, maar wat Maggie al die jaren had moeten doormaken, dat ze zijn toespelingen had moeten verdragen en dat verdomde spottende gezicht, dat was op dit moment meer dan Jimmy kon verdragen.

Hij rende de trap op en Maggie sprong verschrikt op toen hij de slaapkamer binnenstormde. Hij greep haar ruw bij de armen en schreeuwde in haar gezicht: 'Je wordt bedankt. Die klootzak heeft me jaren uitgelachen. Ik was het mikpunt van zijn grappen en ik had er geen idee van. Ik had geen idee waarom hij me voortdurend te kakken zette, verdomde stomme koe dat je d'r bent.'

Hij gooide haar van zich af en ze bleef doodsbang liggen toen hij zijn kleren begon aan te trekken. Toen keek hij haar aan en zei: 'Dit heb je niet voor mij gedaan, maar voor die ellendeling van een zuster van je. Ik heb hem verdomme vermoord. Geloof me maar dat ik hem heb afgeslacht en ik vind het príma wat er is gebeurd. Ik wist heus wel dat hij je gedwongen moest hebben, Maggie, wat er tussen jullie is voorgevallen heeft me kapotgemaakt. Al die tijd heb je toegelaten dat hij al die dingen tegen me zei en je wist precies wat hij bedoelde, en nog had je goddomme het hart niet om het me te vertellen. Ik voel me echt de lulhannes van het jaar en jij hebt me de grootste lulhannes van allemaal gemaakt. Je had me toen je grote geheim moeten vertellen, nadat het gebeurd was, dan had ik tenminste in de gaten gehad waarom hij me zo te kakken zette.'

Maggie was rechtop gaan zitten en schudde bedroefd haar hoofd. Ze begreep dat al zijn ware gevoelens er nu uitkwamen.

Jimmy kon prima zijn mond houden, daarom was hij zo succesvol in zijn werk. Op het politiebureau had hij haar in niet mis te verstane bewoordingen verteld dat hij alles wist, en dat hij het er nooit meer over wilde hebben. Als je er niet over praatte, dan was het ook niet gebeurd, dat was zijn grondregel.

Nu had ze hem gedwongen onder ogen te zien wat er was voorgevallen, dat was op haar teruggeslagen en ze wilde met heel haar hart dat ze er niet over was begonnen.

Ze zag het nu vanuit zijn gezichtspunt. Plotseling herinnerde hij zich elk klein dingetje dat Freddie had gezegd, alle kleinerende opmerkingen, de insinuaties, en hij wist ze nu in de juiste context te plaatsen. Aan iemand met zijn waardigheid en geloof in zichzelf, was dat gaan vreten, was aan zijn ziel gaan knagen, en zij had die pijn veroorzaakt. Ze had het geheimgehouden en hem daarmee bijna vernietigd. Toen ze gedwongen werd ermee voor de dag te komen, was dat de katalysator geweest voor de complete neergang van hun leven.

Hij keek naar haar terwijl ze zat te huilen en hij voelde de neiging om haar te wurgen. In al die tijd dat ze samen waren geweest, was hij nog nooit zo kwaad op haar geweest.

'Jij dacht alleen maar aan Jackie, je hele leven draaide om haar. Ik zat elke rottige Kerstmis met haar opgezadeld, elke vakantie. Je was bezorgd om haar, en daarom ben ik verdomme zo kwaad. Ik kan de waarheid niet aan, zoals jij, Maggie. Ik ben meer van de struisvogelpolitiek. Je had me met rust moeten laten. Moeten ophouden met me op te jutten. Jij wilde dit allemaal op straat gooien, nou, jij je zin. Ik hoop dat je nu goddomme gelukkig bent. Je hebt wat je wilde, Mags, je weet eindelijk wat ik er werkelijk van denk.'

Hij ging het huis uit en ze hoorde zijn auto piepend over de oprijlaan wegrijden.

32

Jimmy werd wakker door een zachte, vochtige mond om zijn stijve lid en hij zuchtte vermoeid. Hij kon het niet over zijn hart verkrijgen om het meisje te vertellen dat hij gewoon een ochtendlul had, een misplaatste trots. Uiteindelijk keek ze naar hem op en hij zei glimlachend: 'Volgende keer beter, hè?'

Ze grijnsde en sprong van het bed. Hij keek lui toe hoe ze haar bezittingen bijeengraaide en de kamer uit glipte.

Dat was het mooie van prostituees, ze wilden alleen maar wat jíj wilde, niets meer en niets minder. Geen langdradige klotegesprekken, geen gewauwel over hun familie, hun problemen of hun pokkenleven.

Hij voelde zich nu schuldig en dat ergerde hem. Hij neukte alles wat bewoog en dat kon hij alleen maar door de alcohol en, sinds kort, Viagra.

Hij geeuwde weer en realiseerde zich dat hij zichzelf rook. Hij sprong het bed uit, trok wat kleren aan en liep naar beneden.

Patricia schudde haar hoofd naar hem alsof hij een stout jongetje was geweest. 'Ik hoop verdomme wel dat je dat arme kind hebt betaald. Ze werken niet voor niks, weet je.'

'Gaat je niks aan, Pat. Dit hier is van mij. Hoe dan ook, ze zijn allemaal van mij.' Hij meende het niet maar wilde haar op de kast jagen.

'Ga je naar Freddies klotebegrafenis?'

Hij schudde achteloos zijn hoofd. 'Hoezo, jij wel?'

Jimmy verliet het huis, blij dat hij haar te pakken had gehad. Hij reed snel naar Glenfords huis. Hij was wanhopig toe aan een douche en schone kleren.

Jackie en haar dochters zaten allemaal in de kerk. Kleine Freddie stond nog buiten en Jackie wist dat hij aan het kettingroken was.

Het lichaam was eindelijk vrijgegeven en zijn moord was de boeken ingegaan als de zoveelste onopgeloste misdaad. Er was bijna niemand op de begrafenis komen opdagen. Haar moeder was gekomen, die van hem niet, wat haar niet verbaasde. Haar vader was er ook niet en er waren geen grafkransen bezorgd. Daar was ze niet van geschrokken, maar het ergerde haar wel. Er zat een subtiel verschil in.

Als deze dag achter de rug was, kon ze aan een nieuw leven beginnen, dat bleef ze zichzelf maar voorhouden. Dat was het enige waardoor ze de nachten had kunnen doorkomen.

Ze bestudeerde haar dochters. Het waren prachtige meiden en ze was trots op ze. Ze had zich nooit erg met ze bemoeid, maar nu zag ze hen elke dag en wist ze hoe hun leven eruitzag en wat ze dachten.

Freddies invloed thuis was weg en ze genoot van de vrijheid dat ze niet meer verliefd hoefde te zijn.

Morgen zou ze bij Maggie langsgaan, eens kijken hoe het met haar ging. Ze verwachtte haar vandaag niet, maar ze had Jackie dat wel aangeboden als ze het echt had gewild, en daar was ze blij om geweest. Blij omdat Maggie genoeg om haar gaf dat ze dat voor haar wilde doen. Maar ze had haar zuster verzekerd dat het prima zou gaan met de meiden, dat zij haar er wel doorheen zouden slepen.

Ze wilde maar dat ze een beetje opschoten en zouden beginnen. Ze was wanhopig aan een borrel toe en ze had een hoop te doen vandaag. Dit was de belangrijkste dag van haar leven, zo voelde ze het tenminste, hoewel ze niet zo zeker was of haar familie het daarmee eens zou zijn. Ze had nooit eerder een echtgenoot begraven. Voor haar was dit absoluut de allereerste.

De priester keek naar zijn aantekeningen en ze hoopte dat hij Freddies naam goed uitsprak. Hij had hem tenslotte nooit gekend.

Glenford wilde net het huis uitgaan toen hij Jimmy's auto de weg op zag racen. Dus liep hij weer naar binnen en zette een ketel water op. Hij had nog tijd voor een kop koffie, dat was het prettige van hun leven. Je hoefde nooit bij de klok te leven, zoals de meeste mensen. Je kon je eigen tijd indelen. Dat was een van de mooiste dingen van het leven.

Jimmy liep de kleine keuken in en zijn gestalte vulde de hele ruimte. 'Alles goed, Glenford!' Hij lachte zoals altijd. 'Je weet dat Freddie vandaag de grond in gaat?'

'Nee, niets van gehoord. Wie heeft je dat verteld?'

'Lelijke Pat. Maar ze gaat toch niet.'

Jimmy geeuwde luidkeels, pakte een joint van een asbak, stak hem op en trok er diep aan. Hij zei: 'Ik ben gebroken, verdomme. Ik moet vandaag mijn hoofd erbij houden. Ik ga morgen bij Oz op bezoek en ik moet eerst nog een paar dingen uitzoeken.'

'Je ziet er niet uit, Jimmy.'

Hij grijnsde. 'Zo voelt het ook, maak je niet druk.'

'Heb je Maggie al gesproken?'

Jimmy keek zijn vriend aan en schokschouderde. 'Heeft geen zin, we hebben niks te zeggen.'

'Het is nu al twee maanden, Jimmy. Waar jullie verdomme ruzie over hebben, weet ik niet, maar als je nog langer zo doorgaat, is er geen weg terug meer. Hoe langer je de zaak laat rusten, hoe moeilijker het wordt.'

'Je preekt als een bekeerling, makker. Nou, laat me in alle rust m'n koffie opdrinken en m'n jointje roken zonder dat ik het gevoel krijg dat ik op de sofa van Lorraine Kelly lig. Niet dat ik haar zou afwijzen wanneer ik maar een halve kans kreeg!'

Glenford moest ondanks zichzelf lachen. 'Ben je al in de pub geweest? Ze zijn bijna klaar. Paul zegt dat het veel te mooi is voor de vaste klanten, ik neem aan dat hij ons daar ook mee bedoelt.'

Jimmy lachte weer, samen met zijn vriend, en een paar minuten later was Glenford vertrokken. Jimmy's lachende façade was onmiddellijk verdwenen.

'Moet er vandaag nog iets gedaan worden, mevrouw Jackson?'

Lily Small maakte al vijf jaar Maggies huis schoon en ze had het gevoel dat ze goed met elkaar overweg konden. Ze kwam vijf keer per week en ze maakte het huis van boven tot beneden schoon. Ze had tijden geleden al uitgevogeld dat meneer Jackson bij zijn vrouw weg was.

Mevrouw Jackson hield zich goed, maar Lily had gezien dat ze kilo's was afgevallen en de fronslijnen op haar voorhoofd konden als bij toverslag tevoorschijn komen. Het was al zwaar genoeg dat ze haar kleine jongen had moeten verliezen, misschien was de spanning ze wel te veel geworden. Dat kon ze wel begrijpen, zelfs voor haar was het te wreed voor woorden, dus god mocht weten hoe het arme wicht zich moest voelen.

Ze had er wel wat voor willen geven om erachter te komen wat meneer Jackson had gedaan, als hij al iets gedaan had, natuurlijk, maar ze kreeg met geen mogelijkheid iets uit haar. Ze hield haar mond stijf dicht alsof ze hem had vastgelijmd.

'Moet ik de overhemden van meneer Jackson strijken?'

Maggie glimlachte. Ze moest toegeven dat Lily een vasthoudertje was. Voordat ze haar naaste familieleden of buren door het slijk ging halen – mensen die Maggie nog nooit had ontmoet en dat ook niet wilde – blies Lily haar omvangrijke borst op, trok aan haar sigaret en sprak de magische woorden uit waarom Maggie en Jimmy altijd moesten schateren van het lachen als ze eenmaal weg was: 'Jullie weten wel dat ik geen roddeltante ben, maar...'

Nu probeerde ze nog een greintje informatie uit haar te krijgen over de netelige situatie waar haar werkgever in zat en ze herhaalde de vraag met opgetrokken wenkbrauwen en een bungelende sigaret in haar oranje geverfde mond. 'Nou, moet ik de overhemden van meneer Jackson nog strijken? Ik weet precies hoe hij ze wil hebben.'

'Wat jij wilt, Lily.'

Maggie wist wel dat ze de vrouw daarmee ergerde, maar daar ging het juist om. Haar leven was van haar en ze had geen behoefte aan geroddel met wie dan ook, laat staan met Lily wier lippen, zoals Jimmy het grappig uitdrukte, losser zaten dan die van een Scandinavische hoer. Zelfs haar arme moeder had geprobeerd uit te vissen wat er aan de hand was, dus Lily kon het helemaal wel vergeten.

Maggie begreep nu wat Jimmy had bedoeld. Als zij het tegen niemand had verteld, dan was het niet gebeurd. Als hij terugkwam, zou niemand er iets van te weten komen en konden ze weer overgaan tot de orde van de dag. Hij had gelijk, soms was het beter om de dingen onuitgesproken te laten, dan was er makkelijker mee te leven.

Ze schonk zichzelf een kop thee in en nam die mee naar de serre. Ze had stapels administratie liggen, dus daar kon ze net zo goed nu aan gaan werken. De salons deden het allemaal goed, heel goed zelfs, maar die wetenschap had niet het normale effect op haar. In plaats van dat ze zich gepast trots voelde, interesseerde het haar eigenlijk niet. Elke dag dat hij niet bij haar was, stierf er een klein stukje vanbinnen af.

Ze had geen woord over hem gehoord, en zij had ook niet geprobeerd contact met hem op te nemen. Het geld stapelde zich nog steeds op de bank op, dus ze leefde haar leven. Maar de eenzaamheid kreeg haar in haar greep en hoe moe ze zich ook voelde, zodra ze in bed lag schakelden haar hersenen op de hoogste versnelling over en beleefde ze weer die twee dagen van haar leven, steeds maar weer.

De dood van haar zoon en het volslagen verdriet, en de dag dat Jimmy bij haar wegging.

Ze stelde zich voor hoe ze het had moeten spelen, herinnerde zichzelf eraan dat als ze alleen maar de schijn had weten op te houden, zoals ze steeds al had gedaan, hij nog bij haar was geweest. Ze zouden om hun kind hebben gerouwd, en ze zouden het met rust hebben gelaten totdat ze emotioneel weer sterker zouden zijn. Dat ze zijn kamertje weer binnen konden gaan zonder in te storten, totdat die rauwe pijn was geweken.

Voor het eerst in haar leven begreep ze de jaloezie die haar zuster voor andere vrouwen voelde. Ze martelde zichzelf met beelden dat hij met andere vrouwen in bed lag. De liefde met hen bedreef, zoals hij dat ooit met haar had gedaan.

Ze kon niet eten, niet slapen, niet tot rust komen.

En het was allemaal haar eigen schuld.

'Kom op, mam, eet nou wat.'

Kimberley keek naar Jackie met die bezorgde frons waarvan ze zo was gaan houden. Ze was een goeie meid, haar Kim, en ze was niet zo'n goeie moeder geweest als ze had kunnen zijn. Dat zat haar de laatste dagen dwars en ze probeerde lief voor ze te zijn, liever dan anders.

Sinds Freddies dood leken de meisjes wel echte hulptroepen, ze zorgden werkelijk goed voor haar en hun broertje. Ze stond er versteld van hoe alles op zijn pootjes terecht was gekomen.

In haar hart wist ze wel dat het vooral Maggies invloed was geweest waardoor haar meiden zo waren geworden, maar ze voelde er niet die woede en jaloezie bij die ze daar normaal altijd bij had. Ze geloofde niet meer dat ze met iedereen werd vergeleken en ze voelde ook niet meer de druk van het feit dat ze zo had gefaald.

Nu wist ze wat haar te doen stond. Ze had een aantal besluiten genomen en ze was trots op zichzelf dat ze eindelijk haar leven in eigen hand nam.

'Het was een mooie dienst, vond je niet, mam?'

'Prachtig, liefje, en jullie waren ook geweldig.'

Dianna had een schitterend gezichtje, ze was echt een liefie. Zelfs Kim had er nog nooit zo goed uitgezien. En Rox kreeg een mooi buikje en, in tegenstelling tot haarzelf, zorgde ze ervoor dat haar lichaam niet uit zijn voegen zou barsten, zij hield zichzelf goed in de gaten. Rox zou haar man, haar grote liefde, de vader van haar kind, niet willen horen zeggen: 'Verdomme, meid, je lijkt wel weggelopen uit een griezelfilm!' Haar meiden leken wel filmsterren en Jackie wilde nu maar dat ze jaren geleden het aanbod van Maggie om schoonheidsbehandelingen te ondergaan had aangenomen, evenals haar adviezen om af te vallen. Maar zelfs van haar zuster had ze dat aanbod als kritiek ervaren, en dus was ze nooit gegaan. Ze had zichzelf in de neus gebeten en daarmee haar eigen glazen ingegooid. Ze moest lachen om haar eigen gedachten, maar ze wist dat het niet om te lachen was.

Als de dag eenmaal voorbij was, kon ze eindelijk gaan slapen, echt diep en heerlijk slapen zoals ze dat als kind had gekund, dat wist ze zeker. Daar was ze aan toe en ze wist dat ze daardoor weer op krachten zou komen, want in haar dromen zou Freddie weer bij haar zijn en waren ze gelukkig. Ze konden hun geluk niet op, zij was slank en dronk niet, en hij had alleen maar oog voor haar.

Daarom wilde ze weer gaan slapen. Ze had die dromen nodig om weer heel te worden.

Ze glimlachte naar haar zoon en hij knikte haar toe. Hij had zoveel van hem gehouden, ondanks zijn gevoelens voor haar. Ze was zich er pijnlijk van bewust dat het kind nooit iets om haar had gegeven, en eerlijk gezegd mocht ze hem eigenlijk ook niet.

Freddie Jackson junior liep naar het huis van een vriend toen hij twee buurkinderen aan de overkant van de straat zag lopen. Hij had een bloedhekel aan Martin Collins. Hij was elf jaar oud en klein voor zijn leeftijd, maar door zijn uitstraling was hij bij iedereen geliefd. Zijn broer Justin paste op hem en Freddie was benieuwd hoe ver hij daarin zou gaan.

Kleine Freddie stak de straat over en bracht ze tot staan. Martin Collins keek hem behoedzaam aan.

'Alles goed?'

Martin knikte voorzichtig. 'Ja, jij?'

Kleine Freddie grijnsde. 'Heb je geld?'

Justin Collins werd nerveus. Hij was ouder dan Freddie Jackson maar niet zo groot en lang zo agressief niet.

Martin schudde zijn hoofd. 'Nee, ik heb geen geld, Freddie.'

Freddie staarde de jongen lang, inschattend aan voordat hij een lang mes met smal lemmet tevoorschijn haalde. Hij keek opgewekt toe hoe de jongens angstig een stap naar achteren deden en toen Justin zijn kleine broer achter zich duwde, lachte hij. 'Pas je op dat slapjanusje van je?'

'Laat hem met rust. Ik meen het, Jackson, neem iemand van je eigen leeftijd.'

'En wat ga je eraan doen als ik dat niet doe?'

Auto's vlogen langs hen heen en er hing een zware diesel-stank in de lucht.

Een oude man bekeek het tafereeltje vanuit zijn flatraam. Hij stond nog te dubben of hij de politie zou bellen toen de grotere jongen, die Jackson-knul wiens vader was vermoord, de blonde jongen in het hart stak.

Martin gilde het uit van angst toen zijn broer op de smerige stoep lag en naar zijn borst greep. Er lag overal bloed en Freddie Jackson keek in trance toe hoe het wegstroomde. Toen draaide hij met een ruk zijn hoofd naar Martin en zei zachtjes: 'Nou, geef me geld.'

Martin gaf hem de twee pond vijftig die zijn moeder hem had gegeven om een krant en sigaretten bij de buurtwinkel te kopen.

Toen Freddie Jackson wegliep, klonken de schrille tonen van een sirene over het Barkingviaduct.

Justin Collins stierf tien minuten later in de ambulance.

'Weet je zeker dat het wel gaat, mam?'

Jackie dwong zich te glimlachen en kon zichzelf er nog net van weerhouden tegen ze te schreeuwen. Ze wist dat ze het goed bedoelden, maar soms wilde ze dat ze haar met rust lieten.

'Ik wil alleen maar naar bed en gaan slapen, dat is alles. Ik ben uitgeput, ik heb een paar akelige maanden achter de rug, en wat hij ook wel of niet was, ik hield meer van jullie vader dan wie ook. Ik wil hier alléén liggen en aan hem denken, oké?'

De meisjes knikten eensgezind, ze gaven haar om de beurt een welterustenkus, ook al was het pas drie uur 's middags.

Beneden zagen ze hun oma in een mobieltje praten en daar moesten ze allemaal om lachen. Ze maande ze met een handgebaar tot stilte toen ze de voordeur uitliep om het gesprek te beëindigen.

'Dat was zo grappig.'

De meisjes moesten weer lachen en Kimberley zuchtte. 'Het gaat niet goed met haar, hè? Ze is bijna líéf.'

Roxanna grinnikte. 'Ik weet dat het soms wat verontrustend is, maar het kan alleen maar goed zijn. Vind je het ook niet raar, als je bedenkt dat we vandaag onze pap hebben begraven?'

Ze schonk zichzelf een glas mineraalwater in terwijl haar zusters aan de witte wijn gingen. Ze zaten alledrie op de grote, gehavende bank en keken de kamer rond, die dankzij hun inspanningen kraakhelder was.

Dianna begon weer te huilen.

'O, kom hier, sufkoppie.'

Kimberley knuffelde haar zuster die door haar tranen heen zei: 'Verschrikkelijk, zo te moeten sterven. Ik moet er steeds maar aan denken dat hij vermoord is...'

Rox schudde haar hoofd. 'We hebben je gezegd dat je geen kranten moest lezen of naar het nieuws moest luisteren. Je moet het je niet zo aantrekken wat er met hem gebeurd is, schatje, hij was geen heilige, dat weten we allemaal. In zijn wereld is het bijna een beroepsrisico en dat zul je moeten accepteren, anders kom je er nooit meer bovenop.'

Sinds ze wist wat Maggie was overkomen, was elk gevoel dat Rox nog voor haar verwekker had gehad, allang verdwenen. Ze was echter niet van plan om het verdriet van haar zuster nog erger te maken dan het al was.

'Wie zou pap zoiets nou willen aandoen? Waarom zoekt de politie niet naar de daders?'

Rox en Kimberley wisselden een blik over Dianna's hoofd heen. Ze hadden zo hun eigen ideeën over wat er was gebeurd maar ze hielden hun mond daar stijf over dicht. Ze waren natuurlijk van streek, maar in tegenstelling tot Dianna waren ze realistisch en inwendig verwonderden ze zich erover dat het niet veel eerder was gebeurd. Freddie had meer vijanden dan Atilla de Hun en hij had elke gelegenheid aangegrepen om hen tegen zich in het harnas te jagen. Dianna leek op haar moeder. Ze zag alleen wat ze in mensen wilde zien, vooral als het om haar vader ging, die sinds hij uit de lik was gekomen van haar het meest had gehouden, meer dan van de andere twee.

Toen Kim en Rox begonnen in te zien hoe hun vader werkelijk in elkaar stak, waren ze blij geweest dat ze niet echt een band met hem hadden opgebouwd. Hij was een gemene bullenbijter die iedereen om zich heen de vernieling in had geholpen.

Ze waren blij dat hij dood was. Nu konden ze eindelijk in alle rust hun leven leiden.

Jimmy reed met een slakkengangetje en peinsde over het telefoontje dat hij twee uur eerder van Lena had gekregen. Sinds zijn vertrek was het voor het eerst dat hij iets van de familie had gehoord en in het begin had hij dat maar raar gevonden, want als kind had hij bijna bij ze gewoond. Het was verkeerd dat hij geen contact met haar en Joe had gehouden, zoals hij met Maggie had gedaan. Hij had ze heel hoog zitten en ze voelden hetzelfde voor hem.

Lena had daar niets over gezegd, maar haar telefoontje had hem wel in een lastig parket gebracht. Hij wist ook dat ze hem terecht had laten beloven dat hij nooit aan Maggie mocht vertellen dat ze hem had gebeld. Maggie was in dat opzicht net als hij, haar trots zou zo'n gebaar in de weg zitten, hoe goed bedoeld ook.

Toen hij de afslag op de M25 nam en richting huis reed was hij nerveus. Dat gevoel had hij in de afgelopen tijd niet meer gehad, maar zoals Glenford had gezegd, hoe langer je het op zijn beloop liet, des te moeilijker het werd.

Nu schaamde hij zich dat hij zo lang niets van zich had laten horen... ze was tenslotte zijn vrouw. Maar na een week van woedende stilte had hij nog niets van haar gehoord en dus had hij gedaan wat de meeste mannen doen. Hij had zijn woede gevoed, gekoesterd en uiteindelijk was de week een maand geworden. Hij had geen excuus kunnen verzinnen om haar te bellen en zichzelf wijsgemaakt dat als ze wilde, zij hem net zo goed had kunnen bellen. Maar hij wist dat hij bij haar was weggegaan, en in hun huwelijk betekende dat dat hij als eerste weer contact moest opnemen.

Als Lena hem niet had gebeld, zou hij nooit de eerste stap hebben gezet en, als het waar was wat Lena had gezegd, zou hij daar de rest van zijn leven spijt van krijgen.

Als hij Maggie eenmaal zou zien, haar in de ogen zou kijken, dan zou hij eindelijk weten of hij nog in vrede en geluk met haar zou kunnen samenleven. De keerzijde was echter dat hij het ook intuïtief zou weten wanneer hij dat niet zou kunnen. Als hij die martelende beelden niet uit zijn hoofd kon zetten, dan zou hun huwelijk definitief en onherroepelijk voorbij zijn.

Hij parkeerde op de parkeerplaats naast zijn stamkroeg. Hij wilde erover nadenken en hij had een borrel nodig om zich moed in te drinken.

Onverwacht werd er hevig op de deur geklopt. Zelfs op de dag van hun vaders begrafenis had niemand de moeite genomen om langs te komen en zijn medeleven te betuigen of te komen condoleren. De meisjes hadden dat in elk geval niet verwacht, zo wijs waren ze wel.

Roxanna ging ervan uit dat kleine Freddie terug was van zijn uitstapje. Ze deed de deur wijd open en zag twee politiemannen in uniform en twee rechercheurs. Politie in burger werd door haar vader altijd als vermomde juten betiteld, uitgedost als echte mensen. Die gedachte schoot door haar hoofd en ze moest bijna lachen. Haar ingebakken vijandigheid ten opzichte van de politie kwam onmiddellijk aan de oppervlakte en ze zei sarcastisch: 'Als u mijn vader wilt, dan bent u te laat. We hebben hem vandaag begraven.'

De langste van de twee rechercheurs stapte naar voren. Hij zwaaide met zijn badge, die voor haar net zo goed een busabonnement had kunnen zijn, zo snel ging het, en zei ernstig met zware stem: 'Ik ben rechercheur Michael Murray en ik ben inderdaad op zoek naar Freddie Jackson, maar ditmaal is het de zoon.'

Roxanna zei boos: 'O, sodemieter toch op en laat ons in alle rust rouwen.'

'Is hij thuis, miss Jackson?'

Deze Murray begon op haar zenuwen te werken. 'Wat heeft hij nou weer gedaan? Hij was het grootste deel van de dag op de begrafenis, dus ik denk dat hij een waterdicht alibi heeft.'

Roxanna begon razend te worden. Om uitgerekend vandaag te komen aankloppen... toen zag ze dat er drie politiewagens met politiemensen buiten geparkeerd stonden.

'Wat is er aan de hand? Hij is nog maar een kind. Wat is dat allemaal, het lijkt wel alsof we de maffia zijn! Ga me niet vertellen dat hij een bank heeft beroofd! Kom op, wat heeft hij nu weer gedaan?'

'Hij wordt gezocht in verband met een steekpartij met dodelijke afloop die eerder vanmiddag bij de Roundhouse herberg plaatsvond.'

Door zijn ingewikkelde taalgebruik begreep ze eerst niet wat hij zei, maar twee woorden bleven in haar hoofd haken. 'Een steekpartij?'

Het ongeloof droop van haar stem en kwam ook aan bij de politievrouw die achter Murray stond. Ze had te doen met dit knappe meisje dat nog maar net haar vader had begraven. 'We voelen mee met uw verlies, miss, maar het is van het grootste belang dat we hem zo snel mogelijk lokaliseren. We hebben een arrestatiebevel voor hem.'

Murray keek met openlijk misprijzen naar de politieagente.

Haar beschaafde toon en vriendelijke benadering waren hoogst ongebruikelijk, en zeker bij dit gezin. Hij kon niet wachten tot het meisje Jackie Jackson zou tegenkomen. Nou, dat zou me een mooi plaatje opleveren.

Jackie had op deze zelfde drempel met een honkbalknuppel voor hem gestaan. Zelfs de meest geharde politiemensen waren beducht wanneer ze naar haar toe moesten en zij hadden heel wat ervaring met de rust en orde in Upton Park. Ze kwamen nog liever een kudde krijsende West Ham supporters tegen dan Jackie Jackson met een paar borrels op.

Maar het arrestatiebevel was hun paspoort, dus liep hij voorzichtig naar binnen in de verwachting een halvegare aan te treffen, ter ere van de gelegenheid in een zwarte jurk, zwaaiend met een of ander wapen. In plaats daarvan was hij blij verrast Lena Summers te zien, die hij al vanaf zijn straattijd kende en de beide andere Jackson-meisjes.

'Waar is Jackie?' Alle vormelijkheid was nu verdwenen. Dit was een ernstige zaak en hij wilde antwoorden op vragen zodat hij de noodzakelijke voorzorgsmaatregelen kon nemen.

'Ze ligt boven te slapen,' zei Lena tegen hem en ze zag dat het huis zich langzaam vulde met politiemensen. Het enige waar ze aan kon denken waren de voorspellende woorden van haar man over hun kleinzoon. Hij zei dat kleine Freddie iemand zou vermoorden en ze twijfelde er niet aan dat hij dat eindelijk had gedaan. De kit kwam niet zo snel met een arrestatiebevel en genoeg uniformen om dat ook uit te voeren, tenzij ze minstens een ooggetuige hadden.

Arme Jackie, uitgerekend vandaag.

'Ga je moeder wakker maken, Kim. Ze halen hier zo de hele boel overhoop op zoek naar hem of het wapen. Ik hoop dat God haar bijstaat, alsof ze niet genoeg aan haar hoofd heeft.'

Murray grijnsde. 'Ik denk dat deze agente die eer krijgt toebedeeld. De ouderslaapkamer is de derde deur links.'

Rox glimlachte toen de jonge vrouw de trap opliep. Net als Murray en de oudere agenten was ze benieuwd hoe haar moeder deze inval van de politie zou oppakken.

Ze werden niet teleurgesteld. Het meisje gilde het uit en Murray hield pas op met grinniken toen ze zich over de overloop heen boog en ze helemaal onderkotste.

Lily bracht een pot decafé en een sandwich. Maggie bedankte haar met een glimlach, ze ging eindelijk achterover in haar stoel zitten en rekte haar pijnlijke spieren. Zoals altijd zat Lily tegenover haar, klaar om haar bij te praten over alle mensen die ze intiem kende maar nog nooit had ontmoet.

Administratie was tegenwoordig Maggies grootste vriendin. Het leidde haar af van haar problemen en ze wist Lily's gebabbel uit te stellen door bedrijvig alle papieren tot een nette stapel te verzamelen.

De telefoon ging en ze nam op. Ze zei met vermoeide stem: 'Hallo.'

Lily kon haar ogen niet geloven toen ze een paar tellen later de hoorn uit haar hand liet vallen, achterover in haar stoel viel, haar hand over haar mond legde en maar heen en weer bleef wiegen. Ze slaakte een afschuwelijk jammergeluid en Lily zou later die avond tegen haar gezin vertellen dat ze nog nooit zoiets had gehoord, zo angstaanjagend vreemd had haar werkgever gereageerd op wat duidelijk slecht nieuws of zo moest zijn. En die arme mevrouw Jackson had haar portie slecht nieuws de afgelopen maanden wel gehad.

Een paar minuten later zag ze tot haar opluchting meneer Jackson door de voordeur stappen. Hij rende op zijn vrouw toe en, zoals Lily later zo dramatisch mogelijk tegen haar verbijsterde gezin zou vertellen, mevrouw Jackson klemde zich aan hem vast alsof haar leven van hem afhing. Hoewel Lily Small dat niet kon weten, was dat een uitermate rake en accurate bewering.

Rox probeerde de inhoud van haar maag binnen te houden en Dicky hield haar stevig vast terwijl hij tegelijk naar Maggies huis probeerde te rijden. Dianna en Kimberley zaten achterin met die arme Lena die haar dode dochter nooit zo in bed had mogen zien liggen, haar polsen doorgesneden en een plastic zak over haar hoofd.

Wat was dat toch met die verdomde plastic zakken? Eerst kleine Jimmy en nu zij.

Dicky begon nijdig te worden. Job leek een loterijwinnaar vergeleken met de Jacksons. Nu Rox zwanger was, werkte hij voor Jimmy, zijn lievelingsoom die toevallig ook nog eens mister Big was, maar hij begon te denken dat ze allemaal verdomme vervloekt waren. Hij vroeg zich nu af of hij zichzelf niet wat meer tijd moest geven voordat hij nauwer bij ze betrokken raakte. Maar hij kon Rox moeilijk in de steek laten nu ze een buik vol armen en benen had.

Ook al hield hij nog zoveel van haar, dit begon hem allemaal toch al te gek te worden, al beschouwde hij zichzelf als een harde noot, die met alles wat het leven hem toewierp wel raad wist. Nou, op dit moment vuurde het leven raketten af en hij was er niet gelukkig mee dat hij midden in het schootsveld stond.

Hij was blij dat hij Jimmy's auto op de oprijlaan zag staan. Er was tenminste nog een man en nu kon hij er misschien nog een paar bonuspunten uitslepen, dus niet de hele dag was bedorven.

Die arme oude Lena, zijn hart ging naar haar uit. Ze had nog geen enkele reactie getoond en hij hoopte dat die oude Joe gauw zou komen, want ze zag er absoluut niet goed uit. Dat kon hij er nog net bij hebben, dat zij van de shock dood zou neervallen en dat zij met de brokken zouden zitten.

Dit ging verdomme alle perken te buiten, zo'n idiote dag had hij nog nooit van zijn leven beleefd. Dicky had nog nooit de gecompliceerde en gevaarlijke familiebanden van de Jacksons van zo dichtbij meegemaakt en nu hij een kijkje in de keuken kreeg, was hij wel zo wijs daar beducht voor te zijn.

Maggie zat te huilen toen hij Rox naar binnen bracht. Het meisje klemde zich aan hem vast alsof haar leven ervan afhing en pas nadat hij haar van zich had afgepeld en ze in de armen van haar tante was gezonken, kon hij eindelijk in alle rust een peuk opsteken en over zijn pijnlijke nekspieren wrijven. Vandaag luidde zijn mantra absoluut 'verdomde idioot'. Dat zei hij steeds maar weer.

Epiloog

Ozzy was blij dat het bezoek gisteren zo goed was gegaan, want hij wist dat zijn tijd bijna op was. Als ze hadden aangeboden hem voorwaardelijk op vrije voeten te stellen vanwege zijn ziekte, dan zou hij opgewekt weer een moord plegen om ervoor te zorgen dat dat nooit zou gebeuren. Eigenlijk was het raar. Hij was aan dit leven gewend geraakt, en hij wist dat dat kwam omdat iets diep binnen in hem was ontwricht, was gebroken.

Maar nu zijn tijd kwam, was hij gelukkig. Hij had van de afgelopen jaren genoten, de eenzaamheid, de camaraderie met zijn medegevangenen, en de opwinding dat hij een fortuin aan het vergaren was terwijl hij zogenaamd door de koningin was gestraft.

Hij mocht de koningin wel. Wanneer de jongere knullen haar vervloekten omdat ze werden vervolgd en uiteindelijk in haar naam werden veroordeeld, legde hij ze altijd uit dat zij slechts een boegbeeld was, zij had eigenlijk helemaal niets met dat tuig te maken. Ze liet alles over aan dat schorem van de politie en de gerechtshoven. Dat moesten ze onthouden, en ontzag voor haar hebben dat ze verdomme de zaak tegen hen had gewonnen, anders zouden ze daar niet zijn. Wanneer ze hun hersens hadden gebruikt, zouden ze daar helemaal niet terecht zijn gekomen.

Wat hem betrof was dit een stadsguerrilla, wij tegen zij. Zij waren natuurlijk tegen iedereen die het waagde om de wet te handhaven terwijl zij die overtraden om verdomme de kost te kunnen verdienen.

Zelfs Ozzy verwachtte van ze dat ze die rottige gasmeterbandieten achter de tralies stopten. En die klotestraatrovers waren een smet op de maatschappij. Maar hij beschouwde zichzelf en de anderen in zijn stiel als zakenlui, wat ze natuurlijk ook waren.

Hij zag dat die knaap weer gelukkig was en daar had hij de laatste dagen van zijn leven voor willen opgeven. De Jackson-familie was gedecimeerd. Al hun problemen waren terug te voeren op één familielid en Ozzy voelde zich soms verantwoordelijk voor alle problemen die Freddie door de jaren heen had veroorzaakt. Hij had Freddie erover laten dromen dat hij aan de top zou staan, zijn eerste grote vangst, maar hij had hem er gaandeweg ook weer uit gewerkt en Jimmy binnengehaald.

Dus onbedoeld had hij de chaos veroorzaakt die daaruit was voortgevloeid en dat speet hem oprecht. Maar vandaag zag Jimmy er goed uit en was gelukkig met zijn leven, alleen al daarvoor zou Ozzy eeuwig dankbaar zijn.

Hij had nooit een gezin gewild, zelfs zijn zuster Pat begon op zijn zenuwen te werken, maar Jimmy had een snaar bij hem weten te raken. Hij wist dat Jimmy nooit ook maar een cent méér nam dan waar hij recht op had, want al die jaren had hij zelf de boeken ook heimelijk laten controleren. Hij had vanaf het begin geweten dat Jimmy nog geen pond zou nemen dat niet van hem was, maar je kon daar bij niemand voor honderd procent op vertrouwen. Het had hem jaren gekost, maar hij was nu zover dat hij moest toegeven dat de jongen volslagen eerlijk was.

Dat deed hem plezier. Als hij eindelijk de pijp uit zou gaan, zou Jimmy Jackson werkelijk een rijk man zijn, en hij verdiende elke cent die hij kreeg.

Ozzy had het gevoel dat hij hem genoegdoening moest geven, want door hem in hun wereld te trekken, had hij ongewild een levensgevaarlijke vijand voor Jimmy gecreëerd. En die vijand was dubbel gevaarlijk omdat die een bloedverwant van hem was. Familie, zo wist hij, kon veel verraderlijker en veel wraakzuchtiger zijn dan welke vijand ook die je gelukkige pad kruiste. Hun kracht zat hem erin dat ze je zo goed kenden, en zoals het gezegde luidt: kennis is macht. En je had geen enkele reden om ze niet te vertrouwen, totdat het natuurlijk te laat was en ze je levenslang achter de tralies werkten.

Ozzy zat in zijn cel en feliciteerde zichzelf dat hij zo wijs was geweest om de buitenwereld met rust te laten. Binnen hoefde hij zich het hoofd niet te breken over al te gewichtige kwesties, tenzij hij daar zin in had. Hij zette zijn draagbare tv aan. De talkshow van Richard en Judy was bezig en hij vond de manier waarop ze met elkaar omgingen leuk. Hij genoot van dit kleine beetje contact met de buitenwereld via dat glazen scherm van zijn ouderwetse zwart-wit tv.

Hij moest nog één ding doen en dat had hij een paar weken eerder al geregeld. Hij zou vanavond daarvoor het startschot geven, dan zou een gedweeë cipier hem zoals gebruikelijk zijn mobieltje komen brengen zodat hij in betrekkelijke rust de noodzakelijke telefoontjes kon plegen. Hij bracht hem ook elke dag een fles Glenfiddich. Daar trakteerde hij zichzelf 's avonds op met een druppel heet water en heel veel suiker.

Hij zou Jimmy niet vertellen wat zijn laatste actie was. Hij was veel beter af als hij er helemaal niets van wist. Maar het was meer waard dan al het geld van de wereld, want daardoor zou Jimmy Jackson 's nachts een stuk beter slapen. En Ozzy zou daardoor het gevoel hebben dat hij alles had gedaan wat in zijn macht lag om de jonge Jimmy Jackson, het nieuwe Gezicht van Londen, genoegdoening te geven.

Glenford Prentiss lurkte aan zijn eeuwige joint en glimlachte naar de jonge koffiekleurige buikdanseres met fiere borsten en een heel dure glimlach.

Zijn telefoon ging en hij nam hem met fronsende wenkbrauwen aan. 'Hallo, Ozzy.'

Het meisje hoorde het ontzag in zijn stem en het schoot door haar heen dat iedereen aan iemand verantwoording had af te leggen, maakte niet uit wie ze waren.

'Natuurlijk is alles geregeld. De jongen vertrekt vanavond.'

Libby, zo heette ze, keek toe hoe Glenford het gesprek verbrak en de telefoon met een zucht op tafel legde. Toen dronk hij in recordtijd zijn Bacardi-cola op en zei: 'Nou, waar waren we?'

Maar ze had prima in de gaten dat hij een hoop aan zijn hoofd had. 'Alles goed, Glenford?'

Hij haalde zijn schouders op. 'Natuurlijk, meid.'

Toen glimlachte ze en hij glimlachte terug, en was gelukkiger dan hij in lange tijd was geweest.

Maggie lachte, ze lachte echt en Lena en Joe keken elkaar blij aan.

'Goeie vent, hè, die Jimmy.'

'Een spetter. Verdomme, Lena, schenk eens wat thee in voordat de kerstmisdrukte begint, ja.'

Lena grijnsde. Ze waren tegenwoordig veel bij Maggie, net als de meisjes. Jimmy vond het prima, maar ze vermoedde wel dat hij soms zijn vrouw voor zichzelf wilde hebben. Nou, die wens zou wel eens eerder uit kunnen komen dan hij dacht.

De meisjes begonnen langzaam te accepteren wat er allemaal was gebeurd, en ze waren sterker dan ze hadden verwacht. Jackies zelfmoordbriefje had niet bepaald geholpen, dat wist ze ook wel. Ze had gewoon opgeschreven, niet aan iemand in het bijzonder: 'Sorry, maar zonder hem kan ik niet leven. Zorg dat jullie gelukkig worden.'

Zo kort, zo schrijnend en zo eenzaam dat ze zelf wel had willen sterven. Haar arme dochter, zelfs in de dood bleef ze in de greep van de man die haar opzettelijk en systematisch had afgebroken, totdat ze was vergeten hoe ze gelukkig moest zijn, hoe ze haar leven moest leiden.

Lena bad elke dag dat haar arme Jackie eindelijk rust had gevonden.

'Daar komen ze, Lena. Ga wat verse thee zetten, deze is ouder dan ikzelf.'

Joe was stapelgek op Maggie en hij hield van Jimmy, maar toen ze de grote serre in kwamen lopen en de baby in zijn armen legden, straalde zijn gezicht als een baken.

Wat hun betrof was dit een wonderkind, en de familie was dichter tot elkaar gekomen door zijn geboorte en die van zijn neefje.

Rox was een paar maanden geleden al bevallen van een zoon en ze leken als twee druppels water op elkaar. Ze waren allebei sterk en hadden donker haar. Soms gleed er een schaduw over Lena's gezicht omdat ze zo op Freddie en Jimmy leken en alles weer van voren af aan zou beginnen.

Maar deze twee zouden zo niet worden. Jimmy zou erop toezien dat ze fatsoenlijk zouden worden opgevoed. Kleine Dicky zat diep in de put, dus Rox had hem haar eigen naam gegeven, en nu heetten ze allebei Jackson. Rox had besloten dat er geen sprake kon zijn van een huwelijk. Ze wilde wachten tot haar leven weer op de rails was. De kranten hadden de tijd van hun leven gehad, en ze hadden er allemaal onder geleden dat elke dag hun hele hebben en houden er breed in uitgemeten had gestaan. Ze werden gebrandmerkt als criminelen en alles was uit de kast gehaald om de verkoopcijfers van de rioolpers omhoog te krikken.

Lena keek naar de beide kleine Josephs en ze wist dat het haar man enorm plezier deed, meer dan wat ook in zijn leven.

'Komen de meisjes vanavond nog?'

Maggie schudde haar hoofd. 'Nee, ze gaan allemaal uit en dat werd tijd ook. Wat vind je van hun huis, mam?'

Lena glimlachte weer naar haar dochter en zei in alle oprechtheid: 'Het is prachtig en ze vinden het er heerlijk. Jullie zijn hartstikke goed, weet je dat? Jullie allebei.'

Jimmy haalde zijn schouders op. 'Wat kun je anders, het is toch familie.'

Joseph knikte instemmend. 'Wat er althans van over is, hè?' Hij hield zijn kleinzoon stevig vast bij die woorden en bad dat deze jongen, en zijn achterkleinzoon, niets van Freddie Jackson hadden meegekregen.

Familie was een zegen, maar ook een verdomde vloek. Hij wist dat beter dan wie ook ter wereld.

Joseph had vanochtend een telefoontje gekregen van de beveiligde afdeling waar zijn andere kleinkind was ondergebracht, ze hadden hem verteld dat het erop leek dat Freddie zich 's nachts had verhangen. Hij had een golf van blijdschap gevoeld toen hij het bericht hoorde. Hij verafschuwde de jongen en hij kon zijn geluk niet op te horen dat hij dood was. Weer een krankzinnige gek opgeruimd.

Hij zou het ze uiteindelijk wel vertellen, als de tijd rijp was. Tot die tijd zou hij ze laten genieten van die prachtige zomerdagen.

Maggie lag op het voeteneind van de chaise longue haar zoon de borst te geven. Dit was voor haar het mooiste moment van de dag. Ze telde tegenwoordig haar zegeningen. God had het over zijn hart verkregen haar dit kind te schenken en ze was niet van plan haar geluk te laten verstoren.

Ze zou kleine Jimmy nooit vergeten, maar Joseph was als een reddingsboei en ze had zich aan hem vastgeklampt alsof haar leven ervan afhing tot de angst ten langen leste was verdwenen. Freddie en zijn gif waren nu geschiedenis. Hij had over te veel levens geregeerd en het werd tijd dat er een eind kwam aan het feit dat hij hun gevoelens en gedachten dicteerde.

Ze zag er nog steeds jong uit, dat wist ze wel. Haar lichaam was niet meer zo mooi als vroeger, maar daar gaf ze niet om en Jimmy ook niet. Hij nam haar nog steeds met dezelfde passie als toen ze voor het eerst bij elkaar in bed lagen.

Ze moest vaak aan Jackie denken. Ze miste haar, maar ze wist dat de meisjes er altijd voor haar zouden zijn, net zoals zij er altijd voor hen was geweest.

Het voelde vreemd aan dat ze weer een normaal leven hadden. Het was zo lang geleden dat ze zich zo had gevoeld. Ze was vergeten hoe het was om gewoon te zitten en na te denken, net als andere mensen.

Er gewoon zijn.

Ze was weer gelukkig, maar dit geluk was oprecht. Zoals haar Jimmy zo lang geleden had gezegd, was het soms het beste om de dingen onuitgesproken te laten, daar was ze nu zelf een groot voorstander van.

Jimmy kon niet genoeg van dit tafereel krijgen. Hij kon dag en nacht naar Mags zitten kijken wanneer ze Joseph de borst gaf. Voor hem was het het mooiste schouwspel van de wereld. Ze hadden een tweede kans gekregen en ze waren vast van plan er een succes van te maken.

Freddie Jackson had op allerlei manieren in al hun levens dood en verderf gezaaid, nu was hij allang dood en begraven, en de wonden die hij hen had toegebracht waren aan het helen.

Elke dag voelde hij het verschil sterker. Zelfs de meisjes kwamen in het reine met de verwoestingen die in hun levens hadden plaatsgevonden. Ze waren dikker met elkaar dan ooit tevoren en gaandeweg vlogen ze uit het nest dat Maggie hen had geboden.

Hij had zoveel in zijn leven bereikt, hij had voor zijn gezin gewerkt, had geprobeerd een goed leven te leiden en nu was het zijn plicht om ervoor te zorgen dat Freddie Jackson hun geluk geen strobreed meer in de weg zou leggen.

Als Freddie al een erfenis had nagelaten, dan was het wel dat de rest van de familie dichter tot elkaar was gekomen. Zoals Ozzy hem altijd al had gezegd, zoek naar de positieve in plaats van naar de slechte kanten, dan is het leven zoveel makkelijker te dragen. De Jackson-clan was nog steeds sterk en er zouden voortdurend nieuwe rekruten bij komen. Rox had voor de meisjes al het spits afgebeten.

Het Jackson-imperium zou blijven voortbestaan, en hij was vastbesloten om dat aan deze kleine knul hier door te geven. Wat had het anders allemaal voor zin?

Hij glimlachte naar zijn prachtige vrouw en koesterde zich in zijn geluk, want als een Jackson was hij door schade en schande wel zo wijs geworden dat je nooit wist hoe lang dat geluk zou duren.